GEOPOLÍTICA DA INTERVENÇÃO

Fernando Augusto Fernandes

GEOPOLÍTICA DA INTERVENÇÃO

A verdadeira história
da Lava Jato

GERAÇÃO

Copyright © 2020 by Fernando Augusto Fernandes
Copyright © 2020 by Geração Editorial
1ª edição – Setembro de 2020

Grafia atualizada segundo o Acordo Ortográfico da Língua Portuguesa
de 1990, que entrou em vigor no Brasil em 2009.

Editor e Publisher
Luiz Fernando Emediato

Diretora Editorial
Fernanda Emediato

Estagiário
Luis Gustavo

Capa
Alan Maia

Projeto Gráfico e Diagramação
Cia. de Desenho

Preparação de Texto
Josias A. Andrade

Revisão
Hugo Almeida

Dados Internacionais de Catalogação na Publicação (CIP) de acordo com ISBD

Augusto Fernandes, Fernando
Geopolítica da Intervenção: a verdadeira história da Lava Jato / Fernando
Augusto Fernandes. –– 1. ed. –– São Paulo : Geração Editorial, 2020.
464 p. ; 15,6cm x 23cm.

ISBN: 978-65-5647-007-8

1. Brasil – Política e governo 2. Ciências políticas 3. Corrupção na política – Brasil
4. Geopolítica 5. Geopolítica – Brasil 6. Investigação criminal – Brasil I. Título.

20-39246   CDD 320.1

Elaborado por Maria Alice Ferreira – CRB–8/7964

Índice para catálogo sistemático
1. Lava Jato: Corrupção: Ciências políticas 320.1

GERAÇÃO EDITORIAL
Rua João Pereira, 81 — Lapa
CEP: 05074-070 — São Paulo — SP
Tel.: (+55 11) 3256-4444
E-mail: geracaoeditorial@geracaoeditorial.com.br
www.geracaoeditorial.com.br

Impresso no Brasil
Printed in Brazil

"A verdadeira medida do valor de uma pessoa não está naquilo em que ela acredita, mas sim no que ela faz pelo que acredita. [...] Se você não agir em nome do que acredita, provavelmente suas crenças não são reais."

Edward Snowden para **Glenn Greenwald**

"Vivo da advocacia, pela advocacia e, para a advocacia, por entre dificuldades financeiras e profissionais que só Deus conhece. Só tenho uma arma, senhor presidente: a minha palavra franca, leal e indomável."

Heráclito Sobral Pinto
Carta encaminhada a Castelo Branco, no dia 9 de abril de 1964

Sumário

PREFÁCIO 9

INTRODUÇÃO 13

1. GEOPOLÍTICA DA INTERVENÇÃO 17

2. A GUERRA ÀS DROGAS E AS NOSSAS POLÍCIAS 23

3. JUÍZES BRASILEIROS E A SOBERANIA 49

4. O GRANDE IRMÃO 69

5. O HISTÓRICO ANTERIOR À LAVA JATO 87

6. "CONSIDERAÇÕES SOBRE A OPERAÇÃO *MANI PULITE*" 107

7. O INÍCIO DA LAVA JATO – A FASE 1.
BANHO E SOBRAL PINTO 111

8. CONTRA O TEMPO 125

9. A AJUDA DO GRANDE IRMÃO 137

10. A PRIMEIRA DELAÇÃO 147

GEOPOLÍTICA DA
INTERVENÇÃO

11. AS OUTRAS FRAUDES NA DISTRIBUIÇÃO: TRF – STJ – STF..........**155**

12. A INCOMPETÊNCIA NÃO DECIDIDA...**171**

13. O RESULTADO ADIADO – O MORO DO STF **201**

14. FALTA DO DEVER DE CUIDADO DO STF **237**

15. O CRIME DO ACERVO
PRESIDENCIAL E O JULGAMENTO...**287**

16. O ANO DE 2019...**345**

17. RELIGIÃO..**365**

18. OS LAÇOS DA FAMÍLIA LAVA JATO **395**

19. OAB – OMISSA OU COAUTORA? **407**

CONCLUSÃO 429

GLOSSÁRIO 434

ÍNDICE ONOMÁSTICO 436

PREFÁCIO

Numa certa manhã, alguns verões atrás, em uma praia no litoral sul do Rio de Janeiro, fomos abordados por um sorridente veranista que se apresentou como Fernando Augusto Fernandes, advogado criminalista.

Apesar de estarmos conhecendo-o naquele momento, já havia muito tínhamos ouvido falar de sua competência no exercício da profissão e de honrar o escritório que o pai, Fernando Tristão Fernandes, combativo e respeitado advogado, a ele entregara para comandar.

Quando fomos convidados a fazer o prefácio deste livro, ficamos a princípio surpresos, embora já estivéssemos encantados com a educação e a cordialidade de Fernando Augusto, pois em um primeiro momento achamos que este livro versaria sobre Direito Penal, mas logo que começamos a lê-lo passamos da surpresa ao encanto e do encanto à reflexão, por nos defrontarmos com os momentos vividos por nós mesmos e por muitos outros, feitos de alegrias, é certo, mas alegrias misturadas a muitas lágrimas e cimentadas com sangue e cobertas pelo medo; tanto assim que muitos de nós resolveram esquecer essa época sofrida vivida pelo país, para não nos estiolarmos.

Fernando Augusto Fernandes é doutor em Ciência Política pela Universidade Federal Fluminense (UFF) e mestre em Direito Penal com a dissertação *Poder & Saber – Campo jurídico e ideologia.*

Além de advogado, professor, articulista e escritor, Fernando Augusto é um apaixonado pela liberdade, o que o levou a estudar as ideologias que embasaram o nazismo e outras visões de mundo que permearam e permeiam ideais autoritários e dominadores de pessoas ou povos.

Não passou despercebido do olhar atento do cientista político o expansionismo do império americano após a 2ª Guerra Mundial e, como não poderia deixar de ser, sua fascinação pelo gigante e silencioso Brasil que repousava em berço esplêndido, fortemente influenciado pela cultura europeia, especialmente a francesa, e que mantinha suas riquezas incontáveis expostas a céu aberto para a cobiça internacional e àqueles que jamais tiveram amor e orgulho de sua pátria para querer ver o amanhã brilhar nesta terra esplêndida, que, de tão esplêndida, não teve condições de dar a seus filhos nada mais do que sobrou da dilapidação que sofreu da rapinagem dos que venderam a soldo vil suas riquezas, fossem eles nominados príncipes ou lacaios, brasileiros ou estrangeiros.

Não pretendemos fazer um resumo do livro que temos a distinção de prefaciar.

O leitor que lê o resumo de um livro, sua condensação por quem não é o autor, não merece lê-lo. Quem não quer ter o trabalho de procurar o fio de Ariadne que levará o leitor ao conhecimento da obra e a descoberta da tessitura utilizada pelo autor para nos captar, envolver, enlevar, não é leitor, é usurpador mesquinho do que não é precioso e cativante em um livro. Entretanto, não podemos deixar voar pelas linhas do livro de Fernando Augusto e aterrizar no capítulo que trata da Lava Jato, início dos tempos sombrios que vivemos, em que um herói americano, travestido de juiz vingador, vem abortar nossas ilusões e bradar que ele traz em suas mãos a espada da justiça e a láurea da imparcialidade, como se nós, amantes de nossa terra, de nosso querido Brasil, só pudéssemos nos reconhecer nos distorcidos espelhos das ilusões.

É o passado que volta a nos inquietar, pois tentamos sepultá-lo em cova rasa, pois quisemos negá-lo, esquecê-lo e enxotá-lo para baixo do tapete no quarto de despejo de nossas casas.

O que pretende um prefácio? Resta-nos esta última indagação, para lançá-los à aventura de ler, de abrir as janelas da alma e navegar em céus desconhecidos. Um prefácio pretende exortar a leitura do livro prefaciado. Não sei se atingimos nosso objetivo, mas não podemos deixar de dizer àqueles que se derem ao trabalho de ler este prefácio, mesmo que não concordem com as ideias que alicerçam o posicionamento do autor, elas o farão refletir sobre os destinos do nosso país.

Paraty, 18 de junho de 2020

CELSO ANTÔNIO BANDEIRA DE MELLO
WEIDA ZANCANER

Introdução

Conhecer a história dos processos penais é desvendar grande parte do registro de um país e de uma época. Assim Michel Foucault fez em *Vigiar e Punir* para desvendar as estruturas de poder. O poder punitivo pode servir de pista para entender a escravidão e as estruturas de composição de uma sociedade.

A história deste livro sobre a Lava Jato é uma mistura de pesquisa, estudo e vivência própria, quase um testemunho.

Sendo o Direito Penal fundamental para uma investigação pela metodologia indiciária, como um caso de Sherlock Holmes, neste livro deixo aos leitores e historiadores do futuro um relato e registro de documentos, *links* de vídeos na internet, matérias jornalísticas e também presto um depoimento no tribunal da história.

Como advogado, atuei em processos rumorosos, entre eles o do ex-presidente Lula, em defesa do presidente do Instituto Lula. Mas também participei da defesa na primeira fase para a Lava Jato obtendo a liminar que parou a operação. Em cada peça tivemos o cuidado de deixar elementos para que no futuro sirvam para ajudar a compreensão do que ocorreu. Esses relatos desembocam neste livro.

Escrito longe de minha biblioteca, durante a quarentena da Covid-19 em 2020, não pude exigir tudo que poderia em um trabalho acadêmico. Nem me aprofundar tanto do ponto de vista teórico como gostaria. Mas mesmo assim o livro traz informações fundamentais para a compreensão não somente da Lava Jato, mas dos eventos que desencadearam a instabilidade que nos afasta da plena democracia que esperávamos no nosso país.

No primeiro capítulo 1. *Geopolítica da Intervenção*, retorno à estruturação da "Doutrina de Segurança Nacional" que possibilitou o Regime de 1964, tema que analisei no livro *Voz Humana – A Defesa Perante os Tribunais da República*. No capítulo 2. *A guerra às drogas e as nossas polícias*, ingresso na forma que os Estados Unidos, assim como fizeram com nossos militares, vão influir nas nossas polícias em nome da guerra às drogas. No capítulo 3. *Juízes brasileiros e a soberania*, relato a continuidade das ações de uma nação estrangeira na estratégia de cooptar e influir nos juízes e membros do Ministério Público brasileiro. Inacreditavelmente essas claras ofensas à nossa soberania são relegadas.

A partir daí, no capítulo 4. *O Grande Irmão*, há um relato sobre o caso de Edward Snowden e da atuação de Glenn Greenwald sobre a vigilância global dos Estados Unidos. E no capítulo 5. *O histórico anterior à Lava Jato*, falo sobre a cooperação de Moro com os Estados Unidos em um caso concreto de que participei. No capítulo 6. o texto de Sérgio Moro intitulado *Considerações sobre a operação mani pulite* é um rascunho do plano da Lava Jato.

Todos esses capítulos vão permitir compreender a Lava Jato contada em parte nos capítulos 7. *O início da Lava Jato – A fase 1. Banho e Sobral Pinto*; 8. *Contra o Tempo*; 9. *A ajuda do Grande Irmão*; 10. *A primeira Delação*; 11. *As outras fraudes na distribuição*; 12. *A incompetência não decidida*; 13. *O resultado adiado – O Moro do STF*; 14. *A falta do dever de cuidado do STF*; 15. *O crime do acervo presidencial e o julgamento*; 16. *O ano de 2019*.

Após o relato da Operação e o que vivi, resolvi criar dois elementos para análise: o capítulo 17. *Religião*; e capítulo 18. *Os laços da família Lava Jato*. O objetivo é entender as relações que sustentaram a Lava Jato.

Por fim, no capítulo 19. *OAB – Omissa ou coautora?*, trato da participação da OAB (Ordem dos Advogados do Brasil) nesse quadro.

A OAB foi coautora, e mesmo com a mudança de discurso continua sem condições de defender a democracia e os advogados.

Cazuza dizia que "o tempo não para". A Covid-19 interrompeu muitas coisas. Mais que tudo, interrompeu vidas, perdas humanas incalculáveis. Ao mesmo tempo interrompeu o mundo como ele se desenvolvia. Os aviões estão no chão, parados nos aeroportos. As diferenças sociais se acirram entre quem pode se proteger e aqueles largados à própria sorte.

Na política a Lava Jato perdeu importância. O ato do ministro Alexandre de Moraes de liberar o valor que os procuradores da Lava Jato desejavam receber para um fundo de combate à corrupção para a Saúde mostra essa mudança. Moro, que usou a Polícia Federal para atingir seus objetivos políticos e eleger Bolsonaro, sai do governo dizendo que o presidente pretendia intervir na PF. Quase dizendo que mover politicamente com a Federal seria privilégio de Moro.

O monstro alimentado continua devorando. E a Federal acaba invadindo o Palácio do Governo do Estado do Rio de Janeiro, cujo governador, ex-juiz federal, se elegeu em razão de Moro e Bolsonaro.

Mas assim como a facada no candidato Bolsonaro foi surpreendente e algo inesperado, catapulta a candidatura; um policial mata um cidadão americano negro, George Floyd, e explode protestos no mundo, inclusive no Brasil, antifascistas.

O flerte com a ditadura, as comemorações ao golpe, inclusive permitidas pelo ministro presidente do STF ao seu ex-assessor e hoje ministro da Defesa, ou a manifestação de um general, Augusto Heleno, em clara ameaça ao STF, um fato inesperado pode gerar um descarrilamento democrático, ao mesmo tempo que os protestos podem alterar a gangorra que elegeu a direita.

Em pleno confinamento do Covid-19, tive tempo de escrever este livro que já estava pendente. Espero que seja uma contribuição para entendermos nossa história e lutarmos pelos direitos constitucionais e pela democracia plena.

1. Geopolítica
da Intervenção

Os Estados Unidos saíram fortalecidos da 2ª Guerra Mundial, longe de seu território e assumiram um poder maior na Geopolítica Mundial. Os militares brasileiros, antes influenciados pelas escolas militares francesas, passaram pelas escolas americanas e pelo Pentágono[1].

O Golpe de 1964 não foi realizado em 1º de abril de 1964. Ele eclodiu naquele dia, mas foi gestado muito antes e demorou para se consolidar. A gestação da "Doutrina de Segurança Nacional" foi formada pelos americanos que usaram de seu poder geopolítico para incutir nas Forças Armadas brasileiras uma doutrina que lhes convinha.

Os americanos continuaram em guerra, a Guerra Fria, absorvendo princípios da doutrina nazista. Hitler se lançou em uma guerra total que seria pela sobrevivência do povo alemão, criando a coesão e a energia que haviam faltado na 1ª Guerra Mundial. Segundo Ludendorff, um dos ideólogos alemães, essa guerra absoluta "é a suprema expressão da vontade de viver de uma raça"[2].

---

[1] FERNANDES, Fernando Augusto. *Voz Humana – A Defesa Perante os Tribunais da República*. São Paulo: Geração Editorial, 2020, pág. 173.

[2] COMBLIN, Padre Joseph. *A ideologia da Segurança Nacional – O poder militar na América Latina*, de A. Veiga Fialho, Rio de Janeiro: Civilização Brasileira, 1978, pág. 63.

A "Doutrina de Segurança Nacional" buscava conceitos de Nação e de bipolariadade na geopolítica pangermanista, em que o Estado seria como um organismo vivo que necessita de espaço para expansão, um "espaço vital – a superioridade da raça germânica e a absoluta necessidade de possuir colônias[3]" – defendia Ratzel. "A guerra é o único remédio para as nações doentes"[4], era frase de Von Treitschke.

Em 1964, os militares brasileiros se dividiam em dois grupos: um, mais intelectualizado, ligado às escolas superiores das Forças Armadas, apelidado de "Sorbonne", do qual participavam Golbery do Couto e Silva, Admar de Queiroz e Cordeiro de Farias; e o outro, mais ligado à tropa, formado por generais e coronéis de "cultura militar". Para o general Golbery do Couto e Silva, a guerra contra o comunismo era uma guerra total e permanente, travada nos planos político, econômico e psicológico. No trecho a seguir, de sua obra, podem-se perceber as influências americanas carregadas das mesmas ideias pangermanistas, ideias que pareciam passado, mas que se desencapsularam nas eleições de 2018 no Brasil.

> Hoje ampliou-se o conceito de guerra e não só – como reclamava e calorosamente advogou Ludendorff em depoimento célebre – a todo o espaço territorial dos Estados beligerantes, absorvendo na voragem tremenda da luta a totalidade do esforço econômico, político, cultural e militar de que era capaz cada nação, rigidamente integrando todas as atividades em uma resultante única visando à vitória, confundindo soldados e civis, homens, mulheres e crianças nos mesmos sacrifícios e em perigos idênticos e obrigando à abdicação de liberdades seculares e direitos custosamente adquiridos, em mãos do Estado (...) De guerra estritamente militar passou ela, assim, a guerra

---

[3] *Ob. cit.*, pág. 185.
[4] *Ob. cit.*, pág. 185.

GEOPOLÍTICA DA INTERVENÇÃO

total, tanto econômica e financeira e política e psicológica e científica como guerra de exércitos, esquadras e aviações; de guerra total a guerra global; e de guerra global a guerra indivisível e – por que não reconhecê-lo? – permanente. A "guerra branca" de Hitler ou a guerra fria de Stalin substitui-se à paz e, na verdade, não se sabe já distinguir onde finda a paz e onde começa a guerra (…)

A essa guerra onipresente, todos os instrumentos de ação, direta ou a distância, lhe são de valia igual para alcançar a vitória que se traduza, por fim, na efetiva consecução dos Objetivos Nacionais e na satisfação completa das aspirações ou das ambições – justas ou injustificáveis, pouco importa – da alma popular (…)

A Geopolítica caracteriza-se outrossim pela sua conceituação do Estado, considerado este, ainda com mais rigor que nas próprias lições de Ratzel, como se fora um organismo supra-individual dotado de vida, de instintos e de consciência privativa – o famoso sentido espacial ou Raumsinn que surpreendentemente aparece, apenas mascarado, nas doutrinas norte-americanas do destino manifesto. (…) A concepção da supremacia do poder marítimo que fez a glória de Mahan, o norte-americano que veio explicar aos ingleses os verdadeiros fundamentos da grandeza de sua pátria, e não menos a doutrina da "revolta dos espaços continentais" que Mackinder magistralmente sistematizou em seu conhecido aforismo sobre a Ilha do Mundo e o Heartland (...)[5].

Ao mesmo tempo que adotavam a influência de dominação mundial nazista, os americanos a justificavam com a Doutrina Truman (1947), segundo a qual o comunismo russo é a repetição do nazismo, conquistador e expansionista, e "a política dos Estados Unidos deve

---

[5] SILVA, Golbery do Couto e. *Conjuntura Política Nacional – O Poder Executivo & Geopolítica do Brasil*. Coleção Documentos Brasileiros, Vol. 190. Rio de Janeiro: José Olympio Editora, 1981. pp. 19-33.

consistir em apoiar os povos livres que resistirem a todas as tentativas de dominação, seja por meio de minorias armadas, seja por meio de pressões externas"[6].

A vitória republicana de Eisenhower, em 1952, resultou na adoção da estratégia da "represália em massa", fazendo pesar o poder nuclear no mundo, parte da guerra absoluta. Até que nos governos John Kennedy e Lyndon Johnson a Doutrina McNamara fez as adaptações necessárias, distinguindo a guerra atômica, a convencional, a não convencional e a guerra revolucionária.

Tudo isso foi disseminado aos exércitos latino-americanos, via colégios militares americanos destinados a preparar oficiais e soldados na região do Canal do Panamá, em 1961 e 1962.

Três conceitos foram passados[7]. O primeiro é o de que a guerra revolucionária é a nova estratégia do comunismo internacional. Por esta teoria, em qualquer lugar onde haja uma guerra revolucionária há a presença do comunismo. A luta pela sobrevivência do capitalismo passaria pelo Terceiro Mundo.

O segundo decorre do primeiro, pois se atrás de toda guerra revolucionária há o comunismo, não se deve distinguir entre guerra de libertação nacional, guerrilhas, subversão, terrorismo... A guerra deveria ser encarada como absoluta. Terceiro: o combate é questão de técnica, e aí deixam-se enganar pelos franceses, que foram os primeiros a tratar de uma guerra de libertação, na Argélia.

Durante a ação militar na Argélia, a fase mais complicada foi a localização do inimigo, sendo necessário então um serviço de inteligência. Em princípio, todos aqueles que pertenciam a partidos e grupos favoráveis a causas anteriores à eclosão da guerrilha eram vistos como seus simpatizantes.

---

[6] *Op. cit.*, pág. 40, *apud* BOROSAGE, Robert. *The making of National Security Estage.*

[7] *Op. cit.*, pág. 44.

É necessário, segundo a "Doutrina de Segurança Nacional", detectar todos os membros da subversão, utilizando técnicas variadas e "a presença permanente em toda parte: nos locais de trabalho, de transporte, de recreio; prisões rápidas e informações"[8]. A tortura é a regra do jogo. "Inimigo bom é o inimigo morto. Adversário definido é inimigo disfarçado."

Por fim, Joseph Comblin define:

No primeiro plano da política interna, é a segurança nacional que destrói as barreiras das garantias constitucionais: a segurança não conhece barreiras; ela é constitucional e anticonstitucional; se a Constituição atrapalha, muda-se a Constituição. Em segundo lugar, a segurança nacional destrói, desfaz, a distinção entre política externa e interna. O inimigo, o mesmo inimigo, está ao mesmo tempo dentro e fora do país; o problema, portanto, é o mesmo. Dependendo das circunstâncias, os mesmos meios podem ser empregados tanto para inimigos externos quanto internos. Desaparece a diferença entre polícia e Exército: seus problemas são os mesmos (...).

Em terceiro lugar, a segurança nacional apaga a distinção entre a violência preventiva e a violência repressiva (...).

Esta doutrina veio a legitimar a tortura. Segundo a Segurança Nacional, estávamos numa guerra, uma guerra absoluta, semelhante à guerra atômica, em que um lado sairia dizimado, uma guerra cega, mas numa guerra diferente, em que a fórmula de Clausewitz foi deturpada, transformando a política numa continuação da guerra por outros meios[9].

O entendimento era de que havia uma:

---

[8] COMBLIN, Padre Joseph. *Op. cit.*, pág. 71.

[9] *Op. cit.*, nota 118.

infiltração silenciosa em todos os setores de atividade, a fim de criar contradições, explorar os problemas atuais, verdadeiros ou fictícios, lançar irmãos contra irmãos (...), conquistar a juventude que, devido ao seu idealismo, seu desapego, sua falta de maturidade, (...) constitui a massa de manobra ideal para seus interesses. (...)
Para esta ação junto aos jovens, os agentes comunistas utilizam todos os meios, desde chantagem e a coação psicológica até o uso de tóxico e frequentemente o apelo sexual, pregando a prática do amor livre (...)[10].

A guerra psicológica, a nova guerra revolucionária, toma o país por dentro e retoma o clima de perseguição ao inimigo interno, do Levante de 35.

Para os ideólogos da Segurança Nacional, a experiência da Argélia demonstrou que o importante eram as prisões rápidas e a informação. A tortura é a regra do jogo[11]. A maior diferença de 1937 para 1964 é que a tortura institucionalizou-se[12].

---

[10] *Op. cit.*, pág. 48.

[11] *Op. cit.*, pág. 46.

[12] *Op. cit.*, pág. 126.

2. A Guerra às Drogas e as Nossas Polícias

No mesmo momento em que se montava o inimigo interno comunista já se fazia o nascedouro do medo às drogas e a preparação para a nova guerra. Os movimentos *hippies* de resistência à guerra, como a guerra do Vietnã, tinham na maconha e no LSD (Lysergsäurediethylamid) uma forma de protesto. Cinco anos e meio depois do Golpe, o Decreto 1.004, de 21 de outubro de 1969, trazia no art. 311 uma forte criminalização à droga, sem diferença entre tráfico e uso. Em 1971, a Lei 5.726, de 29 de outubro, já trazia obrigações que são o nascedouro das obrigações que hoje se reavivam com obrigações da lei de lavagem de capitais e seu *compliance*. Passou a ser "dever de toda a pessoa física ou jurídica colaborar no combate ao tráfico e uso de substâncias entorpecentes ou que determinem dependência física ou química". Até que a Lei 6.368/76 entrou em vigor, passando a viger por anos, com alterações em 1986, sendo revogada já em 2006.

O termo Guerra das Drogas foi lançado em 1971 pelo presidente americano Richard Nixon como "inimigo público número um". Esta guerra, ao lado da Guerra Fria, vai gerar um vertiginoso aumento das prisões nos Estados Unidos, como forma de encarceramento da juventude negra, ao longo dos anos, no país que mais prende na história da humanidade, mas também possibilitar larga influência do Departamento de Entorpecente Americano (DEA) na América Latina.

É conhecida a influência americana na Colômbia e no México. A estratégia foi a mesma usada com nossos militares.

Documentos vazados pelo WikiLeaks na internet dão conta do entrelace da Operação Condor na América Latina, de combate ao comunismo, com a questão das drogas. O *site* Pública mostra um telegrama do embaixador americano no Brasil em 17 de outubro de 1973.

Naquele dia, o embaixador americano no Brasil, John Crimmins, escreveu um telegrama confidencial urgente ao Departamento de Estado chefiado por Henry Kissinger. A aflição do embaixador é evidente ao se referir à inesperada chegada ao país de uma equipe de inspeção do GAO (Government Accountability Office) – agência ligada ao Congresso americano, criada em 1921 e ainda em atividade – com a missão de investigar a adequação e legalidade das atividades das agências federais financiadas pelo contribuinte americano. Inicialmente marcada para o dia 3 de novembro, a antecipação da visita – que desembarcaria na noite do mesmo dia 17 no Brasil – deixou o embaixador em polvorosa. O objetivo da missão era auditar o programa antidrogas desenvolvido pela DEA – Drug Enforcement Administration – no país.

Criada pelo presidente Richard Nixon em julho de 1973, com 1.470 agentes e orçamento de 75 milhões de dólares, para unificar o combate internacional antidrogas, hoje a DEA tem 5 mil agentes e um orçamento anual de 2 bilhões de dólares. Embora ele mantivesse escritórios em nove países e representantes nas missões diplomáticas americanas em todo o mundo (ainda hoje a DEA tem escritórios na embaixada em Brasília e no consulado de São Paulo), desde 1969, quando ainda atendia pelo nome de BNDD (Bureau of Narcotics and Dangerous Drugs), a missão da DEA sempre foi "lidar com o problema das drogas, em ascensão, nos Estados Unidos". Sua relação com os outros países, ao menos oficialmente, não previa o combate às drogas em cada um deles; o objetivo era impedi-las de chegar à população americana.

GEOPOLÍTICA DA
INTERVENÇÃO

Por que então Crimmins estava tão preocupado com a chegada inesperada da equipe de auditoria ao Brasil? Ele explica no mesmo telegrama a Henry Kissinger:

Os oficiais da embaixada pedem instruções sobre quais os documentos dos arquivos da DEA e do Departamento do Estado, relativos a drogas, devem ser liberados para a equipe do GAO. Especificamente pedimos orientação sobre os seguintes assuntos: a) os planos de ação antidrogas, levando em conta que nem toda a estratégia sugerida nesses documentos foi aprovada pelo Comitê Interagências (Interagency Commitee) em Washington; b) tortura e abuso durante o interrogatório de prisioneiros; c) o centro de inteligência da Polícia Federal; d) os arquivos de informantes, incluindo os registros de pagamentos; e) operações confidenciais e telegramas de inteligência; f) operações clandestinas, incluindo a transferência de Toscanino do Uruguai ao Brasil; g) documentos de planejamento das alfândegas brasileiras e do departamento de polícia federal,

E detalha:

A resposta de Kissinger não consta da base de dados do National Archives (NARA) reunidos na Biblioteca de Documentos Diplomáticos do WikiLeaks, mas a julgar por outros documentos, havia sim motivos para se preocupar. Pelo menos em relação ao único caso específico ali referido: a transferência de Toscanino do Uruguai para o Brasil.

Quatro meses antes da chegada dos auditores do GAO ao Brasil, Francisco Toscanino, cidadão italiano, foi condenado com outros cinco réus pelo tribunal de júri de Nova York, em junho de 1973, por "conspiração para tráfico de drogas". De acordo com uma testemunha

25

Fernando Augusto Fernandes

presa, que estava colaborando com a polícia em sistema de delação premiada ("colaboração premiada"), Toscanino, que morava no Uruguai, estava indicando compradores, em solo americano, para uma carga de heroína enviada de navio e parcialmente flagrada por agentes infiltrados da DEA nos Estados Unidos[13].

A *Folha de S.Paulo* de 21 de setembro de 2000 traz matéria de Roberto Cosso, com entrevista de Donnie Marshall, relatando atuação no Brasil havia 25 anos. Diz o texto:

> No que diz respeito a autoridades norte-americanas em solo brasileiro, o DEA opera no Brasil de forma constante e contínua, sempre coordenando suas atividades com a Polícia Federal[14].

A edição 383 da revista *CartaCapital* de 24 de março de 2004 traz uma entrevista com Carlos Costa, que chefiou o FBI no Brasil por quatro anos, o mesmo *agente da CIA cubano-americano que localizou Che Guevara nas selvas da Bolívia e avisou-o de sua execução próxima*. As declarações são estarrecedoras, informando que a Polícia Federal seria comprada pelos Estados Unidos:

> Sim, comprada. Nossas agências doam milhões de dólares por ano para a Polícia Federal, há anos, para operações vitais. No ano passado, a DEA doou uns US$ 5 milhões, a NAS *(divisão de narcóticos do Departamento de Estado),* também narcóticos, uns US$ 3 milhões, fora todos os outros. Os Estados

---

[13] AMARAL, Marina. Pública. **Ligações perigosas: a DEA e as operações ilegais da PF brasileira.** Documentos mostram que o ex-diretor da PF, general Caneppa, tido como um dos primeiros líderes da Condor, efetuou prisões e extradições ilegais a pedido do departamento antidrogas americano. 8 de abril de 2013 16:56 – Disponível em: https://apublica.org/2013/04/dea-caneppa-policia-federal-operacao-condo/.

[14] COSSO, Roberto. Da reportagem local – *CartaCapital.* **Narcotráfico** Segundo administrador da agência norte-americana antidrogas, ações são em conjunto com a Polícia Federal. EUA atuam há 25 anos no Brasil, diz agente do DEA – 21 de setembro de 2000. Disponível em: http://www1.folha.uol.com.br/fsp/brasil/fc2109200017.htm.

Unidos compraram a Polícia Federal. Há um antigo ditado, e ele é real: quem paga dá as ordens, mesmo que indiretamente. A verdade é esta: a vossa Polícia Federal é nossa, trabalha para nós[15].

A entrevista continua com um relato de clara hegemonia na Polícia Federal brasileira:

CartaCapital: *O Congresso brasileiro deveria estar mais preocupado com o que o FBI e os outros serviços estão fazendo aqui do que o Congresso do EUA...*

Carlos Alberto Costa: O FBI até não é dos piores. A DEA, por exemplo, "contribui" com milhões de dólares na conta privada de delegados da Polícia Federal... Se quer fazer uma doação, que a faça aberta. Agora, pôr numa conta privada? Isso é indicativo de que alguma coisa está errada.

CartaCapital: *Que estão a "influenciar"...*

Carlos Alberto Costa: Isso é indicativo de que você compra a polícia e, quando pede alguma coisa, tem de ser dado. Veja a preocupação número 1, por exemplo, do representante do Departamento de Estado na Seção de Narcóticos, a NAS. A primeira preocupação dele, a número 1, é que a Polícia Federal aceite o dinheiro que ele está a doar, entre aspas. Geralmente, uma quantia que varia, a cada ano, de US$ 1 milhão a US$ 3 milhões.

CartaCapital: *Todo ano a preocupação da NAS é que o Brasil aceite o dinheiro que ele está a "doar". Por quê?*

---

[15] *CartaCapital*, edição 283, de 24/03/2004. **Polícia Federal brasileira recebe mensalão do governo dos Estados Unidos.** Carlos Costa, que chefiou o FBI no Brasil por quatro anos, fala sobre como os EUA "compraram a Polícia Federal" e como a "ABIN se prostitui...". O valor do mensalão depende do cargo que o indivíduo ocupa (delegado, etc.), mas em média gira em torno de 800 dólares por mês por cabeça. Disponível em: https://csalignac.jusbrasil. com.br/noticias/354350802/policia-federal-brasileira-recebe-mensalao-do-governo-dos-estados-unidos.

Carlos Alberto Costa: Porque, se a Polícia Federal recusar esse dinheiro, não aceitar, esse representante da NAS não será bem avaliado, isso vai afetar a sua carreira. Ele não terá demonstrado capacidade para "influenciar".

CartaCapital: Então, quem não consegue "influenciar" no Brasil, seja a mídia, a polícia, seja o governo, o Parlamento, é um fracasso?

Carlos Alberto Costa: Uma instituição mal remunerada, como a Polícia Federal, que não tem dinheiro para pagar a conta do telefone, não vai aceitar uma doação? Isso é absolutamente ridículo. O Brasil carece de investir no treinamento e no pagamento. Como diz o velho ditado americano, não existe almoço grátis. No FBI, como qualquer outra instituição americana, nós não podemos aceitar um centavo de ninguém. A minha diferença aqui é que eu, como chefe do FBI, não dava dinheiro ao Brasil, não comprava o Brasil. Dava assistência técnica, treinos, treinava os vossos policiais...

O procurador Luiz Francisco de Souza denunciou a existência de um serviço de espionagem internacional dentro da Polícia Federal para atender a interesses dos Estados Unidos. Em depoimento na Comissão de Segurança Pública e Combate ao Crime Organizado da Câmara dos Deputados, na quarta-feira passada, o procurador defendeu a criação de uma Comissão Parlamentar de Inquérito (CPI) para investigar a infiltração de agentes do FBI (a polícia federal americana) e da CIA na Polícia Federal brasileira e o recebimento ilegal de verbas norte-americanas por policiais brasileiros por meio da embaixada dos Estados Unidos no Brasil.

"A inteligência da PF, que deveria servir aos interesses nacionais, está a serviço do governo dos Estados Unidos. Isso fere a nossa dignidade e a nossa soberania", afirmou.

De acordo com Luiz Francisco, os palácios do Planalto e da Alvorada estariam entre os alvos do serviço de espionagem.

Segundo o procurador, o esquema envolve cerca de 100 policiais, treinados pelos americanos, entre delegados, agentes e técnicos da área de inteligência. Ele apurou que, entre os anos de 1999 e 2003, os Estados Unidos remeteram ao Brasil US$ 11,2 milhões que foram entregues à PF pela embaixada americana. O dinheiro, repassado pelo FBI, CIA e DEA (Departamento Antidrogas dos Estados Unidos), foi depositado em contas de vários delegados em vez de entrar no orçamento da instituição. Desde 2003, Luiz Francisco já recomendava ao diretor da Polícia Federal que tornasse públicas as contas que serviam ao órgão brasileiro, alimentadas pelos órgãos governamentais norte-americanos, e considerou que uma CPI teria mais condições que o Ministério Público para esclarecer o recebimento e o destino que é dado a esse dinheiro ilegal.

No mês de março, a revista *CartaCapital* publicou reportagem com o ex-chefe do FBI no Brasil, Carlos Costa, na qual ele afirmava que "os Estados Unidos compraram a Polícia Federal" doando milhões de dólares para a polícia brasileira durante anos. Disse também que a manipulação da imprensa brasileira era outra importante função da embaixada americana no Brasil. Para Luiz Francisco, o acordo está cheio de irregularidades e não foi aprovado pelo Senado, como manda a Constituição. Ele aponta, como exemplo, o fato de o dinheiro não entrar no orçamento da União, nem existir prestação de contas do seu uso ao Tribunal de Contas da União[16].

O presidente da Federação Nacional dos Policiais Federais (Fenapef), Francisco Carlos Garisto, confirmou hoje na Comissão de Segurança Pública que há muito tempo tomou conhecimento de que a Polícia Federal brasileira recebe dinheiro do departamento de combate a entorpecentes norte-americano (DEA) e da agência de inteligência (CIA). "Isso compromete a

---

[16] Agência Câmara de Notícias. **Carlos Costa reafirma denúncia sobre Polícia e DEA.** 28/04/2004, 15:27. Disponível em: https://www.camara.leg.br/noticias/47674-carlos-costa-reafirma-denuncia-sobre-policia-e-dea/.

autonomia da Polícia Federal e os policiais são revoltados com essa situação há muito anos", afirmou. Ele declarou ainda que essas informações já foram reveladas em 1999 por parlamentares e pela Imprensa, porém, não houve qualquer consequência. "Essa notícia aparece, causa comoção, mas depois de dez dias ninguém fala sobre isso", disse. Para o representante dos policiais, o assunto é abafado propositalmente. "É o poder dos Estados Unidos ou é o poder de alguém que está fazendo coisa errada e que não quer ser descoberto", afirma. Garisto declarou ainda que o convênio foi implementado quando Romeu Tuma, hoje senador, estava à frente da Polícia Federal. No mês passado, a revista *CartaCapital* publicou reportagem com o ex-chefe do FBI no Brasil Carlos Costa, na qual ele afirma que "os Estados Unidos compraram a Polícia Federal". Segundo o ex-chefe do FBI, há anos os Estados Unidos doam milhões de dólares para a polícia brasileira. Em razão do dinheiro recebido, Costa acusa a Polícia Federal de ser subserviente a instituições governamentais norte-americanas.

Monitoramento pelos EUA

O presidente da Fenapef também confirmou que os recursos doados pelo governo americano à Polícia Federal são monitorados pelos agentes dos Estados Unidos de acordo com os interesses daquele país. "As verbas são liberadas de acordo com a necessidade dos organismos americanos", afirmou. Ele estima que os recursos vindos do DEA estejam em torno de US$ 5 milhões anuais; já as verbas doadas pela CIA dependem do trabalho que venha a ser realizado no país. Garisto lembrou que, na época da ação da Polícia Federal no Polígono da Maconha, em Pernambuco, os Estados Unidos não autorizaram a liberação dos recursos. Os americanos alegavam que a maconha produzida no Estado não seria enviada aos Estados Unidos. "O dinheiro só é utilizado para combater o tráfico de drogas que vão ser comercializadas nos Estados Unidos", afirmou[17].

O *site* da Polícia Rodoviária Federal traz a notícia de acordo firmado com a norte-americana Drug Enforcement Administration (DEA) em que assinaram uma declaração de cooperação com foco no combate ao tráfico de drogas para os fins de intensificar a cooperação internacional, um dos objetivos estratégicos da PRF previstos no seu Plano Estratégico para o período 2012-2020[18].

Em 2015, a diretora Michele Leonhart renunciou ao comando do DEA, no qual estava à frente desde 2007, depois de relatos de orgias com prostitutas bancadas pelos cartéis da Colômbia[19]. No mesmo ano a revista *IstoÉ* destacou que a "agência Drug Enforcement Administration (DEA), de combate ao narcotráfico dos Estados Unidos, abriria um escritório no Rio de Janeiro, atendendo a um pedido do secretário de Segurança estadual José Mariano Beltrame, que esteve na sede do departamento americano havia dois meses. Dois agentes da DEA já estão na cidade providenciando isso", disse ele à *IstoÉ*[20].

Em 2017, foi realizado na International Enforcement Law Academy – Academia Internacional para Aplicação da Lei (ILEA) na sigla em

---

[17] **Policial confirma doação de verba pela CIA** – 13/04/2004 – Fonte: Agência Câmara de Notícias. Reportagem: Daniel Cruz. Disponível em: http://www2.camara.leg.br/agencia/noticias/48347.html.

[18] **Agência antidrogas dos EUA e PRF firmam parceria para combate ao tráfico.** Termo de cooperação prevê o fortalecimento da relação institucional, troca de experiências e capacitação. Por Agência CNT Transporte Atual. 29/02/2016 – Disponível em: https://cnt.org.br/agencia-cnt/prf-e-dea-firmam-termo-de-cooperacao-para-combate-ao-trafico-cnt.

[19] **Chefe da agência antidrogas dos EUA renuncia por causa de escândalo.** Michele Leonhart estava no comando da DEA desde 2007. Ela pediu demissão após a revelação de que agentes se envolveram em orgias patrocinadas por narcotraficantes. Da Redação – 22 abril 2015. Disponível em: https://veja.abril.com.br/mundo/chefe-da-agencia-antidrogas-dos-eua-renuncia-por-causa-de-escandalo/.

[20] **O DEA chega ao Rio.** Agentes da polícia americana abrem escritório na cidade para entrar na guerra contra o tráfico de armas. Eliane Lobato (elianelobato@istoe.com.br). 16/10/15 – Disponível em: https://istoe.com.br/438765_O+DEA+CHEGA+AO+RIO/.

inglês – entidade vinculada ao Departamento de Justiça Americano; o curso tratou dos mais recentes temas atinentes à lavagem de dinheiro consumada por organizações criminosas de atuação transnacional, em especial as de narcotraficantes que agem nas Américas.

Delegado Vinícius, da Denarc, durante aula em El Salvador

A delegação brasileira foi composta por delegados das Polícias Civis de Goiás, Amazonas, Ceará, Distrito Federal e Rio de Janeiro. Também tomaram parte na iniciativa as delegações do Uruguai, Paraguai, das Bahamas, Colômbia, do Suriname e de El Salvador[21].

Em 2018, o diretor-geral da Polícia Federal, Fernando Segovia, viajou para discutir medidas cooperativas contra crimes transnacionais,

---

[21] **Titular da Denarc participa de curso internacional sobre lavagem de dinheiro e tráfico** – 18/08/2017. Delegado Vinícius Teles toma parte da delegação brasileira da iniciativa entre os dias 14 e 18 de agosto em El Salvador, a convite de agência dos EUA. Disponível em: http://www.policiacivil.go.gov.br/noticias/titular-da-denarc-participa-de-curso-internacional-sobre-lavagem-de-dinheiro-e-trafico.html.

como tráfico de drogas, tráfico de armas e pornografia infantil com os Estados Unidos. A matéria informa ainda que debateria como combater *fake news* com o FBI (Polícia Federal americana), do Serviço de Segurança Diplomática do Departamento de Estado e do Departamento de Segurança Interna e Proteção Aduaneira e Fronteiras e Imigração e Alfândega do governo dos Estados Unidos. A embaixada, dos Estados Unidos ressaltou a importância do trabalho rotineiro de colaboração das autoridades federais e estaduais com nove agências norte-americanas:

> "A visita do diretor-geral Segovia a Washington demonstra a força do nosso relacionamento na medida em que trabalhamos juntos para combater a ameaça de crime transnacional que afeta a todos", afirma o comunicado[22].

Na mesma entrevista a *CartaCapital*, edição 383, de 24/03/2004, Carlos Costa confirma escutas do governo americano ao Palácio da Alvorada e a relação com a imprensa brasileira:

> Tome-se essa informação em conta na leitura das respostas às perguntas de *CartaCapital* sobre a instrução, ordem de Washington, para que serviços secretos grampeassem o Palácio da Alvorada e o Itamaraty.

Pela primeira e única vez em muitas horas e dias de conversa, Carlos Costa, sempre bem-humorado, relaxado, fica tenso. Para, pensa e, visivelmente surpreso, responde com uma pergunta:

– Me diga o que você sabe, como soube disso?

---

[22] **Diretor da PF vai aos EUA discutir cooperação e conhecer combate às fake news.** Publicado em 30/01/2018 - 19:14 Por Fernando Diniz – Repórter da Agência Brasil – Brasília. Disponível em: http://agenciabrasil.ebc.com.br/geral/noticia/2018-01/diretor-da-pf-vai-aos-eua-discutir-cooperacao-e-conhecer-combate-fake-news.

A informação é segura. Os Palácios da Alvorada e Itamaraty foram grampeados a partir de tais ordens. A data, imprecisa, poderia ser confirmada pelo entrevistado. A tentativa é inútil.

Irritado, Carlos Costa repete:

– Como você soube? O que você sabe sobre isso?

– Da ordem, e do grampeamento feito nos Palácios da Alvorada e Itamaraty...

Nesse instante, Carlos, com a exatidão lusa e a objetividade norte-americana, levanta-se da cadeira e dá por encerrada a conversa naquela noite:

– [...] Não confirmo nem desminto... Sem comentários [...] Não toco nesse assunto... Ponto-final!

Uma última tentativa:

– Foi você quem executou essa ordem? Quando?

– Como você ainda verá na nossa conversa daqui por diante, me recusei a cumprir ordens bem menos graves do que essa. Boa-noite!

Continuando a entrevista, Carlos Costa se refere à imprensa:

Carlos Alberto Costa: Digo logo: uma das importantes funções que nós temos na embaixada é manipular a imprensa brasileira...

CartaCapital: O *quê? Explica isso aí...*

Carlos Alberto Costa: Manipular, conduzir, controlar a imprensa brasileira no que nos interessa.

CartaCapital: *Ah, é?! Manipular...?*

Carlos Alberto Costa: A isso chamamos "influenciar".

CartaCapital: Por favor, detalhe esse "influenciar", dê exemplos.

Carlos Alberto Costa: Sem nomes. Começa, digamos assim, com o estabelecimento de boas relações. Detectamos jornalistas que sejam pró-América – evidente que isso em órgãos influentes junto à opinião pública – e os convidamos a ir aos Estados Unidos, com todas as despesas pagas. Essa não era a minha área, mas começa assim. Influenciar é mudar o pensamento contrário aos nossos interesses. A primeira atividade em qualquer reunião da embaixada é uma análise sobre o que diz a mídia a nosso respeito; *Carta Capital,* por exemplo, nunca foi vista com bons olhos lá na embaixada, para dizer o mínimo.

CartaCapital: Imagino o máximo...

Carlos Alberto Costa: Pois pode imaginar...

CartaCapital: Que argumentos valem para "influenciar"?

Carlos Alberto Costa: ...Muita criatividade. "Influenciar" a imprensa, a mídia, é uma coisa muito natural de fazer...

CartaCapital: Em português claro: "Influenciar" significa, inclusive, se necessário, comprar?

Carlos Alberto Costa: É virar a opinião pública a nosso favor.

O texto "A gênese das grandes operações das Operações Investigativas da PF", do delegado federal Célio Jacinto dos Santos, diretor do Centro de Estudos de Investigação Criminal (CEICRIM), que visa a enaltecer as operações, traz dados sobre influência americana, alemã e militar na formação da Polícia Federal brasileira. A citação mais longa merece ser transcrita, pois se trata de um texto de como os policiais se enxergam:

A guerra ao tráfico de drogas empreendida pelos EUA, iniciada por Richard Nixon em 1971 e proclamada depois na administração de Ronald Reagan, produziu reflexos diretos em países sul-americanos e de outros continentes. Como anotado anteriormente e será examinado mais adiante, a guerra às drogas influenciou na formação da Polícia Federal e na sua operatividade, com investimentos do governo norte-americano em ações de repressão no Brasil.

(...)

Com a administração do delegado federal Paulo Gustavo de Magalhães Pinto, a partir de 1984 – que sucedeu a Hugo Póvoa na Divisão de Repressão a Entorpecentes – foi criado um núcleo na embaixada americana e a cooperação ficou dinamizada, com mais cursos, maior interação na troca de informações, apoio financeiro e logístico (PINTO, Magalhães, 2017; CAVALEIRO, 2017). Neste período, os policiais federais já realizavam com desenvoltura o planejamento, infiltração, análise de informações e descrição gráfica da cadeia de vínculos das quadrilhas de traficantes, o chamado "bolotário" ou "aranha", correspondente aos esquemas gráficos que vinculam criminosos aos seus delitos, como os realizados atualmente pelo *Analyst's Notebook*, o UFED *Cloud Analyzer* e o *Nexus*, *softwares* usados pelas polícias judiciárias para análise de dados.

(...)

Na Colômbia, a Operação Yarí infringiu grandes perdas aos Cartéis de Medellín e Cáli, levando os cartéis a migrarem para Darién, no Panamá, o maior laboratório de refino de cocaína já visto, onde também sofreu forte revés das autoridades panamenhas e do DEA, em julho de 1984; então, os esforços se dirigem para o Cartel do Amazonas, que contavam com a liderança de Curica e se dispunha de rede de pistas e aeronaves para transporte da droga (GRETZITZ, 2017).

O Brasil passou a ser plataforma de passagem de cocaína com destino aos EUA e Europa, afetando os estados fronteiriços com a Colômbia, o Peru, a Bolívia e o Paraguai, levando a Polícia Federal, conjuntamente com o *Drug Enforcement Administration* – DEA, a empreender repressão aos narcotraficantes que promoviam o transporte, armazenamento e distribuição da droga. Na Operação Piscis, que apurava o fluxo financeiro e a lavagem de dinheiro pelo Cartel de Medellín em bancos do Panamá, foi identificado um carregamento de éter destinado ao Porto de Santos e Ciudad del Este/Paraguai (GRETZITZ, 2017).

(...)

Como vimos na introdução deste trabalho, foi uma investigação complexa que preenche vários requisitos (mas não todos) que nós atribuímos ao conceito de grandes operações e, principalmente, devido à repercussão e à importância das prisões para aquela época, seja para o cenário brasileiro como para o italiano e norte-americano. Nela, houve uma equipe exclusiva para as investigações, chefiada pelo delegado federal Pedro Luiz Berwanger; com recursos logísticos e financeiros próprios; foi montado escritório para as investigações sigilosas e compartimentadas; as investigações abrangeram policiais dos estados de São Paulo, Rio de Janeiro, Minas Gerais e Pará; havia várias empresas de fachada e fazendas usadas pelos mafiosos; foi empregada cooperação policial intensa com a Criminapol italiana e o DEA norte-americano.

Não podemos esquecer que antes de 1988, o delegado de polícia podia expedir mandados de busca domiciliar ou realizar a busca sem autorização judicial, o que agilizava os trabalhos policiais e facilitava a tática e a estratégia policial, ao mesmo tempo em que imprimia uma dinâmica diferente na busca das provas e nas prisões em flagrante, podendo a autoridade policial realizar as investigações progressivamente conforme os fatos vão evoluindo.

(...)

Formação da Doutrina

Como chegamos a assinalar ao longo deste trabalho, a PF sofreu influências de doutrinas estrangeiras, em virtude de intercâmbios policiais com nações amigas, assim como foi influenciada por polícias judiciárias nacionais e pela doutrina oriunda da caserna. A mistura dos saberes originários com os saberes assimilados acabou catalisando uma doutrina investigativa própria, que se afirmou no início de 2000.

As principais influências estrangeiras foram a americana e a alemã, sobre as quais discorreremos brevemente a seguir, mas também há relatos de policiais federais sobre intercâmbios realizados com policiais holandeses, espanhóis e canadenses, os quais não assumem destaque na formação geral da doutrina da PF (SANTOS, 2017).

Cursos nas Agências Americanas

Em meados de 1975, iniciam-se tratativas com conselheiro da embaixada dos Estados Unidos em Brasília, por delegados da Polícia Federal do antigo Serviço de Repressão ao Tráfico de Entorpecentes. Foi até solicitada a lotação, na embaixada, de um agente do DEA, iniciando-se a cooperação policial e a frequência a cursos oferecidos por este órgão, quando já se notava a necessidade de especialização na investigação policial para combate ao tráfico de drogas, em vez de cursos de policiamento (VIVES, 2017).

Com o aprendizado proporcionado pelos cursos do DEA nos Estados Unidos e no Brasil, onde se estudavam as rotas de tráfico, a identificação dos vários tipos de entorpecentes, a legislação sobre a matéria, como também os alunos tinham contato com técnicas de investigação policial: campana de traficantes, infiltração nas quadrilhas, abordagem de suspeitos, planejamento de investigações, ou seja, conhecimentos tipicamente investigativos que os americanos sistematizaram naquela época.

O DEA também realizava cursos volantes pelo Brasil afora, para policiais federais e outras polícias, assim como havia outros cursos oferecidos na *International Police Academy* (IPA), que operava com *Office of Public Safety* (OPS) – Escritório de Segurança Pública. Segundo Pinheiro (In HUGGINS, XIV), a IPA formou cerca de 5 mil policiais estrangeiros no período de 1963 a 1973.

Santos Júnior chega a afirmar que, por meio do *Office of Public Safety*, 100 mil policiais brasileiros foram treinados em programa para modernização das polícias brasileiras, fruto do convênio MEC-USAID. Desse total, 523 policiais foram enviados aos Estados Unidos para instrução avançada (2016, pág. 238).

Huggins (1996, pág. 129) informa que:

> [...] o objetivo formal da AID para esse tipo de treinamento era contribuir para que as forças de segurança desenvolvessem capacidade investigativa para detectar e identificar indivíduos e organizações criminosas e/ou subversivas e neutralizar suas atividades, bem como (infundir neles)... uma capacidade de controlar as atividades militantes, desde as manifestações, desordens ou motins, até operações de guerrilha em pequena escala.

A autora relata que, com a ajuda norte-americana, o DFSP estruturou o Instituto Nacional de Identificação (INI), incumbido da área de identificação de criminosos e subversivos e da comunicação da polícia. Também ajudou a desenvolver a Academia de Polícia para formação de policiais e o "estabelecimento de uma nova organização policial federal de âmbito nacional, segundo o modelo do FBI norte-americano" (HUGGINS, pág. 145). Prossegue a autora, dizendo que o general Riograndino Kruel e o tenente-coronel Amerino Raposo Filho voltaram de viagem aos Estados Unidos, em 1965, entusiasmados sobre "como a USAID podia... ajudar... no... desenvolvimento, na organização de uma Polícia Federal no Brasil" (HUGGINS, 1996, pág. 146).

As agências norte-americanas proporcionavam visitas técnicas de policiais brasileiros a órgãos americanos, bem como frequência a estágios e cursos oferecidos nos Estados Unidos e no Brasil. Destaca-se o treinamento de policiais na Inter-American Police Academy (IAPA) – Academia Interamericana de Polícia, localizada no Fort Davis no Canal do Panamá, cujas atividades passaram a ser executadas, em 1963, pela International Police Academy (IPA) – Academia Internacional de Polícia, localizada em Whashington (HUGGINS, 1996, pág. 127).

A cooperação não se restringia a isso. Huggins descreve que consultores de segurança pública da antiga Agency for International Development Office of Public Safety auxiliaram autoridades de segurança no Brasil no treinamento e conformação de estruturas policiais nos estados e também no governo federal, inclusive no antigo DFSP. Corroborando isto, em nossas entrevistas constatamos que havia na Academia Nacional de Polícia uma sala reservada aos agentes americanos, em 1970, cujo acesso pelos alunos era proibido, os quais apoiavam e orientavam a programação dos cursos realizados, chegando até, referidos agentes, a criticar o fato de o governo brasileiro premiar os atletas campeões na Copa do Mundo daquele ano, ante a falta de recursos para serem aplicados em outras áreas muitos carentes, inclusive para estruturação da academia de polícia.

O primeiro diretor da Academia de Polícia, o tenente-coronel Welt Durães Ribeiro, ao relatar os primeiros passos daquela escola policial, descreveu que recebeu convite do adido cultural da embaixada, dos Estados Unidos da América, Mr. Joseph Thomas Barret Junior, para a celebração de um convênio de intercâmbio cultural entre os dois países (Ponto IV), e ele acabou visitando escolas de polícia americanas. Os americanos ofereciam gratuitamente "a possibilidade de adquirirem, sem qualquer ônus para o governo brasileiro, até 200.000 dólares de material escolar e meios de ensino auxiliares". Foram enviadas ao Brasil caixas de livros, programas de ensino, publicações diversas colhidas em 13 escolas de polícia, principalmente do FBI, plantas com especificações completas para construção da academia, e chegaram até a organizar um curso básico. Chegando ao Brasil, o adido cultural norte-americano foi convidado para a aula inaugural, ministrada no Quartel da Guarda Especial de Brasília, para acompanhar o início das atividades com o material recebido (Fatos, fotos e relatos, 2005, pp. 50-51).

O diretor interpretou aquele ato como de interesse dos Estados Unidos. A que se "prendia à necessidade para todo o Hemisfério, de contar com organizações policiais do mais alto padrão cultural, face à infiltração comunista que se fazia cada vez mais intensa e perigosa" (Fatos, fotos e relatos, 2005, pp. 50-51).

Esta influência da doutrina policial americana na formação da doutrina policial federal brasileira, por si só, seria uma política reprovável? Poderá até ser, dependendo da abordagem feita, como a ideológica, mas poderá ser considerado procedimento comum no regime de solidariedade e na geopolítica entre as nações. Veja um exemplo: o Brasil desenvolve cooperação com países sul-americanos e africanos na área de agricultura, educação, segurança pública etc. Em Guiné-Bissau, o governo brasileiro, por meio do Ministério da Justiça e da Academia Nacional de Polícia, criou uma academia de polícia para as forças de segurança daquele país, inclusive, forneceu material, treinou policiais e ofereceu cursos em Brasília. Também, o Brasil oferece cursos para diversos países da Comunidade dos Países de Língua Portuguesa e países vizinhos, como Paraguai e Bolívia.

Cursos nas Agências Alemãs

Com o surgimento do controle compartilhado do tráfico internacional de drogas, iniciou-se cooperação da Alemanha com a Polícia Federal, tanto para treinamento, como para operação conjunta e fornecimento de equipamentos.

Como havia cooperação com os americanos e devido à política de gestão compartilhada do problema da droga, implementada por intermédio da ONU, o governo alemão agregou-se ao combate às drogas por volta de 1988, tanto para treinamento, operação conjunta e fornecimento de equipamentos. A Alemanha rivalizava com os Estados Unidos na cooperação, pois era uma nação rica e liderava a repressão às drogas na Europa, quando os ingleses, franceses, holandeses, espanhóis, portugueses e canadenses passaram a cooperar também, mas em menor escala (SANTOS, 2017).

Como fruto desta cooperação, a Polícia Federal atuava na entrega controlada de drogas em solo europeu, trocando informações com as polícias europeias e operando conjuntamente.

O intercâmbio iniciou-se em 1965, com uma comitiva de oito delegados que estagiaram por um ano em vários órgãos policiais daquele país. Em 1967, dois delegados, um perito e um coronel da PM/DF iniciaram uma especialização que durou um ano na Bundeskriminalamt (BKA), a polícia federal alemã; e, em 1971, o delegado Guido Dias foi buscar submetralhadoras HK MP5 9mm Parabellum adquiridas na Alemanha, a demonstrar o nível de intercâmbio e transferência de tecnologia entre Brasil e Alemanha (PRISMA 38, 2002, pág. 62). Em 1988, a cooperação, troca de informação e cursos vieram para valer, e duraram cerca de cinco anos.

Em 1987, uma equipe chefiada pelo delegado Raimundo Cardoso da Costa Mariz visitou a Bundeskriminalamt, e os policiais ficaram impressionados com a organização, os procedimentos operacionais e o nível de excelência do GSG9. Em 1989, foi criado na Polícia Federal o Comando de Operações Táticas (COT), que recebeu inspiração do grupo tático GSG9, da BKA alemã, onde, inclusive os policiais do COT, frequentaram cursos de treinamento (BETINI & TOMAZI, 2010, pág. 35).

DOUTRINA MILITAR

As ações das Forças Armadas nos episódios de segurança pública não resultam em efeitos duradouros para o combate à criminalidade.

Vemos com frequência a intervenção dos militares nas favelas do Rio de Janeiro, recentemente na Favela da Rocinha, como ocorreu também na Favela da Maré, e destaca-se sua participação nos grandes eventos, desde a ECO 92.

Em vez dos formuladores de políticas públicas conformarem políticas que capacitem integralmente as forças de segurança pública a bem exercer suas missões, são desenvolvidas políticas episódicas apenas para aplacar a violência que explode em determinados locais. Com isso, a população fica desprotegida, sem os mecanismos permanentes e eficazes para proteger-se da violência e da criminalidade.

Este improviso também é a tônica no combate à droga, nos crimes transfronteiriços e na criminalidade das facções criminosas que proliferam nas penitenciárias e nas periferias das grandes cidades.

O estamento militar pode auxiliar as forças de segurança na gestão da criminalidade, seja cooperando com meios logísticos, com informações etc., como qualquer órgão estatal deve cooperar com as polícias. É a cooperação permanente entre órgãos que conforma a estrutura estatal organizada. Mas isso não afasta a necessidade de as organizações policiais estarem preparadas para sua missão constitucional.

Os militares são convocados com frequência para enfrentar crimes. Já na década de 1980, as Forças Armadas participaram da Operação Jacaré, no Pantanal Mato-Grossense, para coibir crimes ambientais, a caça e o contrabando de couro de jacaré e peles de animais silvestres.

Esta operação desenvolvida em parceria com o Ibama, a Polícia Militar e o Serviço Nacional de Inteligência já possibilitou à Polícia Federal levantar contrabandistas de couro e animais silvestres, que também já operavam no tráfico internacional de drogas transportados por aeronaves até o Mato Grosso do Sul e dali para vários estados brasileiros, como ainda ocorre até hoje.

A influência da cultura militar na cultura policial federal é notada, ainda, com o ingresso de policiais egressos das Forças Armadas que prestam concursos e ingressam na Polícia Federal, quando trazem consigo elementos típicos daquela cultura.

Logo nos primórdios da Polícia Federal os principais postos eram ocupados por militares, principalmente do Exército, os diretores-gerais, os diretores da Academia Nacional de Polícia, os superintendentes e coordenadores policial e judiciário.

Michelle Gallera Dias apresentou no I Seminário Internacional de Ciência Política da Universidade Federal do Rio Grande do Sul, em Porto Alegre[23], em setembro de 2015, o estudo "Cooperações Bilaterais do Brasil com Bolívia, Colômbia e Peru no combate ao tráfico de drogas ilícitas", problema identificado como "uma nova ameaça" na América do Sul após o fim da Guerra Fria".

[...] americanos, com o final da Guerra Fria, em que a agenda centrada em questões tradicionais cede espaço para uma agenda multidimensional, a qual inclui assuntos relativos à saúde, ao meio ambiente, ao tráfico de drogas, à imigração ilegal, dentre outros. Com isso, surge o conceito de "novas ameaças", que são caracterizados como problemas que são percebidos como uma ameaça a partir da ampliação da agenda de segurança (BUZAN; WAEVER; WILDE, 1998). Um assunto securitizado, para Buzan, Waever e Wilde (1998), representa a percepção de uma ameaça existencial, combatida através de medidas que não seriam adotadas comumente se o assunto não fosse considerado securitizado.

Mesmo com a existência de diferentes percepções de ameaça na região, este trabalho considera que o problema das drogas ilícitas na América do Sul é uma questão securitizada. Tal afirmação se baseia na forma como o assunto é tratado no subcontinente ao utilizar as Forças Armadas no combate ao tráfico, principalmente nas décadas de 1970 e 1980 em países andinos como Colômbia,

---

[23] DIAS, Michelle Gallera. **Cooperações Bilaterais do Brasil com Bolívia, Colômbia e Peru no Combate ao Tráfico de Drogas Ilícitas** – Disponível em: https://docplayer.com.br/12385853-Cooperacoes-bilaterais-do-brasil-com-bolivia-colombia-e-peru-no-combate-ao-trafico-de-drogas-ilicitas.html.

Peru e Bolívia. No Brasil, o processo de securitização do problema das drogas pode ser identificado através da implementação da "Lei do Abate" (BRASIL, 2004) que permite a destruição de aeronave que adentra o território brasileiro suspeita de envolvimento com o tráfico ilícito de drogas.

(...)

A interconexão facilita a troca de informações entre postos de controle, delegacias policiais e centros regionais de inteligência.

Tratou-se, também, da manutenção de uma unidade móvel no rio Mamoré/Guaporé para ações simultâneas na fronteira. Os países acordaram em estabelecer uma rede segura de informação através de comunicação criptografada para intercâmbio de inteligência policial entre a Direção de Combate ao Crime Organizado da Polícia Federal do Brasil e a Força Especial de Luta contra o Narcotráfico da Polícia Nacional da Bolívia. Além disso, o Brasil mencionou a possibilidade de transferência de aeronaves apreendidas para utilização em operações coordenadas entre organismos policiais de ambos os países, embora não seja possível dizer que essa transferência tenha ocorrido efetivamente nos últimos anos (BOLÍVIA, 2007). Em reunião entre os presidentes Luiz Inácio Lula da Silva e Evo Morales ocorrida dez dias após a Reunião da Comissão Mista, os presidentes manifestaram a necessidade de implementação de um Plano Integral de Luta contra o Narcotráfico e Delitos Conexos e encarregaram um Grupo de Trabalho Binacional para elaborá-lo (BRASIL, 2007a).

Sob a acusação de ingerência em assuntos internos da política boliviana, em 2008, a Drug Enforcement Administration (DEA) dos Estados Unidos da América foi expulsa da Bolívia. No mesmo ano, Brasil e Bolívia discutiram sobre a possibilidade de disponibilizar os VANTs (Veículos Aéreos Não Tripulados) brasileiros em operações de combate ao tráfico de drogas.

A Operação Cobra, iniciada em 2001, surgiu do receio das possíveis consequências do Plano Colômbia. A operação contou com a instalação de Postos de Controle de Fronteiras, sendo uma operação de vigilância da área fronteiriça, patrulha de rios, fiscalização de aeroportos e portos, destruição de pistas de pouso clandestinas, dentre outras ações de repressão ao narcotráfico. Os resultados de 2001 a 2002 foram significativos ao reduzir 60% o tráfico de drogas da Colômbia para o Brasil. Até então, o governo brasileiro havia gasto R$ 10 milhões, e os Estados Unidos haviam enviado US$ 3 milhões para a operação (OPERAÇÃO…, 2002). Com o passar do tempo, a operação teve menos atenção pelas autoridades. Operações multilaterais entre Polícia Federal e instituições homólogas de outros países têm sido identificadas com certa frequência, como a Operação Nações Unidas, em junho de 2013, com atuação de polícias de Colômbia, Uruguai, Espanha, Portugal e a Drug Enforcement Administration dos EUA, além da Operação Veraneio que contou com o apoio da Polícia de Honduras, da Força Aérea Colombiana, da Força Aérea Brasileira e da Agência Antidrogas Americana em novembro de 2014, na desarticulação de organização criminosa voltada para o tráfico internacional de drogas (BRASIL, 2014a)[24].

Segundo o livro *O Poder Norte-Americano e a América Latina no Pós-Guerra Fria,…*[25]

---

[24] PEDRINHA, Roberta Duboc. **NOTAS SOBRE A POLÍTICA CRIMINAL DE DROGAS NO BRASIL: ELEMENTOS PARA UMA REFLEXÃO CRÍTICA.** Disponível em: http://www.publicadireito.com.br/conpedi/manaus/arquivos/anais/salvador/roberta_duboc_pedrinha.pdf.
SANTOS, Marcelo. **O poder norte-americano e a américa latina pós-guerra fria** - São Paulo: Annablume, Fapesp, 2007. Disponível em: encurtador.com.br/knMPQ

[25] SANTOS, Marcelo. **O Poder Norte-Americano e a América Latina no Pós-Guerra Fria.** São Paulo: Annablume Editora, 2007.

GEOPOLÍTICA DA INTERVENÇÃO

[...] o exercício da hegemonia benevolente, que marcou a atuação dos EUA no sistema mundial após a Segunda Guerra Mundial, deu lugar a um projeto de dimensão imperial que, no campo geoeconômico, reafirmou o papel do dólar e o poder das altas finanças de Wall Street, e, no plano geopolítico, garantiu a recomposição da supremacia militar norte-americana. Os governos de George Bush, Bill Clinton e George Bush Jr. são analisados a partir desse projeto de dimensão imperial.

3. Juízes Brasileiros
e a Soberania

A estratégia usada pelos Estados Unidos para influenciar as Forças Armadas brasileiras e posteriormente nossas polícias será usada para estender esta influência para o Judiciário brasileiro e o Ministério Público. O WikiLeaks[26] publicou a matéria "Os EUA criaram curso para treinar Moro e juristas":

> Em documento interno do governo americano que foi vazado pelo WikiLeaks, os EUA mostram como treinaram agentes judiciais brasileiros, entre eles Sérgio Moro. O documento, de 2009, pede para instalar treinamento aprofundado em Curitiba. Alguma suspeita com a atualidade?
>
> O encontro, desenvolvido pela embaixada americana para treinamento de juízes e promotores brasileiros, parte do Projeto Pontes. Tal

---

[26] WikiLeaks. **Dá vergonha, mas É PRECISO ler o telegrama "Moro-Wikileaks":** A verdadeira história inacreditável, sem véu da fantasia, dos 'Moros' que pediram aulas de Processo Penal <u>dos EUA</u> ao Consulado dos EUA no RJ em 2009; do consulado que deu aulas (ninguém sabe com certeza que aulas deram!) no salão nobre do Ministério Público do Rio de Janeiro, como se o que parece bom para os EUA fosse bom para o Brasil; e dos 'Moros' que assumiram posição <u>oposta</u> à do governo e do Ministério de Relações Exteriores do Brasil, em operação com agente estrangeiro... e a-do-ra-ram o resultado e pediram mais!!! Disponível em: https://wikileaks.org/plusd/cables/09BRASILIA1282_a.html. Tradução em: http://www.patrialatina.com.br/da-vergonha-mas-e-preciso-ler-o-telegrama-moro-wikileaks/.

"encontro" foi parte da estratégia de influência americana e, em 2009, como um "guarda-chuva" de um "novo conceito de treinamento", com a presença de juízes federais de 26 estados da federação, 50 agentes da Polícia Federal, bem como 30 autoridades estaduais, entre promotores e juízes. Entre os palestrantes o ex-ministro Gilson Dipp.

Tal treinamento, conforme relato na mensagem oficial vazada, "foi realizado na capital regional do Rio de Janeiro e financiada pelo Coordenador do Estado para Contraterrorismo (orig. State's Coordinator for Counterterrorism [S/CT])". O documento destaca "que (os brasileiros) historicamente sempre evitaram qualquer treinamento que tomasse por objeto o terrorismo, preferindo terminologia mais genérica como crimes transnacionais". No documento constam referências às palavras da "vice-coordenadora para Contraterrorismo na S/CT, Shari Villarosa", que "está elogiando juízes e policiais brasileiros, que militam na direção oposta à do governo eleito e seu Ministério de Relações Exteriores". O ex-juiz federal Sérgio Moro[27] estava presente e falou sobre lavagem de ilícitos. A participação dos palestrantes americanos, não denominados, é relatada:

> Apresentadores norte-americanos discutiram vários aspectos relacionados à investigação e ao processo de casos de finança ilícita e lavagem de dinheiro, incluindo cooperação internacional formal e informal, ocultação e desvio de patrimônio, métodos de prova, esquemas "pirâmide", delação premiada, uso de interrogatório direto como ferramenta e sugestões de

---

[27] ACIER, André. EsquerdaDiário. **WikiLeaks: EUA criou curso para treinar Moro e juristas.** Em documento interno do governo americano que foi vazado pelo Wikileaks, os EUA mostram como treinaram agentes judiciais brasileiros, entre eles Sérgio Moro. O documento, de 2009, pede para instalar treinamento aprofundado em Curitiba. Alguma suspeita com a atualidade? – Disponível em: http://www.esquerdadiario.com.br/Wikileaks-EUA-criou-curso-para-treinar-Moro-e-juristas.
MORO FOI TREINADO PELA CIA? Veja o documento do Wikileaks traduzido na íntegra – Autor do post fabiostenio@gmail.com – Disponível em: https://www.apostagem.com.br/2017/04/20/moro-foi-treinado-pela-cia-veja-o-documento-do-wikileaks-traduzido-na-integra/.

como lidar com ONGs que se suspeite que sejam usadas para financiamentos ilegais.

Na sequência, foi apresentada uma simulação de preparação de testemunha e interrogatório direto. Ao final de cada dia, reservava-se uma hora para que os apresentadores respondessem perguntas adicionais, e os participantes pudessem levantar outras questões. Essa parte da conferência foi sempre animada e resultou em discussão de inúmeros tópicos e sugestões dos brasileiros sobre como trabalhar melhor com os EUA.

O planejamento de forças-tarefa com participação dos americanos é também destaque. É preciso lembrar que esse documento data de 2009, e a Operação Lava Jato ocorre em 2016. Portanto, em 2009 os americanos tratavam de criar em Curitiba uma força-tarefa para casos reais. A influência americana em Curitiba.

(…)

7. (U) Os participantes elogiaram a ajuda em treinamento e solicitaram mais treinamento para coleta de provas, interrogatório e entrevista, habilidades em situação de tribunal e **o modelo de força-tarefa**. Participantes também elogiaram a qualidade das apresentações, com especial referência à simulação de exame direto de testemunha, como o ponto alto da conferência.

(…)

TREINAMENTO FUTURO: FORÇA-TAREFA CONTRA FINANÇA ILÍCITA

9. (U) A conferência demonstrou claramente que o setor Judiciário do Brasil está muito interessado em se engajar mais proativamente na luta contra o terrorismo, mas carece de ferramentas **e treinamento para engajar-se com eficácia.**

(...)

Idealmente, **o treinamento deve ser de longo prazo e coincidir com a formação de forças-tarefa de treinamento**. Dois grandes centros urbanos com suporte judicial comprovado para casos de financiamento ilícito, especialmente São Paulo, Campo Grande **ou Curitiba, devem ser selecionados como locação para esse tipo de treinamento**.

Assim sendo, as forças-tarefa podem ser formadas e **uma investigação real poderá ser usada como base para o treinamento** que sequencialmente evoluirá da investigação à apresentação em tribunal e à conclusão do caso. Com isso, os brasileiros terão experiência em campo do trabalho **de uma força-tarefa proativa** num caso de finanças ilícitas e **darão acesso a especialistas dos EUA para orientação e apoio em tempo real**. Esse posto pode apresentar projeto com passos mais detalhados e uma análise de custos.

O telegrama relata treinamentos a longo prazo. Quantos ocorreram? Quais autoridades estiveram presentes? Quais os casos? São perguntas cujas respostas foram ocultadas e aos poucos são respondidas por meio da montagem de um quebra-cabeça.

Nos capítulos seguintes ficará mais claro o tamanho dessa influência, o que indica um direcionamento pelos americanos das ações das autoridades brasileiras, sob o manto de cooperação e treinamento.

Os passos americanos são sempre discretamente disfarçados. O delegado Marcio Adriano Anselmo, por exemplo, muito ligado a Sérgio Moro, tem seu currículo no Lattes[28]. Tendo em vista sua participação na Lava Jato, ele foi destacado para esse capítulo. O currículo inclui, por exemplo, a realização do Seminário Internacional de Perícias em

---

[28] ANSELMO, Márcio Adriano - currículo. Disponível em: https://www.escavador.com/sobre/6307335/marcio-adriano-anselmo.

Crimes Financeiros – ICFinancialCrimes, em 2008[29]. O seminário contou com a presença do "presidente do Superior Tribunal de Justiça (STJ), Cesar Asfor Rocha; o presidente do Tribunal de Contas da União (TCU), Ubiratan Aguiar; o ministro da Controladoria-Geral da União (CGU), Jorge Hage; e o ministro da Advocacia-Geral da União (AGU), José Antonio Dias Toffoli. Também estavam presentes o diretor-geral do Departamento de Polícia Federal (DPF), Luiz Fernando Corrêa, e representantes do Federal Bureau of Investigation (FBI)". Não consta o nome dos representantes do FBI. Mas o currículo do delegado não deixa entender quais cursos ou treinamentos tenha realizado pelos americanos.

Os dados são dissipados, ocultados. Veja o currículo de Marcelo da Costa Bretas[30]. A aparência é que somente em 2015 participou da Visiting Foreing Judicial Fellow (carga horária: 120h); The Federal Judicial Center, FJC, Estados Unidos; e, em 2018, Harvard Law Brazilian Association Legal Symposium; A Luta contra a Corrupção. (Simpósio). O currículo que apresentou visando a fazer parte do Conselho Nacional de Justiça (CNJ) é mais explicativo:

> **Visiting Foreign Judicial Fellows Program**, junto ao FEDERAL JUDICIAL CENTER, **Órgão da Justiça Federal dos Estados Unidos da América.** A participação no Programa objetivou o conhecimento prático do tratamento que as autoridades norte-americanas dão aos processos criminais por corrupção e lavagem de dinheiro, e consistiu em diversas reuniões com representantes de vários setores do Judiciário Federal, do Departamento de Justiça **do Governo dos Estados Unidos da América e do Federal Bureau of Investigation – FBI** (Washington DC, janeiro/março de 2015).

---

[29] **Seminário em Brasília discute perícias em crimes financeiros.** Publicado por Agência Brasil. Disponível em: https://agencia-brasil.jusbrasil.com.br/noticias/1417667/seminario-em-brasilia-discute-pericias-em-crimes-financeiros.

[30] BRETAS, Marcelo da Costa – currículo. Disponível em: http://buscatextual.cnpq.br/buscatextual/visualizacv.do?id=K4355003J1.

Bretas participou do treinamento do Projeto Pontes? Seria uma das autoridades presentes? E Adriano Anselmo? Confira-se que Moro esteve presente no documento da embaixada americana vazado pelo WikiLeaks, mas tal evento não consta de seu currículo Lattes.

A cúpula da Polícia Federal estava nos Estados Unidos na mesma semana em que o presidente Jair Bolsonaro fez sua primeira visita de caráter bilateral àquele país.

O ministro da Justiça e Segurança Pública, Sérgio Moro, autorizou o afastamento do país – de 16 a 23 de março – dos delegados Maurício Valeixo, Igor Romário de Paula e Erika Mialik Marena, respectivamente, diretor-geral da PF, diretor de Investigação e Combate ao Crime Organizado e diretora do Departamento de Recuperação de Ativos e Cooperação Jurídica Internacional.

Os delegados da PF fizeram visitas institucionais em Washington e em Nova York[31].

A ideia do Projeto Pontes de criar forças-tarefas, entre as quais no Paraná, já vinha tomando forma antes de 2009.

Em 14 de março de 2007, a Polícia Federal no Paraná recebeu da embaixada dos Estados Unidos um ofício assinado pelo adido Civil Zulio M. Velez, de 23 de fevereiro de 2007 e encaminhado do Dr. Jaber Makul Hanna Saadi, superintendente da Polícia Federal, informando que as autoridades daquele país, mais precisamente no Estado da Georgia, estavam investigando o cidadão brasileiro Erico de Oliveira pela prática de remessas ilícitas de dinheiro dos Estados Unidos ao Brasil.

O ofício do Departamento de Segurança Interna com número SQ02BR04AT033, de Brasília, continha o seguinte aviso:

---

[31] VASCONCELOS, Frederico – *FolhaPress*. **Cúpula da Polícia Federal viaja aos Estados Unidos.** O ministro da Justiça e Segurança Pública, Sergio Moro, autorizou o afastamento do país – de 16 a 23 de março – dos delegados Maurício Valeixo, Igor Romário de Paula e Erika Mialik Marena. 15 de março de 201. Disponível em: https://www.portalodia.com/noticias/brasil/cupula-da-policia-federal-viaja-aos-estados-unidos-361841.html.

Advertência: A informação aqui contida permanece sob o controle do Departamento de Segurança Interna (DHS), através da Agência de Investigações de Imigração e Alfândega (ICE). Está sendo divulgada unicamente para utilização pelas autoridades policiais autorizadas. Este relatório pode conter informações confidenciais relativas a segredos comerciais ou de conteúdo sigiloso sujeitas às restrições estabelecidas pela Lei de Segredo Comercial (Trade Secrecy Act) e da Lei de Sigilo Bancário (Bank Secrecy Act) e somente as pessoas com necessidade em dispor de tais conhecimentos devem a ele ter acesso. Solicitações para utilização ou divulgação posterior do material aqui contido devem ser encaminhadas ao: Adido do Departamento de Segurança Interna na embaixada, dos Estados Unidos, 55 (61) 3312-7398.

O pedido da Polícia Federal não foi distribuído na 2ª Vara Federal Criminal, como à época era a sua numeração. Passou à 19ª Vara e foi encaminhado diretamente para o juiz. Apesar de o inquérito decorrente do ofício ter sido instaurado sob o Processo nº 2007.7000011914-0, para os fins de burlar a distribuição e escolher o juiz, a Força-Tarefa CC5 utiliza o expediente que passou a ficar comum na Lava Jato, vincular a algo que já existia. Havia no ofício 201/07-FTCC5/DRCOR a seguinte informação: representação vinculada ao IPL 1026/03-SR/ DPF/PR – 2003.7000.030333-4. A assinatura era do delegado Algacir Mikalovski. Logo no dia 18 de maio Sérgio Moro determina: "distribua-se com urgência, como representação criminal, autor Polícia Federal, sem consignar nome de investigado, por dependência ao inquérito 2003.7000030333-4. Após voltem conclusos".

Com o referido ofício, foi remetido o relatório de fls. 13/14, elaborado pela polícia norte-americana, no qual se propunha uma investigação conjunta.

Munida desse material, a Polícia Federal, em 17 de maio de 2007, representou ao juiz federal da 2ª Vara Federal Criminal de Curitiba,

Sérgio Fernando Moro. O juiz inicia seu despacho de 21 de maio "legitimando" seu poder em razão das "investigações conduzidas nesta Vara, principalmente através do inquérito 2003.7000030333-4 que vem desvendando a já conhecida existência no Brasil de um verdadeiro sistema financeiro paralelo ao sistema oficial".

Para análise do discurso o juiz se socorre de uma série de termos em inglês, afirmando que "tal sistema de compensação é denominado vulgarmente no Brasil de 'dólar cabo' e é semelhante ao que vem sendo denominado internacionalmente de 'hawala system' [...] 'as atividades desses doleiros foram conduzidas através de contas mantidas no exterior em nome de off-shores'" [...] "As autoridades norte-americanas pretendem, em sua investigação, realizar o que denominam de 'undercover operation' (operação encoberta) [...]". Após, o juiz passa a comparar o que seria "não é praxe no Brasil" com o direito americano:

> Não é uma praxe no Brasil a realização de "operações encobertas", embora exista autorização legal para o desenvolvimento de ação policial controlada e ainda para infiltração de agentes, cf. artigo 2º, 11 e V, da Lei nº 9.034/1995. A operação encoberta, na qual um agente policial ou pessoa agindo a mando daquele finge participar de um crime a fim de revelá-lo, na prática assemelha-se à infiltração de agentes, podendo ser enquadrada na referida categoria legal na falta de previsão mais específica. Também envolve ação controlada, pois o disfarce é mantido e a intervenção da lei é retardada até o momento mais conveniente para a formação da prova e desmantelamento da quadrilha.
>
> 8. A utilização de agente ou de informante disfarçados, embora constitua diligência complexa do ponto de vista operacional, permite a colheita de prova privilegiada da atividade criminosa, obtendo-se aquilo que pode ser denominado de "informação de dentro". No caso de sucesso da diligência, o agente ou informante passa a colher provas da atividade criminosa através

das informações que lhe foram indevidamente confiadas. Como já decidiu a Suprema Corte norte-americana em casos como Lopez v. USA, 373 U.S. 427,1963, e Hoffa v. USA, 385 U.S. 293, 1966, o devido processo legal não protege a crença equivocada de um criminoso de que a pessoa para a qual ele voluntariamente revela seus crimes não irá, por sua vez, revelá-los às autoridades públicas.

9. O que não é viável através de diligência da espécie é incentivar a prática de crimes. Agentes disfarçados extravasam os limites de sua atuação legítima quando induzem terceiros à prática de crimes. Não é este, porém, o caso quando o agente disfarçado age apenas para revelar um esquema criminoso pré-existente, ainda que possa, para que o disfarce seja bem-sucedido, contribuir para a realização do crime. "Entrapment" ou armadilha só existe e é ilegítima quando inexiste um prévio esquema ou predisposição criminosa (*ct.* jurisprudência da Suprema Corte norte-americana, v.g. Sorrel v. USA, de 1932, e, a "*contrario sensu*", da Corte Europeia de Direitos Humanos, v.g. Teixeira de Castro v. Portugal, de 1998). Repetindo a Suprema Corte norte-americana no caso Sherman v. USA, de 1958, trata-se de "traçar uma linha entre a armadilha para um inocente incauto e a armadilha para um criminoso incauto". De certa forma, a distinção assemelha-se à diferenciação que faz a jurisprudência brasileira entre "flagrante esperado" e o "flagrante preparado", sendo o primeiro legítimo e o segundo, não (dentre outros precedentes, envolvendo usualmente a distinção em crimes de tráfico de drogas, HC 69.476/SP, 2ª Turma, Min. Néri da Silveira, DJU de 12/03/1993).

A pretensão da autoridade policial era uma autorização judicial para criar, no Brasil, um Cadastro de Pessoa Física (CPF) falso e uma conta-corrente a ele vinculada, em nome de pessoa fictícia, a fim de que policiais americanos, fingindo serem clientes de Erico de Oliveira, lhe entregassem valores, próximos a 100 mil dólares americanos, encomendando-lhe a remessa de tal quantia à referida conta bancária no Brasil, de modo a conseguir, posteriormente, rastrear os caminhos, as contas, pelas quais o numerário teria passado, viabilizando a identificação de uma suposta rede paralela de transferências ilegais de valores dos Estados Unidos para o Brasil.

Sua Excelência, atendendo ao pedido exclusivo da Polícia, autorizou o requerimento nos seguintes termos:

15. Portanto, <u>defiro</u> o requerido pela autoridade policial, autorizando a realização da operação conjunta disfarçada e de todos os atos necessários para a sua efetivação no Brasil, a fim de revelar inteiramente as contas para remeter informalmente dinheiro dos Estados Unidos para o Brasil. A autorização inclui, se for o caso e segundo o planejamento a ser traçado entre as autoridades policiais, a utilização de agentes ou pessoas disfarçadas também no Brasil, a abertura de contas-correntes no Brasil em nome delas ou de <u>identidades a serem criadas</u>.

16. Por oportuno, esclareça-se que, **caso se culmine por abrir contas em nome de pessoas não existentes e para tanto por fornecer dados falsos a agentes bancários, que as autoridades policiais não incorrem na prática de crimes, inclusive de falso, pois, um, age com autorização judicial e, dois, não agem com dolo de cometer crimes, mas com dolo de realizar o necessário para a operação disfarçada e, com isso, combater crimes**.

(Decisão judicial – fl. 56 do Inquérito 2007.7000011914-0)

O que mais causa espécie é a natureza e o ineditismo das diligências deferidas pelo magistrado paranaense que, diga-se de passagem, o fez **sem a manifestação prévia ou mesmo ciência do MPF (Ministério Público Federal)**.

Só em 19 de julho de 2007, **pela primeira vez, vista dos autos ao MPF** que se manifestou em somente duas linhas tomando ciência e concordando com os **atos pretéritos**. Entre as assinaturas, em caixa alta, o procurador que ficaria conhecido como chefe da força-tarefa da Lava Jato, Deltan Dallagnol:

MM. Juiz Federal, Ciente o MPF, que está de acordo integralmente com a decisão proferida. Curitiba, 23/05/2007.

ORLANDO MARTELLO – DELTAN MARTINAZZO DALLAGNOL

Os mesmos procuradores vão pedir em 27 de agosto de 2007 o desmembramento da investigação e a remessa de peças para São Paulo e Rio de Janeiro.

A partir de então, **entre maio e julho daquele ano**, observa-se que **quatro outros pedidos** foram sucessivamente formulados pela autoridade policial, e imediatamente deferidos pelo Juízo, **sem a prévia oitiva do MPF**, que veio a se manifestar somente uma única vez em julho, após todos os pedidos e deferimentos, tal como um órgão que admite ser demitido da nobilíssima função de *custos legis*, para ocupar aquela que o jargão popular chamaria de *marido traído* (fls. 59, 62, 67, 70 e 76).

No anexo 3 às folhas 207 a delegada de Polícia Federal Erika Mialik Marena[32] remete um ofício ao DPF Roberto Ciciliatti Troncon

---

[32] Diário do Centro do Mundo. **Delegada Erika Marena, do caso Cancellier, participou de operação policial irregular nos EUA a mando de Moro.** 15 de março de 2019. Disponível em: https://www.diariodocentrodomundo.com.br/delegada-erika-marena-do-coaf-participou-de-operacao-policial-irregular-nos-eua-a-mando-de-moro/.
Cleaning Up: The Brazilian Judiciary Roots Out Corruption – Posted by Vanessa Ruales, Mar 24, 2018 | The Americas, World. Disponível em: http://harvardpolitics.com/world/cleaning-up-the-brazilian-judiciary-roots-out-corruption/.
Entrevista com Sérgio Moro. Disponível em: https://www.youtube.com/watch?v=V6FpMMkb8lw. RELAÇÕES INFORMAIS. "'Lava jato' começou como papo de corredor que se tornou convite da PF ao FBI" – 24 de maio de 2018 – Por Pedro Canário. Disponível em: https://www.conjur.com.br/2018-mai-24/entrevista-robert-appleton-ex-procurador-doj-consultor.

Filho em que relata que "A signatária *esteve* na cidade de Atlanta, Geórgia, e acompanhou várias diligências relacionadas com o DHS/SAC/Atlanta".

Em 29 de fevereiro de 2008, após as autoridades americanas conseguirem o que precisavam, Sérgio Moro remete o caso ao Rio de Janeiro e é distribuído ao juiz Rodolfo Kronemberg Hartmann, e tempos depois irá subsidiar a Operação Sobrecarga, gerando prisões. A operação nada se relacionava com o tráfico de drogas e tratava de descaminho, prendendo empresários que faziam importação da China.

Em 1995, havia entrado em vigor a Lei 9.034/95 que regulava a forma de investigação de organização criminosa. Como será explicado em outro capítulo, a edição dessa lei fez parte de uma pauta americana internacional. Essa lei será substituída em 2013 pela Lei 12.850/13.

No artigo 2º trazia a "infiltração de agentes de polícia especializada em quadrilhas ou bandos, vedada qualquer coparticipação delituosa". Este parágrafo foi vetado por Fernando Henrique Cardoso, porque diferentemente do projeto original, não exigia autorização judicial, e pelo entendimento que a redação dava autorizava o cometimento de crime pela polícia preexcluindo a antijuridicidade.

O que foi aprovado foi a ação controlada, que pelo artigo "consiste em retardar a interdição policial do que se supõe ação praticada por organizações criminosas ou a elas vinculado, desde que mantida sob observação e acompanhamento para que a medida legal se concretize no momento mais eficaz do ponto de vista da formação de provas e fornecimento de informações".

Em 1963, o Supremo brasileiro já havia enfrentado a questão e editado a Súmula 145 de que "Não há crime, quando a preparação do flagrante pela polícia torna impossível a sua consumação". A Súmula se embasou em *habeas corpus* de 1940, 1951, 1961 e 1963 (RHC 27566, de 15531, HC 38758, HC 40289). Em todos se enfrentou o que se chama de flagrante preparado no qual o agente do Estado age como se fosse cometer o crime, a exemplo de pagar uma propina para prender o agente.

Assim, flagrante preparado é aquele em que o agente do Estado participa da empreitada criminosa. Se diferenciou do flagrante esperado no qual se sabe que o crime será cometido, e sem a interferência de algum agente do Estado, se espera o momento do cometimento do crime.

Portanto, a nova lei autorizava a não realizar um flagrante e persistir a investigação com o objetivo de realizar um flagrante maior. A lei também trouxe a autorização de infiltração de agentes, sem cometimento de crime. "V – infiltração por agentes de polícia ou de inteligência, em tarefas de investigação, constituída pelos órgãos especializados pertinentes, mediante circunstanciada autorização judicial."

A criação de um CNPJ falso para depósito de valores para compra de drogas não estava prevista na legislação brasileira e ofendia a Súmula do STF. Sérgio Moro havia autorizado a participação sem nem sequer ter escutado o Ministério Público.

A outra questão é a soberania brasileira. Houve cooperação direta da delegada de Polícia Federal com autoridade estrangeira (policiais do serviço secreto norte-americano) sem o consentimento. Nos termos do art. 84, VII, da Constituição da República Federativa do Brasil (CRFB), compete ao presidente da República manter relações com Estados estrangeiros e acreditar seus representantes diplomáticos. O mesmo artigo da Constituição prevê que o chefe máximo do Poder Executivo Federal, por decreto, delegará aos ministros de Estado funções inerentes à direção, organização e funcionamento da administração federal.

Quanto ao relacionamento com Estados estrangeiros na época dos fatos (entre fev./2007 e jan./2008), vigia o Decreto nº 5.979/06 que, em seu art. 1º, incisos e parágrafo único, estabelecia a competência do Ministério das Relações Exteriores para tratar das relações diplomáticas e de cooperação com Estados estrangeiros.

Fernando Augusto Fernandes

O procedimento relativo à extradição é feito via relações diplomáticas (cf. arts. 80, *caput* e § 1º, 85, § 3º e 86, *caput*, todos da Lei nº 6.815/80). Tanto que **o próprio STF não troca ofícios diretamente com embaixadas ou governos estrangeiros nos processos de extradição que lá tramitam**[33], mas sim via Ministério das Relações Exteriores.

Nesse caso impetramos três *habeas corpus*, sendo um contra Sérgio Moro no Rio Grande do Sul, segunda instância do TRF do Paraná (TRF4); e dois no Rio de Janeiro. No do Rio Grande do Sul o juiz Sérgio Moro prestou as seguintes informações:

> **Quanto à cooperação jurídica internacional realizada, a partir das investigações conjuntas, no processo, esclareça-se que encontra ela** abrigo expresso no art. XVII do Tratado entre Brasil e Estados Unidos de cooperação mútua que foi ratificado e promulgado no Brasil pelo Decreto 3.810/2001, cf. cumpridamente fundamentado na decisão de fls. 145-148. Agregue- se que o Superior Tribunal de Justiça vem decidindo pela validade da cooperação **jurídica internacional pelo mecanismo do auxílio direto, cf., v.g., precedente na** Reclamação 2645/SP.
>
> Quanto às alegações da invalidade da atuação do agente provocador, cumpre destacar que somente nos Estados Unidos houve atuação de agente policial agindo disfarçadamente. No Brasil, a investigação instaurada visou apenas identificar contas utilizadas em esquemas de lavagem de dinheiro. Ainda **que não possa eventualmente ser considerado crime o depósito efetuado pelo paciente na conta em nome fictício, já que o depósito teria sido decorrente de ação policial disfarçada, isso não**

---

[33] (PPE 644/Confederação Helvética, min. Ricardo Lewandowski, j. 26.05.2010, DJe divulg. 10.06.2010, public. 11.06.2010.)(Ext 779 extensão/República Argentina, rel. min. Joaquim Barbosa, j. 12.03.2009, DJe divulg. 19.03.2009, public. 20.03.2009.)
(Ext 1121/Estados Unidos da América, rel. min. Celso de Mello, j. 23.11.2010, DJe divulg. 26.11.2010, public. 29.11.2010.)

impede que, a partir deste ato, com a identificação da conta, seja promovida investigação quanto a natureza da conta e das atividades do paciente, sendo provável o seu envolvimento em esquemas mais amplos de lavagem de dinheiro.

14 abril de 2011, informações de Sérgio Moro.

No TRF4 **0003023-19.2011.404.0000** em que foi relator Tadaaqui Hirose, a decisão foi não julgar o *habeas corpus*:

"Nada obstante os esforços dos ilustres advogados, é o caso de não se conhecer deste habeas corpus." [...] "Pois de fato, prosseguindo as investigações junto ao juízo declinado, que se declarou competente, assume ela, a partir de então, a condição de possível autoridade coatora, inclusive quanto aos atos praticados pelo juízo incompetente." 24/05/11

O primeiro no Rio de Janeiro foi de número 2008.51.01.812536-8:

EMENTA: PROCESSO PENAL. REJEIÇÃO DE DENÚNCIA. COMPETÊNCIA. TRF DA 2ª. REGIÃO. ASSISTÊNCIA MÚTUA EM MATÉRIA PENAL. COOPERAÇÃO INTERNACIONAL. AUXÍLIO DIRETO. AUTORIDADE CENTRAL. AUSÊNCIA DE ATUAÇÃO. **MERA IRREGULARIDADE**. AUSÊNCIA DE JUSTA CAUSA PARA AÇÃO PENAL. DENÚNCIA REJEITADA.

I – O TRF é o competente para apreciar o pedido de nulidade da decisão do Juízo da 2ª Vara Federal de Curitiba. Em que pese o ato inicial que originou a investigação ter sido praticado por aquele Juízo de outra Região, ele declinou da competência para a Justiça Federal do Rio de Janeiro, e o MPF ratificou todo o processado e requisitou a instauração de inquérito, com base naqueles atos de investigação por ele decididos.

II – Pedido de assistência mútua em matéria penal, formulado por parte da autoridade americana, com vistas a uma investigação sobre a transferência de valores entre os dois países, e que se mostrava, em princípio, ilegal.

III – A assistência mútua tinha e tem amparo legal no Decreto nº 3.810, de 3 de maio de 2001, que é um Acordo de Assistência Jurídica em Matéria Penal entre Brasil e Estados Unidos da América, que se enquadra no gênero dos tratados internacionais solenes, bilateral, e que estabelece normas jurídicas e conduta objetiva e impessoal a serem observadas pelos signatários, que em resumo retratam a cooperação em matéria penal segundo o ali disposto.

IV – O tal Acordo é daqueles que não reservou aplicabilidade apenas após regulamentação normativa interna, e deveria ser imediatamente cumprido pelo Executivo e aplicado pelo Judiciário. Portanto, nada impediria a realização da assistência mútua, observado o que dispõe o Decreto 3.810/2001.

V – A cooperação internacional está amparada largamente pelo art. 4º IX da Constituição da República. E hoje ela se dá por diversas formas, como a homologação de sentença estrangeira, a carta rogatória, e o auxílio direto.

VI – O auxílio direto tem sido amplamente divulgado pela doutrina como novo mecanismo de cooperação que permite respostas mais rápidas a pedidos formulados de cooperação internacional, exatamente para evitar burocracias desnecessárias ou não recomendáveis para determinados casos em que se deve dar mais peso à eficácia e celeridade das respostas. Esses casos, muitas vezes, são exatamente aqueles que estão ligados à esfera da investigação criminal, em que uma determinada ação ou medida tem o escopo de reunir elementos de prova o quanto antes e previamente a que venham a se desfazer, ou nos casos em que visam a impedir o prosseguimento da prática delituosa, dentre outras situações urgentes.

Embora não traduzido por lei ordinária, o instituto do auxílio direto acabou sendo trazido para o âmbito jurídico, formalmente, por meio da Resolução nº 9, de 4 de maio de 2005, do Superior Tribunal de Justiça.

VII – Na hipótese, não há, por parte dos organismos policiais, qualquer medida que traduza, direta ou indiretamente, induzimento ou instigação à prática criminosa executada pelas pessoas investigadas e pelos agentes policiais americanos ou brasileiros, o que descaracteriza a alegação de prova obtida por meios ilícitos, sob este prisma, não obstante sobrevenha a intervenção ulterior da polícia – lícita e necessária – apenas para obter informações sobre o propósito da organização criminosa vislumbrada, objetivando acompanhar seus passos, até a descoberta das empresas envolvidas em fatos que poderiam configurar lavagem de dinheiro ou evasão de divisas.

VIII – O auxílio direto em matéria de investigação penal por assistência mútua, como visto, tem apoio na Constituição, mas não conta com lei ordinária nacional que o regulamente. Todavia, conforme entendimento sedimentado na Suprema Corte, desde o leading case contido no RE 80.004-SE (Rel. Min. CUNHA PEIXOTO, julgado em 1º/06/1977), o Excelso Pretório tem adotado o sistema paritário ou monismo nacionalista moderado, segundo o qual tratados e convenções internacionais possuem o status de lei ordinária, e quando nenhuma outra tratar da matéria valem como tal.

IX – E mais, a partir do HC nº 72.131-RJ, o Supremo Tribunal Federal decidiu que em caso de conflito do tratado com lei nacional, este deve ser resolvido pelo critério cronológico combinado com o da especialidade (lex posterior generalis non derogat legi priori specialí). Do mesmo não dissente (*sic*) a doutrina recente, sendo certo, portanto, que, para a execução do auxílio direto para assistência mútua em causa, haveria de ser observada a forma prevista no acordo bilateral, que em razão do princípio da especialidade era a norma a dispor sobre o assunto.

X – A própria autoridade central do Ministério da Justiça não poderia executar o auxílio direto requerido, devendo mesmo dirigi-lo ao juiz. E a meu ver, o encaminhamento do pedido de auxílio sem passar pela autoridade central, no caso, apenas configurou mera irregularidade, sendo mínimo o desacordo do ato praticado com o modelo legal, não afetando a essência do ato.

XI – O sistema legal vigente não permite estender a aplicação da Súmula vinculante nº 24 do STF a delito até mais assemelhado, como a apropriação indébita previdenciária. Assim como o sistema legal vigente também não permite estender a aplicação da Súmula vinculante nº 24 do STF aos crimes de descaminho.

XII – A denúncia tem por base a interceptação telefônica e telemática anulada pelo STJ e carece de suporte probatório a configurar a justa causa para a ação penal. Poderá então o MPF retomar as investigações e, eventualmente, oferecer nova denúncia baseada nos elementos já carreados e em outros porventura produzidos no decorrer do inquérito policial.

XIII – Negado provimento ao recurso. Mantida a rejeição da denúncia.

HC TRF 12008.51.01.812536

O terceiro, de nº 2013.02.01.001503-8 perante o TRF cujo desembargador relator foi Abel Gomes, no Rio de Janeiro. "A manifestação do digno Procurador Regional da República, Dr. André Nascimento, em desagravo ao Exmo. Juiz Federal Sérgio Fernando Moro, da 2ª Vara Federal de Curitiba – Seção Judiciária do Paraná, tocante ao modo como foi referido na impetração, bem como o deferimento do pleito que tome conhecimento, uma vez não ser autoridade coatora…" O ofício com cópia da petição inicial foi enviado pelo desembargador Abel Gomes no dia 24 de maio de 2013.

O *habeas corpus* foi extinto sem julgamento do mérito sob a justificativa de que havia se manifestado no recurso em sentido estrito 2008.51.01.812536-8.

O Superior Tribunal de Justiça, no HC 200.059 impetrado pela advogada Ilana Benjó, anulou as interceptações telefônicas do caso em 6 de novembro de 2013 em um julgamento empate. O relator Og Fernandes e a ministra Maria Thereza votaram contra e o ministro Sebastião Reis Júnior e o desembargador Vasco Della Giustina consideraram que não havia fundamentação nas prorrogações de interceptação telefônica e anularam o caso.

Em razão da rejeição das denúncias do Ministério Público e da anulação do caso pelo Superior Tribunal de Justiça, aqueles atos de Sérgio Moro e a participação da Polícia Federal em conjunto com interesses americanos nunca foram apreciados pelas cortes superiores.

Mas o rastro da cooperação e da ligação das autoridades de Curitiba com os americanos ficou marcado e foi campo fértil para os anos seguintes. Foi tratado sobre o projeto de treinamento[34], sobre o processo de empresas brasileiras nos Estados Unidos[35], sobre a questão do pré-sal. Não faltam pistas, como a notícia sobre o MP de Goiás:

---

[34] *CartaCapital*. Grupos de Pressão e o pré-sal: Antecedentes da crise – 20 de outubro de 2017. Este texto integra a série **"O pré-sal e os interesses em jogo: realidade e desafios".** Disponível em: https://www.cartacapital.com.br/economia/grupos-de-pressao-e-o-pre-sal-antecedentes-da-crise/.
O BRASIL NA MIRA DO TIO SAM: O PROJETO PONTES E A PARTICIPAÇÃO DOS EUA NO GOLPE DE 2016 – Gabriel Lecznieski Kanaan – Anais do Encontro Internacional e XVIII Encontro de História da Apuh-Rio Histórias e Parcerias ISB 978-85-65957-10-6. Disponível em: https://www.encontro2018.rj.anpuh.org/resources/anais/8/1530472505_ARQUIVO_KANAAN,GabrielLecznieski.OBrasilnamiradoTioSam[ANPUHRJ].pdf.

[35] Jornal GGN. **Dos EUA, o tiro fatal nas empresas envolvidas na Lava Jato.** Esquema geopolítico de cooperação internacional, por trás da Lava Jato, começa a ficar mais nítido. Por Lilian Milena – 24 de março de 2016 – Jornal de todos os Brasis – Disponível em: https://jornalggn.com.br/justica/dos-eua-o-tiro-fatal-nas-empresas-envolvidas-na-lava-jato/comment-page-2/.

O Ministério Público de Goiás (MP-GO) e a embaixada, dos Estados Unidos promovem nessa segunda e terça-feira (12 e 13/9) uma capacitação sobre combate à lavagem de dinheiro. O curso é direcionado a um público específico e limitado, formado por membros do MP-GO e do Ministério Público Federal, juízes (da magistratura estadual e federal), policiais federais e servidores da Receita Federal.

Entre os palestrantes, todos eles convidados pela embaixada, estão o desembargador federal Fausto de Sanctis; o juiz federal dos EUA J. Clifford Wallace; o delegado da Polícia Federal Leopoldo Lacerda; o coordenador-geral de Análise do Conselho de Controle de Atividades Financeiras (Coaf), Joaquim da Cunha Neto, e integrantes de órgãos investigativos norte-americanos. As palestras terão tradução simultânea e são restritas aos participantes do curso.

O treinamento tem como objetivo buscar uma maior integração entre as entidades que atuam no combate à lavagem de dinheiro no Brasil e nos Estados Unidos a partir do compartilhamento de experiências e das melhores práticas. Além disso, pretende desenvolver técnicas de investigações conjuntas de longa duração, tendo como alvo as organizações criminosas[36].

Matéria de 11 de setembro de 2011

---

[36] A Redação – **Curso capacita promotores e juízes sobre combate à lavagem de dinheiro** – 11 de setembro de 2011. Disponível em: http://aredacao.com.br/noticias/2924/curso-capacita-promotores-e-juizes-sobre-combate-a-lavagem-de-dinheiro.

4. O Grande Irmão

Em 9 de setembro de 2013 o *Fantástico*, programa da Rede Globo, divulgava a matéria: "Petrobras foi espionada pelos EUA"[37]. A matéria era uma sequência de vazamentos realizados pelo ex-agente da CIA Edward Snowden ao jornalista e advogado Glenn Greenwald.

O início dos vazamentos ocorreu pelos jornais *The Guardian* e *The Washington Post*, mostrando a vigilância global desenvolvida pelos americanos. Em 2015, o filme *Citizenfour* foi o ganhador do Oscar na categoria de melhor documentário. O documentário dirigido por Laura Poitras aborda a extensão da vigilância global e espionagem pelos Estados Unidos, feitas por meio da NSA.

Oliver Stone também fez um filme com roteiro dele e de Kieran Fitzgerald, chamado *Snowden*, lançado em 2016.

A surpreendente história gerou vasto material, como o livro *No Place to hide – Edward Snowden, The NSA & the surveillance State*[38], traduzido como *Sem lugar para se esconder – Edward Snowden, a NSA e a Espionagem do Governo Americano*[39].

---

[37] Reportagem do Programa **Fantástico** 09/09/2013 – Rede Globo. Disponível em: https://www.youtube.com/watch?v=dea2d6ezvsQ.

[38] Penguin Random House UK, 2014.

[39] Tradução Fernanda Abreu, GMT Editores, 2014.

Snowden foi um agente graduado da CIA, especialista em computação, que acabou tomando contato com um gigantesco programa de vigilância dos Estados Unidos sobre o mundo. Depois disso conseguiu copiar as provas dessa invasão de privacidade que atingia o mundo inteiro e também os americanos e fez contato, por mensagem criptografada, com o jornalista Glenn Greenwald.

Tudo parecia estranho, mas o jornalista, com apoio do jornal *The Guardian*, embarca para a China e encontra com Snowden em um hotel em Hong Kong. De lá, realiza inúmeras entrevistas e acessa os documentos que vão estarrecer o mundo.

Os Estados Unidos têm a capacidade de, por meio da troca de informações transmitidas por cabos subaquáticos, interceptar milhares de mensagens de *e-mails*, escutar milhares de ligações telefônicas, abrir computadores. [...] o acervo incluía os documentos relacionados ao PRISM, que detalhavam acordos secretos entre a NSA e as maiores empresas de internet do mundo – Facebook, Yahoo!, Apple, Google –, bem como importantes esforços da Microsoft para proporcionar à agência acesso a suas plataformas de comunicação, como o Outlook[40].

Para se ter uma ideia do número de interceptações, a passagem do livro de Glenn mostra dados estarrecedores:

> No período de um mês, a partir de 8 de março de 2013, por exemplo, um slide do BOUNDLESS INFORMANT mostrava que uma única unidade da NSA, chamada Global Access Operations (Operações de Acesso Global, GAO na sigla em inglês) tinha coletado dados sobre mais de 3 bilhões de chamadas telefônicas e *e-mails* que haviam transitado pelo sistema de telecomunicações norte-americano. ("DNR", ou "Dialed Number Recognition", "reconhecimento de número discado", refere-se a chamadas telefônicas; "DNI", ou "Digital Network Intelligence", "inteligência

---

[40] GMT, pág. 89.

de rede digital", refere-se a comunicações feitas via internet, como *e-mails*.) Esse número excedia coletas nos sistemas da Rússia, do México e de quase todos os países da Europa, e equivalia mais ou menos ao total de dados coletado na China. No geral, em apenas trinta dias, a unidade coletara dados sobre mais de 97 bilhões de *e-mails* e 124 bilhões de chamadas do mundo inteiro. Outro documento do BOUNDLESS INFORMANT oferecia detalhes dos dados coletados em um único período de trinta dias na Alemanha (500 milhões), Brasil (2,3 bilhões) e Índia (13,5 bilhões). Outros arquivos mostravam, ainda, a coleta de metadados em parceria com os governos francês (70 milhões), espanhol (60 milhões), italiano (47 milhões), holandês (1,8 milhão), norueguês (33 milhões) e dinamarquês (23 milhões)[41].

O livro informa que:

[...] a coleta em massa não apenas possibilita ao governo obter informações sobre mais pessoas como também lhe permite conhecer fatos novos e anteriormente privados que a simples coleta de informações sobre alguns indivíduos específicos não teria permitido.

Acresce que boa parte do acervo de Snowden revelou o que só pode ser qualificado de espionagem econômica: escuta e interceptação de *e-mails* da **gigante brasileira de petróleo Petrobras**, de conferências econômicas na América Latina, de empresas de energia da Venezuela e do México, e uma vigilância conduzida por aliados da NSA (entre os quais Canadá, Noruega e Suécia) sobre o Ministério das Minas e Energia do Brasil e empresas do setor de energia em vários outros países[42].

---

[41] Pág. 74.

[42] Pág. 117.

A espionagem em relação ao Brasil é citada várias vezes no livro. O autor menciona ainda a existência do "OLYMPIA, programa canadense destinado a vigiar o Ministério das Minas e Energia brasileiro"[43]. A seguir, veja a parte que traz este relato:

> A NSA também se dedica à espionagem diplomática, como demonstram os documentos referentes a "questões políticas". Um exemplo particularmente chocante, de 2011, **mostra que a agência teve como alvo dois líderes latino-americanos – a atual presidente do Brasil, Dilma Rousseff, assim como seus "principais consultores"**, e o então líder da disputa presidencial (e hoje presidente) do México Enrique Peña Nieto, junto com "nove de seus colaboradores mais próximos" – para um "esforço especial" de vigilância especialmente invasiva. O documento chega a incluir algumas das mensagens de texto interceptadas entre Nieto e um "colaborador próximo": ESFORÇO ESPECIAL DE S2C42 Objetivo Melhorar a compreensão dos métodos de comunicação e seletores associados relativos à presidente brasileira Dilma Rousseff e seus principais consultores[44].

A vigilância dos Estados Unidos sobre o México tinha razões específicas em relação ao petróleo.

Pode-se especular sobre o motivo que levou líderes políticos do Brasil e do México a serem alvos da NSA. Ambos os países são ricos em recursos petrolíferos e têm uma presença forte e ingente em suas regiões. Além disso, embora estejam longe de ser adversários, também não são os aliados mais próximos e confiáveis dos Estados Unidos. De fato, um documento de planejamento da NSA – intitulado "Identificação de desafios: Tendências geopolíticas para 2014-2019" –

---

[43] Pág. 75.

[44] Pág. 123.

lista os dois países abaixo do subtítulo "Amigos, inimigos ou problemas?". Na mesma lista estão Arábia Saudita, Egito, Iêmen, Índia, Irã, Somália, Sudão e Turquia. Em última instância, porém, tanto nesse caso quanto na maioria dos outros, especulações sobre qualquer alvo individual baseiam-se em uma falsa premissa. A NSA não precisa de nenhum motivo ou explicação específica para invadir as comunicações privadas das pessoas. Sua missão institucional é coletar tudo. Na verdade, as revelações sobre a espionagem de líderes estrangeiros pela NSA são menos significativas do que sua vigilância em massa e sem autorização de populações inteiras. Países vêm espionando chefes de Estado há séculos, inclusive aliados. Não chega a ser motivo para espanto, apesar da indignação provocada. Por exemplo, a revelação de que durante muitos anos a NSA mantinha como alvo o celular pessoal da chanceler alemã Angela Merkel[45].

O movimento de vazamento que Snowden realizou foi um ato de resistência contra a "militarização do ciberespaço" com a vigilância em massa de nossa população e invasão da privacidade e das empresas. O movimento de resistência por meio da cultura dos *cyberpunks* tem como meta a "privacidade para os fracos, transparência para os poderosos", e como princípio "a informação quer ser livre"[46]. O WikiLeaks é uma importante organização que se dedica a publicar documentos secretos revelando má conduta de governos, empresas e instituições. As denúncias reveladas por essa organização passam pelo ataque a civis e torturas no Iraque, centenas de assassinatos no Afeganistão, ordem de Hillary Clinton para que 33 embaixadas recolhessem dados pessoais de diplomatas da ONU.

A capacidade dos Estados Unidos de espionarem o mundo, e em especial os dados que demonstram que em 2013 a agência

---

[45] Pág. 126.

[46] *Cypherpunks – Liberdade e o Futuro da Internet*, São Paulo: Boitempo Editorial, 2012, pág. 12, prefácio Natalia Viana.

NSA já estava colhendo dados sobre Dilma e em especial sobre a Petrobras, é fundamental para montar o quebra-cabeça do que se seguirá.

Após o ataque de 11 de setembro, nos Estados Unidos, assentou-se a ideia, vinda do governo Clinton, de combate ao "eixo do mal"[47] com o objetivo de "integrar países e organizações de forma a promover um mundo em harmonia com os interesses americanos"[48]. De fato, "os Estados Unidos acreditam que podem governar o mundo sozinhos ou com mera ajuda de vassalos passivos"[49]. Na realidade, são reedificações ideológicas. Durante a Guerra Fria, os Estados Unidos já chamavam a URSS (União das Repúblicas Socialistas Soviéticas) de "Império do Mal"[50].

Para Henry Kissinger, "a passagem americana pela política internacional demonstra o triunfo da fé sobre a experiência" (2001:14). Esse é o horizonte no qual se situa o ideário do *Destino Manifesto*, compreendendo um conjunto de formulações ideológicas que serviu de estímulo e justificativa para as ações expansionistas dos Estados Unidos no continente durante o século XIX. Ele estabelecia que os norte-americanos haviam construído um país a partir de valores superiores e, portanto, postulavam a missão divina persistente de civilizar as regiões que não tiveram a mesma sorte. Note-se não se tratar apenas de colocar a república norte-americana como um exemplo a ser seguido, mas, sobretudo, a tarefa dita altruísta de criar um mundo à sua imagem e semelhança, seja pela via pacífica, negociada, persuasiva, ou a ferro e fogo. É nesse sentido que o *Destino Manifesto* casa-se com os interesses

---

[47] DUPAS, Gilberto. A nova doutrina de segurança internacional dos Estados Unidos e os impasses na governabilidade global. In: *Os impasses da Globalização – Hegemonia e contra-hegemonia*, Coord.: Theotonio dos Santos. Rio e São Paulo: PUC-Rio/Edições Loyola, 2003, pág. 197.

[48] *Ibid.*, pág. 200.

[49] *Ibid.*, pág. 206.

[50] SANTOS, Marcelo. *O poder norte-americano e a América Latina*. São Paulo: FAPESP, 2007.

GEOPOLÍTICA DA
INTERVENÇÃO

econômicos, financeiros, políticos, militares, sociais e culturais dos setores dominantes da sociedade norte-americana. A mesma missão civilizadora que, supostamente, ensina aos outros povos a democracia, a liberdade e a justiça também garante os negócios, os lucros e o consumismo exacerbado[51].

A história de influência americana na América Latina é antiga e vem desde o advento do *Corolário Roosevelt*, em 1904. Mesmo no governo de T. W. Wilson (1913-1921), que preconizava a auto-determinação dos povos, as intervenções continuaram, como nos casos da Nicarágua, da República Dominicana, do Haiti, de Cuba, de Honduras, do Panamá e do México. Na década de 1920, a despeito da política isolacionista, as administrações W. G. Harding (1921-1923) e C. Coolidge (1923-1929) mantiveram as práticas do *Big Stick*. Foi no governo de H. Hoover (1929-1933) que os Estados Unidos começaram a repensar os paradigmas que orientavam suas intervenções na região. Até 1930, a supremacia norte-americana na região havia sido construída por meio de penetração econômica, intervenções impetuosas e abertas pressões políticas.

A década de 1970 ficou marcada como o fim de uma época de hegemonia benevolente norte-americana e o início de um projeto de dimensão imperial, que se sustentou do *Destino Manifesto*, por meio do *Corolário Roosevelt*, até a *Doutrina Monroe*, em 1904, que "dava aos Estados Unidos o direito de intervenção e interferência direta nos assuntos internos e externos do continente"[52].

Com o fim da Guerra Fria, a "guerra jurídica assimétrica" (*lawfare*)[53] passou a liderar as formas de intervenção. Cumpre

---

[51] *Ibid.*

[52] *Ibid.*

[53] A professora Carol Proner descreve *lawfare* como um método de guerra não tradicional pelo qual a lei, por meio de sua legitimidade e de seus atores (juízes, promotores e policiais), é utilizada como um meio para alcançar objetivo militar, desestabilizando ou substituindo governos. Cf. PRONER, Carol. *Lawfare como herramienta de los neofascismos.*

observar que, se nos Estados Unidos protege-se a todo custo a classe política contra qualquer ação criminal, "vende-se" para o resto do mundo uma ideia de país sem corrupção. O livro de Glenn Greenwald[54] destrói essa ideia de equidade nos Estados Unidos, trazendo a falta de punição de Nixon, no Watergate; de Bush, no escândalo Irã-Contras; de Bush filho em relação ao programa de interceptação de americanos e de todos os envolvidos, Obama inclusive, no programa denunciado por Snowden. O Congresso americano correu para mudar a legislação e proteger as empresas de telefonia que cooperavam com os programas ilegais de monitoramento de cidadãos.

Enquanto isso, o mundo, em especial a América Latina, entendida como "quintal dos Estados Unidos"[55] – como a ela se referiu John Kerry num discurso ante o Comitê de Assuntos Exteriores da Câmara de Representantes em abril de 2018 – passou a ter suas classes políticas perseguidas e desacreditadas. A ideia intervencionista é tão presente, que John Bolton, conselheiro de Segurança Nacional dos Estados Unidos, em entrevista em março de 2019, referiu-se à *Doutrina Monroe*:

> Neste governo não temos medo de usar a expressão "Doutrina Monroe". Trata-se de um país no nosso hemisfério. Manter um hemisfério completamente democrático sempre foi o objetivo de presidentes americanos desde Ronald Reagan — afirmou Bolton.
> — Eu disse, no fim do ano passado, que estávamos buscando o fim da "troika da tirania", incluindo Cuba, Nicarágua e também Maduro. Parte do problema na Venezuela é a ampla presença de cubanos. São entre 20 mil e 25 mil agentes de segurança

---

[54] GREENWALD, Glenn. *With Liberty and Justice for Some – How the law is used to Destroy Equality and Protect the Powerful.* Nova York: Picador, 2011.

[55] **O imperialismo dos EUA ressuscita a Doutrina Monroe** – 27 abril 2019 – Publicado originalmente em 24 de abril de 2019 – Bill Van Auken. Disponível em: https://www.wsws.org/pt/articles/2019/04/27/pers-a27.html.

segundo os relatórios publicados. E esse é o tipo da coisa que consideramos inaceitável[56].

Assim, a Corte Nacional de Justiça do Equador ordenou a captura do ex-presidente Rafael Correa, que governou o país de 2007 a 2017[57], em 3 de julho de 2018, quatro dias depois de o vice-presidente dos Estados Unidos, Mike Pence, ter visitado Quito e declarado o fim de "dez anos de tensas relações entre ambos os países" e de ter feito acordos com o FMI anunciando privatização de funções que outrora eram realizadas pelo Banco Central equatoriano, como a gestão e o controle do dinheiro eletrônico. Quando da prisão de Julian Assange, em abril de 2019, o ex-presidente do Equador Rafael Correa afirmou em entrevista:

Olha, cada vez inventam uma nova acusação contra mim. É uma perseguição brutal. Assim como estão perseguindo o Lula, a Cristina Kirchner, a todos. E porque somos líderes de esquerda não temos direitos humanos! Está em curso uma absurda deturpação midiática e da Justiça[58].

---

[56] *O Globo*. **"Assessor de Trump evoca Doutrina Monroe, que justificou intervenções na América Latina, ao comentar cenário na Venezuela"**, 2019. Disponível em: https://oglobo.globo.com/mundo/assessor-de-trump-evoca-doutrina-monroe-que-justificou-intervencoes-na-america-latina-ao-comentar-cenario-na-venezuela-23496229.

[57] ELBAUM, Jorge. *Carta Maior*. **"*Lawfare: as masmorras da política latino-americana*"**. Jorge Elbaum Disponível em: https://www.cartamaior.com.br/?/Editoria/Estado-Democratico-de-Direito/Lawfare-as-masmorras-da-politica-latino-americana/40/40888.

[58] VIAN, Natália. *Diário do Centro do Mundo*. **Para Rafael Correa, "prisão de Assange é vingança pessoal do presidente equatoriano"**. 11 de abril de 2019. Disponível em: https://www.diariodocentrodomundo.com.br/para-rafael-correa-prisao-de-assange-e-vinganca-pessoal-do-presidente-equatoriano/ e **Prisão de Assange é vingança de Lenin Moreno, diz ex-presidente do Equador.** Para o ex-presidente do Equador Rafael Correa o caso de corrupção envolvendo o presidente Lenin Moreno foi determinante para a prisão de Assange. Por Natalia Viana, da Agência Pública. 11 de abril 2019. Disponível em: https://exame.abril.com.br/mundo/prisao-de-assange-e-vinganca-de-lenin-moreno-diz-ex-presidente-do-equador/ .

Quanto às razões para o atual presidente do Equador ter expulsado Assange da embaixada do país no Reino Unido, dispara terríveis informações.

Porque ele se entregou ao governo dos Estados Unidos desde o princípio, uma traição sem precedentes aos compromissos de campanha. Lembre-se que ele assumiu no dia 24 de maio de 2017. Mas no dia 20 de maio ele se reuniu com Paul Manafort, ex-chefe de campanha de Donald Trump, antes ainda de assumir, e ofereceu entregar Assange aos Estados Unidos em troca de ajuda financeira ao Equador. E isso aconteceu, porque em fevereiro o Fundo Monetário Internacional (FMI) deu um empréstimo de US$ 4,2 bilhões para o Equador com apoio do governo americano.

E no ano passado o vice de Trump, Mike Pence, visitou o Equador e junto com Lenin [Moreno] chegaram a três acordos. O primeiro é isolar a Venezuela regionalmente – basta ver como o Equador está se comportando –, o segundo é deixar a Chevron-Texaco na impunidade, deixando de processá-la [por derramamentos massivos de petróleo nos anos 90]. E o terceiro é entregar Assange.

Anos antes, em 2009, Manuel Zelaya, presidente de Honduras, fora deposto por uma decisão do parlamento em processo sumário, sem direito de defesa. A Suprema Corte daquele país determinou sua prisão sem oitiva prévia e ele foi preso pelo exército e expulso do país, tudo contra disposições da Carta Magna hondurenha.

Documentos vazados pelo *WikiLeaks* revelam que uma mensagem foi enviada por cabo, pela embaixada dos Estados Unidos em Tegucigalpa, para Washington, informando que o que se passava em Honduras era um golpe de Estado e que o presidente Manuel Zelaya sofria um rapto e sequestro. A correspondência foi endereçada a Tom Shannon, secretário-assistente para Assuntos de Relação com

Ocidente; Harold Koh, Conselho Legal; e Dan Restrepo, Conselho de Segurança Nacional e diretor de Relações para o Ocidente e para a Casa Branca. Mesmo assim, um mês depois, o governo norte-americano deu suporte ao novo regime[59].

O documento original é mais que contundente. Nele, afirma-se que:

> A perspectiva da embaixada é que não existe nenhuma dúvida de que os militares, a Suprema Corte e o Congresso Nacional conspiraram em 28 de junho no que constitui em ilegal e inconstitucional Golpe contra o Executivo[60].

Três anos depois, em junho de 2012, Fernando Lugo, presidente do Paraguai, também teve negado direito de defesa, por interpretação da Suprema Corte daquele país.

Um documento da embaixada de Assunção, em 28 de março de 2009, no entanto, dava conta de que o general Lino Oviedo e o ex-presidente Nicanor Duarte estavam trabalhando para assumir o poder por "meios legais" contra o presidente Lugo. A embaixada relatava já haver número suficiente para o que chamava de "Golpe Democrático". O telegrama relata que a parceria entre os dois iniciara-se muito antes de Lugo assumir a Presidência em agosto de 2009. O telegrama descreve, ainda, que dois anos antes, Duarte usara sua influência e seu controle sobre a Suprema Corte para soltar Oviedo da cadeia, onde estava por envolvimento no massacre em um protesto de estudantes e na morte do vice-presidente Luis Argaña, causa da crise denominada Março Paraguaio. O telegrama também afirmou que não havia razões para um *impeachment*, mas que tudo era possível

---

[59] Huff Post, "WikiLeaks Honduras: State Dept. Busted on Support of Coup", 2010. Robert Naiman, **Contributor** – Policy Director, Just Foreign Policy – Disponível em: https://www.huffpost.com/entry/wikileaks-honduras-state_b_789282. 24 de abril de 2019.

[60] Disponível em: https://www.wikileaks.org/plusd/cables/09TEGUCIGALPA645_a.html.

no Paraguai: "rumores e a teoria da conspiração são parte do sangue da política do Paraguai, e devem ser vistos como norma. Devemos realmente começar a nos preocupar apenas quando os rumores pararem"[61], termina a mensagem.

Apenas três meses antes da decretação de prisão do ex-presidente equatoriano Rafael Correa, no Peru, Pedro Pablo Kuczynski, pressionado por acusações de corrupção, renunciara à Presidência, em março de 2018. Já como ex-presidente foi acusado de ter recebido dinheiro da Odebrecht quando foi ministro no governo de Alexandre Toledo e condenado a 36 meses de prisão domiciliar.

As acusações sustentadas pelas delações feitas no Brasil por Marcelo Odebrecht vitimaram vários ex-presidentes peruanos. Alan García, ex-chefe do Executivo peruano, cometeu suicídio quando da decretação de sua prisão. Kuczynski foi internado para uma cirurgia, aos 80 anos, em abril de 2019. Alejandro Toledo, que está nos Estados Unidos, enfrenta um processo de extradição. Ollanta Humala, um ex-militante da esquerda nacionalista reciclado para um neoliberalismo de centro e grande entusiasta da interação da América do Sul (Unasur), foi preso com sua mulher, Nadine Heredia, sob a acusação de receber doações "ilegais" da Odebrecht em 2011.

Francisco Flores, em El Salvador, morreu de um AVC isquêmico em janeiro de 2016, cumprindo prisão domiciliar resultante de processo aberto nove anos depois de ter deixado a Presidência. Naquele mesmo ano, o ex-presidente Mauricio Funes, de esquerda, eleito em 2009 com 51,27% dos votos, teve uma ordem de prisão decretada e pediu asilo à Nicarágua. Durante seu governo, reativou as relações diplomáticas com Cuba e afirmou ser "possível criar novos modelos, como Barack Obama e Luiz Inácio Lula da Silva". Em setembro de 2018, o ex-presidente Elías Antonio Saca foi preso e condenado. Esse caos de destruição das lideranças políticas fez um *outsider* de

---

[61] Disponível em: https://wikileaks.org/plusd/cables/09ASUNCION189_a.html. 24 de abril de 2019.

centro-direita, o publicitário de 37 anos Nayib Bukele, vencer as eleições de 2019.

Trata-se de uma verdadeira onda de prisões e condenações em toda a América Latina.

Na Guatemala, foram envolvidos em processo Alfonso Portillo, presidente de 2000 a 2004; e Otto Pérez Molina, presidente de 2012 a 2015, quando renunciou, na véspera de seu primeiro depoimento. Portillo foi extraditado para os Estados Unidos em 2013. Ricardo Martinelli (2009-2014), do Panamá, foi preso em Miami, em 2017. Arnoldo Alemán, presidente direitista da Nicarágua entre 1997 e 2002, foi condenado em 2003 e em 2009, mas a Suprema Corte anulou a condenação.

Cristina Kirchner, presidente da Argentina de 2007 a 2015, enfrenta dois processos: em um deles, acusada de acobertar criminosos iranianos envolvidos no atentado contra a Associação Mutual Israelita Argentina, que deixou 85 mortos em 1994; em outro, de direcionar 52 contratos de uma obra pública para favorecer um empresário. Apenas não foi presa em razão da imunidade de que goza como senadora. O ex-presidente Carlos Menem (1989-1999) foi detido em 2001, acusado de venda ilegal de armas para a Croácia e o Equador, durante seu mandato. A Suprema Corte o liberou, mas em 2014, Menem foi condenado a sete anos de prisão.

No Chile, a presidente Michelle Bachelet enfrentou, durante o governo, acusações de ter recebido da empreiteira brasileira OAS valores para sua campanha, e também sanções e rebaixamento do Banco Mundial. O filho de Bachelet foi indiciado em 2018 e também sua nora é processada. Em agosto de 2018 foi nomeada alta-comissária da ONU para os Direitos Humanos[62], com oposição dos Estados Unidos e de Israel.

---

[62] Nações Unidas. **"Ex-presidente do Chile é oficialmente nomeada chefe de direitos humanos da ONU"**, 2018. Disponível em: https://nacoesunidas.org/ex-presidente-do-chile-e-oficialmente-nomeada-chefe-de-direitos-humanos-da-onu/ .

A extradição para os Estados Unidos para responder a processos que correm lá é uma das armas do *lawfare*. Na Colômbia, em nove de abril de 2018, foi extraditado o deputado eleito pelo novo partido das FARC (Forças Armadas Revolucionárias da Colômbia), Jesús Santrich, um dos responsáveis pela implementação dos acordos de paz no país. Alegou-se um suposto delito de conspiração para exportar cocaína aos Estados Unidos. Por isso, Santrich não conseguiu tomar posse em sua vaga na Câmara Legislativa, apesar de não existir acusação alguma contra ele na Colômbia.

Nada disso seria possível se os Estados Unidos não prosseguissem o que iniciaram no pós-Segunda Guerra. Inicialmente, influenciaram os militares da América Latina, com a doutrina da Segurança Nacional, sobre a existência de um inimigo interno. Após a eleição de um novo inimigo, na figura do traficante de drogas, ainda misturado com o combate ao "comunismo"[63], surgiu nova possibilidade de intervenção e influência na América Latina. Na pós-modernidade, a eleição de pautas travestidas de combate ao terrorismo, ao *money laundering* e ao *organized crime*, além do recurso à *plea bargain*, possibilitou nova intervenção e supressão de direitos, sob as vestes também do combate a atos de corrupção que atrapalhem os interesses americanos. Tudo, no fim, visava à "deslegitimação da classe política"[64].

Isso fica claro no Brasil, maior país da América Latina. Por anos, houve controle da atuação da Polícia Federal por parte da DEA, a *Drug Enforcement Administration* dos Estados Unidos, e suas pautas.

---

[63] AMARAL, Marina. **Ligações perigosas: a DEA e as operações ilegais da PF brasileira** Documentos mostram que o ex-diretor da PF general Caneppa, tido como um dos primeiros líderes da Condor, efetuou prisões e extradições ilegais a pedido do departamento antidrogas americano. 8 de abril de 2013 – Leia mais. Disponível em: https://apublica.org/2013/04/dea-caneppa-policia-federal-operacao-condo/.

[64] **MORO, Sérgio Fernando.** *Considerações sobre a operação* **mani pulite, 2014.** Disponível em: https://www.conjur.com.br/dl/artigo-moro-mani-pulite.pdf.

O WikiLeaks[65] revelou a participação, em 2009, do ex-juiz federal Sérgio Moro no seminário "Projeto Pontes: construindo pontes para a aplicação da lei no Brasil", desenvolvido pela embaixada americana com a presença de juízes federais de 26 estados da federação, de 50 agentes da Polícia Federal e de 30 autoridades estaduais, entre promotores e juízes.

O "treinamento bilateral", citado no capítulo anterior, fez parte desse plano. Conforme relatado na mensagem oficial vazada, "foi realizado na capital regional do Rio de Janeiro e financiado pelo coordenador do Estado para Contraterrorismo (orig. State's Coordinator for Counterterrorism [S/CT])". O documento destaca "que (os brasileiros) historicamente sempre evitaram qualquer treinamento que tomasse por objeto o terrorismo, preferindo terminologia mais genérica como crimes transnacionais". No documento constam referências às palavras da "vice-coordenadora para Contraterrorismo na S/CT, Shari Villarosa", que "está elogiando juízes e policiais brasileiros, que militam na direção oposta à do governo eleito e seu Ministério de Relações Exteriores". O ex-juiz federal Sérgio Moro estava presente e falou sobre lavagem de ilícitos.

A metodologia indiciária[66] na pesquisa sociológica torna óbvio que a influência americana se alastrou em nossas forças policiais e judiciárias, e por meio delas possibilitou a Operação Lava Jato. Não é à toa que, passada a eleição, Sérgio Moro foi nomeado ministro da Justiça, convite que lhe chegou antes da eleição[67], e que a primeira viagem de Bolsonaro foi para os Estados Unidos, onde se tornou o

---

[65] Disponível em: https://wikileaks.org/plusd/cables/09BRASILIA1282_a.html, tradução disponível em http://www.patrialatina.com.br/da-vergonha-mas-e-preciso-ler-o-telegrama-moro-wikileaks/.

[66] GINZBURG, Carlo. **Sinais: Raízes de um Paradigma Indiciário**". In: GINZBURG, Carlo. *Mitos, Emblemas, Sinais: Morfologia e História*. São Paulo: Companhia das Letras, 1989, pp. 143-179. Ver também FILHO, Gisálio Cerqueira.

[67] *Folha de S.Paulo*, "**Confirmado ministro da Justiça, Sérgio Moro se contradiz sobre convite ao cargo**", 2018. Disponível em: https://piaui.folha.uol.com.br/lupa/2018/11/07/ministro-sergio-moro/.

primeiro presidente latino-americano a visitar a CIA[68]. Marcelo da Costa Bretas, o juiz do Rio de Janeiro que seguiu os passos de Moro, participou do programa *Visiting Foreign Judicial Fellows*[69]. Teria ele também participado do treinamento do Projeto Pontes, como uma das autoridades presentes? O procurador Deltan Dallagnol foi doutrinado por Scott Brewer[70] em uma ideologia do processo penal como um jogo de argumentos retóricos. Será que esteve naquele seminário?

É preciso lembrar que esse documento data de 2009 e que a Operação Lava Jato só passou a existir em 2016. O documento termina com afirmação de que os brasileiros terão experiência em campo do trabalho de uma força-tarefa proativa num caso de finanças ilícitas, e acesso a especialistas dos Estados Unidos para orientação e apoio em tempo real em Curitiba, São Paulo e Mato Grosso. A Lava Jato, como se verá à frente, tem raízes profundas e anteriores com forças americanas.

O momento histórico em que vivemos, com o avanço do neoliberalismo e a defesa de Estado mínimo na economia, que acarreta o desmonte de direitos sociais e trabalhistas, somado ao Estado máximo repressor, tem consequências ainda imprevisíveis. A resistência e essencialmente a defesa, nessa guerra híbrida do *lawfare*, estão principalmente na conscientização a respeito desta conjuntura e das estratégias de dominação que os países latinos-americanos sofrem. Isto porque o novo proletariado pós-moderno, sem nem sequer relação formal de emprego, irá se aprofundar na precariedade de uma sobrevivência abandonada. O grau de consciência vai determinar se iremos nos aprofundar no Estado penal máximo ou se conseguiremos

---

[68] Global News. **"Brazil President Jair Bolsonaro visits CIA HQ. A critic called it an 'explicitly submissive position'"**, 2019. Disponível em: https://globalnews.ca/news/5070744/jair-bolsonaro-cia-visit/.

[69] Cfe. http://buscatextual.cnpq.br/buscatextual/visualizacv.do?id=K4355003J1.

[70] CARVALHO, Luiz Maklouf. *O Estado de S. Paulo*. **"Em livro, Deltan Dallagnol contraria tese de Cármen Lúcia"**, 2017. Disponível em: https://politica.estadao.com.br/noticias/geral,em-livro-deltan-dallagnol-contraria-tese-de-carmen-lucia,70001653480.

retornar ao desenvolvimento: retirada das pessoas da linha de pobreza e resgate dos direitos. Ou seja, isso irá determinar nosso grau de "Insuficiência Imunológica Psíquica"[71] de nos repetirmos, em nossa história de servir aos interesses do Grande Irmão do Norte.

Há três conceitos fundamentais para chegarmos à conclusão. O *futuro-presente*, em que passado, presente e futuro se entrelaçam. Assim, o futuro presentificado no dia de hoje (futuro-presente) projeta o presente futuro do dia de amanhã e ambos interagem com o *futuro-passado*, isto é, com aquilo que, no passado, se vislumbrava como futuro. Há, pois, uma "memória do futuro"[72] (aquilo que poderia ter sido) "que condiciona a memória do futuro presente"[73].

Sob essa perspectiva, o governo de João Goulart nos projetava um futuro-passado que foi interrompido com o Golpe de 1964. Acabamos de ter uma nova ruptura de igual ou maior intensidade. Nosso futuro, agora passado, nos projetava para um país a caminho de mais igualdades, direitos, inclusão social e diversidade, e isso pode não mais

---

[71] BERLINCK, M. T. (1997). A insuficiência imunológica psíquica. Boletim de Novidades da Livraria Pulsional, 10(103), 5-14. Berlinck, que neste texto analisa a colonização espanhola e a resistência guerrilheira ao regime de 1964, afirma que "o aparelho psíquico é, desde os começos da psicanálise, uma construção que responde à violência primordial que ameaça a existência física do sujeito e da espécie e, ao mesmo tempo, é insuficiente para proteger o sujeito de ataques virulentos tanto internos como externos". Quanto às suas características, ensina que "observa-se, também, que pacientes com insuficiência imunológica têm uma estrutura psíquica muito semelhante à dos índios centro-americanos descritos por Frei Bartolomé de las Casas. Não só revelam uma grande incapacidade de se proteger contra ataques virulentos externos, como há uma disponibilidade a ataques virulentos endógenos que frequentemente levam à destruição". Disponível em http://egp.dreamhosters.com/EGP/insuficiencia_imunologica.shtml.

[72] Para se compreender melhor, no presente o imaginário projeta um futuro, que chamamos de futuro-presente. No entanto, algo pode ocorrer que impeça que esse futuro ocorra. Assim, quando o tempo passa, o futuro não representa aquele futuro imaginado, desejado (futuro passado). No entanto, esse futuro passado continuará a existir como possibilidade, como imaginário.

[73] LECHNER, Norberto. *Las Sombras del Mañana: la dimensión subjetiva de la política*. Santiago de Chile: LOM Ediciones 2002. Ver ainda KOSSELECK, Reinhart. Futuro Passado: Contribuição à Semântica dos Tempos Históricos. Rio de Janeiro: Contraponto: Ed. PUC-Rio, 2006. *Apud* FILHO, Gisálio Cerqueira, "Sérgio (modernista) Buarque de Holanda em A Viagem a Nápoles". Disponível em: http://www.fundamentalpsychopathology.org.br/uploads/files/coloquios/coloquio_metodo_clinico/mesas_redondas/sergio_modernista_buarque_de_holanda_em_a_viagem_a_napoles.pdf.

se projetar no futuro-presente. Mas essa memória do futuro (aquilo que poderia ter sido), ainda presente e cravada no coração de nosso povo, pode nos dar a chance de transformar esse futuro passado em um futuro promissor.

5. O Histórico Anterior
à Lava Jato

A forma autoritária e em desrespeito às decisões do Supremo Tribunal Federal não eram novas para Sérgio Moro. O juiz havia determinado a monitoração do advogado e professor Cezar Roberto Bitencourt para a sua defesa. Fez uma trajetória não só de cooperação internacional com autoridades estrangeiras, mas também de atitudes heterodoxas no Direito, a exemplo da perseguição a advogados.

Em 2013, o Supremo Tribunal Federal julgou o HC 95.519 do Paraná, em que era impetrante o advogado Cezar Roberto Bitencourt.

O *habeas corpus*, de relatoria do ministro Eros Grau, se fundamentava, entre outras razões, no fato de que "teria decretado cinco vezes (quatro sequenciais), de ofício e sem a oitiva prévia do MPF, a prisão preventiva do paciente de forma alternada em duas ações penais, não obstante decisões do TRF da 4ª Região e do Supremo Tribunal Federal [HC nº 85.519, de minha Relatoria, DJ de 13/12/05], concedendo liberdade no curso da ação".

O apensamento ao processo não conexo tinha por objetivo o não conhecimento de medidas sigilosas pela defesa; o juiz, reconhecendo essa circunstância, despachou afirmando que juntaria oportunamente a representação criminal ao processo conexo.

Segundo o relatório: "(iv) visando à efetividade de prisão preventiva que decretara, teria determinado à autoridade policial que levantasse junto a qualquer companhia aérea ou à Infraero registros de voos, nacionais ou internacionais, em relação às pessoas de Rubens Catenacci (paciente) e seus advogados Cezar Roberto Bitencourt e Andrei Zenkner Schimidt, decretando, a seguir, o sigilo da decisão". Resumidamente, o juiz Sérgio Moro, além de decretar seguidamente prisões contra o réu e apesar dessas serem revogadas pelas cortes superiores, determinou à Polícia Federal monitorar os advogados.

O relator Eros Grau denegou a ordem de *habeas corpus* para tornar suspeito o juiz. O relator, em apertada síntese, concluiu que:

> as causas de impedimento são objetivas, prontamente identificáveis. Decorrem da relação de interesse do juiz com o objeto do processo, o que no caso não se dá. A suspeição resulta do vínculo firmado entre o juiz e a parte ou entre o juiz e a questão discutida nos autos. Constam de rol taxativo.

No julgamento em 1º de junho de 2006, o ministro Gilmar Mendes pediu vista dos autos para votar. Quando o julgamento continua, em 28 de maio de 2013, Gilmar Mendes denega a ordem de *habeas corpus*:

> Sendo assim, por mais teratológica que seja a decisão de monitorar os voos dos advogados, para efetivação de mandado de prisão, o ato, por si só, não implica suspeição do magistrado. A absurda determinação, que consta na decisão que decretou a prisão do paciente, não se amolda, com os contornos do caso, às hipóteses legais de suspeição.

> Conquanto censuráveis os excessos cometidos pelo magistrado, não vislumbro, propriamente, causa de impedimento ou suspeição; não se mostram denotativos de interesse pessoal do magistrado ou de inimizade com a parte. Ao meu sentir, os

excessos cometidos, eventualmente, podem caracterizar infração disciplinar, com reflexos administrativos no âmbito do controle da Corregedoria Regional e/ou do Conselho Nacional de Justiça, não o afastamento do magistrado do processo.

Dessarte, voto por acompanhar o Ministro-Relator e, por conseguinte, denegar a ordem. Todavia, sugiro que a Turma encaminhe ofício à Corregedoria Regional da Justiça Federal da 4ª Região e ao Conselho Nacional de Justiça, instruindo-o com cópia do acórdão.

O ministro Celso de Mello, decano do Supremo Tribunal Federal, cuja sapiência é notória, sobre o peculiar modo de atuação do juiz federal Sérgio Fernando Moro:

O SENHOR MINISTRO CELSO DE MELLO: Parece-me, em face dos documentos que instruem esta impetração **e** da sequência dos fatos relatados neste processo, **notadamente** do *gravíssimo* episódio *do monitoramento* dos Advogados do ora paciente, que **teria** ocorrido, *na espécie*, séria ofensa ao dever de imparcialidade judicial, o que se revelaria apto a caracterizar transgressão à garantia constitucional do *"due process of law"*.

(...)

Ricardo Lewandowski se manifesta dizendo que deferiria a ordem, mas acaba acompanhando o voto pela negativa do *habeas corpus* com as seguintes palavras:

"Ministro Gilmar Mendes, agora eu realmente percebi a intensa gravidade dos fatos. Porque, se nós estamos imputando ao juiz – e parece que essa é a tendência da Turma – uma parcialidade que tisnou o processo de conhecimento, inclusive produzindo provas ilegais, induzindo possivelmente em erro a própria segunda instância, o TRF, eu estaria inclinado, sobretudo depois dessa densa argumentação do Ministro Celso de Mello, a conceder a ordem para anular o feito, isso para sermos consequentes com o envio dessa documentação que se encerra nos autos ao CNJ, porque a situação é realmente muito grave".

Ao fim somente o ministro Celso de Mello vota pela concessão da ordem para anular o caso. Mas o Supremo Tribunal representa contra Sérgio Moro no CNJ:

> **Peço vênia** para deferir o pedido **e**, *em consequência*, **invalidar** o procedimento penal, **pois** tenho por gravemente ofendida, no caso em exame, **a cláusula constitucional** *do devido processo legal*, **especialmente** se se tiver em consideração o comportamento judicial **relatado** na presente impetração.
>
> *Na realidade*, a situação exposta nos autos **compromete**, *segundo penso*, **o direito** *de qualquer* acusado ao *"fair trial"*, **vale dizer**, *a um julgamento justo* **efetuado** perante órgão do Poder Judiciário **que observe**, em sua conduta, *relação de equidistância* **em face** dos sujeitos processuais, **pois a ideia** de imparcialidade **compõe** *a noção mesma* **inerente** à garantia constitucional do *"due process of law"*.
>
> **São essas** as razões **que me levam** *a dissentir* da corrente majoritária.
>
> **É o meu voto.**
>
> (STF – 2ª t. – HC 95.518/PR – voto do Min. Celso de Mello – j. 28.05.13) (destaques do original)

A investigação que vai desembocar na Lava Jato não se inicia em um posto de gasolina como filmes e séries desejam retratar, mas num diálogo telefônico mantido entre o advogado Adolfo Góis e seu cliente Roberto Brasiliano, quando este recebia orientação jurídica antes do depoimento que prestaria na Polícia Federal (em franca violação ao sigilo das comunicações telefônicas entre advogado e cliente, cf. art. 7º, *caput* e inciso II, da Lei nº 8.906/94).

Também no início da investigação, em julho de 2006, constava nos autos o **expresso envolvimento** do falecido deputado federal José Janene; logo, foi intencionalmente violada a competência do Supremo Tribunal Federal para conhecer dos fatos (ferindo os arts. 53, *caput* e § 1º, c.c. 102, *caput* e inciso I, "b", da CF). Posteriormente, prolongando-se houve a violação da competência de uma das Varas Federais Especializadas da Subseção Judiciária de São Paulo para conhecer do feito (ferindo os arts. 70 e seguintes do Código de Processo Penal [CPP]), fulminando o *princípio constitucional do juiz natural* (art. 5º, *caput*, incisos XXXVII e LIII, da CF). Isto também está comprovado nos argumentos e documentos que instruem o *habeas corpus* nº 5007041-90.2014.404.0000, que tramitou na Suprema Corte.

Ao longo dos oito anos de duração da investigação preliminar, em dezenas de decisões que implicaram restrições aos direitos fundamentais dos investigados (quebras de sigilo telefônico, fiscal, bancário e telemático), **intencionalmente**, o juiz agiu na ilegalidade ao dispensar a prévia manifestação do Ministério Público Federal sobre o conteúdo das representações policiais (ferindo os arts. 129, I e VII, da CF; 257, § 2º e 564, III, "*d*", do CPP; 3, "*d*" e 6, V e XV, da LC 75/93; e 25, III e V, da Lei 8.625/93). Se é reprovável a inércia do órgão ministerial no caso, pois, em tese, beira os contornos típicos do crime de prevaricação (art. 319 do CP), é digno de perturbação e risco para o Estado Democrático de Direito que um juiz federal assuma para si a função de exercer o controle externo da atividade policial, "rasgando" o *princípio dispositivo* e assumindo o papel de protagonista da investigação. No âmbito da justiça criminal, **o preço que se paga com o ativismo judicial é a perda de legitimidade dos provimentos jurisdicionais**, porquanto o juiz que traz para si a função de investigar/acusar perde toda a imparcialidade que a sociedade espera de um julgador. O processo criminal é sustentado por um tripé com funções bem delimitadas, cabendo ao Ministério Público a função de acusar, ao advogado a função de defender e ao juiz, exclusivamente, **julgar com imparcialidade e equidistância das partes**. Quando um juiz passa a desempenhar funções que são típicas dos órgãos de persecução penal, o tripé é desfeito e não há realização da Justiça.

Exatamente essa é a linha jurisprudencial adotada pelo col. Supremo Tribunal Federal em sua atividade diária de **jurisdição constitucional**:

> O combate à criminalidade é missão típica e privativa da Administração (não do judiciário), seja através da polícia, como se lê nos incisos do artigo 144 da Constituição, quanto do Ministério Público, a quem compete, privativamente, promover a ação penal pública (artigo 129, I).
>
> (...)
>
> Este, contemplado pelo nosso ordenamento jurídico, impõe sejam delimitadas as funções concernentes à persecução penal, cabendo à Polícia investigar, ao Ministério Público acusar e ao Juiz julgar, ao passo que no sistema inquisitório essas funções são acumuladas pelo Juiz. Basta tanto para desmontar as estruturas do *Estado de direito*, disso decorrendo a supressão da jurisdição. O acusado já então não se verá face a um Juiz independente e imparcial. Terá diante de si uma parte acusadora, um inquisidor a dizer-lhe algo como "já o investiguei, colhi todas as provas, já me convenci de culpa, não lhe dou crédito algum, mas estou a sua disposição para que me prove que estou errado"! E isso sem sequer permitir que o acusado arrisque a sorte em ordálias...
>
> (...)
>
> 23. A *imparcialidade*, por fim, é expressão da atitude do juiz em face de influências provenientes das partes nos processos

judiciais a ele submetidos. Significa julgar com ausência absoluta de prevenção a favor ou contra alguma das partes. Aqui nos colocamos sob a abrangência do princípio do princípio da *impessoalidade*, que a impõe.

24. Perdoem-me por faltar em "interesse das partes" e em "conflito" no processo penal, mas desejo vigorosamente afirmar que a independência do juiz criminal impõe sua cabal desvinculação da atividade investigatória e do combate ativo ao crime, na teoria e na prática.

(STF – Pleno – HC 95.009/SP – Min. Eros Grau, j. 06.11.08, DJe 18.12.08)

O **tempo** que durou a investigação também revela que não se trata de investigação instaurada para apurar um determinado fato criminoso (**direito penal do fato**), mas sim para vasculhar a vida de certos indivíduos (**direito penal do autor**). Ora, o conjunto de direitos e garantias processuais previsto na Constituição Federal veda a possibilidade de que investigações de natureza penal se arrastem por anos a fio, **em virtude do suposto perfil dos investigados e não da efetiva existência de condutas criminosas**, vedando a instituição de um direito penal do autor quando nosso ordenamento jurídico apenas admite o direito penal do fato. Em situação juridicamente idêntica, o eg. Superior Tribunal de Justiça já decidiu pelo trancamento do inquérito policial, pois "passados mais de 7 anos desde a instauração do Inquérito pela Polícia Federal do Maranhão, não houve o oferecimento de denúncia contra os pacientes (...) não se pode admitir que alguém seja objeto de investigação eterna, porque essa situação, por si só, enseja evidente constrangimento, abalo moral e, muitas vezes, econômico e financeiro (...)" (STJ – 5ª T. – HC 96.666/MA – rel. Napoleão Nunes Maia Filho – j. 4.9.2008 – Dje 22.9.2008).

Novamente, como nos casos anteriores, a Polícia Federal fez uma representação datada de 12 de janeiro de 2009, com interceptações telefônicas realizadas entre o advogado do falecido deputado José Janene, dr. Adolfo Góis, e o ex-assessor do parlamentar, sr. Roberto Brasiliano, **quando este recebia orientação jurídica antes do depoimento que prestaria para a Polícia Federal**:

> 2. Trata-se de PCD instaurado a partir de representação policial de fls. 03/07 a partir de **relatório de escutas telefônicas entre o Advogado de JOSÉ JANENE, e o ex-assessor dele, respectivamente ADOLFO GÓIS e ROBERTO BRASILIANO**, os quais relatam a estreita ligação entre ALBERTO YOUSSEF e JOSÉ JANENE **em reunião prévia antes da oitiva dos assessores do segundo**, que teriam recebido recursos escusos, inclusive do escândalo do "mensalão".
>
> (fls. 120-126 do inquérito nº 2006.70.00.018662-8, doc. 04 da impetração originária) (destacamos)

Observe-se que, diferentemente da situação em que o próprio advogado é investigado pela prática de crimes, está-se diante de um caso em que a Autoridade Policial confessou, *ipsis litteris*, que a investigação foi iniciada por conta da interceptação telefônica de conversa mantida entre Advogado e cliente para orientação jurídica antes de uma oitiva na Polícia.

Ora, qualquer operador do Direito, conhecedor da Lei nº 8.906/94, sabe que a interceptação das comunicações telefônicas nesse tipo de situação é ilícita, nos termos do art. 7º, *caput* e inciso II, da referida Lei:

> Art. 7º São direitos do advogado:
>
> (...)
>
> II – a inviolabilidade de seu escritório ou local de trabalho, bem como de seus instrumentos de trabalho, de sua correspondência

escrita, eletrônica, **telefônica** e telemática, desde que relativas ao exercício da advocacia.

Uma rápida leitura do conteúdo dos diálogos apontados pelo delegado de Polícia Federal como fundamento para instauração da investigação revela que houve interceptação de comunicação telefônica **relativa ao exercício da advocacia**. Vejamos:

21/06/2006 20:12:38

Brasiliano 43993-1145x Adolfo (?)

Adolfo diz que estava em greve lá e **a mulher disse que não ia ter depoimento nenhum.** Nem falei do que se tratava, se fosse falar que era depoimento o cara ia fazer, não é verdade? **Adolfo diz que foi lá e adiou pra quarta.** Diz que estava sábado em Maringá e liga a "dondoca" perguntando se não tinha jeito de adiar por mais dez dias, porque precisa pegar uns documentos. Tudo bem, quando eu vou lá, tinha mais documentos, **se tem documentos novos nós temos direito de ver os documentos.** Nós não vamos chegar lá e tem depoimento novo, cheio de surpresa. Eu pedi o documento pro cara, o cara não me deu, **nós temos o direito de ver os documentos, enquanto ele não der, não vai.** Se ele ficar insistindo nós vamos, **só que eu vou meter um *Habeas Corpus*.** Aí chega ontem a noite fica aquela coisa, vai, não vai, eu não vou assumir essa responsabilidade sozinho. Aí vai aquela mulher do Beto: "Num caso meu com o João Boquinha eu não levei a segunda vez ele pediu prisão preventiva", esse cara é um bandido esse João Boquinha, nós colaboramos com tudo com a polícia, colaboramos em todos os momentos, em tudo, agora eu não vou assumir sozinho. Aí o "Zé" falou: "eu sigo o que você falar". Adolfo pergunta se todo mundo ficou desesperado no escritório. Brasiliano diz que sim, diz que perguntou: "Vocês não vão, então some daqui que eu vou me virar". **Adolfo diz que tem documento lá no inquérito novo.** Brasiliano diz que o que acontece é que eles são muito apavorados, se ficam lá e dá uma prensa, vai dar "angu". Brasiliano diz que Meheidin perguntou: "e pra ela nada?". **Adolfo pergunta se é porque ela não é intimada.** Brasiliano diz que sim. **Adolfo diz que isso é porque o delegado quer formar o convencimento e intimar ela por último.** Vai pegar ela por último. Brasiliano diz que eles vão acabar falando coisa que não deve, porque eles estão vendo tudo isso aí e vão ficar puto. Adolfo diz que ontem não aguentava mais, que ia nessa reunião e ia jogar um tênis. **Eu fiquei lá até dez e meia, eu tive que ir pra casa e fazer duas petições,** eu fiquei até uma hora trabalhando pro cara. Aí ele vem de manhã e vem querer me dar "pito": "olha Adolfo, é melhor não dar mais esse tipo de entrevista, porque saiu lá negócio de lavagem de dinheiro na entrevista, e aquilo lá queima muito". Brasiliano diz que só o que eles fazem é que dá certo. **Como se a cidade inteira não soubesse que o inquérito contra a mulher dele é de lavagem de dinheiro.** Vai manchar a imagem do Janene falar que é de lavagem de dinheiro, vai pra puta que pariu! Sabe quanto o ex-desembargador quer pra advogar pra ele, o ex-desembargador que agora virou advogado lá em Curitiba? Só pra ir em Porto Alegre ver os processos, ele quer as passagens e cinquenta mil e caso ele feche pra começar ele quer quatrocentos. Adolfo diz que o ex-desembargador falou que esse homem é um leproso, "você acha que eu vou chegar lá em Brasília, em Curitiba, pôr meu nome numa jogada dessa e não vou ganhar dinheiro?". Você acha que o "Zé" vai dar sem contratar cinquenta mil pro cara? Eu precisava pagar o xerox, é dez centavos onde eu mando tirar, aí ele falou: "A Fernanda falou que lá no shopping Quintino é cinco centavos o xerox, vai tomar no cu, meu! Vai se foder! O cara gasta quatro pau pra construir uma casa, põe lustre da Áustria, e vem me falar que é cinco centavos o xerox? Ontem mesmo tava o Beto" – (Alberto Youssef) lá, e começaram a falar o nome das empresas que depositaram na conta da outra lá, sabe? Um olhou pro outro e deu uma risadinha, você acha que a outra não. A Rosa lá, não... a mulher fica com cara de ódio, quer matar! Eu tô aqui nessa merda, nesse rolo por causa de você! Pro outro dar risada na minha cara?! Meu marido tá quase morrendo, com síndrome do pânico. Brasiliano diz que ele (Meheidin) tá tomando remédio pra caramba. **Adolfo diz que está advogando igual camelo nessa causa**.

04/07/2006 21:18:30

Brasiliano (43-9993- 1145) x Adolfo

Adolfo pergunta se "ele" vai se candidatar. Brasiliano diz que está falando que "ele" é candidato e tá anunciando a candidatura "dele" pra mês que vem. Adolfo pergunta se lançou Pedro pra depois substituir. Brasiliano diz que sim. Adolfo pergunta se vai lançar dinheiro por aí. Brasiliano diz que só se for de helicóptero, porque vai precisar de muito. Adolfo pergunta se tá queimado na praça. Brasiliano diz que "bastante". Adolfo diz que tem que gastar. Brasiliano diz que "ele" está bastante queimado. Adolfo diz que não vai dar pra caçar ele. Brasiliano afirma: "diz ele que não". Adolfo diz: "acho que esse homem não vai ser caçado". Brasiliano responde: "Pra você ver como é que é". Adolfo diz: "mas ele vai ter que abrir a mala". Brasiliano diz que sim, se não abrir tá fodido! Adolfo pergunta se ele tá com dinheiro. Brasiliano diz: "creio que sim". Adolfo diz que pôs aquele advogadinho de Curitiba na jogada, o "Zé" tá caindo no 171 do cara. O cara é 171 *caput*! Deixa ele ficar tomando dinheiro do "Zé". O "Zé" fica só com bandido, né? Adolfo diz que deu um "esporro" no advogado, você quer o bônus, mas você leva o ônus também, vai peticionar, vai aguentar as reuniões à noite lá na casa dele, vai aguentar a dona Fernanda, a Joana, o Beto Youssef, eu não vou aguentar mais isso, Adolfo diz que ele pediu um dinheirinho lá pro desembargador, mas que o desembargador amigo dele não vai resolver agora, só mais pra frente. O cara tá passando o mel na boca do "Zé". O "Zé" se encanta com qualquer bandido que passa na frente dele.

(fls. 8-9 do inquérito nº 2006.70.00.018662-8, doc. 04 da impetração originária) (destacamos)

A partir dessa prova de origem ilícita, a Autoridade Policial representou pela quebra dos sigilos bancário e fiscal de diversas empresas (fls. 120-126 do inquérito nº 2006.70.00.018662-8, da impetração originária).

O que salta aos olhos é que a interceptação telefônica que a Polícia Federal encaminhava a Sérgio Moro não havia sido feita em sua Vara. Caso fosse da própria Vara de Sérgio Moro, o policial teria colocado o número da interceptação. Portanto, a Polícia Federal trocou o juízo, levando provas de um juiz para outro escolhido, sem autorização sequer do empréstimo da prova, claramente burlando a distribuição do juiz.

Ainda, para o leitor entender o que os juristas tanto debatem sobre conexão e continência o que isso significa. O juiz não pode ser escolhido para julgar um caso para se garantir a imparcialidade desse. Essa imparcialidade é garantida pela Constituição Federal, e chamamos de juiz natural: *princípio constitucional do juiz natural* (art. 5º, *caput*, XXXVII e LIII, da CF).

Para saber qual juiz terá poderes para julgar o caso, seguem-se regras constantes no Código de Processo Penal. A regra inicial é que o crime seja julgado no local onde foi cometido, de acordo com o art. 70 do Código de Processo Civil (CPC). Se o crime se iniciou em um local e acabou em outro, a exemplo de um sequestro que se inicia em uma cidade e acaba em outra, será julgado no local onde foi praticado o último ato.

Quando é incerto o local, por ter sido a infração consumada ou tentada na divisa de duas ou mais jurisdições, a competência firmar-se-á pela prevenção. O mesmo ocorre se o crime foi comedido em mais de um lugar de forma continuada ou permanente. Isso significa que, sendo incerto o local, o primeiro juiz a quem tenha sido distribuído o caso passa a ter poderes, chamado de competência.

Mas o que ocorre em crimes cometidos em mais de um lugar, dos quais mais de um juiz tomou conhecimento do fato por meio de denúncia do Ministério Público e mais de um processo teve início? Quando os fatos são os mesmos ou se relacionam, e a decisão de um processo influencia no outro, dizemos que há uma conexão entre eles.

A regra do art. 78 do Código de Processo Penal diz que: "a) preponderará a do lugar da infração, à qual for cominada a pena mais grave". Ou seja, entre uma lesão corporal e um homicídio, a do último. E não havendo mais grave; **b) prevalecerá a do lugar em que houver ocorrido o maior número de infrações, se as respectivas penas forem de igual gravidade**"; e "c) firmar-se-á a competência pela prevenção, nos outros casos".

No Direito, os estudos científicos chamam-se doutrina, e as decisões judiciárias que servem de exemplo para entender como se decidiu uma determinada controvérsia chamam-se jurisprudência. Quanto à doutrina, há entendimento uníssono no sentido de que as alíneas do inciso II do art. 78 não são alternativas, mas sim subsidiárias. Tanto

Fernando Augusto Fernandes

a doutrina[74] quanto a jurisprudência[75] sempre respeitaram os critérios legais, até o início da Lava Jato.

Nenhum dos atos que estavam sendo investigados naquele inquérito tinha ocorrido em Curitiba. A justificativa para ficar todos aqueles anos era que Alberto Youssef teria morado em Curitiba. Mas se sabia claramente que nada teria ocorrido naquela cidade. Em 6 de janeiro de 2009, houve a juntada de uma "denúncia anônima" aos autos do inquérito policial que relatava que os supostos fatos praticados pelo falecido deputado José Janene e por Alberto Youssef **ocorriam na cidade de São Paulo**, em um escritório no Bairro Itaim Bibi, utilizado como base de operações da empresa CSA Project Finance

---

[74] **"Ora, é natural que a Comarca onde houve o maior número de delitos tenha sofrido maior perturbação, razão por que atrai o crime praticado em lugar vizinho."** (Guilherme de Souza Nucci, *Código de processo penal comentado*, 6ª ed., São Paulo: Editora Revista dos Tribunais, 2007, p. 233). **"As alíneas do inciso II do art. 78 não são alternativas, mas sim subsidiárias."** Há uma hierarquia entre elas... (Gustavo Badaró, *Processo penal*, Rio de Janeiro: Elsevier, 2012, p. 179). **"Havendo crimes de igual gravidade (embora possam ser diversos), a competência é determinada pelo lugar onde ocorreu o maior número de infrações."** (Julio Fabbrini Mirabete, *Código de processo penal interpretado*, 11ª ed., São Paulo: Atlas, 2008, pp. 312-313). "Se nenhum dos incisos anteriores resolver a questão, é porque estamos diante de vários juízes, de mesmo nível de jurisdição, igualmente competentes." Então passemos para os critérios (Aury Lopes Jr., *Direito processual penal*, 10ª ed., São Paulo: Saraiva, p. 496) (destaques do original) **"Se as penas das diversas infrações forem qualitativa e quantitativamente iguais, prevalecerá o foro 'em que houver ocorrido o maior número de infrações'"**, *ex vi* do artigo 78, número II, letra b do Código. Se ainda assim não for possível firmar-se o *forum atractionis,* lançar-se-á mão da prevenção (artigo 78, nº II, letra c). (José Frederico Marques, *Elementos de direito processual penal*, vol. I, Campinas: Bookseller, 1997, pp. 267-268) (destacamos). "No concurso entre jurisdições da mesma categoria (entre Juízes de Direito, entre Juízes Federais), prevalecerá, *sucessivamente*, a competência do juízo do lugar da infração...". (Eugênio Pacelli, *Curso de processo penal*, 17ª ed., São Paulo: Atlas, 2013, pp. 284-285).

[75] **"... a competência será fixada pelo local onde ocorreu o maior número de infrações..."** (STJ – 3ª S. – CC 121.239/PB – Min. Alderita Ramos de Oliveira – j. 22.05.13 – Dje 29.05.13) "... **a competência será fixada pelo local onde ocorreu o maior número de infrações, conforme estabelece o art. 78, II, "b", do Código de Processo Penal.** Min. Marco Aurelio Bellizze – j. 26.09.12 – Dje 03.10.12) "... **Crimes contra o Sistema Financeiro Nacional praticados em Curitiba/PR e São Paulo.** Definição da competência entre a Justiça Federal de Curitiba/PR e a Justiça Federal de São Paulo. Crime de gestão fraudulenta de instituição financeira (art. 4º da Lei 7.492/96), praticado em São Paulo, para o qual a pena é maior que as cominadas aos demais delitos. **Definição da competência pelo critério qualitativo (CPP, art. 78, inc. II, alínea a). Competência da Justiça Federal de São Paulo.** Ordem concedida". (STF – 2ª T. – HC 85.796/PR – Min. Eros Grau – j. 04.08.09 – Dje 28.10.09).

(fls. 54-71 do inquérito nº 2006.70.00.018662-8, doc. 04 da impetração originária).

O despacho proferido pela Autoridade Policial logo após a juntada desses documentos é bem esclarecedor sobre **o local no qual teriam ocorrido os diversos fatos em apuração**:

> Que JOSÉ JANENE fica durante a semana, a maior parte do tempo na cidade de São Paulo, especialmente na sede do Partido Progressista, onde exerce de fato e de direito a função de Tesoureiro.
>
> (...)
>
> Se JANENE passa a maioria dos dias da semana na cidade de São Paulo-PR (*sic*) e **ALBERTO YOUSSEF não é diferente, basta uma investigação das suas ações em São Paulo**, que certamente encontrarão as suas ligações com NAGI NAHAS.
>
> (fls. 72-76 do inquérito nº 2006.70.00.018662-8, doc. 04 da impetração originária) (destacamos)

Houve a abertura de vista dos autos ao MPF que, em sua manifestação, a procuradora da República Letícia Pohl Martello, em 28 de janeiro de 2009, resolveu impor limites. Requereu "**o retorno dos autos à autoridade policial, a fim de que**:

a) **delimite o pedido de mitigação dos sigilos bancário e fiscal das empresas** ...

b) **delimite o pedido de quebra do sigilo de dados do prefixo** (43) (fl. 132 do inquérito nº 2006.70.00.018662-8, doc. 04 da impetração originária)

O requerimento do Ministério Público Federal é desconsiderado e a representação policial é deferida, exatamente como ocorreu *in casu* (cf. fls. 133-143 do inquérito nº 2006.70.00.018662-8, doc. 04 da impetração originária). Em 22 de junho de 2009, foi proferido um despacho pela Autoridade Policial que é muito sintomático sobre a gritante violação à garantia do juiz natural nos autos. O delegado requer ao corregedor regional da Polícia Federal o **retombamento do feito e sua manutenção perante o Juízo da 2ª Vara Federal Criminal de Curitiba** (hoje 13ª Vara Federal).

Seis anos após o início das investigações, que já contavam com dezenas de quebras de sigilo fiscal e bancário, inúmeras diligências, apreensão de documentos etc., a Autoridade Policial ainda dizia ter identificado fortes indícios da prática de ilícitos, **mas que isto carecia de ser aprofundado... uma investigação sem fim que é rejeitada pelos tribunais superiores**[76].

Esse foi todo o caminho percorrido pela investigação até culminar com a abertura do inquérito nº 5049557-14.2013.404.7000 (IPL 1041/2013, doc. 05 da impetração originária), cuja Portaria de instauração faz referência ao inquérito nº 2006.70.00.018662-8 (IPL 714/2009), mas, em verdade, tudo não passou de um "retombamento" daquela investigação iniciada no ano de 2006.

Note-se que, nos autos, sempre há "urgência da autoridade policial" apta a justificar **a dispensa de prévia oitiva do Ministério Público Federal**. Isto ocorreu novamente em 26 de novembro, em 03, 16, 17 de dezembro de 2013, 21 de janeiro, 24, 26 de fevereiro, 06 e 13 de março de 2014:

> **Ciência ainda ao MPF. Não o ouvi previamente em virtude da necessidade de não haver solução de continuidade da**

---

[76] "HABEAS CORPUS PREVENTIVO. TRANCAMENTO DE INQUÉRITO POLICIAL. AUSÊNCIA DE JUSTA CAUSA. (...) 5. No caso, **passados mais de 7 anos desde a instauração do Inquérito pela Polícia Federal do Maranhão, não houve o oferecimento de denúncia contra os pacientes.** (...) não se pode admitir que alguém seja objeto de investigação eterna, porque essa situação, por si só, enseja evidente constrangimento, abalo moral e, muitas vezes, econômico e financeiro, principalmente quando se trata de grandes empresas e empresários e os fatos já foram objeto de Inquérito Policial arquivado a pedido do Parquet Federal. Ordem concedida, para determinar o trancamento do Inquérito Policial 2001.37.00.005023-0 (IPL 521/2001), em que pese o parecer ministerial em sentido contrário.** (STJ – 5ª T. – HC 96.666/MA – rel. Napoleão Nunes Maia Filho – j. 4.9.2008 – Dje 22.9.2008) (destacamos).

diligência e por se tratar de prorrogação de medidas investigatórias sobre as quais o MPF já se manifestou favoravelmente anteriormente.

(...)

Curitiba/PR, 26 de novembro de 2013.

Sérgio Fernando Moro

Juiz Federal.

(procedimento de quebra de sigilo telefônico nº 5049597-93.2013.404.7000/PR, evento 22, doc. 06 da impetração originária) (destacamos)

"Ciência ainda ao MPF. Não o ouvi previamente em virtude da necessidade de não haver solução de continuidade da diligência e por se tratar de prorrogação de medidas investigatórias sobre as quais o MPF já se manifestou favoravelmente anteriormente.

(...)

Curitiba/PR, 03 de dezembro de 2013.

Sérgio Fernando Moro

Juiz Federal".

(procedimento de quebra de sigilo telefônico nº 5049597-93.2013.404.7000/PR, evento 36, doc. 06 da impetração originária) (destacamos)

Ciência ainda ao MPF. **Não o ouvi previamente** em virtude da necessidade de não haver solução de continuidade da diligência e por se tratar de prorrogação de medidas investigatórias sobre as quais o MPF já se manifestou favoravelmente anteriormente.

Curitiba/PR, 16 de dezembro de 2013.

Sérgio Fernando Moro

Juiz Federal.

(procedimento de quebra de sigilo telefônico nº 5049597-93.2013.404.7000/PR, evento 47, doc. 06 da impetração originária) (destacamos)

Ciência ainda ao MPF. **Não o ouvi previamente** em virtude da necessidade de não haver solução de continuidade da diligência e por se tratar de prorrogação de medidas investigatórias sobre as quais o MPF já se manifestou favoravelmente anteriormente. Curitiba/PR, 17 de dezembro de 2013.

Sérgio Fernando Moro

Juiz Federal.

(procedimento de quebra de sigilo telefônico nº 5049597-93.2013.404.7000/PR, evento 56, doc. 06 da impetração originária) (destacamos)

Ciência ainda ao MPF. **Não o ouvi previamente** em virtude da necessidade de não haver solução de continuidade da diligência e por se tratar de prorrogação de medidas investigatórias sobre as quais o MPF já se manifestou favoravelmente anteriormente.

Curitiba/PR, 21 de janeiro de 2014.

Sérgio Fernando Moro

Juiz Federal.

(procedimento de quebra de sigilo telefônico nº 5049597-93.2013.404.7000/PR, evento 78, doc. 06 da impetração originária) (destacamos)

Ciência ainda ao MPF. **Não o ouvi previamente**, pois trata-se de prorrogação de medida com a qual concordou anteriormente e em virtude da urgência em retomar a interceptação.

Curitiba/PR, 24 de fevereiro de 2014.

Sérgio Fernando Moro

Juiz Federal.

(procedimento de quebra de sigilo telefônico nº 5049597-93.2013.404.7000/PR, evento 110, doc. 06 da impetração originária) (destacamos)

Ciência ainda ao MPF. **Não o ouvi previamente**, pois trata-se de prorrogação de medida com a qual concordou anteriormente e em virtude da urgência relatada pela autoridade policial.

Curitiba/PR, 26 de fevereiro de 2014.

Sérgio Fernando Moro

Juiz Federal.

(procedimento de quebra de sigilo telefônico nº 5049597-93.2013.404.7000/PR, evento 123, doc. 06 da impetração originária) (destacamos)

Ciência ainda ao MPF. **Não o ouvi previamente,** pois trata-se de prorrogação de medida com a qual concordou anteriormente e em virtude da urgência em retomar a interceptação.

Curitiba/PR, 06 de março de 2014.

Sérgio Fernando Moro

Juiz Federal.

(procedimento de quebra de sigilo telefônico nº 5049597-93.2013.404.7000/PR, evento 138, doc. 06 da impetração originária) (destacamos)

Em resumo, uma investigação instaurada a partir de prova ilícita (violação do sigilo das comunicações telefônicas entre advogado e cliente, cf. art. 7º, *caput* e inciso II, da Lei nº 8.906/94), que tramitou ao longo de quase 8 (oito) anos com inúmeras e graves medidas restritivas aos direitos fundamentais dos investigados (quebras de sigilo fiscal, bancário, telefônico e telemático) sem a prévia oitiva do Ministério Público Federal (em franca violação aos arts. 129, I e VII, da CF; 257, § 2º e 564, III, *"d"*, do CPP; 3, *"d"* e 6, V e XV, da LC 75/93; e 25, III e V, da Lei 8.625/93), além de ter sido violada a competência do Supremo Tribunal Federal no início da investigação (ferindo os arts. 53, *caput* e § 1º, c.c. 102, *caput* e inciso I, "b", da CF) e, posteriormente, ter sido violada a competência de uma das Varas Federais Especializadas da Subseção Judiciária de São Paulo para conhecer do feito (ferindo os arts. 70 e seguintes do CPP), fulminando o *princípio constitucional do juiz natural* (art. 5º, *caput*, incisos XXXVII e LIII, da CF).

Todos esses fatos foram longamente relatados no *habeas corpus* 5009087-52.2014.404.0000/PR perante o TRF do RS e não foram conhecidos. O recurso ao Superior Tribunal de Justiça para que se julgasse o *habeas corpus* também foi negado. Ou seja, jamais foram apreciadas as ilegalidades. Também isso foi relatado posteriormente na reclamação 23367, no STF em nome de Paulo Okamotto. A reclamação também não foi julgada. Foi extinta por Okamotto ter sido absolvido.

6. "Considerações sobre a Operação *Mani Pulite*"

Em 2004, Sérgio Moro publicou "Considerações sobre a Operação *mani pulite*" (doc. 29), texto em que analisou a operação mãos limpas, executada na Itália, nos anos 1990. O documento é um plano de ação em que o autor descreveu um "processo de deslegitimação" da classe política e expôs métodos: "a deslegitimação do sistema" e "o uso da opinião pública" que, para o autor "como ilustra o exemplo italiano, é também essencial para o êxito da ação judicial". Tudo coroado pelo "isolamento na prisão" e amparado pelo "largo uso da imprensa" para promover vazamentos, pois na operação italiana "o constante fluxo de informações manteve o interesse público elevado". O texto publicado em 2004 representava por escrito um plano de ação que se confrontava com a Constituição brasileira. A revista *Exame* descreveu como "A 'Operação' é projeto político carente de articulação política que se dá mediante a aliança da magistratura (no caso brasileiro a articulação entre Judiciário, Ministério Público Federal e Polícia Federal) com a mídia, que, por seu turno, manipula o apoio da sociedade, pois a conquista da opinião pública é condição necessária para o bom êxito da ação policial-judicial"[77]. Esse projeto

---

[77] *CartaCapital.* **A Operação Lava Jato, segundo Sérgio Moro** – 28 de outubro de 2016 – Disponível em: https://www.cartacapital.com.br/politica/a-operacao-lava-jato-segundo-sergio-moro/. Leia mais em www.ramaral.org.

político toma corpo a partir da Operação Lava Jato. Vai realizar a conexão ideológica desses agentes do Estado que no STF são bem representados pelos ministros Barroso e Fux. Barroso chegou a se manifestar quanto à necessidade de corresponder "aos sentimentos da sociedade"[78]. Por isso a *CartaCapital* analisou que: "Esse sistema de elos faz surgir", diz-nos, "uma nova magistratura que vai colher sua legitimidade, não mais na **Constituição**, mas diretamente na opinião pública, que, entre nós, é apenas opinião publicada, manipulada por sistema de comunicação que no plano empresarial é oligopolista e no plano ideológico um monopólio reacionário"[79].

Todo o fingimento realizado por Sérgio Moro de que não participava das delações, de que as ações eram do Minitério Público e da Polícia Federal são colocadas às escâncaras como fraude no texto:

> O constante fluxo de revelações manteve o interesse do público elevado e os líderes partidários na defensiva. [...] A publicidade conferida às investigações teve o efeito salutar de alertar os investigados em potencial sobre o aumento da massa de informações nas mãos dos magistrados, favorecendo novas confissões e colaborações. Mais importante: garantiu o apoio da opinião pública às ações judiciais, impedindo que as figuras públicas investigadas obstruíssem o trabalho dos magistrados, o que, como visto, foi de fato tentado. [...] As prisões, confissões e a publicidade conferida às informações obtidas geraram um círculo virtuoso, consistindo na única explicação possível para a magnitude dos resultados obtidos pela operação mani pulite. (Juiz Federal Sérgio Fernando Moro, ora Autoridade Coatora,

---

[78] ConJur. **Barroso afirma que STF deve corresponder aos sentimentos da sociedade.** 2 de abril de 2019. Disponível em: https://www.conjur.com.br/2019-abr-02/barroso-stf-responder-aos-sentimentos-sociedade.

[79] *CartaCapital.* **A Operação Lava Jato, segundo Sérgio Moro.** Disponível em: https://www.cartacapital.com.br/politica/a-operacao-lava-jato-segundo-sergio-moro/. Leia mais em: www.ramaral.org.

em verdadeiro plano de ação publicado em 2004 sob a forma de artigo científico.)

Como se verá, anos depois do seu início, em 2019, a Vaza Jato vai revelar que nas comunicações mantidas fora dos autos o juiz combinava ações com o MP, opinava nas delações, prendia para que elas se realizassem.

Existem aqueles que são favoráveis às ações de Moro, de que essa sua forma de agir foi necessária, de que assim se "acabou" com a corrupção. Mas não a defendem abertamente. Isso porque sabem que o método não é abrigado na Constituição.

Glenn, o jornalista que divulgou os documentos de Stuart sobre a Cia e que vai receber anos depois as mensagens entre Moro e Dallagnol ao depor na Câmara[80], diz que os documentos são importantes jornalisticamente, exatamente porque Moro afirmava que agia de forma oposta do que escreveu no seu texto sobre a *mani pulite*.

---

[80] YouTube. **CCJ - Audiência com o jornalista Glenn Greenwald** – 11 de julho de /2019 – Disponível em: https://www.youtube.com/watch?v=Gx9hS7Mz_QQ.

7. O Início da Lava Jato – A Fase 1. Banho e Sobral Pinto

Por anos Sérgio Moro conduziu a investigação, que só é disparada (*sic*) quando finalmente aparece o nome de Paulo Roberto Costa, diretor da Petrobras. A ideia é parecer uma coincidência. Mas nada é coincidência. Em "Considerações sobre a operação *mani pulite*", Moro já citava as empresas italianas. Enimont era empresa química formada por *joint venture* da ENI (Ente Nazionale Idrocarburi), a empresa petrolífera estatal italiana; e a Montedison, empresa química subsidiária do grupo Ferruzi (considerado o segundo maior da Itália após a Fiat).

Era evidente que, com as informações que obtinha extraoficialmente, sabia claramente aonde desejava chegar. E parte do projeto não estava somente nas prisões, mas nas prisões e sequestros.

A **regra é a de que o preso, provisório ou não, permaneça em local próximo de sua família e domicílio**, justificando-se excepcionalmente o contrário se tal medida atender ao interesse público.

A manutenção do preso em local próximo ao seu meio social e familiar é, aliás, a regra, como se observa da redação do art. 103 da Lei de Execuções Penais:

Art. 103. Cada comarca terá, pelo menos 1 (uma) cadeia pública a fim de resguardar o interesse da Administração da Justiça

Criminal e **a permanência do preso em local próximo ao seu meio social e familiar.** (destacamos)

A respeito do direito do preso de permanecer custodiado em estabelecimento prisional próximo da localidade em que reside sua família[81], a estratégia do juiz foi prender as pessoas por fatos ocorridos fora do Paraná e deslocá-las para a carceragem da polícia com o objetivo de quebrar a resistência de defesa, tornando difícil o contato com a família e advogados e deixá-las nas mãos de carcereiros que lentamente iriam fazer o plano de seu texto original.

A estratégia de ação adotada pelos magistrados incentivava os investigados a colaborar com a Justiça: A estratégia de investigação adotada desde o início do **inquérito submetia os suspeitos à pressão de tomar decisão quanto a confessar**, espalhando **a suspeita de que outros já teriam confessado e levantando a perspectiva de permanência na prisão pelo menos pelo período da custódia preventiva no caso da manutenção do silêncio ou, vice-versa, de soltura imediata no** caso de uma confissão (uma situação análoga do arquétipo do famoso "dilema do prisioneiro"). Além do mais, havia a disseminação de informações sobre uma corrente de confissões ocorrendo atrás das portas fechadas dos gabinetes dos magistrados. Para um prisioneiro, a confissão pode aparentar ser a decisão mais conveniente quando outros acusados em potencial já confessaram ou quando

---

[81] *De acordo com o artigo 103 da Lei de Execuções Penais (Lei 7.210/84), ao preso provisório é assegurado o direito de permanecer custodiado em estabelecimento penal próximo da localidade em que reside a sua família, sendo possível, entretanto, sua transferência para outro presídio, desde que constatados motivos concretos, de interesse público.* TRF 1, Terceira Turma, HC 0047784-56.2010.4.01.0000/MT, Rel. Des. Fed. Assusete Magalhães, e-DJF1 p. 224 de 30/09/2010. **O preso provisório tem assegurado o direito de permanecer custodiado em estabelecimento penal próximo do local onde reside sua família**, salvo a existência de interesse público concreto que recomende a manutenção da custódia em estabelecimento prisional diverso. Precedente. TRF1, 3ª Turma, HC 0063369-46.2013.4.01.0000, Rel. Des. Fed. Monica Sifuentes. DJ. 30.10.2013.

ele desconhece o que os outros fizeram e for do seu interesse precedê-los. Isolamento na prisão era necessário para prevenir que suspeitos soubessem da confissão de outros: dessa forma, acordos da espécie "eu não vou falar se você também não" não eram mais uma possibilidade[82].

Quando Paulo Roberto já estava preso havia 34 dias, notei que ele se desesperava quando se aproximavam os feriados. Percebi que os policiais do plantão trancavam os presos, que passavam dias sem tomar banho de sol, e mesmo banho durante aqueles dias.

Resolvemos agir judicialmente contra aquilo. O art. 1º da Constituição garante: III – a dignidade da pessoa humana.

Com efeito, eram absolutamente desumanas as condições de encarceramento a que estava submetido. Dentre inúmeras outras situações humilhantes, importa destacar que o paciente, aos fins de semana e feriados, era trancafiado em sua cela, ficando **impedido até mesmo de realizar higiene pessoal e tomar banho de sol**. Situação cruel e degradante, que fere o já referido princípio da dignidade da pessoa humana, cuja afirmação nos ordenamentos jurídicos hodiernos constitui paradigma civilizatório.

A bem da verdade, as condições de encarceramento enfrentadas traziam à memória uma das mais belas petições da história do Judiciário, feita por Sobral Pinto em defesa de Harry Berger, quando, para melhorar as condições carcerárias do preso, invocou o Decreto de Proteção de Animais então em vigor (Decreto nº 24.645/1934), destacando que se o Estado reconhece até os direitos dos animais, por que não haveria de dispensar o mesmo tratamento a um ser humano?

Mesmo para presos de alto risco para a ordem e a segurança do estabelecimento penal ou da sociedade, a ser incluído no Regime Disciplinar Diferenciado regulado pelo art. 52, da Lei nº 7.210/84

---

[82] 2004, Sérgio Moro "Considerações sobre a operação *mani pulite*" R. CEJ, Brasília, nº 26, pp. 56-62, jul./set. 2004.

(Lei de Execução Penal). Aliás, vale notar que **mesmo os presos submetidos ao RDD têm direito** a visitas semanais de duas pessoas, sem contar as crianças, com duração de duas horas (inciso III) e **à saída da cela por 2 horas diárias para banho de sol** (inciso IV), o que não tem sido assegurado ao Paciente.

O art. 41 da Lei de Execução Penal garante ao preso: a) proporcionalidade na distribuição do tempo para o trabalho, o descanso e a recreação (inciso V); b) exercício das atividades profissionais, intelectuais, artísticas e desportivas anteriores, desde que compatíveis com a execução da pena (inciso VI); proteção contra qualquer forma de sensacionalismo (inciso VIII); e entrevista pessoal e reservada com o advogado (inciso IX).

Já em 1789, a Declaração dos Direitos do Homem e Cidadãos, primeiro grande marco na afirmação do modelo atual de Estado de Direito, afirmava que se deveria **proibir, severamente, qualquer rigor desnecessário** na privação de liberdade daquele que estivesse à disposição do Estado.

A Declaração Universal dos Direitos Humanos, de 1948, preconizou que *"ninguém será submetido a tortura, nem a tratamento ou castigo cruel, desumano ou degradante"* (art. V); *"todo homem tem o direito de ser, em todos os lugares, reconhecido como pessoa perante a lei"* (art. VI); *"todo homem tem direito a receber dos tribunais nacionais competentes remédio efetivo para os atos que violem os direitos fundamentais que lhe sejam reconhecidos pela constituição ou pela lei"* (art. VIII); *"ninguém será arbitrariamente preso, detido ou exilado"* (art. IX).

A Assembleia das Nações Unidas, em 30 de agosto de 1955, adotou, sob a forma de Resolução, as "Regras Mínimas para o Tratamento dos Reclusos", editando normas humanitárias concernentes, dentre outras, à identidade do criminoso, sua classificação em categorias, celas ou quartos destinados a isolamento noturno, higiene pessoal, roupas de cama, alimentação, exercícios físicos, assistência médica, disciplina, sanções, informação escrita sobre o regime da categoria, direito de reclamação, contato com o mundo exterior, biblioteca, assistência religiosa, regalias, trabalho compatível, instrução, recreação, e várias outras normas pertinentes.

Por sua vez, a Constituição Federal do Brasil, além de prever o princípio da dignidade da pessoa humana como um dos fundamentos da República, estabelece, em seu artigo 5º, que **ninguém será submetido a tortura nem a tratamento desumano ou degradante** (inciso III).

Finalmente, o Código Penal Brasileiro também preconiza, em seu art. 38, que *"o preso conserva todos os direitos não atingidos pela perda da liberdade, impondo-se a todas as autoridades o respeito à sua integridade física e moral"*.

A defesa solicitou ao juiz Sérgio Moro quanto ao pedido de garantir ao preso os direitos básicos, e o juiz pediu para o Ministério Público se manifestar.

No dia 16 de abril de 2014, um feriado de quarta-feira, o **Desembargador Leandro Paulsen** despachou que o paciente, muito embora tenha suscitado pródigos argumentos jurídicos acerca da dignidade da pessoa humana e dos direitos a serem assegurados ao preso, não trouxe elementos concretos aptos a demonstrar que sua dignidade esteja sendo violada pelo Estado, dadas as circunstâncias. As limitações a que está sujeito o paciente são próprias da sua situação, que, diga-se, é provisória, e que, por enquanto, se justificam e por isso indeferia a liminar.

No mesmo dia a defesa conseguia um despacho com o juiz de plantão, Eduardo Fernando Appio, que determina o direito ao banho da forma que segue:

> Concernente à alegada inobservância do direito do recolhido ao banho de sol e higiênico, nos termos em que prevê a legislação em vigor e nossa Constituição Federal, e havendo condições no local de sua manutenção, determino à autoridade policial que

proporcione ao custodiado seu respectivo exercício, observadas as cautelas de praxe, especialmente integridade física do preso.

É preocupação constante do CNJ e do STF garantir melhores condições de cumprimento de pena e observância do princípio da dignidade humana para os presos provisórios no Brasil. O próprio Poder Judiciário tem trazido para si esta responsabilidade ante alegada omissão do Poder Executivo que gere estes recursos, inclusive fundo penitenciário.

Infelizmente nosso país não tem todas as condições financeiras para garantir, na prática, aquilo que as leis, a Constituição e os tratados internacionais dos quais o Brasil é signatário em termos de direitos humanos determinam. Mesmo no estado do Paraná, tido como um dos mais ricos do país, a situação dos presos provisórios em delegacias de polícia ainda se faz presente.

Trata-se de um país carente de recursos materiais, muito em decorrência dos graves desvios de recursos públicos a todo momento noticiados pela imprensa no país. As penitenciárias e cadeias do país são um reflexo deste sistema.

Caso seja possível para a autoridade policial federal garantir banho higiênico e banho de sol como faz em relação aos demais presos, sem distinção e não havendo risco a integridade física do preso, não vejo razão para indeferir este pedido.

Os policiais federais passam a ameaçar o preso dizendo que ele estava "criando muita confusão" e que, por isso, seria transferido para um presídio ainda pior, qual seja, o presídio de segurança máxima de Catanduvas. Essa denúncia é feita pelo preso no primeiro dia útil em uma carta colocada no vidro do parlatório. Imediatamente, diante do risco, a defesa sabendo que a medida do plantão seria revogada entra com pedido no STJ.

O ConJur teve acesso ao *habeas corpus* por meio do *site* do STJ, e em 25 de abril de 2014 estampou uma matéria de Felipe Luchete:

"Ex-diretor da Petrobras diz que foi ameaçado pela PF"[83], e traz a íntegra da petição com a foto que foi juntada ao pedido.

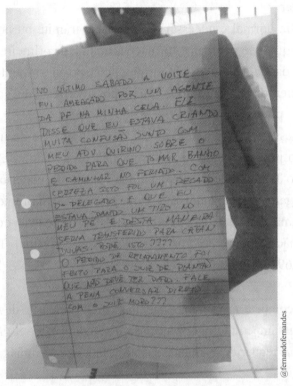

Ex-diretor da Petrobras diz que foi ameaçado pela PF

Como já havia feito com vários *habeas corpus* da defesa no dia 28 de abril de 2014, a ministra Regina Helena Costa, nos termos do art. 210, do Regimento Interno do Superior Tribunal de Justiça, INDEFERE LIMINARMENTE o *habeas corpus*.

Aqui é necessário uma informação ao leitor sobre o remédio constitucional do *habeas corpus*. No trâmite normal, na instância superior, o *habeas corpus* é examinado por um juiz componente da

---

[83] LUCHETE, Felipe. ConJur. **Ex-diretor da Petrobras diz que foi ameaçado pela PF** – Consultor Jurídico – 25 de abril de 2014, 14h33. Disponível em: https://www.conjur.com.br/2014-abr-25/carta-ex-diretor-petrobras-sido-ameacado-policia-federal.

Corte, como pedido de urgência à autoridade que decreta a prisão. Essa análise é feita quanto à antecipação da decisão final, chamada de liminar.

Na via normal é necessário aguardar o trâmite burocrático por meio do qual são pedidas informações ao juiz de primeira instância; depois é dado vista ao Ministério Público e posteriormente marcado o julgamento. Somente após isso é possível recorrer ao Tribunal Superior, por exemplo o STJ.

O mesmo rito se repete no STJ, com a análise de liminar por um novo juiz, chamado de ministro. Outro pedido de informações é feito ao Tribunal de baixo para nova vista ao Ministério Público e novo julgamento, para tão-somente se recorrer ao Supremo Tribubal.

Há uma súmula, isto é, uma consolidação de posição do Supremo de que não se pode recorrer antes do julgamento final. Trata-se da Súmula 691, segundo a qual:

> Não compete ao Supremo Tribunal Federal conhecer de *habeas corpus* impetrado contra decisão do Relator que, em *habeas corpus* requerido a tribunal superior, indefere a liminar.

Em situações excepcionais, quando o ato coator contiver flagrante ilegalidade, o óbice decorrente da Súmula 691 é ser superado pelo próprio Tribunal que editou a súmula[84].

---

[84] **"verifico que a situação é excepcional, apta a superar o entendimento sumular**, ... **defiro a medida liminar para assegurar ao paciente o direito de permanecer em liberdade** (HC 121156 MC/SP, rel. min. Ricardo Lewandowski, j. 19.02.2014, DJe 24.02.2014)"Os impetrantes sustentam a existência de excepcionalidade capaz de **superar o óbice do Verbete nº 691 da Súmula do Supremo**.... **Defiro a liminar pleiteada. Expeçam alvará de soltura a ser cumprido com as cautelas próprias:** (HC 121392 MC/ MG, rel. min. Marco Aurélio, j. 23.03.2014, DJe 27.03.2014) "Superação do enunciado da Súmula nº 691 do Supremo Tribunal Federal. Ordem concedida. ... **o caso evidencia situação de flagrante ilegalidade, apta a ensejar o afastamento excepcional do referido óbice processual**. ... Ordem concedida."(HC 120301/SP, rel. min. Dias Toffoli, 1ª T.,. j. 18.02.2014, DJe 17.03.2014)

GEOPOLÍTICA DA INTERVENÇÃO

Outra questão relevante: a luta pelo *habeas corpus* é algo que faz a própria luta pela liberdade no Brasil. Quando o *habeas corpus* foi proibido no regime de 1964, os advogados criaram o *habeas corpus* de localização. Como relatei no subcapítulo "O Decreto 898", de 1969[85], o *habeas corpus* foi suspenso para acusados de crimes políticos. Ocorre que os brasileiros eram sequestrados pelas forças policiais e levados para o cárcere sem registro. Os advogados então entravam com medidas de *habeas corpus* argumentando que enquanto não se oficializasse a acusação por crime político não estaria vedada a medida. Os juízes recebiam o *habeas corpus* e pediam informação. Quando respondido que o preso estava na carceragem sob investigação de crime político, o *habeas corpus* era extinto, mas se oficializava a prisão e o preso não poderia desaparecer. Estaria salvo o preso do desaparecimento por morte e tortura.

Outra tentativa de se livrar da burocracia foi substituir o recurso ordinário para a Corte Superior por um novo *habeas corpus*. Para se compreender, quando julgado um *habeas corpus* em um tribunal, o recurso constitucional chama-se Recurso Ordinário de *habeas corpus*.

Ocorre que esse recurso deve ser interposto no próprio tribunal que negou a ordem. Após é aberto vista ao Ministério Público para se manifestar, e somente após isso é remetido ao tribunal destinatário. Isso leva tempo. Por isso os advogados passaram a fazer um novo *habeas corpus* direto no tribunal superior para poupar tempo. Assim, por décadas os advogados pararam de usar o recurso ordinário.

O ministro Marco Aurélio, em julgamento de *habeas corpus* no Supremo Tribunal Federal, defendeu a tese de que os *habeas corpus* substitutivos não deveriam ser mais conhecidos, e em caso de flagrante ilegalidade, deferidos de ofício. Ou seja, como se não tivesse o pedido.

---

[85] FERNANDES, Fernando Augusto. *Voz Humana – A Defesa Perante os Tribunais da República*, Geração Editorial, 2020. No PDF, Capítulo 14, subcapítulo **14.b. O Decreto 898**.

Essa tese acabou limitando o *habeas corpus* até que o ministro Marco Aurélio, no julgamento do HC 127.483/STF, disse em plenário: "Se arrependimento matasse, eu, hoje, seria um homem morto".

O ministro Marco Aurélio mudou o próprio entendimento sobre a **restrição de *habeas corpus*** impetrado como substituto de recurso ordinário sob o único fundamento de existir via recursal própria, o que acaba por impedir a análise de questões delicadas e atinentes aos princípios mais basilares da Carta Magna de **1988 e comprometendo a própria efetividade processual que tanto se busca preservar**.

Em seu voto proferido de maneira corajosa, o ministro Marco Aurélio afirmou que **a racionalização por ele desenvolvida foi um erro, dada a enorme restrição de defesa que vem se configurando atualmente nesta Corte Suprema que**, sob promessa de conferir mais celeridade e efetividade às decisões, acaba deixando de analisar coações e ilegalidades indevidas no curso de ações penais.

Nessa linha são as manifestações orais no notório *habeas corpus* 127.483/STF. O ministro Gilmar Mendes disse ser "inevitável em casos que tais a admissibilidade, a cognoscibilidade do *habeas corpus*, sob pena de dificultarmos, numa injusta medida, o próprio ideário de proteção judicial efetiva que se expressa no art. 5º, inciso XXXV, e, claro, na própria garantia do *habeas corpus*". (STF, *habeas corpus* 127.483/PR, Rel. Min. Dias Toffoli, j. 27 de agosto de 2015).

E é alinhado a este raciocínio que recordamos o voto proferido pelo ministro Alexandre de Moraes no HC 152.752/PR, em que reconheceu a necessária amplitude do *habeas corpus*, asseverando:

> E me parece que em termos de proteção à liberdade de ir e vir, em termos da própria teoria do habeas corpus que foi no Brasil criada, discutida e elastecida, a partir da célebre discussão e troca de artigos entre Pedro Lessa e Ruy Barbosa, é possível, e deve ser interpretado sempre, da maneira que se proteja mais a liberdade de locomoção. (g.n.)

Pois bem. Essa mudança de posição no HC 127.483 é posterior a essas decisões da ministra Regina Helena Costa. Recém-empossada à época no STJ e vindo do Direito Tributário, indeferia todas as tentativas de *habeas corpus* esperando ordodoxamente que o recurso ordinário chegasse à Corte. A defesa tentava superar a a "*ortodoxia instrumental*"[86].

No dia 25 de abril, o juiz Sérgio Moro toma conhecimento da matéria do ConJur sobre a ameaça ao preso e o deferimento do banho e profere o seguinte despacho, determinando que fosse transferido, como punição, a um presídio estadual:

Diante da notícia divulgada no *site* ConJur https://www.conjur.com.br/2014-abr-25/carta-ex-diretor-petrobras-sido-ameacado-policia-federal, que chegou ao conhecimento deste julgador por meio oficioso, já que não foi noticiado pela Defesa do referido acusado Paulo Roberto Costa até este momento, 18:20 da sexta-feira, revejo parcialmente a decisão de recebimento da denúncia no que se refere à manutenção por ora de Paulo Roberto Costa na carceragem da Polícia Federal em Curitiba.

Sem ingressar no mérito do episódio, o fato é que sequer há pedido da autoridade policial ou do MPF de transferência de Paulo Roberto Costa para o Presídio Federal, o que, por si só, coloca em dúvida a credibilidade da afirmação do preso.

Heterodoxo ainda que o fato não tenha sido até o momento comunicado pelos defensores a este Juízo, tendo havido preferência para divulgá-lo primeiro em *site* de notícias.

De todo modo, a carceragem é cela de mera passagem para presos provisórios e não é, de fato, adequada para permanência do preso por longo período.

---

[86] "... em se tratando de ação de envergadura maior, como é o *habeas corpus*, a ortodoxia instrumental não deve prevalecer" (HC STF 91.233/SP, Rel. Min. Marco Aurélio, 1ª T., DJe. 11/10/2007).

Por outro lado, colhidas informações de autoridades policiais de que Paulo Roberto Costa poderia ser mantido na PEP II, no Presídio Estadual de Piraquara/PR, na ala reservada a presos de nível superior e presos diferenciados. Não se trata de aqui buscar privilégio ao preso, mas as circunstâncias recomendam, para segurança dele, que fique separado de presos comuns. Assim, revogando, como adiantado, parcialmente a decisão anterior, autorizo desde logo a transferência de Paulo Roberto Costa para o sistema penitenciário estadual, especificamente para a aludida área reservada na PEP II.

Comunique-se com urgência a Polícia Federal para as providências necessárias atinentes à remoção.

Ciência ao MPF e defensores respectivos com urgência. Curitiba/PR, 25 de abril de 2014.

Sérgio Fernando Moro Juiz Federal[87]

Em que pese o pedido de reconsideração, não vejo porque fazê-lo. A carceragem da PF persiste inadequada para recolhimento de presos por longo período, sendo apenas prisão de passagem. Não se está "a efetivar as ameaças feitas por um agente da Polícia Federal", como alega da Defesa, pois a suposta ameaça teria sido para transferência para Penitenciária Federal e este Juízo autorizou a transferência para Presídio Estadual, ala reservada a presos especiais, para garantir a segurança do preso.

Indefiro, portanto, o pedido de reconsideração.

Curitiba/PR, 28 de abril de 2014.

Sérgio Fernando Moro Juiz Federal

---

[87] Evento 41.

GEOPOLÍTICA DA
INTERVENÇÃO

Moro não contava que alguns dias depois a secretária de Estado da Justiça, Cidadania e Direitos Humanos do Estado do Paraná, Maria Tereza Uile Gomes, oficiasse o juízo de que o Presídio Estadual de Piraquara II não se encontrava seguro. Ela informou que, pela sua dimensão, com 940 presos, não "se tem condições ideais de controlar a segurança do preso, especialmente se houver uma rebelião".

O fato é que a punição ao preso estava feita, e Moro não devolve o preso para os presídios cariocas, nem mesmo para Catanduvas, presídio federal no qual ficaria longe dos agentes que precisavam obter uma delação premiada. Moro prepara a devolução do preso para Polícia Federal fazendo intimar a defesa e o Ministério Público. Evidente que seu desejo era que a defesa se opusesse à ida para o presídio federal.

Passo a decidir.

Paulo Roberto Costa encontrava-se na carceragem da Polícia Federal em Curitiba. Apesar de tratar-se de prisão de passagem, o local, por ser um cárcere pequeno, com poucos presos, oferece boas condições de segurança para presos de caráter especial.

Não obstante, após vários incidentes provocados no local e levados à imprensa, antes mesmo do conhecimento deste Juízo, acabei por determinar a transferência do preso ao sistema penitenciário estadual, ala reservada a presos especiais, onde o acusado se encontra em cela individual.

Embora não haja qualquer perigo imediato para o preso, não posso desconsiderar as apreensões das autoridades administrativas carcerárias que conhecem melhor o presídio estadual do que este juiz.

Assim, como solução provisória e o que parece-me melhor no contexto para o preso, determino o seu retorno para a carceragem da Polícia Federal em Curitiba, local onde não sofre qualquer risco, o que deve ser feito no dia 02/05/2014.

As autoridades administrativas já estão cientes. Comprometeram-se ainda a receber outros presos mantidos na carceragem da Polícia Federal, sem idênticos riscos.

Comunique-se, com urgência, a Superintendência da Polícia Federal em Curitiba solicitando a remoção na referida data, 02/05/2014. Reitero ainda que, quanto aos demais presos por este Juízo, salvo Alberto Youssef, Carlos Habib Chater e Raul Henrique Srour, já está autorizada a sua transferência, da carceragem, para o sistema penitenciário estadual.

Intimem-se MPF e Defesa de Paulo Roberto Costa deste despacho e para se manifestarem, em cinco dias, sobre o requerimento da Secretária de Estado de Justiça para a Penitenciária Federal de Catanduvas.

Curitiba/PR, 30 de abril de 2014[88].

No dia 5 de maio de 2014, Deltan Dallagnol pede a transferência para Catanduvas, e no mesmo dia Sérgio Moro (evento 766) indefere o pedido da Polícia Federal à transferência de Alberto Youssef informando que "atos de insdisciplina ou novos incidentes relacionados a comportamento inadequado do preso levarão este juízo a rever a presente decisão". Também devolve Paulo Roberto à carceragem da Polícia Federal.

Os presos nunca mais reclamaram da falta de banho e pediam "Pelo amor de Deus para que os advogados não o fizessem". Seus corpos agora pertenciam aos policiais. O mecanismo necessário para se obter as delações por prisões ilegais e verdadeiras torturas lentas, somadas as pressões às famílias, estava pronto.

---

[88] Evento 165.

8. Contra o Tempo

O primeiro *habeas corpus* chegou ao STJ foi em 21 de março de 2014, seguindo outros em 28/03, 08/04, 15/04, 24/04 e 29/04. Nos dias 12 e 19 de maio dois RHC, 47599 e 47600, da defesa, chegaram ao STJ. Apesar de todos os esforços, a ministra do Superior Tribunal de Justiça não dava nenhum sinal da possibilidade de julgamento. Todos os *habeas corpus* que foram extintos tinham recurso contra a decisão pendentes de exame, e os recursos ordinários que superavam a exigência ordodoxa estavam prontos.

Várias tentativas de *habeas corpus* também foram para o Supremo. Ficava claro que o juiz, além de burlar a distribuição ficando com a investigação por anos, sem distribuição, também investigava deputados sem remeter os autos para o STF.

É muito comum acusar advogados de processos ardilosos, abuso de recursos, querelas de má-fé, de ardil. Isso é consubstanciado em uma palavra: chicana. Ao mesmo tempo vai ser comum, como se verá, o grupo de Curitiba acusar advogados e usar seus poderes para imputar "obstrução de justiça" deturpando o art. 2º[89] da Lei 12.850/13.

---

[89] Art. 2º. Promover, constituir, financiar ou integrar, pessoalmente ou por interposta pessoa, organização criminosa: Pena – reclusão, de 3 (três) a 8 (oito) anos, e multa, sem prejuízo das penas correspondentes às demais infrações penais praticadas.
§ 1º Nas mesmas penas incorre quem impede ou, de qualquer forma, embaraça a investigação de infração penal que envolva organização criminosa.

Parte da chicana de Curitiba levada a cabo pelo Ministério Público e pelo juiz é gerar sequenciais denúncias e decretações de outras prisões antes do julgamento do *habeas corpus* pelas cortes superiores. Foi um rebuscamento das arbitrariedades. Enquanto antes Sérgio Moro e outros juízes como De Sanctis, após uma ordem de *habeas corpus*, decretavam outra prisão para não cumprir a soltura, nos casos da Lava Jato iniciaram a decretar outra prisão antes de o *habeas* ser apreciado.

Assim foi feito. No dia 24 de abril Sérgio Moro decretou nova prisão contra Paulo Roberto Costa em razão de uma nova denúncia feita no dia 23. A defesa, no entanto, enfrentou esse segundo decreto de prisão juntando-o aos *habeas corpus* que já existiam, argumentando que era uma mera reiteração do decreto anterior. Mas ao mesmo tempo, por precaução, acabou precisando impetrar novos *habeas corpus* contra esse novo decreto.

Logo no início das investigações, mais precisamente no bojo do inquérito policial nº 714/2009 (2006.700.0018662-8), o deputado federal José Janene estava em exercício. Igualmente, o deputado federal André Vargas teve diálogos seus interceptados.

Matéria de capa publicada pela revista *Veja* (edição 2.369 – ano 47 – nº 16), de 16 de abril de 2014, trouxe a informação de que a Polícia Federal teria verificado em um dos documentos apreendidos em poder do réu, mais precisamente em sua agenda pessoal, que as anotações feitas nela "apontam uma contabilidade envolvendo políticos", da qual teriam se beneficiado os **deputados João Pizzolatti, do PP de Santa Catarina; e Nelson Meurer, do PP do Paraná:**

VEJA teve acesso ao material apreendido pela Polícia Federal. Ele revela os verdadeiros motivos por trás da disputa acirrada dos partidos para indicar um afilhado, um amigo ou um correligionário para um cargo público. **As anotações na agenda do engenheiro apontam uma contabilidade financeira envolvendo políticos**. Numa delas, Paulo Roberto registra o repasse, em 2010, de 28,5 milhões de reais ao PP, o partido responsável por sua indicação ao cargo. Ele relaciona como se deu a partilha desse valor. A maior parte, 7,5 milhões, é atribuída ao "PNac", que os investigadores suspeitam tratar-se do diretório nacional do partido. **O segundo maior destinatário é "Piz", entendido como uma abreviação do nome do deputado João Pizzolatti, do PP de Santa Catarina, um dos líderes do partido no Congresso e com quem Paulo Roberto sempre teve proximidade. Um certo "Nel" também aparece com seu quinhão logo à frente de seu nome. Tudo indica que Nel seja o deputado Nelson Meurer**. Fora da conta do PP, ele anota outros 0,3 (seriam 300.000 reais) para TVian e 1,0 (1 milhão) para PB. Esses códigos ainda não foram decifrados.

Além disso, também de acordo com a reportagem, os investigadores da Polícia Federal teriam identificado, num dos documentos apreendidos na contabilidade de Alberto Youssef em São Paulo, o **envolvimento do senador Fernando Collor, do PTB de Alagoas**, no alegado esquema de corrupção e financiamento ilegal de campanhas políticas:

Um comprovante de depósito em especial intriga os investidores. Ele foi apreendido na contabilidade do doleiro em São Paulo. O valor é muito baixo: 8.000 reais. **Mas a identidade e o prontuário do beneficiado levam a polícia a acreditar que o caso precisa ser aprofundado: o senador Fernando Collor, do PTB de Alagoas**, decano da turma que confunde o público e o privado sempre em benefício do segundo.

Por expressa disposição constitucional nesse sentido (art. 102, inciso I, alínea "b" da Constituição Federal) e entendimento da época no STF, a competência para processar e julgar o feito originário é do Supremo Tribunal Federal.

O Supremo já havia decidido por diversas vezes que não poderia o juiz de primeira instância decidir o que mandar para o STF[90].

Em 16 de abril a defesa resolveu então entrar com uma reclamação ao Supremo Tribunal pedindo uma liminar para soltar Paulo Roberto e tirar o caso das mãos de Sérgio Moro. No dia 22 de abril Teori Zavascki não concede a liminar e pede informações ao juiz.

Em seguida Moro afastou o segredo de justiça que recaía sobre os autos, permitindo, com isso, não só o uso político das informações ali contidas, mas também a exposição gratuita e desnecessária da intimidade dos investigados, que tiveram decretadas contra si medidas de quebra de sigilo bancário, financeiro, comunicações telefônicas e telemáticas,

---

[90] EMENTA: **RECLAMAÇÃO. ALEGADA USURPAÇÃO DA COMPETÊNCIA DO SUPREMO TRIBUNAL FEDERAL. PROCESSO-CRIME EM QUE FIGURA COMO CO-RÉU DEPUTADO FEDERAL. DESMEMBRAMENTO DETERMINADO PELO JUIZ DE PRIMEIRO GRAU.** Em face dos princípios da conexão e da continência, dado o concurso de agentes na prática do delito, deve haver *simultaneus processus*. **A circunstância de encontrar-se entre os co-réus pessoa que deve ser processada pelo Supremo Tribunal Federal, sua competência se prorroga em relação aos demais acusados, salvo se esta Corte declinar de sua competência,** na hipótese de demora na manifestação da Casa Legislativa sobre o pedido de licença para processar o parlamentar. **É de ser tida por afrontoso à competência do STF o ato da autoridade reclamada que desmembrou o inquérito, deslocando o julgamento do parlamentar e prosseguindo quanto aos demais.** Reclamação que se julga procedente. (STF, Rcl. 1121/PR, Tribunal Pleno, Rel. Min. Ilmar Galvão, j. 04/05/2000, DJ 16/06/2000) EMENTA Agravo regimental. Reclamação. **Desmembramento de representação criminal. Envolvimento de parlamentar federal. Desmembramento ordenado perante o primeiro grau de jurisdição. Usurpação da competência do Supremo Tribunal Federal. Reclamação procedente. Anulação dos atos decisórios.**
1. Até que esta Suprema Corte procedesse à análise devida, **não cabia ao Juízo de primeiro grau, ao deparar-se, nas investigações então conjuntamente realizadas, com suspeitos detentores de prerrogativa de foro – em razão das funções em que se encontravam investidos –, determinar a cisão das investigações e a remessa a esta Suprema Corte da apuração relativa a esses últimos, com o que acabou por usurpar competência que não detinha.**
2. Inadmissível pretendida convalidação de atos decisórios praticados por autoridade incompetente. Atos que, inclusive, foram delimitados no tempo pela decisão agravada, não havendo, evidentemente, ao contrário do que afirmado pelo recorrente, determinação de "reinício da investigação, com a renovação de todos os atos já praticados", devendo, tão somente, emanar novos atos decisórios, desta feita, da autoridade judiciária competente.
3. Agravo regimental não provido.
(STF, Rcl. 7913/PR, Tribunal Pleno, Rel. Min. Dias Tóffoli, j. 12/05/2011, DJe 09/09/2011)

sendo sintomático o caso abaixo, em que a revista *Época* divulga informações obtidas por meio das interceptações telemáticas com o nítido propósito de denegrir, expor ao ridículo e ferir a honra dos investigados[91].

PF flagra troca de mensagens românticas entre deputado e doleiro

Em seguida Moro tenta uma manobra para impedir o julgamento dos *habeas corpus* e criar um fato novo ao Supremo. Decretou contra o Reclamante uma nova prisão preventiva (doc. 2) que, na realidade, constitui mero acréscimo à primeira, sendo a opção de S. Exa. por expedir um segundo decreto prisional mero expediente voltado para dificultar e retardar a soltura do Reclamante por eventual decisão de instâncias superiores.

A inovação ardilosa de decretar uma segunda **prisão de alguém que já está preso** não tem nada a ver com a livre e sagrada manifestação

---

[91] PATURY, Felipe. *Época*. PF flagra troca de mensagens românticas entre deputado e doleiro. 26 de abril de 2014. Disponível em: https://epoca.globo.com/colunas-e-blogs/felipe-patury/noticia/2014/04/pf-flagra-troca-de-bmensagens-romanticasb-entre-deputado-e-doleiro.html

das convicções técnicas e jurídicas personalíssimas de um magistrado, mas sim com a **reincidência específica de S. Exa. numa conduta que essa colenda Corte já reprovou**, que visa podar a efetividade imediata de eventual decisão superior que venha a cassar a prisão.

De fato, o segundo decreto prisional nada mais é que um acréscimo, um aditamento do primeiro, em situação que lembra aquela ocorrida com o juiz federal Fausto De Sanctis nos idos de 2008, quando, nos autos dos processos decorrentes da Operação Satiagraha, também da Polícia Federal, houve a decretação de uma segunda prisão cautelar do banqueiro Daniel Dantas sem a ocorrência de fato novo, em franca tentativa de burlar uma anterior concessão de liminar do ministro Gilmar Mendes, nos autos do HC 95.009/SP, do col. STF. Isto levou o referido ministro a conceder uma nova medida liminar determinando a soltura do paciente, além de repreender de modo duro a conduta daquele juiz federal, à época titular da 6ª Vara Federal Criminal de São Paulo.

Diante disso a defesa resolveu levar a conhecimento do ministro as manobras do juiz, lembrando o caso anterior que o STF havia representado contra ele no CNJ. Ainda trouxe a lembrança de um caso anterior em que Moro havia tentado descumprir ordem do STF. No noticiário do STF, atento a **detalhes nem sempre reduzidos a termo nos votos** escritos, assim foi relatada a intervenção dos ministros Celso de Mello e Gilmar Mendes sobre a postura do juiz Sérgio Fernando Moro:

> Por maioria de votos, vencido o ministro Celso de Mello, **a Turma rejeitou a alegação de suspeição do juiz Sérgio Moro**, da 2ª Vara Federal de Curitiba (PR), especializada em julgamento de crimes de lavagem de dinheiro, na condução das ações penais contra Catenacci.
>
> ...Em seu voto-vista, o ministro Gilmar Mendes acompanhou o relator, ministro Eros Grau (aposentado) no sentido de rejeitar

as alegações de nulidade do processo em razão da atuação do magistrado, mas inovou ao **recomendar a expedição de ofício à Corregedoria Geral de Justiça (órgão do CNJ) para apurar se a conduta do magistrado federal configura falta disciplinar**. Embora tenha reconhecido que as decisões do juiz no curso do processo tenham sido bem fundamentadas, o ministro Gilmar considerou que o magistrado teve **condutas "censuráveis e até mesmo desastradas"**, mas afirmou que não se pode confundir excessos com parcialidade. **O ministro Celso de Mello, decano do STF**, divergiu do voto do relator (que foi acompanhado também pelos ministros Teori Zavascki e Ricardo Lewandowski), por entender que **a sucessão de atos praticados pelo magistrado não foi compatível com o princípio constitucional do devido processo legal**. Para o ministro, a conduta do juiz gerou sua inabilitação para atuar na causa, atraindo a nulidade dos atos por ele praticados. **Além de monitorar o deslocamento dos advogados do doleiro, a defesa alega que**

Para o ministro, a conduta do magistrado fugiu "à ortodoxia dos meios que o ordenamento positivo coloca a seu dispor", transformando-o em investigador.

(Terça-feira, 28 de maio de 2013. Caso Banestado: **2ª Turma rejeita HC de doleiro e recomenda investigação de juiz**. Sobre o HC 95.518.) Disponível em: http://www.stf.jus.br/portal/cms/verNoticiaDetalhe.asp?idConteudo=2 39793&caixaBusca=N

No dia 12 de maio sai a decisão do ministro Zavascki determinando a soltura de todos os presos e requisitando os autos de todos os inquéritos ao Supremo.

9. De tudo se constata que a autoridade impetrada, como ela mesma o reconhece vendo-se diante de indícios de participação

de parlamentar federal nos fatos apurados, promoveu, ela própria, o desmembramento do debate então processado, remetendo apenas parte dele ao Supremo Tribunal Federal.

10. Ocorre, porém, que o Plenário desta Suprema Corte mais de uma vez já decidiu que "é de ser tido por afrontoso à competência do STF o ato da autoridade reclamada que desmembrou o inquérito, deslocando o julgamento do parlamentar e prosseguindo quanto aos demais" (Rcl. 1121 Relator(a): Min. ILMAR GALVÃO, Tribunal Pleno, julgado em 04/05/2000, D] 16.06.2000 Pio-00032 EMENT VOL-0199501 Pra-00033)

...

12. Ante o exposto, defiro a liminar nos termos dos arts. 14, II, da Lei 8038/1990 e 158 do RISTF, para determinar: (a) a suspensão de todos os inquéritos e ações penais relacionados pela autoridade reclamada e assim como os mandados de prisão neles expedidos, contra o reclamante inclusive, disso resultando sua imediata colocação em liberdade, se por outro motivo não estiverem presos; (b) a remessa imediata de todos os autos correspondentes a esta Suprema Corte.

Encurralado e exposto, Sérgio Moro resolve dar mais uma cartada. Expor o ministro e ludibriar a opinião pública e o Supremo, confundindo os casos e falando em tráfico de drogas. Assim, determinava a soltura de Paulo Roberto e divulgava na imprensa seu pedido de esclarecimento ao STF:

Curitiba/PR, 19 de maio de 2014.
Ofício nº 8326518
AÇÃO PENAL Nº 5026212-82.2014.404.7000/PR
Ref.: Reclamação 17623/PR Reclamante: Paulo Roberto Costa
Exmo. Sr. Ministro,

Este Juízo recebeu ao final da manhã de hoje decisão prolatada por V. Exa. nos autos acima, com data de 18/05/2014.

Em decorrência, determinei a expedição de alvará de soltura do Reclamante Paulo Roberto Costa.

Determinou ainda este Juízo a remessa ao STF da ação penal 5026212-82.2014.404.7000 e 5025676-71.2014.404.7000 que é objeto da reclamação.

Subscrevo este ofício, solicitando, respeitosamente, esclarecimentos sobre o alcance da decisão, já que não foram nominados os acusados que devem ser soltos e os processos que devem ser remetidos ao Supremo Tribunal Federal.

Esclareço que, entre os outros feitos originados na assim denominada Operação Lava Jato, encontra-se a ação penal 5025687-03.2013.2014.404.700 que tem por objeto tráfico de 698 kg de cocaína e lavagem do produto de tais crimes. Rene Luiz Pereira foi acusado ser o mandante de remessa, além de outras mencionadas na denúncia, como 55 kg de cocaína apreendidos em Valencia, na Espanha. Há indícios de que compõe grupo organizado transnacional com diversas conexões no exterior e dedicado profissionalmente ao tráfico de drogas. A referida ação penal também tem por acusados Sleiman Nassim El Kobrossy, Maria de Fátima Stocker, Carlos Habib Chater, André Catão de Miranda e Alberto Youssef. Um deles, Sleiman, que não foi preso preventivamente, já está foragido. Outro está preso na Espanha. Assim, muito respeitosamente, indago à V.Exa. o alcance da decisão referida, se este feito de tráfico de drogas e lavagem também deve ser remetido ao Supremo Tribunal Federal e se devem ser colocados soltos os acusados neste feito, entre eles Rene Luiz Pereira, preso por risco a ordem pública pelos indícios de envolvimento em organização criminosa responsável por tráfico de **cerca de 750 kg de cocaína**.

Entre os outros feitos originados na assim denominada Operação Lava Jato, encontram-se as ações penais

5026243-05.2014.404.7000, 5026663-10.2014.404.7000 e 5025699-17.2014.404.7000 que têm por objeto crimes finaceiros e de lavagem de dinheiro envolvendo três grupos distintos dirigidos por supostos doleiros, um dirigido por Carlos Chater, outro por Nelma Kodama e o terceiro por Alberto Youssef. Assim, muito respeitosamente, indago a V. Exa. o alcance da decisão referida, se estas três ações penais também devem ser remetidas ao Supremo Tribunal Federal e se devem ser colocados soltos os acusados neste feito, entre eles Carlos Chater, Nelma Kodama e Alberto Youssef. Informo por oportuno que há indícios, principalmente dos dois últimos, que eles mantêm **contas no exterior com valores milionários, facilitando eventual fuga ao exterior** e com a possibilidade de manterem posse de eventual produto do crime. Nelma Kodama, aliás, foi, nas vésperas da operação policial, **presa em flagrante em tentativa de fuga do país** quando portava, no aeroporto de Guarulhos, sub-repticiamente 200 mil euros.

Por oportuno, mais uma vez manifesto meu elevado respeito pelas decisões de V. Exa. e esclareço que objetivo é apenas esclarecer o total alcance da decisão comunicada a este Juízo, a fim de evitar que os processos, a ordem pública e a aplicação da lei penal sejam expostas a riscos por mera interpretação eventualmente equivocada de minha parte.

Afinal, quando prestei as informações preocupei-me, talvez por equívoco, com os processos em relação aos quais o Reclamante Paulo Roberto Costa figurava como acusado e que interpretei como constituindo o objeto da reclamação, deixando talvez de informar detalhes relevantes sobre as demais ações penais e os motivos das preventivas.

Desde logo, peço escusas pela solicitação de esclarecimentos acerca do alcance da decisão, tendo, não obstante, parecido a este Juízo que tratava-se da postura prudente de minha parte. Evidentemente, caso esclarecido que todos os processos devem ser remetidos e que todos devem ser soltos, a decisão será imediatamente cumprida.

Cordiais saudações

Sérgio Fernando Moro Juiz Federal

O ministro recua, mantém solto Paulo Roberto e requisita os autos ao Supremo Tribunal. A Lava Jato tinha parado... por enquanto.

9. A Ajuda do Grande Irmão

O filme *Polícia Federal – A lei é para todos*, de Marcelo Antunez, traz uma cena de busca e apreensão na casa de um personagem que seria Paulo Roberto Costa. Na imaginação, os agentes acham um pedaço de papel queimado na churrasqueira da casa e nela os dados de uma conta na Suíça.

Na vida real a história é bem diferente. E ela vai ficar clara a partir das mensagens que o periódico *The Intercept Brasil* vai vazar a partir de junho de 2019. Essas informações vieram de uma falha que permitiu que *hackers* ingressassem nas mensagens do aplicativo Telegram entre o juiz Sérgio Moro e Deltan Dallagnol e desse último com procuradores.

As mensagens trouxeram mais revelações das arbitrariedades e das ligações dos procuradores com os Estados Unidos. No dia 12 de março de 2020, o *The Intercept Brasil* estampou a matéria: "Como a Lava Jato escondeu do governo federal visita do FBI e procuradores americanos" – Deltan Dallagnol e Vladimir Aras não entregaram nomes de pelo menos 17 americanos que estiveram em Curitiba em 2015 sem conhecimento do Ministério da Justiça[92].

---

[92] VIANA, Natalia; FISHMAN, Andrew; SALEH – Agência Pública/*The Intercept Brasil* 12 de março de/2020. **Como a Lava Jato escondeu do governo federal visita do FBI e procuradores americanos.** Disponível em: https://noticias.uol.com.br/ultimas-noticias/agencia-publica/2020/03/12/como-a-lava-jato-escondeu-do-governo-federal-visita-do-fbi-e-procuradores-americanos.htm.

A matéria traz informações, diretamente de Curitiba, dos procuradores da Lava Jato recebendo, em outubro de 2015, 17 procuradores americanos que desembarcaram no Brasil sem o cumprimento do acordo bilateral de cooperação, ou seja, sem nenhum aviso ao Ministério da Justiça, que acabou tomando conhecimento por uma mensagem do Itamaraty quando já estavam no Brasil. Entre os membros da comitiva, o chefe da divisão que cuidava de corrupção internacional no DOJ, Patrick Stokes, também procurou evitar os holofotes sobre a visita. Dois outros nomes são de Derek Ettinger e Lorinda Laryea.

A comitiva, "uma delegação de pelo menos 17 americanos, apareceu na capital paranaense para conversar com membros do MPF e advogados de empresários que estavam sob investigação no Brasil. Entre eles estavam procuradores americanos ligados ao Departamento de Justiça (DOJ, na sigla em inglês) e agentes do FBI, o serviço de investigações subordinado a ele. Todas as tratativas ocorreram na sede do MPF em Curitiba. Em quatro dias intensos de trabalho, receberam explicações detalhadas sobre delatores como Alberto Youssef e Nestor Cerveró e mantiveram reuniões com advogados de 16 delatores que haviam assinado acordos entre o fim de 2014 e meados de 2015 em troca de prisão domiciliar, incluindo doleiros e ex-diretores da Petrobras".

Entre as mensagens trocadas pelos procuradores com o procurador-geral Aras, há partes que vão sustentar as relações financeiras também dos membros dos Ministérios Públicos brasileiro e americano. "O então procurador Marcelo Miller, sobre a viagem a Curitiba, disse: 'Nós tornamos a investigação pública nos Estados Unidos, então nossa pessoa de imprensa vai simplesmente confirmar o fato, mas não vai comentar sobre a investigação ou a nossa presença no Brasil. Como eu mencionei, o FBI vai confirmar sua presença no Brasil, mas não vai comentar a razão ou a investigação'." Marcelo Miller será o procurador a se envolver posteriormente como advogado privado no acordo de delação da JBS, gigante empresa de proteína (carne). E envolvido em um escândalo de que ainda no MP já trabalhava em um escritório de advocacia.

A matéria traz um segundo dado, de que "A divisão de FCPA do DOJ – a mesma que entre 2014 e 2016 foi chefiada por Stokes – investigou e puniu com multas bilionárias empresas brasileiras alvos da Lava Jato, entre elas a Petrobras e a Odebrecht". O próprio Stokes deixou a chefia da seção de FCPA, no Departamento de Justiça, em 2016, para se tornar advogado de defesa de empresas que são investigadas pela mesma divisão que ele comandava. Hoje, é sócio no rico escritório Gibson, Dunn & Crutcher – que atende a Petrobras nos Estados Unidos – uma posição cujo salário chegou a R$ 3,2 milhões em 2017. A equipe da Lava Jato de Curitiba conseguiu junto aos procuradores americanos da Petrobras, após todo suporte contra os interesses da empresa brasileira, que a petrolífera se comprometesse a pagar R$ 2,5 bilhões para uma entidade que ficaria sob o controle dos procuradores brasileiros. O pagamento foi suspenso pelo STF[93].

---

[93] COELHO, Gabriela – **Alexandre de Moraes suspende efeitos do acordo da "lava jato".** 15 de março de 2019. Disponível em: https://www.conjur.com.br/2019-mar-15/alexandre-moraes-suspende-efeitos-acordo-lava-jato.
Moraes quer saber para onde foi parte do dinheiro do fundo da "Lava Jato". Disponível em: https://www.conjur.com.br/2020-fev-05/moraes-questiona-destino-parte-dinheiro-fundo-lava-jato.
Sobre o tema também noticia que Carvalhosa, o advogado que ligado à Lava Jato combinou receber honorários, estaria processando Gilmar Mendes.
INJÚRIA E CALÚNIA
Carvalhosa processa Gilmar Mendes por citar sociedade com a "lava jato". 6 de novembro de 2019, Disponível em: https://www.conjur.com.br/2019-nov-06/carvalhosa-processa-gilmar-citar-sociedade-lava-jato e de decisão negando pedido contra o *site* ConJur pelo mesmo advogado.
MARTINES, Fernando. **ConJur não terá de indenizar Carvalhosa por informar sociedade com a "lava jato".** 23 de agosto de 2019. Disponível em: https://www.conjur.com.br/2019-ago-23/conjur-nao-indenizara-carvalhosa-informar-sociedade-lava-jato.
MAGISTRADO COMPETENTE POMPEU, Ana. **Barroso arquiva inquérito contra desembargador que mandou soltar Lula.** 3 de abril de 2019. Disponível em: https://www.conjur.com.br/2019-abr-03/barroso-arquiva-inquerito-desembargador-deu-hc-lula.

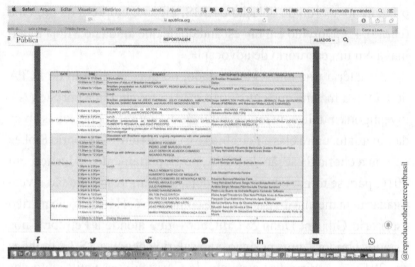
Documento com a programação da viagem

A matéria conta ainda uma nova vinda dos americanos em 2016: em julho de 2016, uma nova comitiva do DOJ veio ao Brasil para tomar depoimentos em Curitiba e no Rio de Janeiro. Dessa vez, a comitiva veio munida de um Mutual Legal Assistance Treaties (Tratado de Assistência Jurídica Mútua) (MLAT na sigla em inglês) e aparentemente seguiu as sugestões da equipe de Dallagnol, evitando questionamentos no STF.

O documento com a programação da viagem mostra que participaram da comitiva os advogados Lance Jasper e Carlos Costa Rodrigues, da SEC, e os procuradores do DOJ Kevin Gringas, Hector Bladuell, Davis Last, Gustavo Ruiz e, mais uma vez, Christopher Cestaro, atual chefão de FCPA do governo americano.

Da parte do FBI, vieram duas intérpretes, Tania Cannon e Elaine Nayob; e dois agentes, Becky Nguyen e Mark Schweers – ele já acompanhara a comitiva de outubro de 2015.

Entre 13 e 15 de julho, o grupo utilizou a sede da PGR no centro do Rio de Janeiro para ouvir o ex-diretor da área Internacional da Petrobras, Nestor Cerveró, e o ex-diretor de Abastecimento Paulo

Roberto Costa, ao longo de três sessões, totalizando nove horas de questionamentos a cada um. Quatro meses depois, em novembro daquele ano, a *Folha de S.Paulo* noticiou que Costa havia fechado um acordo para cooperar com o FBI e o DOJ, comprometendo-se a fornecer documentos e prestar depoimentos e entrevistas sempre que convocado.

Estavam presentes nas oitivas no Rio de Janeiro o procurador da Lava Jato fluminense Leonardo Freitas e membros da SEC, além dos advogados dos delatores.

Em 12 de março de 2020, o *The Intercept Brasil* traz nova reportagem: "Desde 2015, Lava Jato discutia repartir multa da Petrobras com americanos – Diálogos vazados mostram que 'asset sharing' da Petrobras deu o tom da cooperação bilateral com o Departamento de Justiça dos EUA"[94].

A reportagem mostra que a multa suspensa posteriormentepor Alexandre de Moraes já fazia parte das conversas dos procuradores de Curitiba com os americanos, desde 2015:

Na conversa, Dallagnol avisa a Aras: "Temos que pensar na linha de imprensa quando vier a notícia do 1,6 bi de dólares de multa".

"Era esperado. Mas sossega. Os cães ladram", responde Aras.

Em agosto de 2015, o valor da possível multa foi vazado para a Agência Reuters por uma fonte interna da Petrobras, gerando intensa especulação, mas a Petrobras negou.

Em 8 de outubro de 2015, Aras volta a mencionar o valor, deixando claro que a ideia de compartilhamento partiu do

---

[94] VIANA, Natalia; MACIEL, Alice; FISHMAN, Andrew. Agência Pública/*The Intercept Brasil*. **Desde 2015, Lava Jato discutia repartir multa da Petrobras com americanos.** Diálogos vazados mostram que "asset sharing" da Petrobras deu o tom da cooperação bilateral com o Departamento de Justiça dos EUA. 12 de março de 2020 04:00. Disponível em: https://apublica.org/2020/03/desde-2015,-lava-jato-discutia-repartir-multa-da-petrobras-com-americanos/.

procurador Januário Paludo. Já naquela época os procuradores americanos falavam em dar uma porcentagem aos brasileiros. Inicialmente, porém, ofereceram apenas 25% do total: "Achei ótima a ideia de Januário de que a multa de USD 1,6 bilhão (ou são 4 bi?!) que o DOJ pode aplicar à Petrobras seria dividida entre o Brasil e os EUA. Se Patrick Stokes deu sinalização positiva para que o Brasil fique com um quarto disso, tanto melhor. Passarei informe ao PGR, com a ressalva do sigilo", escreveu em *chat* privado às 20:56:12.

Dando sequência às matérias do *The Intercept Brasil*, o *site* UOL fez uma reportagem intitulada: "Lava Jato usou provas ilegais do exterior para prender futuros delatores"[95] no dia 27 de setembro de 2019.

A reportagem afirma que "Mesmo alertados sobre a violação das regras, os procuradores da força-tarefa tiveram acesso a provas ilegais sobre vários dos mais importantes delatores da operação – como os então diretores da Petrobras Paulo Roberto Costa e Renato Duque; o então presidente da Transpetro, Sérgio Machado, além de executivos da Odebrecht, entre eles, o ex-presidente da empresa Marcelo Odebrecht...".

Para compreender a sequência de movimento dos procuradores da força-tarefa logo após a liminar do ministro Zavascki, parte está revelada na matéria publicana no UOL em 27 de setembro de 2019 intitulada "'Risco Calculado', disse Dallagnol sobre uso de prova ilegal em prisão"[96]. A reportagem mostra que no fim de 2014 e início

---

[95] MELLO, Ogor; SABÓIA, Gabriel; CHADE, Jamil; RIBEIRO, Silvia e DEMORI, Leandro. **Lava Jato usou provas ilegais do exterior para prender futuros delatores...** – UOL, no Rio e em Genebra e *The Intercept Brasil*. 27 de setembro de 2019 . Disponível em: https://noticias.uol.com.br/politica/ultimas-noticias/2019/09/27/lava-jato-usou-provas-ilegais-do-exterior-para-prender-futuros-delatores.htm.

[96] MELLO, Ogor; SABÓIA, Gabriel; CHADE, Jamil; RIBEIRO, Silvia e DEMORI, Leandro. **"Risco calculado", disse Dallagnol sobre uso de prova ilegal em prisão...** – UOL, no Rio e em Genebra e *The Intercept Brasil*. 27 de setembro de 2019 . Disponível em: https://noticias.uol.com.br/politica/ultimas-noticias/2019/09/27/risco-calculado-disse-dallagnol-sobre-uso-de-prova-ilegal-em-prisao.htm.

GEOPOLÍTICA DA INTERVENÇÃO

de 2015 os procuradores obtiveram da Suíça e de Mônaco dados bancários de Paulo Roberto Costa e Renato Duque de forma ilegal.

A reportagem afirma que "Dallagnol trouxe em segredo um *pen-drive* com informações bancárias de Paulo Roberto Costa, obtido em reunião com os investigadores suíços em novembro de 2014. Após a remessa de documentos ser contestada judicialmente pela Odebrecht, a Lava Jato tentou alterar registros na PGR (Procuradoria-Geral da República) para simular que as informações tiveram origem lícita, segundo revelam mensagens vazadas".

Apoiado pelas suas relações com os procuradores americanos, sem qualquer ordem judicial e sem nenhuma formalidade legal e mesmo advertido por outro procurador da República, Vladimir Aras, que comandava a SCI (Secretaria de Cooperação Internacional) do MPF do risco de ilegalidade Dallagnol responde: "Concordo. Não usaria para prova em denúncia, regra geral. Vamos usar para cautelar. Se cair, chega pelo canal oficial e pedimos de novo. Trankilo, Mestre".

A reportagem traz um diálogo de março de 2015 entre Dallagnol e Aras:

A conversa entra pela madrugada e manhã de 11 de março. Aras, que à época era o responsável por zelar pelos ritos de cooperação no âmbito do MPF, segue tentando convencer Dallagnol a não usar as informações recebidas extraoficialmente. Em dado momento, questiona que tipo de provas eram.

"São dados bancários?", pergunta.

"Sim, mas não vou usar como prova de acusação, Vlad", Dallagnol confirma. "É algo excepcional, é justificável."

Aras pergunta se os dados embasariam prisões preventivas. "Vai pedir prisão do Renato Duque e do Zelada?", questiona Aras citando os ex-diretores da Petrobras.

Dallagnol desconversa e encerra seu raciocínio com o seguinte argumento: que sabia dos riscos ao usar essa tática: "É natural tomar algumas decisões de risco calculado em grandes investigações."

A reportagem conta que o primeiro encontro dos procuradores brasileiros com os procuradores suíços teria sido em novembro de 2015, e que voltaram com "várias pastas cheias" e o *pen-drive*. A reportagem mostra as tentativas de fraude por parte dos procuradores para os fins de esquentar os documentos ilegais:

> Um deles —enviado pelo MP suíço ao Ministério da Justiça do país europeu— fala especificamente das informações das contas bancárias de Paulo Roberto Costa. O procurador Luc Leimgruber —aliado próximo de Dallagnol— encaminha apenas no dia 5 de janeiro de 2015 as informações pelo canal oficial de cooperação. Mas ressalta: diante da urgência, uma cópia de mídia USB foi entregue em mãos no dia 28 de novembro de 2014 ao procurador Deltan Dallagnol, provando o fato de que a Lava Jato recebeu as provas fora dos canais oficiais.
>
> De posse dessas informações, a Odebrecht chegou a traçar estratégias jurídicas para anular as investigações sobre a empresa no Brasil. Um dos elementos contestados era o ofício de Dallagnol e Athayde à SPEA, o que gerou preocupação na Lava Jato e suscitou uma tentativa de mudar os registros oficiais conforme revela conversa em 6 de novembro de 2015 entre o coordenador da Lava Jato e um servidor público do MPF no Paraná, cujo nome será preservado por não se tratar de pessoa de interesse público.
>
> "me manda aqui por favor aquele laudo sobre as contas do PRC [Paulo Roberto Costa] que menciona o pen drive que trouxemos", solicita Dallagnol.

O servidor explica que a análise havia sido feita com o pen drive trazido por Dallagnol, e não com base nas informações que chegaram por via oficial. Ele diz ainda que a SPEA alterou o ofício original para atribuir ao DRCI a remessa do pen drive, simulando que as informações tiveram origem legal. Mas, segundo ele, se esqueceu de alterar uma nota de rodapé do documento, que ainda fazia referência a Dallagnol como origem das informações. O fato havia sido questionado pela Odebrecht.

"Diante disso o Dr. Welter [Antônio Carlos Welter, membro da Lava Jato] solicitou que o Gilberto SPEA/BSB fizesse uma informação explicando que o relatório trata de dados recebidos formalmente do DRCI (contas SYGNUS e QUINUS que foram usadas no processo da Odebrecht)", lembra o auxiliar.

O servidor então envia uma série de documentos em PDF e Deltan apenas agradece as informações, sem contestar a manobra.

As contas das duas empresas offshore, que constavam no pen drive, foram citadas por Paulo Roberto Costa em sua delação premiada como o meio pelo qual recebeu US$ 23 milhões de propina da Odebrecht —uma das primeiras provas de envolvimento da empreiteira no esquema de corrupção da Petrobras.

Em outro capítulo serão abordados o mandado de segurança da Odebrecht e a atuação dos advogados, em especial de Pedro Serrano e do parecer de Lenio Streck. Mas também as perseguições que os advogados, de forma indiscriminada, vão sofrer. Ao mesmo tempo que os advogados delacionistas vão ser protegidos e incentivados, os advogados que vão exercer a advocacia de combate serão perseguidos pelos procuradores.

Minha atuação como advogado de Paulo Roberto Costa terminou com sua soltura. Evaristo de Moraes já tratou na carta ao filho

Evaristinho no livro *Reminiscências de um Rábula Criminalista*[97] das suas decepções com a profissão e a ingratidão dos clientes.

De posse das informações da Suíça, obtidas naquele país, os procuradores levam ao conhecimento do ministro a descoberta das contas. No mesmo dia em que Paulo vai depor com seu novo advogado, 10 de junho de 2014, o ministro Zavascki leva à segunda turma do STF uma questão de Ordem na Ação Penal que tinha sido encaminhada por Sérgio Moro e tomou o número 871 e propõe desmembrar o processo.

Ou seja, propõe devolver para Sérgio Moro, no Paraná, o caso de Paulo Roberto e demais, ficando somente no STF com os deputados. O Supremo então manda a ação para Curitiba. A nova defesa não recorre ou embarga essa decisão. Simplesmente entra com uma petição na reclamação. A decisão transita em julgado.

No dia 11 de junho de 2014 Paulo Roberto Costa voltava à guarda dos policiais na carceragem de Curitiba diante de novo decreto de prisão.

---

[97] BARBOSA, Rui. *O Dever do Advogado* **Carta a Evaristo de Morais**, prefácio de Evaristo de Morais Filho. Rio de Janeiro: Fundação Casa de Rui Barbosa, 2002. Disponível em: http://intervox.nce.ufrj.br/~ballin/dever.pdf.
Um Rábula Criminalista. Disponível em: http://arrow.latrobe.edu.au/store/3/4/3/9/0/public/b16357899CompleteBook.pdf.

10. A Primeira Delação

Diante da questão de ordem e a decisão do desmembramento dos casos e sua devolução para o Paraná, no dia 24 de junho de 2014 o ministro Zavascki determina o arquivamento da reclamação 17.623.

O mecanismo da delação premiada estava montado. Para ocorrer e atingir a Petrobras e ao fim o governo brasileiro, assim como todas as fases que seguirão, era necessário manter os casos com um só juiz, Sérgio Moro. Os presos precisavam ser isolados de seus familiares e advogados e deslocados para o Paraná e impingidos a sofrimento físico e mental. Precisavam ser confrontados com as provas ilegais obtidas pelo Ministério Público. E a intensa ameaça de prisão dos familiares.

No caso específico de Paulo Roberto, sua prisão foi decretada, porque sua filha Ariana e o marido Marcio, após sua outra filha e o marido Humberto, foram flagrados saindo inúmeras vezes do escritório de Paulo Roberto com malas, o que foi interpretado como sumiço de provas. De fato, a prisão das filhas e genros poderia ter sido decretada e não a de Paulo, que naquela hora estava na Polícia Federal e com telefone apreendido. E mais grave: as contas na Suíça estavam em nome das filhas.

A técnica de ameaçar família, empresas, negócios e todas as formas virou parte do mecanismo. Mas como se verá, para completar a engrenagem seria necessário que os advogados de defesa fossem sempre retirados dos casos, ingressando os delacionistas.

Outro elemento era fundamental: impedir que os recursos de *habeas corpus* fossem julgados. Os únicos recursos de *habeas corpus* que existiam prontos para julgar eram os RMS (Recurso de Mandado de Segurança) no STJ, por nós impetrados. Por mais que Paulo Roberto tivesse novo advogado, o *habeas corpus* é um remédio constitucional que funciona como uma ação própria, e nós éramos os impetrantes, ou seja, autores.

Em 20 de maio, dois dias depois da decisão em que Zavascki mandava soltar Paulo, comunicamos nos autos do RHC (Recurso de *Habeas Corpus*) a decisão oficialmente e pedimos o sobrestamento dos autos.

No dia 13 de junho, logo após a nova prisão, comunicamos à ministra oficialmente da prisão que havia, determinando o arquivamento depois do despacho do ministro Zavascki e pedimos o julgamento. Era a única forma de soltar o paciente naquele momento.

A ministra então pede a juntada de procuração para os impetrantes. A resposta da defesa foi que os impetrantes "não têm poderes para desistência do recurso em epígrafe, o que seria imprescindível, conforme entendimento dessa Corte de que o fato de o Paciente ter constituído outros advogados não justifica, por si só, o pleito de desistência" (STJ, HC 237925/RJ, Min. Sebastião Reis Junior, j. 20/11/2012, DJe 14/02/2013) e de que "qualquer pessoa pode impetrar *habeas corpus*. Todavia, podem desistir o próprio paciente ou o impetrante do advogado regularmente constituído e não qualquer advogado" (STJ, HC 1503/DF, 5ª T., Min. Jesus Costa Lima, j. 30/09/1992, DJ 30/11/1992).

No entanto, Nélio Machado, seu novo advogado, ingressou com uma petição com assinatura desistindo do recurso no dia 30 de julho com uma declaração datada de 15 de maio solicitando "que a corte tenha por prejudicado o julgamento do 'writ'". Portanto, a "declaração" era anterior à nova prisão e três dias após a soltura pelo ministro

Zavascki. No dia 6 de agosto de 2014 a ministra Regina Helena Costa homologa a desistência:

Vistos.

Fls. 524/525 (e-STJ) – À vista da manifestação dos novos advogados do Paciente, Drs. Nélio Roberto Seidl Machado e João Francisco Neto (OAB/RJ ns. 23.532 e 147.291), bem como da declaração de próprio punho de Paulo Roberto Costa, homologo a desistência requerida, nos termos do art. 34, inciso IX, do Regimento Interno do Superior Tribunal de Justiça.

Observadas as formalidades legais, arquivem-se os autos. Publique-se e intime-se.

Brasília (DF), 06 de agosto de 2014.

MINISTRA REGINA HELENA COSTA

No dia 22 de agosto de 2014, Cassio Norberto, Nélio Machado e João Francisco Neto impetram o *habeas corpus* 5020851-35.2014.4.04.4000 no TRF do Rio Grande do Sul. Cassio Norberto era recém-formado e tinha, na primeira fase, a missão de levar objetos pessoais ao preso e notícias nossas para ele, já que estávamos fora do Estado. Cassio participa da mudança de todos os advogados, passando pelas mudanças sem adotar companheirismo e fidelidade com nenhum deles. No dia 30 de agosto, Cassio ingressa com uma petição pedindo a desistência com uma procuração somente para ele, com "amplos, gerais e ilimitados poderes para O Foro em Geral", e em 1º de setembro é homologada a desistência do último recurso da defesa de Paulo. Sucumbia à delação premiada.

O contrato de delação premiada de Paulo Roberto é assinado dia 27 de agosto de 2014, representando o MPF Deltan Martinazzo Dallagnol e Andrey Borges Santos de Lima. Como advogada Beatriz

Catta Preta. No documento consta o número de sua OAB, mas sem dados da subseção de inscrição.

Beatriz Lessa da Fonseca é o nome original de solteira. Algumas matérias indicam Beatriz como prima do desembargador José Mauro Catta Preta nomeado pelo governador de Minas Gerais, Antonio Anastasia (PSDB)[98]. Mas na realidade, Beatriz trabalhava no escritório de Pedro Rotta[99], desembargador aposentado quando conheceu o marido. "Carlos Eduardo Catta Preta Júnior, o marido, de quem herdou o sobrenome, é quem trata das negociações com os clientes, estabelece o valor dos honorários e cuida das cobranças do escritório, que ela abriu em 2002, alguns anos depois de se formar pela Unip. Amigos dizem que ele tem grande influência sobre a mulher. Embora se declare oficialmente comerciante, Carlos Eduardo é conhecido como "doutor Carlos". O casal se conheceu em 2001, quando ele foi preso em Alphaville, na Grande São Paulo, com 50.000 dólares em notas falsas presas na cintura, dentro de um saco plástico. Em sua casa, agentes do Denarc, o departamento de combate ao tráfico de drogas, encontraram mais 350.000 dólares falsos guardados no banheiro. Aos policiais, Carlos Eduardo contou que estava tentando vender as notas para se livrar do prejuízo que havia tomado ao vender a um indiano 17 quilos de esmeraldas retiradas de uma mina de pedras preciosas que arrendara na Bahia. Um amigo indicou-lhe o escritório de Pedro Rotta, onde trabalhava Beatriz"[100].

---

[98] *Jornal de Todos os Brasis*. **Advogados da Odebrecht renunciam: e a Dra. Catta Preta assume (?)** Por José Lima. 24 de junho de 2015. Disponível em: https://jornalggn.com.br/noticia/advogados-da-odebretch-renunciam-e-a-dra-catta-preta-assume/.

[99] Desembargador aposentado do TRF-3, faleceu em 9 de outubro de 2011. Formou-se pela Faculdade de Direito da Universidade de São Paulo, tendo colado grau em 1962. Tomou posse como desembargador em 1989.

[100] **O homem por trás da advogada das delações.** Beatriz Catta Preta conheceu o marido quando ele foi preso com dólares falsos, em 2001. Desde então, ele foi fundamental para sua ascensão. Por Mariana Barros – 26 de julho de 2015. Disponível em: https://veja.abril.com.br/politica/o-homem-por-tras-da-advogada-das-delacoes/.

GEOPOLÍTICA DA
INTERVENÇÃO

Pedro Rotta foi investigado como advogado e desembargador aposentado em uma tentativa de corrupção no caso do Grupo Opportunity no qual Daniel Dantas teria oferecido US$ 1 milhão ao delegado Vitor Hugo Rodrigues Alves Ferreira. Reportagem do jornal *O Globo* cita o envolvimento de Pedro:

> Um dos presos durante a <u>Operação Satiagraha</u>, Hugo Chicaroni, em depoimento, deu detalhes sobre o esquema de corrupção. Ele contou que o dinheiro seria entregue para que o nome de Dantas e seus familiares não constassem do inquérito. Em seu depoimento, Chicaroni contou que foi apresentado a um representante do grupo Opportunity, o advogado Wilson Mirza Abraham, pelo ex-desembargador Pedro Rotta[101].

Catta Preta não inaugura a posição dos delacionistas, mas é uma importante peça nesse quebra-cabeça. Antes dela, Antonio Figueiredo Bastos já havia feito a delação de Alberto Youssef.

Sérgio Moro veio dar todo o suporte para que as delações ocorressem, segundo seu próprio texto: "Submetia os suspeitos à pressão de tomar decisão quanto a confessar, espalhando a suspeita de que outros já teriam confessado e levantando a perspectiva de permanência na prisão pelo menos pelo período da custódia preventiva no caso da manutenção do silêncio ou, vice-versa, de soltura imediata"[102].

O Ministério Público começou a soltar, inclusive, notas na imprensa sobre as possibilidades matemáticas, para criar o clima que se somava às pressões físicas:

---

[101] PARAJARA, Fabiana. *O Globo Online.* **Ex-desembargador de SP pode estar envolvido em esquema de Daniel Dantas.** 10 de julho de 2008 / Atualizado em 09 de janeiro de 2012. Disponível em: https://oglobo.globo.com/ economia/ex-desembargador-de-sp-pode-estarenvolvido-em-esquema-de-daniel-dantas-3610182.

[102] 2004, Sérgio Moro "Considerações sobre a operação *mani pulite*" R. CEJ, Brasília, nº 26, pp. 56-62, jul./set. 2004.

"Mas a beleza da delação premiada quase sempre passa desapercebida. Em um trio, a chance de você ser traído é de 75%, mas a chance de ao menos um dos três confessar é de 87,5%. Para você, importa quem vai trair. Sua preocupação são os 75% que não controla. Mas para o Ministério Público, geralmente não importa qual dos três confessará, mas que ao menos um deles confesse. Logo, O MP está focado nos 87,5%. Porque cada um dos três criminosos tem um incentivo de 75% para trair os demais, a sociedade 'ganha' outros 12,5 pontos percentuais para condenar ao menos um deles. Nada mau, se levarmos em conta que, sem a delação premiada, nenhum deles teria real incentivo para confessar"[103].

A advogada, que era absolutamente desconhecida, vai cuidar de 17 delações premiadas. Após, quando as delações começam a ser investigadas pela CPI da Petrobras, a advogada se diz ameaçada, dá uma entrevista na Globo, deixa a advocacia e vai para os Estados Unidos. No momento em que escrevo este livro sua inscrição na OAB de São Paulo continua ativa.

A delação acabou virando uma verdadeira indústria. A cada fase da Lava Jato o mecanismo se repetia. Prisão seguida de um sequestro

---

[103] CASTELLO BRANCO, Gil. **Delação premiada põe matemática a favor da Justiça** – 23 de julho de 2015 – Disponível em: http://direito.folha.uol.com.br/blog/delacao-premiada-poe-matematica-a-favor-da-justica.
A Lava Jato, a amizade e o matrimônio. "Vários filósofos fizeram reflexões interessantes sobre a amizade. Aristóteles a definiu como 'uma alma em dois corpos', Platão explicou-a como 'uma predisposição recíproca que toma dois seres igualmente ciosos da felicidade um do outro'. A minha frase predileta, no entanto, é de Montaigne, que, quando da morte do seu amigo La Boétie, escreveu: 'Já me acostumara tão bem a ser sempre dois que me parece agora que não sou senão meio'. A Operação Lava Jato, porém, remete-nos ao que pensava Confúcio: 'Para conhecermos os amigos, é necessário passar pelo sucesso e pela desgraça. No sucesso, verificamos a quantidade e, na desgraça, a qualidade'. De fato, com os depoimentos prestados em cerca de 150 delações premiadas, muitas amizades ruíram. Poucas sobreviveram quando a liberdade estava em jogo. Dos muitos bens acumulados pelos corruptos, a liberdade revelou-se o mais importante. As mesmas vozes que antes negociavam e conspiravam são agora as que incriminam e denunciam. Prevaleceu o dito popular: 'Amigos, amigos, negócios à parte'. Mais recentemente, o 'cada um por si, Deus por todos'." Disponível em: https://asmetro.org.br/portalsn/2017/05/18/a-lava-jato-a-amizade-e-o-matrimonio/.

para o Paraná. Os presos ficavam o tempo necessário na carceragem da Polícia Federal e seriam remetidos ao presídio estadual à conveniência de sofrimento ou da disponibilidade na Federal. Pressão lenta. Demora nas prestações de informações e pareceres em *habeas corpus*. Manobras para que as medidas não fossem julgadas. E ao fim a substituição da defesa por advogados que passavam a negociar a deleção, chamados pelos advogados que não admitem a delação premiada de delacionistas.

As figuras que vêm ocupar espaço nas delações são Marlus Arns que, segundo o documentário *A indústria da delação premiada*[104], é sobrinho de Flavio Arns. Arns, como secretário estadual no Paraná, teria conseguido a liberação de R$ 450 milhões para as APAEs e passou a ser advogado posteriormente delas. Rosângela Wolff Moro, mulher do juiz, foi diretora jurídica das APAEs.

Segundo o documentário, uma forte ligação entre o grupo era o Curso Luiz Carlos, preparatório para exame da Ordem, onde Sérgio Moro e os procuradores Dallagnol, Carlos Fernando e Olan Martelo ministraram aulas.

Vários advogados do Paraná passaram a realizar as delações, como Adriano Bretas, Beno Brandão[105] e sua irmã Alessi, práticas que foram seguidas por advogados de outros Estados. Marlus Arns, em alguns casos, passou a atuar procurando delatados antes de qualquer intimação; e em outros, para que o nome não fosse incluído em delações[106].

---

[104] CARVALHO, Joaquim. **Documentário do DCM e GGN mostra os bastidores do mercado sujo da delação premiada** – 19 de maio de 2018. Disponível em: https://www.diariodocentrodomundo.com.br/documentario-do-dcm-e-ggn-mostra-os-bastidores-do-mercado-sujo-da-delacao-premiada/.

[105] Beno Brandão foi advogado por anos no escritório de René Dotti. Lá, nos conhecemos e coincidentemente nascemos na mesma cidade, Ponta Porã. Em razão dessas coincidências e afinidades foi que escolhi para me representar, antes de qualquer delação no caso Paulo Roberto. Como quando eu consegui a ordem de soltura de Paulo não houve tempo de chegar à Polícia Federal para a soltura, é Beno quem aparece em todas as imagens nacionais saindo com Paulo na ordem que parava a Lava Jato.

[106] *El País.* **Especialistas em delação fecham acordos antes de cliente ser investigado** Citados pelo ministro Gilmar Mendes como "o novo direito de Curitiba", escritórios de advocacia agora captam clientes preocupados com futuras investigações. Disponível em: https://brasil.elpais.com/brasil/2018/05/11/politica/1525994998_754473.html.

11. As Outras Fraudes na Distribuição: TRF – STJ – STF

A Operação Lava Jato não sobreviveria se não fosse a fraude de manter Moro como único juiz. A história detalhada da fraude na distribuição de Moro foi documentada no HC 50090875220140400 no TRF, que após a decisão de Zavascki julgou prejudicado para não julgar. O recurso foi feito ao STJ, mas também foi arquivado a pedido de Nélio Machado em 30 de junho de 2014 como os outros. Mas esta fraude também não se suportaria se não se mantivessem os mesmos relatores no TRF, no STJ e no STF.

Uma grande engenharia foi montada para violar o direito constitucional de que em cada caso fosso distribuído e achado o juiz natural.

O princípio do juiz natural está expressamente previsto na Constituição Federal de 1988 no art. 5º, XXXVII e LIII. É uma cláusula pétrea, conforme determina o art. 60, parágrafo 4º, IV, da CF/88. A previsão expressa do juiz natural advém da Carta Magna de 1215, em seus artigos 20 e 39, e em seguida aparece na Petition of Rights, de 1627 e no Bill of Rights de 1688.

Na Espanha, por exemplo, a expressão juiz natural é substituída por juiz competente, conforme art. 16 da Constituição de 1876 e art. 28 da Constituição Republicana de 1931.

Na Alemanha, utiliza-se a expressão juiz legal, conforme dispõe o art. 105 da Constituição de Weimar e no art. 101 da Lei Fundamental de Bonn.

Na Itália, encontra guarida desde o art. 714 do estatuto albertino e, atualmente, encontra-se no art. 102 da Constituição Italiana de 1948.

Também a Declaração Universal dos Direitos do Homem e do Cidadão, proclamada em 1949 pela Organização das Nações Unidas, veio abrigar a garantia do juiz natural, afirmando que toda pessoa tem direito, em condições de plena igualdade, de ser ouvida publicamente e com justiça por um tribunal independente e imparcial para o exame de qualquer acusação contra ela em matéria penal.

Ademais, a Convenção Americana sobre Direitos Humanos, conhecida como Pacto de São José da Costa Rica, de 1969, preconiza em seu art. 8º, nº 1, a garantia do juiz natural.

A garantia de que não haverá juízo ou tribunal de exceção está também presente nas Constituições da Argentina, no art. 18; do Chile, no art. 19 (3º); do Japão, no art. 76; e de Portugal, no art. 212 (4).

No caso brasileiro, desde a Constituição Política do Império do Brasil, de 1824, em seu art. 179, inc. 17 e art. 149, inc. 11, já se encontravam indícios do que hoje resta consagrado no art. 5º, XXXVII e LVII da CRFB/1988 como garantia constitucional do juiz natural:

> À exceção das causas que, por sua natureza, pertencem a juízos especiais, não haverá foro privilegiado, nem tribunais de exceção; admitem-se, porém, juízos especiais em razão da natureza das causas.

> Ninguém será sentenciado senão pela autoridade competente, por virtude de lei anterior e na forma por ela prescrita.

A Constituição de 1891, em seu art. 72, § 15, dispunha em termos bastante semelhantes:

GEOPOLÍTICA DA INTERVENÇÃO

Ninguém será sentenciado senão pela autoridade competente, em virtude de lei anterior ao fato, e na forma por ela estabelecida.

A Constituição de 1934, que inclui a figura do promotor natural, dispunha que:

Ninguém será processado, nem sentenciado, senão pela autoridade competente, em virtude de lei anterior ao fato, e na forma por ela prescrita.

A Carta Constitucional de 1937, em seu art. 122 e inc. 17 e 13, continha retrocesso em relação à Constituição anterior, pois previa apenas que:

Os crimes que atentarem contra a existência, a segurança e a integridade do Estado, a guarda e o emprego da economia popular serão submetidos a processo e julgamento perante Tribunal Especial, na forma que a lei instituir.

As penas estabelecidas ou agravadas na lei nova não se aplicam a fatos anteriores.

A Constituição de 1946, em seu art. 141, § 26 dispunha que "não haverá foro privilegiado nem juízes e tribunais de exceção", e no § 27 que "ninguém será processado nem sentenciado senão pela autoridade competente e na forma da lei anterior", enquanto a Carta de 1967 em seu art. 150, § 15 e Emenda Constitucional de 1969, art. 153, § 15, outorgada nos anos de chumbo da ditadura militar, definia que "a lei assegurará aos acusados ampla defesa, com os recursos a ela inerentes" e ainda mantinha a garantia do juiz natural.

Como já se explicou, a reunião de processos diferentes por conexão ou continência ocorre para não haver sentenças conflitantes sob fatos que têm liame entre eles. Assim, havendo sentença em um processo não há justificativa para a reunião de casos que tramitam em juízes diferentes ou que tenham atos realizados em outro local.

Assim sempre se posicionou o Supremo. É possível compreender isso em afirmações como do próprio ministro Zavascki de que a **"conexão e continência são modos de prorrogação de competência com a finalidade de julgar tudo num processo só. Nós temos aqui casos – Vossa Excelência acabou de citar um – em que já há condenações, em que já há sentenças definitivas. Até por isso é impossível a conexão".** (STF, Pleno, QO no INQ 4.130/PR, voto do Min. Teori Zavascki)

A Primeira Fraude nos Tribunais – TRF

A Operação Lava Jato teve como primeiro *habeas corpus*, o de nº 5005653-55.2014.4.04.0000 em favor de Paulo Roberto Costa, que respondeu à ação penal de nº 5026212-82.2014.404.7000, na qual foi prolatada sentença em 22 de abril de 2015.

O incrível é que esse *habeas corpus* foi distribuído ao Des. Gebran por prevenção ao mandado de segurança nº 50025261220144040000. As partes eram Edmundo Luiz Pinto Balthazar, funcionário da Google do Brasil, contra o juiz. A prevenção utilizada para que os casos ficassem com Gebran não tinha nenhuma relação com a Lava Jato.

Regimento Interno do E. Tribunal Regional Federal da 4ª Região e do disposto no artigo 79 do CPP, que trata da conexão e continência, não permite a distribuição por dependência como ocorreu:

> Art. 82. A distribuição do mandado de segurança, habeas corpus, medida cautelar e recurso cível ou criminal torna preventa a competência do Relator e do órgão julgador para todos os recursos ou incidentes posteriores, tanto na ação quanto na execução, <u>referentes ao mesmo processo e aos feitos reunidos no primeiro grau.</u>
>
> (Regimento Interno TRF4)

A regra do art. 82 do Regimento Interno diz respeito àqueles **feitos conexos que são reunidos para que sejam apreciados em conjunto por ocasião da sentença**, em razão de sua estreita conexão. A regra existe em função do instituto da conexão.

Por isso, deve-se verificar o Regimento do TRF4, quanto à expressão "os feitos reunidos no primeiro grau", à luz do disposto no art. 79 do CPP:

Art. 79. A conexão e a continência importarão unidade de processo e julgamento, salvo:

I – no concurso entre a jurisdição comum e a militar;

II – no concurso entre a jurisdição comum e a do juízo de menores.

§ 1º Cessará, em qualquer caso, a unidade do processo, se, em relação a algum co-réu, sobrevier o caso previsto no art. 152.

§ 2º A unidade do processo não importará a do julgamento, se houver co-réu foragido que não possa ser julgado à revelia, ou ocorrer a hipótese do art. 461.

Mesmo sem unidade de processos e com as ações com sentença o que, de plano, impossibilita a conexão, as ações continuaram com Moro e depois sendo distribuídas a Gebran. Não **pode haver conexão ou continência para os fins de "feitos reunidos no primeiro grau" com tal ação penal, que já se encerrou, sendo impossível caminharem juntas de acordo com a previsão do art. 79 do CPP**: *"Art. 79. A conexão e a continência importarão unidade de processo e julgamento…".*

Foi assim que decidiu o Excelso Supremo Tribunal Federal:

Ademais, mesmo que pudesse ser superado aquele impedimento, o que não se dá, de se ver não assistir razão ao Recorrente no que se refere à matéria de fundo da impetração. Conforme salientado pelas instâncias precedentes, a pretendida reunião de processos pela conexão esbarra no **óbice relativo ao entendimento insuperável de ser inviável a reunião de processos quando os feitos estão em fases distintas** [...]

(RHC 118.607/DF, Relatora Ministra Cármen Lúcia)

Habeas corpus. 2. Peculato e fraude à licitação. 3. Pedidos de trancamento da ação penal em razão da litispendência ou de reconhecimento da continuidade delitiva. 4. Fatos distintos, ocorridos sucessivamente. 5. **Inviabilidade da reunião de processos que se encontram em fases distintas.** 6. Ordem denegada.

(HC 108.121/RJ, Relator Ministro Gilmar Mendes)

Impetramos mandados de segurança para demonstrar a inexistência de prevenção do Des. João Pedro Gebran Neto para julgar o *habeas corpus* que tomou o número de MS nº 5034283-87.2015.4.04.0000/ PR, que visava a excluir a suposta prevenção no HC nº 5030254-91.2015.4.04.0000, e do MS nº 503544787.2015.4.04.0000 com mesmo intuito em relação ao HC nº 5033678-2015.4.04.0000.

Em ambos os casos, foi negado seguimento aos *mandamus*. Ou seja, nunca foram julgados.

No caso do MS 503544787.2015.4.04.000, o Des. Federal Victor Luiz dos Santos Laus negou seguimento ao MS por considerar que o impetrante do *writ* de origem não teria legitimidade para interpor mandado de segurança em favor do Paciente, sendo a legitimidade ativa exclusivamente deste último. Por sua vez, alegou que o mandado de segurança não seria o remédio adequado para atacar a ilegalidade da decisão proferida pelo Exmo. Desembargador João Pedro Gebran Neto.

As hipóteses de adequação do *habeas corpus* são um reconhecido eixo de contenda. Tanto é assim que o Supremo Tribunal Federal já editou oito verbetes (606, 691, 692, 693, 694, 695, 431 e 395) em sua Súmula que dizem respeito ao tema das hipóteses de cabimento do *habeas corpus*. Isto porque tal remédio constitucional guarda íntima relação com a concepção de um Estado (que pretende ser) democrático de direito.

O mandado de segurança foi direcionado de forma automática a um desembargador, e tal fato foi questionado com a interposição da devida exceção, que teve como ponto nodal a questão da competência, conexão e prevenção: nada menos que um conjunto de regras que asseguram a eficácia da garantia da jurisdição e, principalmente, do juiz natural. Dessa forma, um juiz somente poderá julgar a causa quando competente em razão da matéria, pessoa e lugar.

Em outras palavras, os impetrantes do *writ*, ao tomarem ciência de que tal remédio heroico foi distribuído de forma automática para o Des. João Pedro Gebran Neto, questionaram tal prevenção por meio da via correta, qual seja, a exceção de incompetência, autuada sob o nº 5033945-16.2015.4.04.0000.

No entanto, curiosamente, a exceção de incompetência foi distribuída ao Des. Victor Laus, quando deveria ter sido encaminhada diretamente ao Des. João Pedro Gebran Neto, uma vez que o protocolo foi feito tendo como referência o *writ* em que o desembargador figura como relator. Ora, não faria qualquer sentido que outro desembargador decidisse acerca da prevenção ou não deste relator, sem que ele se manifeste primeiro. Apenas após a manifestação deste, no caso de entender que é competente para julgar a causa, ele rejeita a exceção e continua a atuar no feito.

É assim o procedimento quando se trata de exceção de incompetência, pelas regras dos artigos 108 e seguintes do Código de Processo Penal, merecendo destaque os §§ 1º e 2º do artigo 108:

> Art. 108. A exceção de incompetência do juízo poderá ser oposta, verbalmente ou por escrito, no prazo de defesa.

§ 1º Se, ouvido o Ministério Público, for aceita a declinatória, o feito será remetido ao juízo competente, onde, ratificados os atos anteriores, o processo prosseguirá.

§ 2º Recusada a incompetência, o juiz continuará no feito, fazendo tomar por termo a declinatória, se formulada verbalmente.

Da mesma forma, dispõe o Regimento Interno do TRF4:

Art. 320. Se o Desembargador averbado de suspeito for o Relator e reconhecer a suspeição, por despacho nos autos, ordenará a redistribuição do feito; se for o Revisor, passará ao Desembargador que o seguir na ordem de antiguidade.

Parágrafo único. Não aceitando a suspeição, o Desembargador continuará vinculado ao feito. Nesse caso, será suspenso o julgamento até a solução do incidente, que será autuado em apartado, com designação do Relator.

Cumpre ressaltar que a violação das regras de competência para processar e julgar uma determinada causa comporta violação ao princípio constitucional do juiz natural, disposto no artigo 5º, incisos XXXVII e LIII:

Art. 5º Todos são iguais perante a lei, sem distinção de qualquer natureza, garantindo-se aos brasileiros e aos estrangeiros residentes no País a inviolabilidade do direito à vida, à liberdade, à igualdade, à segurança e à propriedade, nos termos seguintes: (...)

XXXVII – não haverá juízo ou tribunal de exceção;

(...)

LIII – ninguém será processado nem sentenciado senão pela autoridade competente.

A garantia do juiz natural é conquista do Estado democrático de direito, razão pela qual deve ser respeitada. A matéria é de ordem pública e por isso não preclui, ou seja, pode ser alegada a qualquer tempo, uma vez que gera nulidade absoluta, elencada no inciso I do artigo 564 do Código de Processo Penal, *in verbis*:

Art. 564. A nulidade ocorrerá nos seguintes casos:

I – por incompetência, suspeição ou suborno do juiz.

Nesse sentido, temos o voto do ministro Ricardo Lewandowski, na Questão de Ordem na Ação Penal 470:

(...) Ressalto, inicialmente, que não há falar, no caso, em preclusão do tema, porquanto, em se tratando de matéria de ordem pública, qual seja, a competência de um órgão judicante, é consenso entre os juristas que ela pode ser arguida, analisada ou examinada a qualquer tempo. Isso porque a decisão proferida por um órgão incompetente acarreta nulidade absoluta (...). Observo que, em abono dessa tese, o Código de Processo Penal, em seu art. 109, estabelece que, se em qualquer fase do processo o juiz reconhecer motivo que o torne incompetente, declará-lo-á nos autos, haja ou não alegação da parte (...).

(STF – trecho do voto do Min. Ricardo Lewandowski em questão de ordem da AP 470)

Competências no STJ e STF

No STJ, o ministro Felix Fischer passou a ser relator de processos sem aparente conexão em substituição ao ministro Ribeiro Dantas, relator original. A modificação se deu após o ministro Felix Fischer apresentar o voto vencedor em procedimento oriundo da Operação Lava Jato, enquanto o ministro Ribeiro Dantas, por ser voto vencido, teve de entregar a relatoria do caso – com efeitos para todos os demais feitos conexos da operação.

Em contrapartida, no STF, o ministro Edson Fachin permanece na função de relator dos procedimentos da Operação Lava Jato, embora tenha confeccionado o voto vencido em algumas oportunidades. Delegando-se, nos casos específicos, a relatoria ao ministro que apresentou o voto vencedor apenas para o respectivo feito.

A situação diversa transcorre, apesar de ambos os Tribunais Superiores contemplarem em seus regimentos internos regras similares, as quais determinam a modificação de relatoria no caso de voto vencedor ser apresentado por ministro diverso daquele que assumiu inicialmente a relatoria.

Portanto, das duas hipóteses, uma deve prevalecer: ou no Supremo Tribunal Federal o ministro Edson Fachin não mais deveria permanecer na função de relator ou no STJ o ministro Felix Fischer assumiu indevidamente tal posição nos casos da Operação Lava Jato.

Eis os pormenores desta situação a seguir.

Prevenção no STJ

A primeira ministra a assumir um *habeas corpus* da Lava Jato, como se explanou em capítulo anterior, foi Regina Helena Costa. Posteriormente ela irá para uma turma de direito administrativo do tribunal. Sua formação sempre foi de direito tributário. Para sua cadeira foi Newton Trisotto. As mesmas conexões intermináveis que realizaram no TRF continuaram a fazer no STJ. E nunca isso veio a ser examinado.

Quando Trisotto estava para se aposentar, a presidente Dilma indicou Marcelo Navarro Ribeiro Dantas que atuou por mais de 12 anos como procurador da República no Rio Grande do Norte antes de chegar ao cargo de desembargador no TRF5, em dezembro de 2003. Tem mestrado e doutorado pela Pontifícia Universidade Católica de São Paulo e ainda é professor dos cursos de graduação e pós-graduação na UFRN e no UNI-RN.

Os procuradores da força-tarefa da Lava Jato tentaram de todas as formas constranger o ministro, inclusive se aproveitando do envolvimento do ex-senador Delcídio do Amaral para dizer que a nomeação teria sido uma forma de obstrução da justiça. Toda a absurda história foi exatamente porque o novo ministro votou a favor da liberdade em *habeas corpus*[107].

O ministro Marcelo Navarro foi voto vencido em uma turma composta de outros cinco ministros. Isso abriu espaço para ser afastado do caso. Mesmo com as garantias constitucionais aos juízes, entre as quais a da inamovibilidade, inscrita no art. 95, II da CF, o ministro foi substituído por Felix Fischer que votou pela denegação dos *habeas corpus*. Navarro continuou na turma, mas Felix Fischer passou a ser o relator de todos os casos, que continuaram sem ser distribuídos.

No julgamento do Conflito de Competência nº 145.708/DF pelo Superior Tribunal de Justiça foi fixada a prevenção do ministro Felix Fischer para os feitos da Operação Lava Jato.

Consoante descrito no relatório da decisão, o conflito instaurou-se em decorrência dos votos proferidos nos *habeas corpus* nº 331.829/PR; 332.586/PR; 332.637/PR; 338.297/PR e 338.345/PR, julgados pelo STJ com relatoria do ministro Ribeiro Dantas, nos quais o ministro Felix Fischer proferiu os votos vencedores.

---

[107] RECONDO, Felipe & Weber, Luiz. *Os onze – o STF, seus bastidores e suas crises*. São Paulo: Companhia das Letras, 2019.

O Conflito de Competência foi, então, suscitado pelo ministro Ribeiro Dantas sob o fundamento de que "na sessão de 17.12.2015, a Quinta Turma acolheu a questão de ordem suscitada no sentido de aplicar o art. 71, § 2º, do RISTJ e, por consectário, reconhecer a prevenção do ministro Felix Fischer para a relatoria dos feitos diretamente relacionados à Operação Lava Jato". E prossegue pontuando que "a Corte Especial, no REsp nº 1.462.669/DF, julgado em 9.9.2014, decidiu que, no Superior Tribunal de Justiça, vencido o relator originário do feito recursal, dá-se a sua substituição pelo ministro designado para lavrar o acórdão (arts. 52, inc. II, e 101 do RISTJ). O relator assim designado fica prevento para a relatoria dos feitos, inclusive recursais, subsequentes e conexos (art. 71, § 2º, do RISTJ), sem prejuízo de sua eventual suspeição ou impedimento em algum desses processos". (STJ, CC 145.705/DF).

O acórdão do comentado Conflito de Competência, portanto, considerou a regra do art. 71 do Regimento Interno do respectivo Tribunal para conferir a prevenção ao ministro Felix Fischer, a qual estabelece o seguinte:

Art. 71. A distribuição do mandado de segurança, do habeas corpus e do recurso torna preventa a competência do relator para todos os recursos posteriores, tanto na ação quanto na execução referentes ao mesmo processo.

(...) § 2º. Vencido o relator, a prevenção referir-se-á ao Ministro designado para lavrar o acórdão.

(Regimento Interno do STJ)

A alteração da prevenção, em razão do dispositivo regimental, foi bem diagnosticada no voto do ministro Rogério Cruz, ao esclarecer que "as ações que deram origem a este incidente processual estavam inicialmente sob a relatoria do Min. Newton Trisotto, depois passaram ao Min. Ribeiro Dantas e, agora, por uma questão regimental, passaram ao ministro Felix Fischer." (STJ, CC 145.705/DF).

Ou seja, ao redigir voto que fez vencido o relator, o Min. Felix Fischer foi designado para lavrar o respectivo e, pela aplicação do Regimento nos termos do entendimento consignado pelo STF no Conflito de Competência, foi consequentemente designado como relator dos feitos subsequentes conexos ao procedimento do qual decorreu o conflito – compreendido entre os procedimentos da Operação Lava Jato.

Importa, ainda, ressaltar que a decisão se justificou pela necessidade de garantir uniformidade e coerência dos julgados, bem como permitir que o ministro relator possa ter uma visão ampla do encadeamento dos fatos.

Conforme aduzido no início deste tópico, embora o E. Supremo Tribunal Federal tenha enfrentado a mesma questão, o proceder da Corte Constitucional foi bem diferente da solução exarada pelo E. Superior Tribunal de Justiça no referido Conflito de Competência.

Vejamos a seguir a situação neste Tribunal.

Prevenção no STF

Como é sabido, em fevereiro de 2017, o ministro Edson Fachin não foi sorteado novo relator dos feitos originários da Operação Lava Jato no Supremo Tribunal Federal. Após o falecimento do ministro Teori Zavascki, foi realizada uma imensa manobra com os processos, que foram redistribuídos por ordem da Presidência da Corte a Fachin. O ministro do Paraná mudou de turma, sentando na cadeira que era de Zavascki para herdar a relatoria da Lava Jato.

Ocorre que após assumir os casos Fachin não foi vencedor em todos seus votos. Houve julgamentos de *habeas corpus* que o voto do ministro Toffoli foi vencedor. O Regimento Interno do STF que determina, no art. 38, inc. II, do Regimento, que, se o voto do relator não for vencedor, o primeiro a votar contrariamente vira redador da decisão: "o Relator é substituído pelo Ministro designado para lavrar o acórdão, quando vencido no julgamento".

Levamos esse tema ao STF, e mais uma vez as matérias relevantes acabaram não sendo julgadas. Fachin negou a prestação jurisdicional por tergiversar a questão nos seguintes termos: *"não cabe à Suprema Corte a interpretação de dispositivo regimental de órgão jurisdicional diverso com base no qual se discute a distribuição de competência entre Ministros de Tribunal Superior".*

Ora, não se trata de interpretar dispositivo regimental de órgão jurisdicional diverso, mas de interpretar dispositivo regimental desta Corte Suprema.

Consequentemente, se aplicados os ditames do Regimento Interno do STF, alterou-se a competência inicialmente fixada ao ministro Edson Fachin, isto porque as seguintes situações ocorreram:

Em 25 de abril de 2017, a Segunda Turma concedeu a ordem no Habeas Corpus nº 140.312, impetrado em favor de João Claudio Genu, condenado pela 13ª Vara Federal da Subseção Judiciária de Curitiba nos autos da Ação Penal nº 5030424-78.2016.4.04.7000/PR. Conforme ficou assentado na Certidão de Julgamento, a ordem foi concedida por maioria dos termos do voto do Min. Dias Toffoli. Ficaram vencidos o Min. Celso de Mello e o Ministro Edson Fachin, o relator.

Na mesma data anterior, a Segunda Turma concedeu a ordem no Habeas Corpus nº 136.223, impetrado em favor de José Carlos Costa Marques Bumlai, condenado pela 13ª Vara Federal da Subseção Judiciária de Curitiba nos autos da Ação Penal nº 5061578-51.2015.4.04.7000/PR. Conforme ficou assentado na Certidão de Julgamento, a ordem foi concedida por maioria nos termos do voto do Min. Dias Toffoli. Ficaram vencidos o Min. Ricardo Lewandowski e o Min. Edson Fachin, o relator.

Em 2 de maio, a Segunda Turma concedeu Habeas Corpus para revogar a prisão preventiva de José Dirceu, condenado no âmbito da Operação Lava Jato (v. HC nº 137.728). No julgamento, votaram pela concessão da ordem os ministros Dias Toffoli, Ricardo Lewandowski e Gilmar Mendes e restaram vencidos os ministros Celso de Mello e Edson Fachin, o relator.

O voto condutor da maioria foi proferido pelo ministro Dias Toffoli, que divergiu do relator quanto à questão central do mérito do *writ* em que se debateu a aplicação da prisão cautelar, com o argumento resumido a seguir, em seus dizeres: *"os pressupostos que autorizam uma medida cautelar devem estar presentes não apenas no momento da sua imposição, como também necessitam se protrair no tempo para legitimar sua subsistência."*

Já o relator daqueles procedimentos, novamente vencido no Habeas Corpus nº 137.728, insistiu que *"não se está diante de cenário processual ordinário e que a imensa lucratividade de condutas desta natureza fortalece, ao menos em tese, a necessidade do emprego de medida cautelar idônea, pois enfrentamento diverso [...] seria insuficiente à tutela da ordem pública."*

Pois bem, objetivamente, constata-se que o ministro Edson Fachin foi vencido nos julgamentos de três *habeas corpus* no âmbito da Operação Lava Jato, o que determina a aplicação da regra do artigo 38, inciso II, do Regimento Interno do Supremo Tribunal Federal, transcrito alhures.

Com efeito, tal regra define que não mais seria, como ainda não deve ser, o ministro Edson Fachin o relator dos feitos originais da Lava Jato e sim o ministro Dias Toffoli, que foi designado para lavrar os acórdãos nos Habeas Corpus nº 137.728, 136.223 e 140.312. Ao menos até ter sido eleito presidente do STF.

Isto posto, operou-se uma modificação na relatoria dos casos pertencentes à Operação Lava Jato, de tal sorte que a competência para este procedimento não é mais atribuível ao ministro Edson Fachin.

Na hipótese de entendimento contrário da Corte, reconhecendo-se a prevenção do ministro Edson Fachin, se impõe constatar como nulo o ato coator proferido pelo Superior Tribunal de Justiça, pois se aplicada a lógica da prevenção conforme tal entendimento a decisão do STJ foi proferida por ministro incompetente.

Neste caso, não há como acender uma vela para Deus e outra para o capeta ao mesmo tempo!

Repita-se: ou no Supremo Tribunal Federal o ministro Edson Fachin não mais deveria permanecer na função de relator, ou no STJ o ministro Felix Fischer assumiu indevidamente tal posição nos casos da Operação Lava Jato.

12. A Incompetência não Decidida

A mentira de Moro de que o Supremo e o STJ julgaram sua competência – a omissão imprópria do STF

A estratégia central dos relatores da Lava Jato em todas as instâncias sempre foi impedir o julgamento que é relevante. Os temas importantes nunca chegam a julgamento. Como se fossem grandes goleiros a impedir que a bola entre na sessão de julgamento.

Ocorre que, com a remessa de outros feitos para o STF, alguns casos acabaram indo para outros ministros, pois o próprio procurador da República em dois casos que não tinham relação com a Petrobras requereu ao ministro Zavascki a distribuição a outros ministros.

O juízo da 13ª Vara Federal da Seção Judiciária do Estado do Paraná encaminhou ao Supremo Tribunal Federal três procedimentos criminais, autuados nesta Corte como petição (Pet), ao fundamento de que haveria indícios da participação da senadora da República Gleisi Helena Hoffmann na prática de ilícito penal, mediante a intermediação de escritório de advocacia de Curitiba.

Os autos foram distribuídos, por prevenção, ao ministro Teori Zavascki.

A Procuradoria-Geral da República requereu a urgente cisão do presente feito, "remetendo-se ao Juízo da 13ª Vara Federal para a continuidade dos procedimentos cabíveis quanto aos demais envolvidos e não detentores de prerrogativa de foro".

O ministro Teori Zavascki, por reputar inexistente conexão entre os fatos descritos neste procedimento e as investigações já em andamento sob sua relatoria, relacionadas às fraudes no âmbito da Petrobras, submeteu os autos à apreciação da Presidência desta Corte, que, por sua vez, ordenou sua livre redistribuição.

A Procuradoria-Geral da República pugnou pela reconsideração do despacho do ministro Teori Zavascki ou, alternativamente, pelo conhecimento do pedido como agravo regimental, pleitos dos quais o presidente do Supremo Tribunal Federal, ministro Ricardo Lewandowski, não conheceu.

(parte do relatório do ministro DiasToffoli)

Em 2015, o ministro presidente Ricardo Lewandowski proferiu um despacho determinando a livre distribuição dos feitos originários. Um acaba distribuído ao ministro Celso de Mello a Pet 5.700/DF, que se converteu em dois inquéritos 4133/DF e 4.134/DF e a Toffoli o Inquérito 4.130.

No dia 22 de setembro de 2015, Toffoli leva à 2ª Turma composta uma questão de ordem no caso da senadora Gleisi Hoffmann (Inquérito 4.130)[108] Além de Toffoli, Celso de Mello, Gilmar Mendes, Cármen Lúcia e Teori Zavascki passam a apreciar o caso em que já havia uma denúncia sem análise de recebimento.

Para se compreender as contradições, o ministro Zavascki chega a afirmar como esclarecimento o Inquérito nº 3.989, em que se

---

[108] **STF QUESTÃO DE ORDEM NO INQUÉRITO 4.130** RELATOR: MIN. DIAS TOFFOLI 2ª Turma, 22 de setembro de 2015. Disponível em: http://redir.stf.jus.br/paginadorpub/paginador.jsp?docTP=TP&docID=10190406.

investigava crime de quadrilha, corrupção passiva, lavagem de ativos financeiros, e que envolvia não apenas pessoas com prerrogativa de foro, como também pessoas sem prerrogativa de foro: [...] "um inquérito aberto, aqui no Supremo Tribunal Federal, para investigar o que foi chamado aqui de **'esquema geral'**". Essa investigação, com a devida vênia, não foi delegada a qualquer outro juízo. Não existe investigação com essa abrangência em outro juízo. Se houver ou se tiver sendo feito em outro juízo esse exame abrangente, certamente haverá problema de competência, porque se estará usurpando uma competência do Supremo Tribunal Federal. Essa observação é importante para que não se fuja do exame técnico dessa questão. É uma questão técnica, que tem certamente consequências importantes, mas que deve ser examinada tecnicamente." (voto Zavascki)

O ministro prossegue: "A informação que eu queria dar é que existe, aqui no Supremo, a pedido do Procurador da República e autorizada por mim, a abertura do Inquérito nº 3.989, onde está se fazendo a investigação do esquema geral de corrupção. Portanto, essa investigação do **'esquema' geral** é da competência do Supremo Tribunal Federal. A esse inquérito especial no STF pediu, inclusive, que fossem reunidos nesse inquérito procedimentos anteriores – Pet 5.260, 5.276, 5.277, 5.279, 5.281, 5.289, 5.293. Todos foram aqui reunidos em um inquérito só, aqui sim por conexão, no âmbito do qual se faz a investigação e apuração dos fatos relativamente ao 'esquema geral'". (voto Zavascki)

E o que eram as investigações da Lava Jato de Curitiba, se não algo sem limite? Um mesmo inquérito sobre "esquema geral", desde Eletrobras e Petrobras. E se o STF estava investigando tudo e as afirmações de Zavascki fossem levadas a sério já haveria ofensa ao STF. Afinal, Lula foi condenado posteriormente como responsável de um "esquema geral". Como se verá no subcapítulo 15.1. *O Julgamento do TRF*, essa foi a base para condenação de Lula no TRF como "o garantidor de um esquema maior".

Esses debates são importantes para entender como as posições do Supremo são dúbias, e mesmo com os debates e decisões as afirmações posteriores desconsideram de forma absoluta esses debates e decisões. Há clara afirmação de que a homologação de delações premiadas não torna prevento o ministro:

O SENHOR MINISTRO DIAS TOFFOLI (RELATOR):

Pelo que verifiquei do despacho no Ministro **Celso de Mello**, Sua Excelência também entende que os termos da declaração da colaboração, do depoimento do colaborador, não são, **per se**, um critério de determinação, modificação ou concentração de competência.

23/09/15 Edson Fachin...

A Justiça Federal de Curitiba remeteu essa matéria para cá, o feito, e o fez cumprindo a Constituição. Nós estamos aqui procedendo a um debate cumprindo a Constituição. E é o que vamos fazer, por certo. Mas tomo a liberdade de manifestar, sem embargo daqueles que sustentam por razões não apenas jurídicas, mas inclusive sociológicas – e a obra "Coronelismo, enxada e voto", de Victor Nunes Leal, talvez sustente uma dessas razões sociológicas dessa concentração do foro –, mas é preciso pontuar que a justiça de primeiro grau do Brasil – a Justiça Federal, a Justiça Comum – prestam um relevante serviço e num pacto verdadeiramente republicano, que, quiçá este País venha a subscrever na sua essência, esta disfunção possa não estar necessariamente presente. Permito-me, pois, fazer esse registro.

Quanto ao tema específico vertido nesta Questão de Ordem 4.130, em suma, assento o seguinte:

Parece-me estar em causa a definição do juiz natural, princípio secular do processo penal democrático. O cerne da questão diz respeito à eventual incidência, no caso concreto, da regra de conexão conforme prevista no artigo 76 e seus incisos do Código de Processo Penal.

A teleologia desse instituto, como se sabe, é a racionalização da prestação jurisdicional, evitando-se a duplicidade de instrução, decisões contraditórias sobre fatos idênticos, correlatos ou "similares, permitindo uma visão ampla sobre um mesmo conjunto de fatos que se relacionam e se imbricam".

O voto do eminente Relator parte da premissa segundo a qual a origem comum da descoberta dos fatos apurados, ou seja, o termo de colaboração premiada, não induz necessariamente à conexão entre todos os crimes confessados e narrados pelo delator.

...

O debate se faz em torno de remeter de volta ao juízo de Curitiba para que ele decida se é competente, e o fazendo a defesa recorra ou que o Supremo remeta direto para São Paulo.

O ministro Barroso insiste para que o caso seja devolvido para Curitiba:

BARROSO

(...)

Eu estou, Senhor Presidente, acompanhando Sua Excelência no tocante à questão da livre distribuição, estou acompanhando Sua Excelência no tocante à questão do desmembramento, porém não estou me pronunciando sobre a questão da competência do juiz de primeiro grau que encaminhou o processo para cá, por entender que esta matéria não é o objeto da discussão. Embora a posição do Ministro Toffoli tenha a lógica que ele expôs, eu acho que não se deve privar o juízo de origem, primeiro, de decidir na linha do que decidiu o Supremo – e, eventualmente, se assim não o fizer, caberá recurso lá –, mas eu não gostaria de avançar e já fixar uma competência **sem permitir que o juízo de origem faça ele próprio essa avaliação com os elementos próprios**.

De modo que eu acompanho quanto à livre distribuição e quanto ao desmembramento, porém não ...

Seguindo o debate, o ministro Marco Aurélio defende que seja já decidido pelo STF para qual juiz deve ser remetido, o que no caso Zavascki concorda. Percebam que Zavascki deixa claro que quando tem dúvidas remete para Curitiba. A afirmação clara é que quando se remete para Curitiba não se afirma que Sérgio Moro seja competente para os casos. Ao contrário! A decisão do STF e de Zavascki era que a análise da competência se iniciasse por Curitiba nos outros casos. Não remetia como assunto decidido, mas a se decidir. Todo o debate se dá em torno de decidir de imediato ou devolver a Moro para que ele decida e a defesa possa recorrer:

O SENHOR MINISTRO MARCO AURÉLIO – A declinação, mesmo partindo do Supremo, de início, não obriga o juízo para o qual se verifique a declinação.

...

O SENHOR MINISTRO TEORI ZAVASCKI – Se houvesse alguma dúvida – e eu, em alguns casos que determinei a cisão, tive dúvidas, porque não tinha elementos suficientes –, se houvesse alguma dúvida sobre a competência, penso até que se deveria mandar de volta para que o juiz lá examinasse. Mas, nesse caso, aqui, não há dúvida, há uma denúncia oferecida que diz que o fato se consumou em São Paulo.

...

O SENHOR MINISTRO LUÍS ROBERTO BARROSO – Exatamente. Portanto nós endossamos a livre distribuição e estamos desmembrando, dizendo: Somente a Senadora será submetida à jurisdição do Supremo. Quanto ao mais, fica submetido à jurisdição ordinária.

Eu acho que nós estaríamos saltando a competência do juiz de primeiro grau, impedir que ele valore a decisão do Supremo para saber se de fato ele deixou de ser competente.

O SENHOR MINISTRO MARCO AURÉLIO – Ministro, é ínsito ao desmembramento indicar-se qual é o juízo competente.

O SENHOR MINISTRO LUÍS ROBERTO BARROSO – Eu acho que, ao desmembrarmos, volta para a origem.

O SENHOR MINISTRO TEORI ZAVASCKI – Ministro Barroso, Vossa Excelência me permite? Veja o que aconteceu agora nesse caso que está distribuído ao Ministro Celso. O Ministro Celso desmembrou e mandou para um juiz competente, que não é o que remeteu.

O SENHOR MINISTRO GILMAR MENDES – O que o Ministro Barroso está propondo é a remessa a Curitiba.

O SENHOR MINISTRO LUÍS ROBERTO BARROSO – A volta para Curitiba, para o juiz de Curitiba decidir e, se a parte se inconformar, caso ele não decline, aí acho que ele deve discutir isso na jurisdição própria, com recurso próprio.

O SENHOR MINISTRO MARCO AURÉLIO – Ministro, se não pudermos definir o juízo competente, é porque somos competentes.

O SENHOR MINISTRO RICARDO LEWANDOWSKI (PRESIDENTE) – Mas, Ministro Barroso, se nós estamos dizendo que, em princípio, este caso não tem nada a ver com aqueles outros casos que tramitam em Curitiba, não poderá o juiz de Curitiba dizer que tem, sim, depois de o Supremo se pronunciar – se é que vai se pronunciar – de forma afirmativa.

O SENHOR MINISTRO MARCO AURÉLIO – Preconizaria, a essa altura, Presidente, para parafrasear o Ministro Luís Roberto Barroso, **um *habeas* a favor do Juiz Moro!**

Após um breve debate, como no STF a ordem de votação após o relator é do mais novo nomeado pela Corte para o mais antigo, Edson Fachin vota acompanhando o relator ao fim fazendo uma única observação para manter as prisões, e em seguida Barroso insiste para que o processo fosse devolvido a Moro. Ao iniciar a votar o ministro Gilmar Mendes faz a afirmação de que haveria um objetivo oculto para não mandar o caso para Curitiba: "… No fundo, o que se espera é que processos saiam de Curitiba e não tenham a devida sequência em outros lugares. É essa a expectativa. É bom que se diga em português claro para que não iludamos ninguém". Após isso volta a enfrentar a questão posta de que a homologação de acordo de delação premiada não faria a prevenção do ministro, mas para o fim defender a remessa para Curitiba:

> O ministro Dias Toffoli argumentou que os acordos de colaboração premiada não atraem a competência do Juízo que os homologa relativamente a todos os crimes delatados. A observação não merece qualquer reparo. Ao menos em regra, o encontro fortuito de provas não atrai o julgamento ao juízo da investigação em relação a fatos não conexos.
>
> Mas não é disso que se cuida.
>
> …
>
> O próprio Ministério Público tem adotado a conexidade como critério para requerer a reunião dos feitos. Fatos delatados pelo

próprio Ricardo Pessoa, sem conexão com a Lava Jato, já receberam distribuição autônoma. O Inquérito 3.515, sob a relatoria do ministro Marco Aurélio, foi abastecido com informações do colaborador. Mais recentemente, dois novos inquéritos foram abertos, sob a relatoria do ministro Celso de Mello, com dados não conexos fornecidos pelo colaborador.

O que temos aqui são fatos ligados por conexão e continência, como será demonstrado neste voto. Temos diversos crimes praticados pelo que aparenta ser uma mesma organização criminosa, com os mesmos métodos.

…

O ministro Teori Zavascki argumentou que a prevenção não seria aplicável ao juízo de primeira instância, visto que os primeiros processos da Operação Lava Jato já teriam sido sentenciados naquele foro. Não discuto que a Súmula 235 do STJ, que dispõe que "A conexão não determina a reunião dos processos, se um deles já foi julgado", pode ser aplicada ao processo penal.

Mas, novamente, não é disso que se cuida.

Gilmar Mendes passa a defender que diante do art. 80[109] do CPP, permitir a separação de processos quando os crimes foram cometidos em tempo e lugar diferentes, ou quando o número excessivo de réus prolongar o processo que tenha prisões, isso garantiria a competência de Curitiba. Que a Operação Lava Jato teria se iniciado para "apuração de um esquema de lavagem de ativos e, de degrau em degrau, foi revelando uma associação criminosa que se ramifica, praticando vários crimes, sob um comando central".

---

[109] "Art. 80. Será facultativa a separação dos processos quando as infrações tiverem sido praticadas em circunstâncias de tempo ou de lugar diferentes, ou, quando pelo excessivo número de acusados e para não lhes prolongar a prisão provisória, ou por outro motivo relevante, o juiz reputar conveniente a separação."

Continua o ministro:

No curso das investigações, alguns dos crimes foram suficientemente revelados para permitir o oferecimento de denúncias. Tendo em vista que havia investigados presos, não se poderia aguardar a conclusão completa das apurações.

No entanto, as denúncias oferecidas foram acompanhadas de requerimento de cisão das investigações, para regular prosseguimento quanto a fatos ainda não apurados. Ou seja, a investigação da organização criminosa em Curitiba não foi encerrada. Não há como falar em esgotamento daquela jurisdição.

Para a defesa da remessa dos autos para Curitiba, Gilmar vai afirmar que as questões de competência são complexas:

(...) A interpretação da conexão probatória não é simples. Em princípio, a investigação de qualquer fato pode influir na de outro, sendo difícil prever o resultado dos inquéritos e instruções penais. Discorrendo sobre o dispositivo do Código de Processo Penal italiano que inspirou nossa legislação, Ugo Aloisi constata que a norma deixa margem a certa discricionariedade do julgador na avaliação da conexão. ALOISI, Ugo. *Manuale pratico di procedura penale.* Milão: Giufrè, 1943. p. 136.

Portanto, não existe a precisão aritmética que se tenta dar ao tema.

O próprio Supremo Tribunal Federal já enfrentou dificuldades com a avaliação discricionária da conexão no caso do mensalão.

(...)

O ministro Gilmar Mendes, nesse momento em 2015, vai dar pleno apoio à competência de Sérgio Moro, destacando que haveria uma enorme organização criminosa que não se atinha à Petrobras e por isso tudo deveria ser investigado a partir de lá:

> Reafirmo que não se trata de dizer que todos os desdobramentos de uma investigação original devem ser reunidos no mesmo juízo. Não discordo do ponto de vista segundo o qual, se em uma investigação criminal, descobre-se, de forma fortuita, prova de crimes não conexos, a prevenção inexiste. Não é disso que se cuida neste caso. Aqui, há um liame entre as condutas investigadas que não pode ser desprezado.
>
> O ponto é que não interessa que tenha sido usado, como meio para obter os fins, o Ministério do Planejamento, a Petrobras, a Eletrobras, ou outra estatal ou órgão público qualquer. Há uma comunhão dos meios de lavagem de recursos. Há uma semelhança entre as condutas. Há laços políticos entre os autores. Há um liame que não pode ser desprezado, essencial à apuração e compreensão da verdade.
>
> Logo, a conexão probatória está presente (art. 76, III, CPP).
>
> Além disso, estamos um passo além da simples conexão. O caso é de continência (art. 77, I, CPP).
>
> O esquema em apuração na Operação Lava Jato aponta para um método de governar: de um lado, recursos do Estado fluiriam para forças políticas; de outro, financiariam a atividade político-partidária e de campanhas eleitorais, a corrupção de agentes públicos, a manutenção de base partidária fisiológica, a compra de apoio da imprensa e de movimentos sociais e, claro, o luxo dos atores envolvidos.
>
> (...)

O foco de Gilmar no PT e a defesa da Lava Jato nesse momento vai se contrastar tempos depois quando se aperceberá do monstro que apoiou. Seguem trechos do voto do ministro Gilmar Mendes:

No caso específico do Partido dos Trabalhadores, detentor da chefia do Poder Executivo federal e apontado como principal beneficiário, as investigações convergem ao tesoureiro nacional João Vaccari Neto, que seria responsável por fazer o dinheiro sujo ingressar nos cofres do Partido, seja por doações contabilizadas, seja pelo caixa dois.

(...)

Repito que não interessa que a organização criminosa tenha usado, como meio de obter seus fins, a Petrobras, a Eletrobras, o Ministério do Planejamento, ou outra estatal ou órgão público qualquer. Se todas as condutas são reconduzidas à mesma organização criminosa, aplica-se a regra da continência.

(...)

Não pretendo comparar juízes. O que quero ressaltar é a importância do foco e dos instrumentos para que um trabalho da magnitude da investigação e julgamento da Operação Lava Jato seja feito, não só no âmbito do Poder Judiciário, mas também do Ministério Público e da Polícia.

Desde fevereiro de 2015, a Corregedoria do Tribunal Regional Federal da 4ª Região designou a magistrada Gabriela Hardt para atuar em todos os processos da 13ª Vara que não fossem relacionados à Operação Lava Jato. Ou seja, o juiz Sérgio Moro podia manter o foco nessas relevantes investigações. E o apoio do Tribunal não parou por aí.

Logo em seguida, suspendeu-se a distribuição de feitos novos à Vara, permitindo que o juiz e os servidores se concentrassem nos feitos da Operação.

No âmbito do Ministério Público, foram deslocados onze procuradores da República e quarenta servidores para a força-tarefa de Curitiba. Aqui, em Brasília, junto à Procuradoria-Geral da

República, são doze membros, sendo oito atuando com dedicação exclusiva nessa investigação.

Na Polícia Federal, são mais de quarenta policiais trabalhando exclusivamente na condução das apurações.

Ao todo, são aproximadamente trezentos e trinta servidores, entre Ministério Público e Poder Executivo, envolvidos na força-tarefa.

Essas estruturas não podem ser replicadas com a repartição dos procedimentos. Estamos falando, talvez, do maior caso de corrupção do mundo.

(...)

De maneira mais radical que o próprio Zavascki, Gilmar vota para, no STF o caso voltar para ele, e o que fosse desmembrado fosse remetido para Curitiba:

> Portanto, voto, de forma muito convicta, pela redistribuição do inquérito à relatoria do ministro Teori Zavascki e pela cisão do feito em relação a Alexandre Romano e a outros investigados sem foro originário perante esta Corte, devendo o cindido ser encaminhado ao Juízo da 13ª Vara Federal de Curitiba/PR.

Diante do voto de Gilmar Mendes querendo remeter o caso de volta para Zavascki, sendo nesse caso "mais realista que o rei" já que o próprio relator da Lava Jato não queria a relatoria, o ministro pede para antecipar seu voto e inicia lembrando que: "A 13ª Vara Federal de Curitiba foi especializada, por Resolução nº 18/2007 do TRF da 4ª Região, para crimes de lavagem de dinheiro e crimes de ocultação de bens e valores e outros crimes de organização criminosa em relação à cidade de Curitiba. Essa resolução do TRF da 4ª Região, de 2007, especializou diversas varas federais criminais para processar e julgar crimes praticados por organizações criminosas, independentemente do caráter transnacional ou não das infrações, e outros crimes de várias naturezas".

No voto, Teori defende que a denúncia conclui que o crime foi cometido em São Paulo. Portanto, não seria o caso de prevenção, e é interrompido por Barroso insistindo que o procurador-geral defendia que havia fatos em Curitiba. Zavascki passa a defender que a própria procuradoria resolveu por estratégia fatiar os processos; adotou o critério de que seria o envolvimento da Petrobras, como decidido pelo caso distribuído ao ministro Celso envolvendo Aloysio Nunes, o ministro Aloizio Mercadante e o laboratório Labogen em que o procurador-geral utilizou a falta de indícios de valores provenientes da Petrobras. E com esses fundamentos acompanha o relator.

Em seguida Rosa Weber acompanha o relator, com embelezamentos lembrando citações em que afirmava o professor, ministro do Tribunal, quando citava Caio Tácito, que repetia à exaustão: "Não é competente quem quer, mas quem pode, nos termos que a Constituição estabelece".

Nas entrelinhas dos votos que se ocultam em um debate de competência revela-se um conflito de poder. Como se verá, a perspectiva da realidade política vai se modificando. Nesse momento Dilma ainda é presidente e Temer vice; no Congresso, preside Eduardo Cunha. Lula não tinha sofrido nem a condução coercitiva. Os empreiteiros já haviam sofrido a prisão e essa votação é decorrente da declaração de Ricardo Pessoa. Ao iniciar a votar, Lewandowski teria afirmado que, em coerência com o voto que proferiu na Petição 5658/PR, acompanhava o voto de Toffoli, que pedia a palavra para afirmar que "voto do ministro Gilmar Mendes quando traz um elemento que realmente nos leva à reflexão, esse *aggiornamento* de uma legislação processual penal de uma época em que os delitos eram mais uma prática individual. Realmente isso é algo que nos leva a refletir".

GEOPOLÍTICA DA
INTERVENÇÃO

Penso que a Procuradoria-Geral da República, que tem a visão de toda essa floresta também, tal qual o Ministro Teori Zavascki aqui o tem, saberá coordenar devidamente os meios persecutórios adequados para que a investigação seja eficiente, seja qual for o foro estabelecido, Ministro Gilmar. Porque a Procuradoria-Geral da República – e é bom que cada vez mais isso seja assim – deve ter uma figura central e uma inteligência em suas atuações, de modo que não seja uma Procuradoria, ou um Ministério Público, como já foi no passado, de ilhas isoladas.

Toda essa investigação, Ministro Gilmar, bem destaca que não se tem mais essa cultura de ilhas isoladas no Ministério Público Federal, que estarão agindo seus membros em colaboração, não tenho a menor dúvida sobre isso. A Procuradoria-Geral da República continuará com a eficiência que foi destacada pelo Ministro Gilmar Mendes nas referidas investigações, qualquer que seja o foro para o qual o caso venha a ser distribuído.

Seguir o Supremo Tribunal Federal é entender os conflitos pelo alto da estrutura judiciária. Chega a hora do ministro Marco Aurélio:

O SENHOR MINISTRO MARCO AURÉLIO – Presidente, a esta altura, a sessão foi gasta com essa questão de ordem. Preocupa-me a situação dos jurisdicionados em geral.

Presidente, não posso deixar de ressaltar que, em época de crise, é preciso reafirmar, é preciso guardar princípios, parâmetros e valores. E ante esses elementos, processo não tem capa, processo tem estritamente conteúdo.

(…) Vejam a importância que se dá à própria Presidência, cadeira hoje ocupada por Vossa Excelência ministro Ricardo Lewandowski. O Presidente é considerado órgão do Tribunal ao lado das Turmas, ao lado do Plenário, que é, digo, no âmbito da Corte, a derradeira instância.

Qual é a prática relativamente à distribuição? É a alusiva à computação. A distribuição é eletrônica e, então, surgindo dúvida normalmente articulada pela parte ou talvez mesmo, no campo da excepcionalidade maior, pelo próprio relator, ocorre a remessa do processo ou dos autos à Presidência, para o exame da espécie, exame que não é feito no âmbito da computação. Reafirmando o Presidente a sequência com o relator de sorteio, esse ato se torna estreme de dúvidas, não cabendo recurso, porque se trata de um ato administrativo com reflexos – reconheço – jurisdicionais. Caso verificado ofício, dá-se a redistribuição.

(...)

Por isso, recebendo processo-crime ou autos que versem detentores de prerrogativa de foro e cidadãos comuns, procedo, de imediato, ao desmembramento. Ao proceder a esse desmembramento, assentando a incompetência do Tribunal, tenho que indicar qual é o juízo competente, fazendo-o segundo os elementos até então existentes. Essa é a premissa do meu voto quanto ao desmembramento. E também concluo – ante os elementos até aqui coligidos e expostos no voto do Relator, consignando mais uma vez que em jogo incompetência absoluta, porque em razão da matéria, não há preclusão – que não há outra solução senão a remessa do processo a São Paulo, tal como preconizado por Sua Excelência. Mais uma vez ressalto que, se surgirem outros dados que modifiquem essa competência, o Juízo que receber estes autos poderá remeter àquele que entenda deva atuar. A esta altura, o Juiz Sérgio Moro deve ser juiz de episódio único, Lava Jato, atuando, quem sabe, auxiliado por outros colegas da magistratura, nas múltiplas ações que já surgiram tendo em conta esse lastimável episódio, que é o apelidado como Lava Jato. Acompanho o relator na solução da questão de ordem.

As posições adotadas pelos ministros têm extrema relação com suas origens, concepções de vida e forças políticas que os indicaram. No caso do PT, a análise exige um aprofundamento maior, que se fará em momento oportuno. Celso de Mello, o mais antigo e nomeado por Sarney, vota no mesmo sentido de Gilmar Mendes fundamentando na existência de uma imensa organização criminosa.

(...)

Entendo, *por isso mesmo*, **que se impõe reformar** a decisão ora questionada, **pois há**, *nestes autos*, elementos **configuradores** da ocorrência *de conexão probatória* ou *instrumental* **ou**, até mesmo, *de continência*, **a determinar**, em razão desse liame de ordem objetiva e subjetiva, **a observância** *da unidade de juízo ("eadem judex")*, **tal** *a complexa implicação* e *a íntima vinculação* **existente** entre os múltiplos fatos e eventos e os diversos agentes e comportamentos referidos pelo Ministério Público, **além da circunstância**, *juridicamente relevante*, da atuação **dos vários** (*e muitas vezes* **comuns**) integrantes **que compõem** os núcleos em que se projeta essa **mesma** organização criminosa **por efeito** *de sua divisão interna de tarefas*.

Na realidade, **e tal como o demonstrou** o eminente procurador--geral da República, **a constatação** da existência, pelo menos, *de conexão probatória* **resulta** do fato, **previsto** em lei (**CPP**, art. 76, III), **de que a prova** de uma infração **ou** de quaisquer de suas circunstâncias elementares **poderá influir** na prova *de outros* ilícitos penais.

A fragmentação das investigações penais, **não obstante** se cuide de *uma só* e *mesma organização criminosa*, **poderá** comprometer *gravemente* a apuração da verdade real e conduzir, *até mesmo*, **em face da dispersão** de competências jurisdicionais, a decisões conflitantes, **frustrando-se**, *desse modo*, a eficácia da atividade probatória **e** a necessária e racional *unidade de direção* dos procedimentos penais.

O SENHOR MINISTRO GILMAR MENDES – Vossa Excelência, me permite uma consideração?

O SENHOR MINISTRO CELSO DE MELLO: Com todo prazer...

O SENHOR MINISTRO GILMAR MENDES – Veja que, já no passado, no Império, Pimenta Bueno chamava a atenção para a importância desse instrumento. Agora, em pleno século XXI, com a organização criminosa desse porte, em âmbito nacional, quando se vê a tessitura, a urdidura trazida pelo procurador-geral nessas peças, ficamos realmente perplexos, tendo em vista essas interligações. Aí, vamos nos aferrar a um elemento que pode levar um processo a uma vara criminal no interior e um outro a outra, perdendo o nexo instrumental, que é a base do velho Código de Processo Penal de 1941, e por quê? Qual é o interesse nisso? É no Direito? Ou, na verdade, estamos decepando uma competência que, em geral, teria que se afirmar?

Nós teríamos de ler o CPP à luz da lei de organização criminosa. E não o contrário. Não pode ser assim, sob pena de produzirmos monstrengos.

O SENHOR MINISTRO CELSO DE MELLO: **Sinto** que a fragmentação que esta Corte está determinando **provocará** *uma prejudicial dispersão* da prova penal, **com impacto direto** sobre a apuração da verdade substancial.

E a razão desse meu entendimento **reside no fato de que a interpretação** das normas do Código de Processo Penal **pertinentes** à determinação da competência **pelos critérios** *da conexão* (**CPP**, art. 76) **e** *da continência* (**CPP**, art. 77), **em casos**

como o ora em exame, **em que se discute** *o tema da organização criminosa*, **há de ser efetuada** _com inteira observância_ **do próprio** conceito *de criminalidade organizada* **ministrado** pela Lei nº 12.850/2013 (art. 1º, § 1º), **cuja formulação** resultou, *como sabemos*, **da celebração**, *no âmbito das Nações Unidas*, da Convenção de Palermo **e** da Convenção de Mérida.

<u>**Concluo**</u> <u>**o**</u> <u>**meu**</u> <u>**voto**</u>, Senhor Presidente. **E**, *ao fazê-lo*, <u>**peço licença**</u> *para acompanhar a divergência* **instaurada** pelo eminente Ministro GILMAR MENDES, <u>**determinando**</u>, *em consequência*, (**a**) **a redistribuição** *deste inquérito* ao eminente Ministro TEORI ZAVASCKI **e** (**b**) **o desmembramento** (ou cisão) do feito <u>**quanto**</u> a Alexandre Romano **e** a outros investigados *que não possuem* prerrogativa de foro **perante** o Supremo Tribunal Federal, **com o encaminhamento** dos respectivos autos ao Juízo da 13ª Vara Federal de Curitiba/PR.

É o meu voto.

Para compreensão do decidido, é necessário voltar e descrever o voto do relator. Ele é dividido em três partes. A primeira intitulada 1) Da colaboração premiada como meio de obtenção de prova, 2) Do encontro fortuito de prova, 3) Da concretização de jurisdição, 4) Do desmembramento do feito, 5) Da determinação do Juízo de Primeiro Grau competente para processar e julgar investigados sem prerrogativa de foro junto ao Supremo Tribunal Federal.

Para compreensão, o voto vai se aprofundar sobre o que é e qual o valor de uma delação premiada. Vai diferenciar prova e afirmar que a delação não é a prova, mas um relato que visa a chegar a ela. Ou seja, ela precisa ser confirmada. É um meio de obtenção da prova e não a prova em si. O ministro vai se referir a um voto anterior do HC 127483/PR que já havia levado ao pleno sobre a valoração da delação premiada como fonte de prova.

Assim, resumidamente defende que a delação é como "o são a captação ambiental de sinais eletromagnéticos, ópticos ou acústicos, a interceptação de comunicações telefônicas e telemáticas ou o afastamento dos sigilos financeiro, bancário e fiscal" que são meios de chegar à prova. "Sendo a colaboração premiada um meio de obtenção de prova, é possível que o agente colaborador traga informações (declarações, documentos, indicação de fontes de prova) a respeito de crimes que não tenham relação alguma com aqueles que, primariamente, sejam objeto da investigação."

Assim como uma rede de pesca que traz diversos peixes, os meios amplos de informação de prova trazem mais informações do que se investiga.

O voto vai explicar que quando ocorre de vir uma informação que não fazia parte do objeto inicial, esse elemento foi fortuito, ou seja, não esperado.

> Esses elementos informativos (art. 155, CPP) sobre crimes outros, **sem conexão com a investigação primária,** a meu sentir, devem receber o mesmo tratamento conferido à **descoberta fortuita** ou **ao encontro fortuito de provas** em outros meios de obtenção de prova, como a busca e apreensão e a interceptação telefônica.

Ao mesmo tempo que é legal o encontro fortuito de prova[110], ela não vincula necessariamente o juiz. Depois de uma longa explicação das causas de determinação-modificação-concentração de competência, explica que:

---

[110] HC 81.260/ES, Pleno, Relator o Ministro Sepúlveda Pertence, DJ de 19/4/02; HC nº 83.515/RS, Pleno, Relator o Ministro Nelson Jobim, DJ de 4/3/05; HC 84.224/DF, Segunda Turma, Relator para o acórdão o Ministro Joaquim Barbosa, DJe de 16/5/08; AI nº 626.214/MG-AgR, Segunda Turma, Relator o Ministro Joaquim Barbosa, DJe de 8/10/10; HC nº 105.527/DF, Segunda Turma, Relatora a Ministra Ellen Gracie, DJe de 13/5/11; HC nº 106.225/SP, Primeira Turma, Relator para o acórdão o Ministro Luiz Fux, DJe de 22/3/12; RHC nº 120.111/SP, Primeira Turma, de minha relatoria, DJe de 31/3/14.

**GEOPOLÍTICA DA
INTERVENÇÃO**

*O Supremo Tribunal Federal, no RHC nº 120.379/RO, Primeira
Turma, Relator o Ministro Luiz Fux, DJe de 24/10/14, assentou
que "a conexão intersubjetiva ou instrumental decorrente do
simples encontro fortuito de prova que nada tem a ver com o
objeto da investigação principal não tem o condão de impor
o unum et idem judex", bem como que "o simples encontro
fortuito de prova de infração que não possui relação com o
objeto da investigação em andamento não enseja o simultaneus
processus".*

Continua o voto:

Outrossim, ainda que o juízo processante, com base nos depoimentos do imputado colaborador e nas provas por ele apresen-
tadas, tenha decretado prisões e ordenado a realização de busca
e apreensão ou de censura telefônica, essa circunstância não
gerará sua prevenção, com base no art. 83 do Código de Processo Penal, caso devam ser primariamente aplicadas as regras
de competência do art. 70 do Código de Processo Penal (local
da consumação) ou do art. 78, II, a ou b, do Código de Processo
Penal (conexão ou continência), uma vez que a prevenção,
repita-se, é um critério subsidiário de aferição da competência.

O voto assume que, em que pese ter sido o caso remetido ao STF
pelo encontro fortuito decorrente da delação premiada, esses fatos
"não têm indissolúvel correlação com as investigações sob a relatoria
do ministro Teori Zavascki relativas a fraudes e desvios de recursos
no âmbito da Petrobras".

O simples fato de a Polícia Judiciária ou o Ministério Público
Federal denominarem de "fases da Operação Lava Jato" uma
sequência de investigações sobre crimes diversos – ainda que a

sua gênese seja a obtenção de recursos escusos para a obtenção de vantagens pessoais e financiamento de partidos políticos ou candidaturas – não se sobrepõe às normas disciplinadoras da competência.

Nenhum órgão jurisdicional, portanto, pode se arvorar de juízo universal de todo e qualquer crime relacionado a desvio de verbas para fins político-partidários, à revelia das regras de competência.

Não se cuida, a toda evidência, de censurar ou obstar as investigações, que devem prosseguir com eficiência para desvendar todos os ilícitos praticados, independentemente do cargo ocupado por seus autores, mesmo porque, como já advertia **Louis Brandeis**, Juiz da Suprema Corte Americana de 1916 a 1939, "a luz do sol é o melhor desinfetante e a luz elétrica é o mais eficiente policial".

Cuida-se, isso sim, de se exigir a estrita observância do princípio do juiz natural (art. 5º, LIII, da CF).

(STF, Pleno, QO no INQ 4130/PR, Min. Dias Toffoli)

Ultrapassando, Toffoli defende desmembrar o caso, ou seja, dividir deixando no STF somente a parte daqueles que têm foro de prerrogativa e mandando à primeira instância os demais. A conclusão é que os crimes de lavagem de dinheiro e de falsidade ideológica se consumaram em São Paulo, o que justifica a atração de todos eles para a Seção Judiciária do Estado de São Paulo, ressalvada a apuração de outras infrações conexas que, por força das regras do art. 78 do Código de Processo Penal, justifiquem conclusão diversa quanto ao foro competente. Conclui por remeter para São Paulo assim como fez "o Ministro Celso de Mello, na Pet nº 5.700, em decisão proferida em 22/9/15, (…) em relação ao Ministro de Estado Aloizio

Mercadante Oliva e ao Senador da República Aloysio Nunes Ferreira Filho, determinou a cisão dos feitos e, desde logo, ordenou a remessa de cópias à Justiça Eleitoral de São Paulo e de Minas Gerais para a apuração das condutas ..."

Em resumo, o STF resolveu desmembrar o processo, e naquele 22 de setembro de 2015 o ministro Roberto Barroso, sem defender que Moro era competente, defendeu que fosse remetido a ele para se manifestar, enquanto Gilmar Mendes e Celso de Mello votavam que Sérgio Moro era competente. Com o voto de Toffoli, Lewandowski, Marco Aurélio, Cármen Lúcia, Rosa Weber, Zavascki e Fachin formavam o placar 7 a 3.

O Supremo não decidiu que Sérgio Moro era competente para todos os casos da Petrobras. Isso não fez parte da discussão. O Supremo decidiu que havia um limite na ampliação de competência de Moro e esse limite era que ao mínimo houvesse algo da Petrobras. Nesse caso, enquanto se definia o limite e desde já se remetia para São Paulo, nos outros casos remetidos a Moro não se definia a competência dele. Se remetia não analisando a competência, como foi a proposta de Barroso no julgamento.

Moro passou a usar uma meia verdade para afirmar que "O próprio Egrégio Supremo Tribunal Federal tem sistematicamente enviado a este Juízo processos relativos a esse esquema criminoso que vitimou a Petrobras em decorrência de desmembramentos de investigações perante ele instauradas, bem como provas colhidas a respeito dele" (5051562-04.2016.4.04.7000).

Com meia verdade de que o STF sistematicamente mandava os casos para Curitiba, Moro passou a dizer que o STF tinha decidido que ele era competente, quando na verdade o STF remetia sem decidir sobre competência. No processo do ex-presidente Lula, quando entramos com exceção de incompetência por Paulo Okamotto, além de usar a frase acima, o juiz se utiliza da mesma forma de mentir ao citar as decisões pela metade:

Isso ocorreu, por exemplo, com as provas resultantes dos acordos de colaboração de Paulo Roberto Costa, Alberto Youssef, Nestor Cuñat Cerveró, Ricardo Ribeiro Pessoa e os dos executivos da Andrade Gutierrez. Diversos inquéritos ou processos envolvendo a apuração de crimes do esquema criminoso que vitimou a Petrobras foram objetos de desmembramento pelo Supremo Tribunal Federal e posterior remessa a este Juízo, como v.g., ocorreu quando do desmembramento das apurações nas Petições 5678 e 6027, com remessa a este Juízo dos elementos probatórios em relação ao ex-Senador Jorge Afonso Argello. Até mesmo ações penais que têm por objeto fatos do âmbito do esquema criminoso que vitimou a Petrobras têm sido desmembradas e remetidas a este Juízo para prosseguimento quanto aos destituídos de foro. O mesmo tem ocorrido com ações penais quando há perda superveniente do foro por prerrogativa de função, como ocorreu com a ação penal proposta contra o ex-Deputado Federal Eduardo Cosentino da Cunha no Inquérito 4146 e que, após a cassação do mantado, foi remetida a este Juízo, onde tomou o nº 5051606- 23.2016.404.7000. Aliás, os próprios inquéritos 5003496-90.2016.404.7000, 5006597- 38.2016.404.7000 e 5054533-93.2015.404.7000, nos quais se apuram eventuais crimes do ex-presidente, foram remetidos ao Egrégio Supremo Tribunal Federal em decorrência da nomeação do investigado como Ministro Chefe da Casa Civil, sendo devolvidos a este Juízo após a perda do foro por prerrogativa de função. Todos esses casos e exemplos indicam o posicionamento daquela Suprema Corte de que este Juízo é competente para processar e julgar os crimes investigados e processados no âmbito do esquema criminoso que vitimou a Petrobras. Também o Superior Tribunal de Justiça tem se posicionado por reconhecer a competência deste Juízo ainda que provisoriamente, como se verifica na ementa do acórdão prolatado em 25/11/2014 no HC 302.604: "PENAL. PROCESSO PENAL. CONSTITUCIONAL. HABEAS CORPUS IMPETRADO EM SUBSTITUIÇÃO A RECURSO PRÓPRIO. OPERAÇÃO 'LAVA JATO'. PACIENTE PRESO PREVENTIVAMENTE E DEPOIS DENUNCIADO POR INFRAÇÃO AO ART. 2º DA LEI N. 12.850/2013; AOS ARTS. 16, 21, PARÁGRAFO ÚNICO, E 22, CAPUT E PARÁGRAFO ÚNICO, TODOS DA LEI N. 7.492/1986, NA FORMA DOS ARTS. 29 E 69, AMBOS DO CÓDIGO PENAL; BEM COMO AO ART. 1º, CAPUT, C/C O § 4º, DA LEI N. 9.613/1998, NA FORMA DOS ARTS. 29 E 69 DO CÓDIGO PENAL. HABEAS CORPUS NÃO CONHECIDO. 01. De ordinário, a competência para processar e julgar ação penal é do Juízo do 'lugar em que se consumar a infração' (CPP, art. 70, caput). Será determinada, por conexão, entre outras hipóteses, 'quando a prova de uma infração ou de qualquer de suas circunstâncias elementares influir na prova de outra infração' (art. 76, inc. III). Os tribunais têm decidido que: I) 'Quando a prova de uma infração influi direta e necessariamente na prova de outra há liame probatório suficiente a determinar a conexão instrumental'; II) 'Em regra a questão relativa à existência de conexão não pode ser analisada em habeas corpus porque demanda revolvimento do conjunto probatório, sobretudo, quando a conexão é instrumental; todavia, quando o impetrante oferece prova pré-constituída, dispensando dilação probatória, a análise do pedido é possível' (HC 113.562/PR, Min. Jane Silva, Sexta Turma, DJe de 03/08/09)

02. Ao princípio constitucional que garante o direito à liberdade de locomoção (CR, art. 5º, LXI) se contrapõe o princípio que assegura a todos direito à segurança (art. 5º, caput), do qual decorre, como corolário lógico, a obrigação do Estado com a 'preservação da ordem pública e da incolumidade das pessoas e do patrimônio' (CR, art. 144).

Presentes os requisitos do art. 312 do Código de Processo Penal, a prisão preventiva não viola o princípio da presunção de inocência. Poderá ser decretada para garantia da ordem pública – que é a 'hipótese de interpretação mais ampla e flexível na avaliação da necessidade da prisão preventiva. Entende-se pela expressão a indispensabilidade de se manter a ordem na sociedade, que, como regra, é abalada pela prática de um delito. Se este for grave, de particular repercussão, com reflexos negativos e traumáticos na vida de muitos, propiciando àqueles que tomam conhecimento da sua realização um forte sentimento de impunidade e de insegurança, cabe ao Judiciário determinar o recolhimento do agente' (Guilherme de Souza Nucci). Conforme Frederico Marques, 'desde que a permanência do réu, livre ou solto, possa dar motivo a novos crimes, ou cause repercussão danosa e prejudicial ao meio social, cabe ao juiz decretar a prisão preventiva como garantia da ordem pública'. Nessa linha, o Superior Tribunal de Justiça (RHC n. 51.072, Min. Rogerio Schietti Cruz, Sexta Turma, DJe de 10/11/14) e o Supremo Tribunal Federal têm proclamado que 'a necessidade de se interromper ou diminuir a atuação de integrantes de organização criminosa, enquadra-se no conceito de garantia da ordem pública, constituindo fundamentação cautelar idônea e suficiente para a prisão preventiva' (STF, HC n. 95.024, Min. Cármen Lúcia; Primeira Turma, DJe de 20.02.09). 03. Havendo fortes indícios da participação do investigado em 'organização criminosa' (Lei n. 12.850/2013), em crimes de 'lavagem de capitais' (Lei n. 9.613/1998) e 'contra o sistema financeiro nacional' (Lei n. 7.492/1986), todos relacionados a fraudes em processos licitatórios das quais resultaram vultosos prejuízos à sociedade de economia mista e, na mesma proporção, em seu enriquecimento ilícito e de terceiros, justifica-se a decretação da prisão preventiva como garantia da ordem pública. Não há como substituir a prisão preventiva por outras medidas cautelares (CPP, art. 319) 'quando a segregação encontra-se justificada na periculosidade social do denunciado, dada a probabilidade efetiva de continuidade no cometimento da grave infração denunciada' (RHC n. 50.924/SP, Rel. Ministro Jorge Mussi, Quinta Turma, DJe de 23/10/2014). 04. 'Habeas corpus não conhecido'. (HC 302.604/PR – Rel. Min. Newton Trisotto – 5ª Turma do STJ – un. – 25/11/2014). Por algum motivo obscuro, a Defesa de Paulo Okamotto afirma, na inicial da exceção, que este Juízo teria cometido uma "flagrante falsidade ao citar o referido acórdão (fl. 69), mas como se verifica na ementa a questão da competência foi incidentemente apreciada".

A remessa do Supremo Tribunal decidida em acórdão datado de 10 de junho de 2014 no julgamento da QO nas APNs 871 a 878, com relatoria do ministro Teori Zavascki não decidiu que Moro era competente, mas devolveu a remessa dos autos à origem. Sempre o STF mandava a Sérgio Moro suscitando dúvida. "Se houvesse alguma dúvida – e eu, em alguns casos que determinei a cisão, tive dúvidas, porque não tinha elementos suficientes –, se houvesse alguma dúvida sobre a competência, penso até que se deveria mandar de volta para que o juiz lá examinasse. Mas, nesse caso, aqui, não há dúvida, há uma denúncia oferecida que diz que o fato se consumou em São Paulo." Ministro Teori Zavascki, em julgamento da QO no INQ 4.130/PR em Plenário.

Relativamente à existência de conexão, não pode ser analisada em *habeas corpus*. Não é uma decisão, mas uma indecisão, uma não decisão. O STJ se esquivou de decidir sob o argumento de que o caso seria complexo para analidar. Na inicial da exceção de incompetência acima citada se descrevem esses truques que se revestem em verdadeiras enganações:

Se o político corrupto tem vantagens competitivas em relação ao honesto, o juiz autoritário, que decide de maneira arbitrária, também tem vantagens competitivas em relação ao imparcial, equidistante, que se pauta pela Lei Orgânica e pelo Código de Ética da Magistratura. A ilegalidade na atuação de V. Exa. está escancarada na decisão de recebimento da denúncia, em que assim se manifestou a respeito de sua competência para o processamento e julgamento da causa: "Considerando os termos da denúncia, a conexão com os demais processos envolvendo o esquema criminoso que vitimou a Petrobras e em especial com a ação penal 508337605.2014.404.7000 é óbvia. Não há como, sem dispersar as provas e dificultar a compreensão dos fatos, espalhar processos envolvendo esse mesmo esquema criminoso perante Juízos diversos no território nacional, considerando a conexão e continência entre os diversos fatos delitivos. Nesse aspecto, o Superior Tribunal de Justiça, ao julgar habeas corpus impetrado em relação à ação penal conexa, já reconheceu a conexão/continência entre os processos da assim denominada Operação Lava Jato (HC 302.604/PR Rel. Min. Newton Trisotto 5ª Turma do STJ un. 25/11/2014). Ressalve-se que, quanto aos beneficiários específicos, aqueles com foro por prerrogativa de função respondem a investigações ou denúncias desmembradas perante o Egrégio Supremo Tribunal Federal. De todo modo, eventuais questionamentos da competência deste Juízo poderão ser, querendo, veiculados pelas partes através do veículo próprio no processo penal, a exceção de incompetência, quando, então, serão, após oitiva do MPF, decididos segundo o devido processo." (doc. 16) (destacamos) Ocorre que, ao acessar o habeas corpus indicado por V. Exa. (HC 302.604/PR, impetrado em 27 de agosto de 2014), eis o que se revela. Em 20 de outubro de 2014 a liminar foi indeferida: "02.03. De acordo com numerosas decisões unipessoais

GEOPOLÍTICA DA INTERVENÇÃO

dos Ministros integrantes da Terceira Seção desta Corte, quando a 'motivação que dá suporte à pretensão liminar confunde-se com o mérito do writ', deve 'o caso concreto ser analisado mais detalhadamente quando da apreciação e do seu julgamento definitivo'." (HC 306.389/SP, Rel. Min. Jorge Mussi, DJe de 14.10.2014, HC 306.666/SP, Rel. Min. Sebastião Reis Junior, DJe de 13.01.2014, HC 303.408/RJ, Rel. Min. Rogério Schietti, DJe de 15.09.2014; HC 296.843/SP; Rel. Min. Maria Thereza de Assis Moura, DJe de 24.06.2014 e HC 278.431/SP, Rel. Min. Jorge Mussi, DJe de 17.09.2013). 03. À vista do exposto, indefiro a liminar. Solicitem-se informações à autoridade Excepta. Posteriormente, remetam-se os autos ao Ministério Público Federal. Publique-se. Intimem-se. Brasília, 06 de outubro de 2014.

Levado a julgamento em 1º de dezembro de 2014, o *habeas corpus* sequer foi conhecido, em acórdão assim ementado:

PENAL. PROCESSO PENAL. CONSTITUCIONAL. HABEAS CORPUS IMPETRADO EM SUBSTITUIÇÃO A RECURSO PRÓPRIO. OPERAÇÃO "LAVA JATO". PACIENTE PRESO PREVENTIVAMENTE E DEPOIS DENUNCIADO POR INFRAÇÃO AO ART. 2º DA LEI N. 12.850/2013; AOS ARTS. 16, 21, PARÁGRAFO ÚNICO, E 22, CAPUT E PARÁGRAFO ÚNICO, TODOS DA LEI N. 7.492/1986, NA FORMA DOS ARTS. 29 E 69, AMBOS DO CÓDIGO PENAL; BEM COMO AO ART. 1º, CAPUT, C/C O § 4º, DA LEI N. 9.613/1998, NA FORMA DOS ARTS. 29 E 69 DO CÓDIGO PENAL. HABEAS CORPUS NÃO CONHECIDO.

Apesar de os Impetrantes terem oposto Embargos de Declaração, desistiram do feito, conforme decisão homologatória de 24 de fevereiro de 2015:

DECISÃO THIAGO TIBINKA NEUWERT e outros impetraram habeas corpus em favor de JOÃO PROCÓPIO JUNQUEIRA DE ALMEIDA PRADO. Não conhecido o writ pela Quinta Turma (fls. 17639/17663), em 25/11/2014, opuseram embargos de declaração (fls.17.666/17.667). Posteriormente desistiram dos embargos, "em razão da perda de objeto, uma vez que o Juízo de primeira instância substitui a prisão preventiva por medidas cautelares diversas" (fl. 17698/17.704). À vista do exposto, ante o permissivo do art. 34, inc. IX, do Regimento Interno do Superior Tribunal de Justiça, homologo o pedido de desistência. Publique-se. Intimem-se. Brasília, 24 de fevereiro de 2015.

É, portanto, uma flagrante falsidade o que Sergio Moro reiteradamente expõe em suas fundamentações, afirmando que a sua suposta competência universal no âmbito da Operação Lava Jato teria sido reconhecida pelo STJ.

Joseph Goebbels, ministro da propaganda de Hitler, dizia: "Repita uma mentira um milhão de vezes que ela se tornará a mais absoluta de todas as verdades". Parece que a Moro repetir insistentemente que o STJ havia decidido sua competência quando nunca o fez, e que o STF também havia feito, criava uma mentira que ia se tornando verdade.

Mas os tribunais superiores também usavam o que afirmei na sustentação que realizei perante o TRF no processo em que Lula e Okamotto eram acusados sobre o acervo presidencial (tríplex), que o STF agiu como no crime omissivo impróprio[111]. A omissão de não decidir que Moro era competente foi uma forma de permitir que a ilegalidade se propagasse. Mas as consequências não foram exatamente o esperado.

---

[111] Para compreensão: a omissão imprópria é quando se substitui a ação pelo não agir de forma dolosa. O clássico exemplo é quando não se joga uma boia ao mar, para que a pessoa morra afogada. Quando o dolo é a morte não se está diante de omissão de socorro, mas diante de um homicídio doloso por omissão (imprópria).

13. O RESULTADO ADIADO –
O MORO DO STF

Existem enormes diferenças entre a operação *mani pulite* e a Lava Jato. No raso texto de Moro sobre a operação, ele destaca que uma das causas que teria sido "a deslegitimação da classe política propiciou um ímpeto às investigações de corrupção, e os resultados desta fortaleceram o processo de deslegitimação". Essa deslegitimação teria feito com que a operação tivesse efeitos no mundo político: "A operação *mani pulite* ainda redesenhou o quadro político na Itália. Partidos que haviam dominado a vida política italiana no pós-guerra, como o Socialista (PSI) e o da Democracia Cristã (DC), foram levados ao colapso, obtendo, na eleição de 1994, somente 2,2% e 11,1% dos votos, respectivamente".

No Brasil, a Lava Jato se inicia em março de 2014, um ano eleitoral. Em 26 de outubro elegeu-se pela segunda vez Dilma Rousseff com 51,6% dos votos válidos. Havia muito os ânimos não saíam tão exaltados, e o candidato perdedor do PSB, Aécio, com 48,3% dos votos, apesar de pedir auditoria na votação. A Operação Lava Jato transpassou o ano eleitoral.

Já em junho de 2013, uma onda de protestos se espalhou pelo Brasil contra a corrupção e gastos com a Copa do Mundo. O PT já se encontrava no governo havia 12 anos. Em junho de 2014, a *Folha de S.Paulo* revela que na cidade de Cláudio (MG), um aeroporto foi construído por Aécio Neves na fazenda de seu tio. Mas em setembro de 2014, ocorre o primeiro vazamento das delações de Paulo Roberto Costa.

Ambos os candidatos se apropriam da pauta e do discurso da Lava Jato contra a corrupção. Um trabalho[112] sobre análise[113] do discurso, de Sandra Parzianello e Geder Luis, registra que os discursos antagônicos flutuantes e vazios entre Dilma e Aécio se dão em torno da corrupção. Isto representa uma mudança em relação à eleição de 2002 em que Lula e o PT desenvolvem o discurso de mudança, relatando o povo cansado e "o Brasil está vivendo um colapso econômico"[114], ao mesmo tempo que nas eleições seguintes, que elegem Bolsonaro, veremos um pêndulo à direita e o discurso do ódio[115].

Ao propor investigar corruptos e corruptores, a candidata faz uma relação de equivalência com duas outras metas de campanha por meio do ponto nodal "frear a corrupção", como demonstra a fala acima. Esta relação se dá pela investigação dos indícios de desvios na Petrobras e sobre as leis aprovadas durante o governo PT. A meta de transformar em crime os casos de corrupção, com a aprovação da Lei nº 12.830/137 [que dispõe sobre a investigação criminal conduzida pelo delegado de polícia] e a Lei nº 12.850/138 [que define organização criminosa e dispõe sobre a investigação criminal, os meios

---

[112] **O tema é corrupção: análise do discurso político dos candidatos do PT e PSDB no segundo turno das eleições de 2014**. Sandra Regina Barbosa Parzianello e Geder Luis.

[113] Interessante trabalho sobre análise de discurso por meio de fotos de capa da revista *Veja* intitulado *Veja FHC, Veja Lula: análise dos discursos de capa da revista Veja sobre os dois candidatos à Presidência* de, Carlos Augusto Dantas Pacheco. Disponível em: file:///C:/Users/joana.loureiro/Downloads/35311-Texto%20do%20artigo-41603-1-10-20120731.pdf.
Outro trabalho: **A trajetória imagética de Lula: de líder sindical a presidente da República**, de Cristiane Sabino Silva e Paulo César Boni. Disponível em: file:///C:/Users/joana.loureiro/Downloads/1467-4615-1-PB.pdf.

[114] TONIAZZO, Alessandra Bedin. **A Eleição de 2002 em palavras: Estratégias discursivas de Lula**. Disponível em: http://www.intercom.org.br/papers/regionais/sul2007/resumos/R0047-1.pdf.

[115] GIRELLI, Luciana Silvestre. **Discursos contra Lula e o PT: Expressões do ódio no cenário político brasileiro no pré-impeachment de Dilma Rousseff**. Disponível em: file:///C:/Users/joana.loureiro/Downloads/237727-132112-1-PB.pdf.

de obtenção da prova, infrações penais correlatas e o procedimento criminal] foi explorada e articulada retoricamente, pela forma como se daria a luta contra o crime e, oportunamente, contra a corrupção.

Porém, ao tempo que a candidata propõe investigar indícios de desvio na Petrobras, admite que estes indícios existem e constrói uma retórica discursiva a seu favor, quando mais uma vez aponta e sugere atos de impunidade do partido adversário, como também faz uma articulação de sentidos que coloca em descrédito o seu opositor. No debate dos candidatos à Presidência da República, promovido pela Rede Record de televisão, em 19 de outubro, esta noção parece implícita:

> Eu sei que há indícios de desvio de dinheiro. Eu nunca impedi a investigação, candidato. Eu nunca impedi que falassem, que olhassem ou verificassem o que está acontecendo. Eu faço questão que a Polícia Federal investigue, candidato. [Na tela: a força da Petrobras]. Vocês, candidato, venderam 30% da Petrobras no mercado de ações a preço de banana, candidato. Na época a Petrobras valia 15 bilhões e 500 milhões, hoje a Petrobras passou ao patamar dos 100 bilhões. Vocês não têm a menor moral para falar de valor da Petrobras. O senhor disse que pensava em algum momento em privatizar a Petrobras, mas que isso não estava ainda na pauta. Eu só fico pensando quando é que o senhor quer colocar na pauta. É denegrindo a Petrobras, é dizendo que a Petrobras perdeu valor. Que é isso, candidato? A Petrobras é a maior empresa desse país e a força dela, candidato, são seus trabalhadores, sua capacidade de descobrir seu controle tecnológico. Eu sei, candidato, que vocês gostariam mais de ver a Petrobras dividida entre as grandes empresas internacionais. A Petrobras será a maior empresa desse país por muitos anos. (ROUSSEFF, HGPE, 21/10/2014).

> (...)

Ao mesmo tempo, Aécio Neves explorou retoricamente o HGPE (Horário Gratuito de Propaganda Eleitoral) e articulou-se em torno dos indícios de corrupção vindos à tona, a partir dos escândalos na Petrobras. Estabeleceu relação direta do nome da candidata oponente aos acontecimentos vistos como vergonhosos, naquela contingência. O ponto nodal "denúncias (Petrobras)" faz-se equivaler a um conteúdo de significações, conforme recorte do debate dos candidatos na Rede Record, em 28 de setembro:

[Na tela: "O BR quer respeito"] Infelizmente as nossas empresas públicas e as nossas instituições foram tomadas por um grupo político que as utilizam para se manter no poder. Essa é a grande realidade. A cada debate, em que nos encontramos, há uma denúncia nova em relação à Petrobras, por exemplo, talvez, o retrato mais visível do descompromisso desse governo com a profissionalização, com resultados, e é isso que precisa mudar no Brasil. Eu me preparei para brigar ao seu lado, eu me preparei para apresentar uma proposta ao país que permita que a inflação volte a ser controlada, e nós voltemos a crescer, porque é o crescimento que gera emprego. Tem sido absolutamente claro, [imagem de Dilma em meia tela com expressão de descontentamento] no que diz respeito à Petrobras, nós não vamos privatizá-la. [retirada a imagem da candidata Dilma]. Inclusive, um projeto de lei que proíbe a sua privatização é de autoria do PSDB. Mas eu vou reestatizá-la, [volta a imagem de Dilma, novamente mostra-se insatisfeita] eu vou tirá-la das mãos desse grupo político que tomou conta dessa empresa e está fazendo aquilo que nenhum brasileiro poderia imaginar, negócios há 12 anos, senhora presidente e senhora candidata. E a senhora era a presidente do Conselho de Administração desta empresa. É vergonhoso, eu expresso aqui a indignação de milhões de brasileiros, as denúncias não cessam. Mas, não há, senhora candidata, e vou falar aqui de forma muito franca, não

GEOPOLÍTICA DA
INTERVENÇÃO

há um sentimento de indignação, eu não vejo em momento algum a senhora dizendo: não é possível que fizeram isso nas minhas barbas sem eu saber o que estava acontecendo. Não, candidata. Esta indignação está faltando, mas eu a expresso aqui. (NEVES, HGPE, 10/10/2014)[116].

Jânio Quadros se elegeu com o discurso contra a corrupção. Sua música de campanha era "Varre, varre vassourinha"[117], e Fernando Collor de Mello como "O Caçador de Marajás"[118]. A corrupção sempre foi um elemento de discurso no imaginário do brasileiro. A mudança desses discursos em relação ao PT é tema do trabalho "De Lula-lá a Lula-light: mudanças do discurso petista nas eleições presidenciais de 1989, 1994, 1998 E 2002...", de Eduardo Horácio da Costa e Silva Júnior[119]. O trabalho demonstra a mudança da defesa da honestidade durante as fases do PT. Mas a partir da eleição de Dilma, absorve o discurso de combate à corrupção.

No discurso da ética e da honestidade, tema que o partido abraça cada vez mais ao longo do tempo, houve variações relevantes da primeira à quarta eleição presidencial. Em 1989, durante

---

[116] **O tema é corrupção: análise do discurso político dos candidatos do PT e PSDB no segundo turno das eleições de 2014**. Sandra Regina Barbosa Parzianello e Geder Luis Parzianello. Disponível em: https://wp.ufpel.edu.br/legadolaclau/files/2015/07/PARZIANELO-Sandra-1.pdf.

[117] **Música da campanha de Jânio Quadros**. Disponível em: https://www.youtube.com/watch?v=m0QfM_IJsBw.

[118] A revista *Veja* anuncia na capa reportagem sobre o governador de Alagoas, Fernando Collor de Mello, atribuindo-lhe o título de "Caçador de Marajás". Os chamados "marajás" eram funcionários públicos que, por meio de processos fraudulentos, acumulavam vencimentos e benefícios exorbitantes. Disponível em: http://memorialdademocracia.com.br/card/novo-ator-politico-aparece-em-cena. Veja também **Collor - o caçador de marajás (oficial) sensacional**. Disponível em: https://www.youtube.com/watch?v=-wEvBmB_z8k.

[119] COSTA, Eduardo Horácio da e JÚNIOR, Silva. **De Lula-lá a Lula-light: mudanças do discurso petista nas eleições presidenciais de 1989, 1994, 1998 e 2002**. Disponível em: http://www.dominiopublico.gov.br/download/texto/cp081806.pdf.
De Lula-lá a Lula-light: mudanças do discurso petista nas eleições presidenciais de 1989, 1994, 1998 e 2002. Disponível em: http://www.dominiopublico.gov.br/pesquisa/DetalheObraForm.do?select_action=&co_obra=131257.

o primeiro e segundo turnos, percebe-se que o programa eleitoral de Lula não utiliza uma única vez palavras mais tarde recorrentes no discurso petista, como "ética", "honestidade" e "decência". Uma das poucas referências ao assunto foi feita no fim do último programa eleitoral do primeiro turno, em 12 de novembro de 1989, quando Lula afirma que "Quem tem militância como vocês, não tem do que reclamar. Não precisamos de fortunas: temos moral e dignidade. Até a vitória".

Em 1994, o tema da honestidade aparece com mais força no discurso de Lula e do seu programa eleitoral na televisão. O momento político do país também justifica parte do discurso, já que dois anos antes, em 1992, o partido ajudou a construir o Movimento pela Ética na Política, que resultou na cassação de Fernando Collor da Presidência da República.

O horário eleitoral gratuito de Lula, já no primeiro dia, em seu programa noturno de 2 de agosto de 1994, soltou um *slogan* que veiculava a imagem de Lula ao tema: "Honestidade é Lula. O Brasil não abre mão". Em 4 de agosto de 1994 Lula encerra o programa eleitoral na televisão dizendo: "Não tenho rabo preso com ninguém". E no programa de 7 de agosto de 1994 Lula diz que "a bancada do PT tem ética na política. Não há um nome envolvido em corrupção", discursos que voltariam a ser repetidos durante todo o período de campanha eleitoral.

Apesar do documento "Resoluções políticas", aprovado em 31 de agosto de 1997, no 11º Encontro Nacional do PT, dedicar espaço à defesa da "ética na gestão da coisa pública", o programa eleitoral de Lula em 1998 praticamente não fala em ética, honestidade e decência, palavras-chave da campanha de 1994.

Efetivamente tanto o PT quanto o PSDB e os demais partidos assumiram o discurso do combate à corrupção, e a Lava Jato virou discurso de consenso. O PT, durante a eleição e após a vitória, apesar dos ataques, não compreendeu que a meta era a destruição do partido.

GEOPOLÍTICA DA INTERVENÇÃO

Os demais partidos, por entendimento equivocado, achavam que sendo exclusivamente contra o PT era uma oportunidade de assumir o discurso e conseguir espaço político.

Em 17 de setembro de 2015, Eduardo Cunha recebe o pedido de *impeachment* de Dilma[120]. Entre os proponentes, Miguel Reale Júnior, ex-ministro do governo Fernando Henrique Cardoso e professor da USP. Os laços ideológicos e emocionais são ligas dessas permanências históricas como se o pai, Miguel Reale, um dos ideólogos da Ação Integralista Brasileira (AIB) e um dos principais redatores do Ato Institucional brasileiro, estivesse agindo pelo filho. Todos assistimos às cenas de Janaina Paschoal na USP, que obteve seu doutorado, orientada por Miguel Reale Júnior. Janaina vociferava de forma quase incompreensível:

"Nós queremos seguir a uma cobra? O Brasil não é a República da cobra! Nós somos muitos Célios, muitos Miguéis, muitas Janainas, muitos Celsos, muitos Daniéis, eles derrubam um e levantam dez. Não vamos deixar essas cobras dominando nossas mentes, as almas de nossos jovens, porque os professores de verdade querem mentes e almas livres. Por meio do dinheiro, de dinheiro, por meio de ameaças, por meio de perseguições, por meio de processos montados – e eu sei o que estou falando, porque conversei bem com muito perseguido político – eles querem nos deixar cativos. Mas não vamos abaixar a cabeça que meu pai me diz – Ricardo meu pai – 'Deus não dá asas para cobra' e aí eu digo para ele 'Mas pai, às vezes a cobra cria asas'. – Mas quando isso acontece Deus manda uma legião para cortar as asas da cobra! Nós queremos libertar o país do cativeiro de almas e mentes. Não vamos abaixar a cabeça para essa gente que se acostumou com um discurso único. Acabou a República da cobra!"

---

[120] RIZÉRIO, Lara. **Cunha recebe pedido de impeachment "mais notório" contra presidente Dilma.** Presidente da Câmara recebeu o principal pedido de impedimento do jurista Miguel Reale Jr. e de uma filha do jurista Hélio Bicudo, que representou o pai. 17 de setembro de 2015. Disponível em: https://www.infomoney.com.br/politica/cunha-recebe-pedido-de-impeachment-mais-notorio-contra-presidente-dilma/.

Logo após esse discurso, ao ser questionada pelos jornalistas, chorando Janaina diz que abraçaria Dilma se ela estivesse ali:

"Eu iria abraçá-la. Sei que ela deve estar sofrendo demais. A posição de quem acusa é muito dura. Não gosto desse papel. Acho que ela foi engendrada pelas cobras que estavam ao redor dela. De alguma forma, acho que estou fazendo um bem pra ela".

Não foi a única vez que a orientanda de Reale chorou. No dia 30 de agosto de 2016, na tribuna do Senado, Janaina dispara:

"Finalizo pedindo desculpas à senhora Presidenta, não por ter feito o que fiz, mas por eu ter lhe causado sofrimento. Mas sei que a situação que está vivendo não é fácil. Muito embora não fosse meu objetivo, causei sofrimento".

E chorando, finaliza:

"Peço que ela um dia entenda que eu fiz isso também pensando nos netos dela".

Nessas permanências históricas não é preciso ter grande capacidade imaginativa e de análise para perceber a religiosidade transpassando o discurso na USP e comparar a cobra figurada do seu discurso com a serpente que é descrita em Gênesis 3 em "A tentação de Eva e a queda do homem", quando Eva é tentada a comer do fruto proibido e por isso é lançada com Adão para fora do paraíso.

Ao mesmo tempo que Janaina, a maior acusadora de Dilma, juntamente com seu mentor, Reale, usa um sentimento falseado de compaixão, como se um "amor" justificasse a violência tal qual descreve a relação descrita por Pierre Legendre em *O amor do censor*. Muito disso sustenta a violência contra a mulher: "Eu não sei por que estou batendo, mas você sabe por que está apanhando", bato "por culpa sua", "eu te amo e te bato", diria o abusador.

O discurso e as emoções que desencapsularam as atuações dos comportamentos históricos de longa duração que vão potencializar o *impeachment* e trazer velhas posições que pareciam estar superadas como um anticomunismo acabaram se amalgamando com um plano claro de nova intervenção na América Latina por meio de "guerra jurídica assimétrica" (*lawfare*)[121] que acabou gerando a prisão de inúmeros ex-presidentes nas nações "do lado de baixo do equador" e a destruição de empresas. Isso enquanto nunca nenhum ex-presidente americano se viu condenado em nenhum processo crime e teve suas empresas protegidas. A Lava Jato é uma faceta dessa intervenção.

No dia 4 de março de 2016 o Brasil acorda com, até aquele momento, o maior teste de Moro. O ex-juiz determina, na 24ª fase, a condução coercitiva do ex-presidente Lula. A Globo News, no noticiário que começou às 16 horas e terminou à meia-noite, dispara por meio de Renata Lo Prete: "Basta a gente pensar qual a narrativa central desde o início da Operação Lava Jato. Que empreiteiras desviaram dinheiro de contratos da Petrobras, e nessa fase os investigadores chegaram à conclusão que um dos beneficiários é o presidente Lula".

O resumo da operação que justificou a condução coercitiva seriam duas acusações. A primeira, que Lula teria recebido da OAS benefícios na obra de um tríplex no Guarujá; e a diferença do que tinha pago em um apartamento de fundos no prédio para a cobertura. Isso sustentava a ideia de propina e que Lula ocultava que era dono do apartamento, por isso corrupção e lavagem. A segunda, que as doações da OAB para manutenção do acervo presidencial era propina. Mais uma vez corrupção e lavagem, nesse caso como corréu Paulo Okamotto.

O deputado Jair Bolsonaro aparece comemorando e soltando fogos pela condução coercitiva[122]. E Lula, que poderia ser escutado

---

[121] A professora Carol Proner descreve *lawfare* como um método de guerra não tradicional pelo qual a lei, pela sua legitimidade e seus atores (juízes, promotores e policiais), é utilizada como um meio para alcançar objetivo militar, desestabilizando ou substituindo governos. Cf. PRONER, Carol. *Lawfare como herramienta de los neofascismos.*

[122] **Bolsonaro comemora condução coercitiva de Lula soltando fogos.** O deputado carioca Jair Bolsonaro (PP-RJ) comemorou a 24ª fase da Operação Lava Jato indo até a sede da Polícia Federal em Curitiba-PR. Chegando lá, soltou fogos de artifício, prática já costumeira do parlamentar. Da Redação. Publicado em 4 de março de 2016. Disponível em: https://www.clickpb.com.br/brasil/bolsonaro-comemora-conducao-coercitiva-de-lula-soltando-fogos-201532.html.

em seu apartamento, é cercado por uma tropa de guerra, incluindo helicópteros, e é deslocado até o aeroporto de Congonhas para o ato. Todo o deslocamento fazia parte de uma estratégia para durar mais tempo, causar desgaste e exibir o espetáculo de linchamento público. A acusação não se sustenta juridicamente, como se verá no subcapítulo *O julgamento do TRF*, deste livro.

Em 28 de março de 2016 a OAB Federal, presidida por Claudio Lamachia, pede o *impeachment* de Dilma. Cunha ironiza o pedido da OAB de *impeachment* de Dilma[123]:

'A Ordem veio um pouquinho atrasada', diz o deputado.

São momentos diferentes, circunstâncias diferentes e pessoas diferentes. Agora a Ordem veio um pouquinho atrasada, o pedido de impeachment já está sendo tratado aqui há muito tempo. Naquele momento (impeachment de Collor) a Ordem veio com protagonismo, hoje ela veio com retardo – disse Cunha, ao comentar o apoio da OAB ao impeachment do ex-presidente Fernando Collor.

MORO QUEBRA SIGILO E COMETE CRIME

No dia 17 de março de 2016 Moro "quebra o sigilo" de gravações telefônicas de Lula e Dilma para o *Jornal Nacional*[124], que à noite mostrava as gravações feitas à tarde. A matéria que estampava todos os jornais era que Lula e Dilma tentavam se livrar da Lava Jato, e

---

[123] **Cunha ironiza pedido da OAB de impeachment de Dilma.** 'A Ordem veio um pouquinho atrasada', diz deputado - Isabel Braga e Manoel Ventura (*) – 28 de março de 2016. Disponível em: https://oglobo.globo.com/brasil/cunha-ironiza-pedido-da-oab-de-impeachment-de-dilma-18971417.

[124] *Jornal Nacional* 16/03/2016. **Moro derruba sigilo e divulga grampo de ligação entre Lula e Dilma**. Disponível em: https://www.youtube.com/watch?v=PRx6J3V9BKI.

como uma manobra Lula seria nomeado ministro.

Inúmeras ligações de Lula com seus advogados são divulgadas[125]: com Jaques Wagner, senadores, governadores... E a conversa abaixo transcrita, entre Lula e Dilma, seria a manobra para que ele (Lula) pudesse ter um termo de posse para poder contar e se livrar do juiz Sérgio Moro por meio de uma nomeação que tornaria o Supremo competente.

Transcrição de áudio entre Dilma e Lula.

P: Presidente Dilma Rousseff

R: Ex-presidente Lula

P: Alô.

R: Alô.

P: Lula, deixa eu...

R: Fala, querida.

P: ... te falar uma coisa?

R: Ahm.

P: Seguinte, eu estou mandando o Bessias, junto com o papel para a gente ter ele...

R: Ahm.

P: ... e só use em caso de necessidade, que é o termo de posse.

R: Aham.

P: Tá?

R: Ah, tá bom. Tá bom.

---

[125] CANÁRIO, Pedro. **MPF grampeou defesa de Lula para se antecipar, mostram mensagens.** ConJur. 5 de novembro de 2019. Disponível em: https://www.conjur.com.br/2019-nov-05/mpf-grampeou-defesa-lula-antecipar.

P: Só isso.

R: Ao mesmo...

P: Você espera aí...

R: Ah, tá bom.

P: ... que ele está indo aí.

R: Tá bom. Estou aqui. Fico aguardando.

P: Tá?

R: Tá bom.

P: Tchau.

R: Tchau, querida. (silêncio) Então é aquilo...

Transcrição de áudio Dilma Lula versão Rede Globo

Conversa com Dilma

– **Dilma**: Alô

– **Lula**: Alô

– **Dilma**: Lula, deixa eu te falar uma coisa.

– **Lula**: Fala, querida. Ahn

– **Dilma**: Seguinte, eu tô mandando o 'Bessias' junto com o papel pra gente ter ele, e só usa em caso de necessidade, que é o termo de posse, tá?!

– **Lula**: Uhum. Tá bom, tá bom.

– **Dilma**: Só isso, você espera aí que ele tá indo aí.

– **Lula**: Tá bom, eu tô aqui, fico aguardando.

– **Dilma**: Tá?!

– **Lula**: Tá bom.

– **Dilma**: Tchau.

– **Lula**: Tchau, querida[126].

Em outra gravação divulgada por Moro, Lula se manifesta quanto ao Supremo. O ex-presidente comenta ainda que a operação da Polícia Federal foi um "espetáculo de pirotecnia sem precedentes". A presidente Dilma concordou: "É isso aí!"

– Nós temos uma Suprema Corte totalmente acovardada, nós temos um Superior Tribunal de Justiça totalmente acovardado, um Parlamento totalmente acovardado, somente nos últimos tempos é que o PT e o PC do B é que acordaram e começaram a brigar. Nós temos um presidente da Câmara fodido, um presidente do Senado fodido, não sei quantos parlamentares ameaçados, e fica todo mundo no compasso de que vai acontecer um milagre e que vai todo mundo se salvar. Eu, sinceramente, tô assustado com a "República de Curitiba". Porque a partir de um juiz de 1ª Instância, tudo pode acontecer nesse país – diz Lula.

A gravação era ilegal, e a divulgação teve claro objetivo político no meio de um processo de *impeachment*. A gravação em si tinha ocorrido depois do cancelamento da autorização judicial, por isso era claramente ilegal[127]. Mas, acima de tudo, como um juiz de

---

[126] Disponível em: https://transcricoes.com.br/transcricao-de-audio-dilma-lula/.

[127] AMORIM, Felipe e COSTA, Flávio. **PF gravou Dilma e Lula após Moro interromper interceptação telefônica** - Do UOL, em Brasília e São Paulo. 16 de março de 2016. Disponível em:https://noticias.uol.com.br/politica/ultimas-noticias/2016/03/16/gravacao-entre-dilma-e-lula-foi-feita-depois-de-moro-decidir-pela-interrupcao-do-sigilo.htm.

primeira instância grava a presidente da República? E pior: como, contra a lei que determina o sigilo das gravações telefônicas, descumpre a lei? A Lei 9.296/96, que regula o inciso XII do artigo 5º da CF e a interceptação telefônica no art. 8º determina que "a interceptação de comunicação telefônica, de qualquer natureza, ocorrerá em autos apartados, apensados aos autos do inquérito policial ou do processo criminal, preservando-se o sigilo das diligências, gravações e transcrições respectivas", e prevê crime no descumprimento no sigilo:

> Art. 10. Constitui crime realizar interceptação de comunicações telefônicas, de informática ou telemática, promover escuta ambiental ou quebrar segredo da Justiça, sem autorização judicial ou com objetivos não autorizados em lei: (Redação dada pela Lei nº 13.869, de 2019)
>
> Pena – reclusão, de 2 (dois) a 4 (quatro) anos, e multa. (Redação dada pela Lei nº 13.869, de 2019)
>
> Parágrafo único. Incorre na mesma pena a autoridade judicial que determina a execução de conduta prevista no **caput** deste artigo com objetivo não autorizado em lei. (Incluído pela Lei nº 13.869, de 2019)

Quanto ao desrespeito aos termos da lei, o art. 5º (CF) determina que "a decisão será fundamentada, sob pena de nulidade, indicando também a forma de execução da diligência, **que não poderá exceder o prazo de quinze dias, renovável por igual tempo uma vez comprovada** a indispensabilidade do meio de prova".

Ocorre que, abandonando a lei e a doutrina, os membros do Judiciário contrariam a doutrina e os textos de estudos científicos e professores, como alertou Geraldo Prado no texto "A transição democrática no Brasil e o Sistema de Justiça Criminal"[128], destacando o texto[129] de Juarez Tavares de que a jurisprudência tornou-se a única forma de elaboração do Direito

Pedro Serrano, no livro o *Autoritarismo e golpes na América Latina*, nos traz a ideia de que a exceção, ou o Estado de Exceção, está ligada à ideia de Carl Schmitt da soberania. O poder está no fato de o soberano suspender os direitos fundamentais do inimigo. Hitler teria utilizado a expressão "Estado de Exceção" da Constituição de Weimar, para buscar legitimidade para a instauração da ditadura após o incêndio do Reichstag.

Pedro sustenta, com toda precisão, que os regimes autoritários contemporâneos não se declaram permanentes, mas transitórios, por meio de um discurso marcado pela temporariedade "na qual não há extinção dos direitos da sociedade, mas sua suspensão"[130]. Assim foi nas ditaduras nazista, fascista e nas ditaduras militares na América Latina.

Essa exceção como poder ocorre em razão de uma conquista que não é possível desmontar, tão-somente deturpar ou suspender. A ideia cristã de que todos somos filhos de Deus, portanto iguais e irmãos, se laicizou e se secularizou com o Iluminismo. "O conceito de pessoa humana talvez tenha sido o mais revolucionário da história

---

[128] **A transição democrática no Brasil e o Sistema de Justiça Criminal**. Disponível em: http://www.geraldoprado.com/Artigos/Geraldo%20Prado%20-%20Palestra%20Coimbra%20-%20A%20transi%C3%A7%C3%A3o%20democr%C3%A1tica%20no%20Brasil.pdf.
Acessar outros em: http://www.geraldoprado.com/artigos.php e https://edisciplinas.usp.br/pluginfile.php/4413097/mod_resource/content/1/Extra%20-%20U11%20-%20GERALDO%20PRADO%20-%20Intercepta%C3%A7%C3%B5es%20Telefonicas.pdf.

[129] **DE VOLTA À RELAÇÃO ENTRE DOUTRINA E JURISPRUDÊNCIA: um texto de Juarez Tavares** Disponível em: http://naopassarao.blogspot.com/2012/07/de-volta-relacao-entre-doutrina-e.html?spref=fb.

[130] SERRANO, Pedro Esteves Alves Pinto. *Autoritarismo e golpes na América Latina: Breve ensaio sobre jurisdição e exceção*. São Paulo: Alameda, 2016, p. 167.

do homem da Terra, traduzindo-se como contribuição da cristandade para nossa sociabilidade[131]."

Essa exceção constante, temporária no discurso, mas quase permanente na prática, segundo Pedro, na América Latina compreende dois planos de análise. Primeiramente, ao mesmo tempo que o Estado de Direito se opera, existe, ele coexiste com um Estado de Exceção geograficamente localizado contra o inimigo "bandido", nos nossos guetos onde vive a população pobre e marginalizada do país, nas nossas cidades[132]. Mas também "a jurisdição como fonte de exceção[133]."

A "discricionariedade do julgador na aplicação do direito, personificando verdadeiro poder soberano primário na acepção schimittiana do termo – aquele que tem a competência para decidir pela exceção e suspender os direitos da sociedade[134]", tem na América Latina um ponto fundamental no desmonte das conquistas de nosso Estado de Direito, e do retrocesso que estamos vivendo neste momento histórico. No Brasil, Pedro pinça alguns exemplos: o do processo do Mensalão e o número de presos provisórios, cumprindo pena sem sentença.

Lenio Streck adverte que "o problema enfrentado é o ato interpretativo do juiz no momento de decidir". (…) Defender que a decisão jurídica pressupõe um juízo discricionário de um juiz que, com seu livre convencimento (motivado ou não – o que dá no mesmo), pode decidir a partir de sua consciência, é esquecer que estamos desde sempre inseridos num mundo em que as significações se dão intersubjetivamente. Logo, a jurisdição não pode ser compreendida como uma escolha personalista. Ao contrário, deve ser entendida como um processo que requer responsabilidade política"[135].

---

[131] *Ibid*, p. 164.

[132] *Ibid*, p. 149.

[133] *Ibid*, p. 157.

[134] *Ibid*, p. 21.

[135] STRECK, Lenio. *Compreender Direito – hermenêutica*. São Paulo: tirant do brasil, 2019. p. 40.

Lenio ensina que: "Ao juiz não é dado o direito, muito menos o dever, de gostar ou não da lei. Não é (nem deve ser) a vontade do juiz atribuir normatividade e validade jurídica a um preceito legal. Por isso o papel decisivo que a doutrina passa a exercer, pois ela tem o papel não apenas de reproduzir as decisões produzidas pelos tribunais, mas prescrever como eles devem decidir. É o que venho chamando de Constrangimento Epistemológico, um dever de exigir que os juízes não fragilizem a força normativa da Constituição por meio de argumentos pessoais, morais (no sentido de sua moralidade privada), econômicos ou políticos"[136].

Contrariando a lei que colocou um limite de prorrogação única de 15 dias, tem-se subvertido este limite permitindo, contra a lei, prorrogações que duram anos.

Fundamental é a leitura do HC 76868-PR, cujo relator Nilson Naves anulou as interceptações fundamentado em Geraldo Prado *Limites às interceptações telefônicas...*, Lumen, 2005, pp. 38 e 45/46:

33. Disso é possível extrair os elementos a serem empregados no procedimento de interpretação, integração e aplicação da Lei nº 9.296/96. A referida lei não pode – e seus intérpretes não devem – admitir compressão ao sigilo das comunicações telefônicas em grau de restrição superior ao do estado de defesa (artigo 136, § 1º, I, c e § 2º, da Constituição da República)[137].

O HC cujos advogados foram Cezar Roberto Bitencourt e Jacinto Coutinho não tem como coincidência que o juiz coator originário

---

[136] STRECK, Lenio. *Compreender Direito – hermenêutica*. São Paulo: tirant do brasil, 2019. p. 46.

[137] **HABEAS CORPUS Nº 76.686 – PR (2007/0026405-6) RELATOR: MINISTRO NILSON NAVES – Inteiro Teor do Acórdão – Site certificado – DJe: 10/11/2008 –** Disponível em: https://ww2.stj.jus.br/processo/revista/documento/mediado/?componente=ITA&sequencial=780533&num_registro=200700264056&data=20081110&formato=PDF e https://www.conjur.com.br/dl/hc76686_stj.pdf.

seja a 2ª Vara Criminal de Curitiba (atual 13ª Vara) que em 2007 era Sérgio Moro.

O caso era tão escandaloso, que Zavascki admite a reclamação nº 23.457 da Advocacia-Geral da União (AGU) pela Presidência da República e avoca os autos para o Supremo, deferindo uma liminar em 22 de março de 2016. Mais uma vez Moro furtava a competência do STF. Vale a pena ler o trecho da decisão:

> Procede, ainda, o pedido da reclamante para, cautelarmente, sustar os efeitos da decisão que suspendeu o sigilo das conversações telefônicas interceptadas. São relevantes os fundamentos que afirmam a ilegitimidade dessa decisão. Em primeiro lugar, porque emitida por juízo que, no momento da sua prolação, era reconhecidamente incompetente para a causa, ante a constatação, já confirmada, do envolvimento de autoridades com prerrogativa de foro, inclusive a própria Presidente da República.
>
> Em segundo lugar, porque a divulgação pública das conversações telefônicas interceptadas, nas circunstâncias em que ocorreu, comprometeu o direito fundamental à garantia de sigilo, que tem assento constitucional. O art. 5º, XII, da Constituição somente permite a interceptação de conversações telefônicas em situações excepcionais, *"por ordem judicial, nas hipóteses e na forma que a lei estabelecer para fins de investigação criminal ou instrução processual penal"*. Há, portanto, quanto a essa garantia, o que a jurisprudência do STF denomina reserva legal qualificada.
>
> A lei de regência (Lei 9.269/1996), além de vedar expressamente a divulgação de qualquer conversação interceptada (art. 8º), determina a inutilização das gravações que não interessem à investigação criminal (art. 9º). Não há como conceber, portanto, a divulgação pública das conversações do modo como se operou, especialmente daquelas que sequer têm relação com o objeto da investigação criminal. Contra essa ordenação expressa,

que – repita-se, tem fundamento de validade constitucional – é descabida a invocação do interesse público da divulgação ou a condição de pessoas públicas dos interlocutores atingidos, como se essas autoridades, ou seus interlocutores, estivessem plenamente desprotegidas em sua intimidade e privacidade.

(...)

10. Cumpre enfatizar que não se adianta aqui qualquer juízo sobre a legitimidade ou não da interceptação telefônica em si mesma, tema que não está em causa. O que se infirma é a divulgação pública das conversas interceptadas da forma como ocorreu, imediata, sem levar em consideração que a prova sequer fora apropriada à sua única finalidade constitucional legítima (*"para fins de investigação criminal ou instrução processual penal"*), muito menos submetida a um contraditório mínimo.

A esta altura, há de se reconhecer, são irreversíveis os efeitos práticos decorrentes da indevida divulgação das conversações telefônicas interceptadas. Ainda assim, cabe deferir o pedido no sentido de sustar imediatamente os efeitos futuros que ainda possam dela decorrer e, com isso, evitar ou minimizar os potencialmente nefastos efeitos jurídicos da divulgação, seja no que diz respeito ao comprometimento da validade da prova colhida, seja até mesmo quanto a eventuais consequências no plano da responsabilidade civil, disciplinar ou criminal[138].

Ou seja, mesmo diante das consequências, o ministro viu que Moro mais uma vez passava dos limites. Não se sabe qual o limite de ilegalidades que o Supremo estava pronto a admitir. Moro então se "desculpa" em ofício, afirmando que:

---

[138] **MEDIDA CAUTELAR NA RECLAMAÇÃO 23.457 PARANÁ RELATOR : MIN. TEORI ZAVASCKI** Disponível em: http://www.stf.jus.br/portal/autenticacao/ sob o número 10579830. https://www.conjur.com.br/dl/lava-jato-grampos-ilegais-lula-dilma.pdf.

"Diante da controvérsia decorrente do levantamento do sigilo e da r. decisão de V. Ex.ª, compreendo que o entendimento então adotado possa ser considerado incorreto, ou mesmo sendo correto, possa ter trazido polêmicas e constrangimentos desnecessários. Jamais foi a intenção desse julgador, ao proferir a aludida decisão de 16/03, provocar tais efeitos e, por eles, solicito desde logo respeitosas escusas a este Egrégio Supremo Tribunal Federal", escreveu[139].

Moro estava sempre testando o Supremo e manipulando as informações. A decisão determinava a remessa "Pedido de Quebra de Sigilo de Dados e/ou Telefônicos 5006205-98.2016.4.04.7000/PR" e demais procedimentos relacionados, neles incluídos o "processo 5006617-29.2016.4.04.7000 e conexos".

No dia seguinte à manutenção da liminar, ingressamos em nome do Okamotto, com uma petição comunicando oficialmente algo que as televisões anunciavam que "De modo inacreditável, a 27ª fase da denominada Operação Lava Jato cumpriu nada menos do que 12 (doze) mandados judiciais expedidos pela d. Autoridade RECLAMADA, Sérgio Moro, sendo dois destes o de prisão temporária para o dono do jornal *Diário do Grande ABC*, Ronan Maria Pinto, e para o ex-secretário do Partido dos Trabalhadores, Silvio Pereira".

Se os autos ficavam com Moro sob interpretação de que eram conexos e o STF havia determinado a remessa dos casos conexos, como o juiz de primeira instância continuava agindo? O STF, comunicado, nada fazia e continuava a ser pautado pelo juiz.

---

[139] RAMALHO, Renan. G1, em Brasília. **Moro pede desculpas ao STF por polêmicas sobre grampos de Lula.** Juiz federal tirou sigilo de conversa entre o ex-presidente e Dilma. Ele afirmou que a decisão foi tomada com base na Constituição. 29 de março de 2016. Disponível em: http://g1.globo.com/politica/operacao-lava-jato/noticia/ 2016/03/moro-pede-desculpas-aostf-por-polemica-envolvendo-grampo-de-lula.html.

Enquanto Zavascki avoca os autos, Gilmar Mendes, em 17/03, concede uma liminar impedindo a posse de Lula em dois MS 34.070 e 34.071. O ministro considerou evidente um desvio de finalidade afirmando que: "É muito claro o tumulto causado ao progresso das investigações, pela mudança de foro. E 'autoevidente' que o deslocamento da competência é forma de obstrução ao progresso das medidas judiciais". Sobre a ilegalidade evidente Gilmar se esquiva: "No momento, não é necessário emitir juízo sobre a licitude da gravação em tela. Há confissão sobre a existência e conteúdo da conversa, suficiente para comprovar o fato"[140].

Até essa fase Gilmar já tinha votado favorável a que o caso ficasse com Moro e Zavascki e dado poder ao Ministério Público. Essa decisão foi a "pá de cal" no governo Dilma. Houve recurso de Agravo Regimental, mas no dia 20/04 o plenário resolveu adiar para julgar em conjunto com outros processos, e em 16 de maio de 2016 se julgou prejudicado em razão da exoneração da nomeação. Ou seja, nunca foi examinado.

Anos depois, em 2019, a *Folha de S.Paulo* com material da Vaza Jato[141] descobre que Moro e os policiais federais ocultaram gravações e divulgaram somente aquelas que interessavam para criar o escândalo[142].

---

[140] CANÁRIO, Pedro. **Gilmar Mendes suspende nomeação de Lula como ministro da Casa Civil.** 18 de março de 2016, 21h41. Disponível em: https://www.conjur.com.br/2016-mar-18/gilmar-mendes-suspende-nomeacao-lula-casa-civil.

[141] **Gilmar Mendes deferiu liminar contra a investigação de Glenn Greenwald.** Disponível em: https://www.conjur.com.br/dl/gilmar-mendes-proibe-glenn-greenwald.pdf.

[142] **Conversas de Lula mantidas sob sigilo pela Lava Jato enfraquecem tese de Moro** PF gravou 22 telefonemas do ex-presidente após ordem para interromper escuta que revelou diálogo com Dilma em 2016. 8 de setembro de 2019. Edição impressa. Ricardo Balthazar e Felipe Bächtold, da *Folha*; Bruna de Lara, Paula Bianchi e Leandro Demori, de *The Intercept Brasil*. Disponível em: https://www1.folha.uol.com.br/poder/2019/09/conversas-de-lula-mantidas-sob-sigilo-pela-lava-jato-enfraquecem-tese-de-moro.shtml
Leia diálogos da Lava Jato sobre escutas telefônicas do ex-presdente Lula. Em 2016, Polícia Federal gravou 22 ligações do petista após ordem para interromper escuta. Ricardo Balthazar e Felipe Bächtold, da Folha; Bruna de Lara, Paula Bianchi e Leandro Demori, de *The Intercept Brasil*. Disponível em: https://www1.folha.uol.com.br/poder/2019/09/leia-dialogos-da-lava-jato-sobre-escutas-telefonicas-do-ex-presidente-lula.shtml.

Após Zavascki avocar os autos para o Supremo, leva a liminar em 31/03/16 ao plenário. Em sessão[143] profere decisão[144] confirmando a avocação com voto vencido de Marco Aurélio. Marco Aurélio, apesar de a jurisprudência garantir o foro, defende que o juiz pode definir competência se entender que não há crime; e Fux defende que se o juiz entendia que não há indício de crime, não deveria ter mandado ao Supremo.

Posteriormente, no dia 13 de junho de 2016, Zavascki profere uma decisão salomônica. Reconhece que Moro extrapolou os poderes furtando a competência do STF, reconhece que a gravação era ilegal, porque após o fim da ordem judicial:

> Em primeiro lugar, porque emitida por juízo que, no momento da sua prolação, era reconhecidamente incompetente para a causa, ante a constatação, já confirmada, do envolvimento de autoridades com prerrogativa de foro, inclusive a própria Presidente da República.
>
> Em segundo lugar, porque a divulgação pública das conversações telefônicas interceptadas, nas circunstâncias em que ocorreu, comprometeu o direito fundamental à garantia de sigilo, que tem assento constitucional. O art. 5º, XII, da Constituição somente permite a interceptação de conversações telefônicas em situações excepcionais, 'por ordem judicial, nas hipóteses e na forma que a lei estabelecer para fins de investigação criminal ou instrução processual penal'. Há, portanto, quanto a essa garantia, o que a jurisprudência do STF denomina reserva legal qualificada.
>
> A lei de regência (Lei 9.269/1996), além de vedar expressamente a divulgação de qualquer conversação interceptada (art. 8º),

---

[143] **Pleno - Confirmada liminar sobre interceptações telefônicas**. Disponível em: https://www.youtube.com/watch?v=jT-pc7HOeoQ.

[144] **REFERENDO NA MEDIDA CAUTELAR NA RECLAMAÇÃO 23.457 PARANÁ RELATOR: MIN. TEORI ZAVASCKI.** http://www.stf.jus.br/portal/autenticacao/ sob o número 10702695. Disponível em: http://redir.stf.jus.br/paginadorpub/paginador. jsp?docTP=TP&docID=13686045.

determina a inutilização das gravações que não interessem à investigação criminal (art. 9º). Não há como conceber, portanto, a divulgação pública das conversações do modo como se operou, especialmente daquelas que sequer têm relação com o objeto da investigação criminal. Contra essa ordenação expressa, que – repita-se, tem fundamento de validade constitucional – é descabida a invocação do interesse público da divulgação ou a condição de pessoas públicas dos interlocutores atingidos, como se essas autoridades, ou seus interlocutores, estivessem plenamente desprotegidas em sua intimidade e privacidade.

Quanto ao ponto, vale registrar o que afirmou o Ministro Sepúlveda Pertence, em decisão chancelada pelo plenário do STF (Pet 2702 MC, Relator(a): Min. SEPÚLVEDA PERTENCE, Tribunal Pleno, julgado em 18/09/2002, DJ 19-09-2003 PP-00016 EMENT

VOL-02124-04 PP-00804), segundo a qual:

'62. [A] garantia do sigilo das diversas modalidades técnicas de comunicação pessoal – objeto do art. 5º, XII – independe do conteúdo da mensagem transmitida e, por isso – diversamente do que têm afirmado autores de tomo, não tem o seu alcance limitado ao resguardo das esferas da intimidade ou da privacidade dos interlocutores.

63. 'Por el contrario' – nota o lúcido Raúl Cervini (L. Flávio Gomes Raúl Cervini Interceptação Telefônica,. ed RT, 1957, p. 33), 'el secreto de las comunicaciones aparece en las Constituciones modernas – e incluso se infiere en la de Brasil – con una construcción rigurosamente formal. No se dispensa el secreto en virtud del contenido de la comunicación, ni tiene nada que ver su protección con el hecho a estas efectos jurídicamente indiferente – de que lo comunicado se inscriba o no en el ámbito de la privacidad. Para la Carta Fundamental, toda comunicación

es secreta, como expresión transcendente de la libertad, aunque sólo algunas de ellas puedan catalogarse de privadas. Respecto a este tema há sido especialmente clarificador el Tribunal Constitucional Espanõl al analizar el fundamento jurídico de una norma constitucional de similares características estructurales al art. 5º XII de la Constitución Brasileña. Há señalado el Alto Tribunal que la norma constitucional establece una obligación de no hacer para los poderes públicos, la que debe mostrarse eficaz com independencia del contenido de la comunicación, textualmente: 'el concepto de 'secreto' en el art. 18, 3º (de la Constitución española) tiene un carácter 'formal' em el sentido de que se predica de lo comunicado, sea cual sea su contenido y pertenezca o no el objeto de la comunicación misma al ámbito de lo personal, lo íntimo o lo reservado'. Agrega más adelante que sólo desligando la existencia del Derecho de la cuestión sustantiva del contenido de lo comunicado puede evitarse caer en la inaceptable aleatoriedad en su reconocimiento que llevaría la confusón entre este Derecho y el que protege la intimidad de las personas.

Ocorre que mesmo reconhecendo toda a ilegalidade, o ministro manda retirar a prova ilícita, as gravações ilegais, e considerando não haver nada contra Dilma e Lula nas gravações que possa ser considerado crime para que o STF deva agir, devolve os autos ao juiz Sérgio Moro, do Paraná, sem absolutamente nenhuma consequência ao juiz. Para o discurso de que "a lei é para todos" e de que ninguém está acima da lei, se conclui que há mais que permissividade às ilegalidades de Moro e dos juízes. No concreto, ser membro do Judiciário permite cometer abusos sem nenhuma consequência. E mais uma vez o Supremo Tribunal se omitia de impor limites ao juiz que já havia fraudado a distribuição para ficar com os processos. E ainda determinado a condução coercitiva de um ex-presidente ilegalmente, e mesmo que legal de forma desnecessária. Lembrando que dois anos depois o STF vai reconhecer nas **ADPFs (Arguições de**

Descumprimento de Preceito Fundamental) 395 e 444 julgadas, que as conduções são inconstitucionais[145] em acórdão[146] de relatoria de Gilmar Mendes. Sustentou na sessão Thiago Bottino[147].

A defesa de Dilma tenta de tudo para impedir seu afastamento. O professor Celso Antonio Bandeira de Mello ingressa com Mandado de Segurança 34.592 demonstrando a inexistência de crime de responsabilidade. O STF nega em acórdão de Edson Fachin[148], e também são julgados os MS 34.130 e 34.131[149] de relatoria de Barroso sem dar a palavra à defesa.

Também o Supremo se posiciona quanto ao rito do processo de *impeachment* na Ação de Preceito Fundamental (ADPF) 378[150] que seria o mesmo do processo a que Collor respondeu. E posteriormente, anulando o voto fechado pelo Senado[151] e permitindo a este rejeitar o pedido de *impeachment*[152] e ADI 5498[153], recurso dentro do processo de *impeachment*, alega nulidade quanto à aplicação do rejeitado pelo

---

[145] POMPEU, Ana. Consultor Jurídico. **Supremo declara inconstitucional condução coercitiva para interrogatórios.** 14 de junho de 2018. Disponível em: https://www.conjur.com.br/2018-jun-14/supremo-proibe-conducao-coercitiva-interrogatorios.

[146] Consultor Jurídico. https://www.conjur.com.br/2018-jun-14/supremo-proibe-conducao-coercitiva-interrogatorios.

[147] **Pleno - Iniciado julgamento sobre condução coercitiva.** Disponível em: https://www.youtube.com/watch?v=Fuw0HMPzXhY e completando em https://www.youtube.com/watch?v=Jsuf8SoqKqU.

[148] **AG. REG. E M MANDADO DE SEGURANÇA 34.592 DISTRITO FEDERAL RELATOR: MIN. EDSON FACHIN.** Disponível em: http://redir.stf.jus.br/paginadorpub/paginador.jsp?docTP=TP&docID=13894981 e http://www.stf.jus.br/portal/autenticacao/ sob o número 13868430.

[149] **Pleno – STF nega liminar em ações que questionam parecer da comissão do impeachment.** Disponível em: https://www.youtube.com/watch?v=6QSOglUPS9Q.

[150] **Pleno – Rejeitado recurso contra decisão sobre rito de impeachment.** Disponível em: https://www.youtube.com/watch?v=TlyInN7pbzw; e https://www.youtube.com/watch?v=TlyInN7pbzwhttp://portal.stf.jus.br/processos/detalhe.asp?incidente=4899156.

[151] **STF redefine regras do 'impeachment'.** Disponível em: https://www.youtube.com/watch?v=scpyibvxSV8.

[152] **STF decide sobre rito do impeachment.** Disponível em: https://www.youtube.com/watch?v=Cm0-6zw_aHA.

[153] **Pleno – Negada liminar ao PCdoB para alterar ordem de votação de pedido de impeachment.** Disponível em: https://www.youtube.com/watch?v=nGNjz14gAaM.

ministro Lewandowski[154]. As notas de rodapé permitem aprofundar-se no estudo desse momento histórico, como a defesa feita por José Eduardo Cardozo no Senado[155]. Após, o Senado realiza a votação e aprova a abertura do processo de *impeachment* em sessão de 11 de maio de 2016[156] e em 17 de abril de 2016 em sessão na Câmara de Deputados, a Câmara aprova a cassação de Dilma[157]. Em 29 de agosto a presidente discursa no Senado[158]. Em 31 de agosto de 2016 Dilma perde o mandato da Presidência.

Zavascki acaba virando o Moro do STF. Inicia a homologar delações premiadas, e em 28 de maio de 2015, portanto, antes da condução e antes do *impeachment* já em razão de homologação ocorre um fato raro. O advogado José de Oliveira Lima ingressa com um *habeas corpus* contra uma homologação de delação premiada de Youssef. Há uma súmula do STF impedindo *habeas corpus* contra ministro[159].

---

[154] http://www.stf.jus.br/arquivo/cms/noticiaNoticiaStf/anexo/Doc186.pdf.

[155] **Íntegra da defesa do ministro Cardozo no Senado Federal.** Disponível em: https://www.youtube.com/watch?v=Yrl6V7-9DDU.

[156] **Sessão de votação do impeachment no Plenário do Senado (admissibilidade) – manhã**. Disponível em: https://www.youtube.com/watch?v=0iTFRyKnj2Y principais momentos; **Veja os principais momentos da sessão que aprovou o impeachment de Dilma Rousseff** Fonte: Agência Senado. Disponível em: https://www12.senado.leg.br/noticias/videos/2016/09/veja-os-principais-momentos-da-sessao-que-aprovou-o-impeachment-de-dilma-rousseff; **Advogado-geral da União faz defesa final de Dilma Rousseff.** Disponível em: https://www.youtube.com/watch?v=D6pMfkI9uu4.

[157] **Votação do pedido de impeachment da presidente Dilma Roussef na Camara**. Disponível em: https://www.youtube.com/watch?v=KWf7HsLMrY8.

[158] **Veja o discurso de defesa de Dilma no Senado Federal.** Disponível em: https://www.youtube.com/watch?v=eDKNSkVI5co.

[159] **Súmula 606** – Não cabe *habeas corpus* originário para o Tribunal Pleno de decisão de Turma, ou do Plenário, proferida em *habeas corpus* ou no respectivo recurso. 1. A jurisprudência do Supremo Tribunal Federal está consolidada no sentido do não cabimento de *habeas corpus* originário para o Tribunal Pleno contra ato jurisdicional de ministro ou órgão fracionário da Corte, seja em recurso ou em ação originária de sua competência. 2. De rigor, portanto, a aplicação analógica do enunciado da <u>Súmula 606</u>, segundo a qual "não cabe *habeas corpus* originário para o Tribunal Pleno de decisão de Turma, ou do Plenário, proferida em *habeas corpus* ou no respectivo recurso". [<u>HC 137.701 AgR</u>, rel. min. **Dias Toffoli**, P, j. 15-12-2016, *DJE* 47 de 13-3-2017.] (…) Aplicação analógica da <u>súmula 606</u>. (…). Não cabe pedido de *habeas corpus* originário para o tribunal pleno, contra ato de ministro ou outro órgão fracionário da Corte. [<u>HC 86.548</u>, rel. min. **Cezar Peluso**, P, j. 16-10-2008, *DJE* 241 de 19-12-2008.]

O *habeas* é distribuído ao ministro Toffoli, que não indefere *habeas corpus* monocraticamente. Os ministros do STF criaram uma jurisprudência que praticamente os torna imunes de *habeas corpus*, o que em casos em que praticam atos monocráticos limita a aplicação da Constituição Federal. A sessão do *habeas corpus*[160] está gravada e o acórdão[161], publicado.

Esse acórdão vai começar a desenhar pelo STF duas questões relevantes. O entendimento sobre delação premiada e quais possibilidades terceiros têm de impugnação da delação e a própria amplitude do *habeas corpus*. Foi um importante *habeas corpus*. Em que pese ter sido negado no mérito, como irá se explicar, foi uma importante decisão do Supremo quanto às possibilidades de impetração e a amplitude do *habeas corpus*. O conhecimento do *habeas corpus* foi uma vitória. No mérito uma derrota pois foi rejeitada a tese de que terceiro pode impugnar o contrato de delação. Juca pretendia com a tese de que Youssef descumpriu o acordo anterior anular a homologação.

O *habeas corpus* é contra a homologação de uma delação por Zavascki. O STF vai debater novamente se cabe *habeas corpus* ao ministro do STF e se um delatado pode impugnar o acordo da delação. A delação divide a advocacia, entre aqueles radicalmente contra o advogado negociar delação premiada, entendendo que é um prêmio ao criminoso e que o Estado incentiva a traição, mas acima de tudo porque a negociação acaba permitindo que se invertam fatos e que se crie a possibilidade de penas sem processo. Mais terrível é que o advogado passa a não representar mais a defesa do constituído. Há aqueles que são a favor defendendo que é um

---

[160] **Pleno – Iniciado julgamento de HC contra homologação da delação de Youssef.** Disponível em: https://www.youtube.com/watch?v=_A7_mfuJVng.

[161] **HABEAS CORPUS 127.483 PARANÁ RELATOR: MIN. DIAS TOFFOLI HABEAS CORPUS 127.483 PARANÁ RELATOR: MIN. DIAS TOFFOLI**. Disponível em: http://www.stf.jus.br/portal/autenticacao/ sob o número 13868430. http://redir.stf.jus.br/paginadorpub/paginador.jsp?docTP=TP&docID=10199666.

ato pragmático a favor do delator. José Carlos de Oliveira Lima, conhecido como Juca, e impetrante do *habeas*, que vai ser um importante precedente quanto à extensão do *habeas corpus*, vai realizar inúmeras negociações de delações premiadas. O depoimento de Leo Pinheiro[162], no dia 20 de abril de 2017, é precedido de uma matéria da *Folha de S.Paulo* intitulada "Sócio da OAS promete citar favores a Lula"[163]:

Com base nessa reportagem, no dia 20 de abril, na sala de audiência, Cristiano Zanin pergunta se Leo estava negociando sua delação com o Ministério Público e Juca confirma.

O último a fazer perguntas ao réu seria seu advogado Juca, que já estava negociando delação. Leo deu uma amostra do que poderia fazer. Uma forma de tentar viabilizar uma delação. Todas as perguntas feitas por Moro e o Ministério Público, que iniciam e terminam nessas perguntas em nada teriam compremetido Lula. Naquele momento o experiente advogado criminalista Batochio não faz perguntas. Cristiano Zanin dirige várias perguntas e durante essa fase do interrogatório inicia a detalhar e criar elementos que serviriam à fundamentação da tese de acusação. Havia um teatro montado no qual o *script* parecia montado. Nesse momento, Leo afirma "que usou pagamento propina", que teria conversado com João Vaccari de descontar das propinas da Petrobras. Depois de muito pressionado, Leo Pinheiro acaba dizendo que Lula teria perguntado se Vaccari recebeu algo no exterior e se tinha registros, dizendo: "se tiver, destrua". Nessa hora Batochio ingressa pedindo que Moro tomasse conhecimento de um crime confessado por Leo Pinheiro de que listou como sendo da propriedade da OAS o tríplex no processo de recuperação judicial.

---

[162] Vídeo do depoimento de Leo Pinheiro. Disponível em: https://veja.abril.com.br/blog/reinaldo/integra-do-depoimento-momentos-bomba-de-leo-pinheiro-e-o-que-vem/.

[163] **Leo Pinheiro, sócio da OAS, promete relatar favores a Lula em delação.** Ed. Ferreira – 26 de maio de 2015 / Folhapress. Bela Megale, de Brasília. 19 de abril de 2017. Disponível em: https://www1.folha.uol.com.br/poder/2017/04/1876735-leo-pinheiro-socio-da-oas-promete-relatar-favores-a-lula-em-delacao.sh.

GEOPOLÍTICA DA INTERVENÇÃO

Nesse momento eu intervenho e questiono Leo Pinheiro quanto à falta de mensagens na denúncia. O Estado tem o dever de preservar a prova e permitir que a defesa tenha acesso à integralidade dela, assim como os agentes do Estado. Do contrário, é possível haver manipulação e que o Ministério Público ou a Polícia use somente o que interessa à sua tese. No HC 160662/RJ debatemos, e o STJ proferiu a primeira decisão garantindo a integralidade da prova. O tema passou a ser chamado academicamente de "Quebra da cadeia de custódia da prova" pelo parecer do professor Geraldo Prado e passou a ser estudado[164].

Juca é o último a perguntar, e novamente Leo afirma mais uma vez que Lula teria perguntado a ele, irritado, se a OAS teria pago algo no exterior para Vaccari e que o ex-presidente teria mandado destruir documentos. Levantando a bola, Sérgio Moro pergunta se ele ratifica que Lula teria orientado a destruir documentos.

O fato foi uma evidente amostra que colocava em risco a liberdade de Lula. Sérgio Moro tinha nas mãos uma justificativa para prender Lula por destruição de prova na forma do art. 312 do CPP. Mas nem Moro acreditou ou teria decretado a prisão do ex-presidente.

Quando o *habeas corpus* contra Zavascki vai a julgamento e é admitido, é um sinal de que algo não estava bem no STF, que os ministros não aceitavam de forma unânime o que ocorria. A admissão do HC era um sinal. Mas foi por empate, já que Zavascki não podia votar, pois ele era a autoridade coatora. De forma que a maioria dos ministros do STF não admite ser questionada quanto a seus atos. O voto do ministro Marco Aurélio mostra isso:

> Na dinâmica dos trabalhos no Judiciário, o Relator passou a ter papel importantíssimo, fazendo as vezes, a rigor, do

---

[164] *A cadeia de custódia da prova no processo penal. La cadena de custodia de la pueba en el proceso penal.* Madri, Barcelona, Buenos Aires e São Paulo: Marcial Pons, 2019.

próprio Colegiado. Os atos que pratique não ficam sujeitos à impugnação mediante o habeas corpus? **Coloca o Relator numa redoma, acima do próprio Colegiado**, no que se admite a impetração se o pronunciamento, que se aponta a cercear a liberdade de ir e vir, for formalizado por Colegiado, mas, pelo Relator, não? **Passa a ser, para utilizar linguajar que está no dia a dia, um verdadeiro reizinho a gozar de soberania maior.**

O que é importante, Presidente, para saber se é adequado ou não um habeas corpus? Em primeiro lugar, ter-se inicial, que, observada ou não a forma, já que pode ser subscrita por um cidadão comum, não se exigindo a capacidade postulatória, o grau de bacharel inscrito na Ordem dos Advogados do Brasil, contenha a articulação sobre a existência – simples articulação; procedência ou não diz respeito ao mérito – de ato praticado à margem do arcabouço normativo e que, de forma direta ou indireta, repercuta na liberdade de ir e vir, e se tenha órgão competente para apreciar o merecimento do que formalizado.

Indago: **quanto aos ministros – que não são semideuses – do Supremo, não se tem órgão capaz de examinar o acerto ou desacerto do ato praticado?** Tem-se. A alínea – permito-me pequena correção – do inciso I do artigo 102 da Constituição, não é a d, mas a i, no que revela caber ao Supremo julgar originariamente habeas corpus quando o coator for Tribunal Superior, ou quando o coator ou o paciente for autoridade – o ministro do Supremo é uma autoridade – ou funcionário cujos atos estejam sujeitos diretamente à jurisdição do Supremo Tribunal Federal, ou se trate de crime sujeito à mesma jurisdição em uma única instância.

Indago: **quem julga o ministro do Supremo, considerado crime comum? É o Supremo**[165]. Então, tem-se órgão capaz, portanto, de proceder à análise do acerto ou desacerto do que decidido pelo integrante, pelo membro do Supremo.

Reconheço, Presidente, que, na lei alusiva ao mandado de segurança. Reconheço, Presidente, que, na lei alusiva ao mandado de segurança – faz-se presente o critério da especialidade –, há norma a revelar que, cabendo recurso contra o ato, não se tem a pertinência do mandado de segurança. Qualquer recurso? Não! O legislador teve o cuidado de se referir a recurso com eficácia suspensiva. Ainda que pudéssemos, e não podemos, transportar essa regra para limitar a ação constitucional do habeas corpus – é uma regra específica para o mandado de segurança –, o agravo regimental, que poderia ter sido manuseado pelo paciente, ante o interesse jurídico, já que se aponta que o objeto da delação premiada, da colaboração, serviu de base à propositura da ação penal contra ele não tem efeito suspensivo. O interesse não é meramente reflexo, mas jurídico o que atrai a adequação, como

---

[165] Aqui uma importante nota para reflexão. Em um país continental que temos inúmeros "reizinhos" de primira instância a não respeitar de nenhuma forma a lei e o direito, se entendendo capazes de desconsiderar leis criando regras próprias e desconsiderando a Constituição e mesmo as decisões superiores, o foro de prerrogativas é a única proteção da autoridade. Permite que um número de reizinhos menores os atinja. E como veremos, o Supremo não será nenhum lugar estável. Mas o STF colocou em risco a presunção de inocência e ainda alterou o foro de prerrogativa para somente fatos relacionados ao mandato e ocorridos durante o mandato. Mas, se assim for, os ministros e todos os membros do Judiciário e do MP devem por isonomia ter o mesmo foro dos cidadãos comuns, nos crimes de trânsito, nas brigas e agressões domésticas, e todo e qualquer delito não relacionado ao seu abuso de autoridade. Falando-se tanto em isonomia se criou que somente os membros do Judiciário e do Ministério Público têm foro de prerrogativa e a eles é permitido decumprir a lei, desonsiderá-la, deturpá-la, receber verbas acima do teto constitucional, portar armas. Ou seja, a "lei para todos" significa que é para todos os outros, como o velho ditado: "Para os amigos tudo, para os inimigos a lei". Moro não foi punido de nenhum de seus atos. Nem os membros da força-tarefa que desviaram e abusaram do poder. Nem jamais serão. A qualquer ministro que construa teses para desrespeitar e reescrever a Constituição segundo o que entende que ela deveria ser e não o que é, nada ocorre. Não se tem aqui um ataque ao Judiciário ou ao Ministério Público. Mas essas instituições somente atingirão a maturidade quando se compreender que todos são servidores. E que devem, como todos, sofrer as consequências de seus atos. E no mínimo serem objetos de *habeas corpus*.

já ressaltado por colegas, do recurso. Mas, em primeiro lugar, não se transporta o que se contém no inciso I do artigo 5º da Lei nº 12.016/09, porque específica quanto ao mandado de segurança, para o habeas corpus. E, em segundo lugar, o regimental não teria a eficácia suspensiva.

Há mais. Também se alega que o habeas corpus não pode ser manuseado contra a coisa julgada, e que a passagem do tempo daria o incorreto por correto; sedimentaria, ante o instituto da coisa julgada, que é um instituto constitucional, a situação jurídica. Ledo engano, Presidente. Admito que se possa cogitar da ação de impugnação autônoma, mas não do habeas corpus, considerado o tempo, a oportunidade do manuseio. Mas, no tocante ao habeas corpus, foi a própria Constituição Federal, mediante o que se contém em inciso do artigo 5º, a que me referi, que o prevê, que temperou a eficácia da coisa julgada: não sofre, o habeas corpus, peia decorrente sequer da coisa julgada, podendo ser manuseado, a qualquer tempo, desde que, para se ter a procedência, haja ato ilegal a alcançar a liberdade de ir e vir.

…

Presidente, já disse na Turma e vou repetir no Plenário de viva voz, porque não tenho compromisso sequer com os meus próprios erros: se arrependimento matasse, eu, hoje, seria um homem morto. Muito embora tenha evoluído para mitigar a tese inicialmente proposta, e que caiu no gosto dos demais colegas da magistratura, tenho evoluído para admitir o habeas substitutivo do recurso ordinário constitucional, quando em jogo a liberdade de ir e vir. Hoje se diz que, mesmo se a via é afunilada, como é a de acesso a órgão que atua em sede extraordinária, cabendo, em tese, recurso, de natureza extraordinária – repito –, não se pode manusear o habeas corpus. É hora, Presidente, de, como guardas da Constituição, resgatarmos esse instituto da maior valia, que é o da impetração revelada pelo habeas corpus. Admito-o.

Celso

Não obstante **a visão restritiva** *hoje prevalecente* nesta Corte **em torno** desse *relevantíssimo* remédio constitucional, **quero registrar que sempre entendi cognoscível** a ação de *"habeas corpus"*, **mesmo** nos casos em que promovida, *como sucede na espécie*, **contra decisão monocrática proferida** por Ministro do Supremo Tribunal Federal.

Considerando que se reabriu, *agora*, **no Plenário** deste Tribunal, **o debate** *em torno da admissibilidade do "habeas corpus"* **quando impetrado** *contra decisões singulares* **emanadas** de Ministro **desta** Corte, **peço vênia** *para reiterar* minha posição **inteiramente favorável** ao conhecimento do *"writ"* constitucional **no contexto referido**.

Faço-o, Senhor Presidente, **por entender** que o Supremo Tribunal Federal, **ao assim decidir**, *afastará a abordagem restritiva* **que tanto tem afetado** *as virtualidades jurídicas* de que se acha impregnado o remédio constitucional do *"habeas corpus"*, **que sempre mereceu**, por parte desta Suprema Corte, *reverente tratamento*, **ainda mais se se considerar** que foi, *precisamente este Tribunal*, **o espaço em que floresceu**, sob a égide da Constituição republicana de 1891, *a doutrina brasileira do "habeas corpus"* (**RHC 122.963/DF**, Rel. Min. CELSO DE MELLO), **resultante** de decisões verdadeiramente históricas que, **ao destacarem** a tradição liberal deste Alto Tribunal, **revestiram-se** *de aspecto seminal* **no que concerne** à construção, *em nosso País*, de um *"corpus"* doutrinário **que ampliou**, *significativamente*, **como assinala** PEDRO LESSA (**"Do Poder Judiciário"**, p. 285/287, § 61, 1915, Francisco Alves), **o âmbito de incidência e amparo** das liberdades fundamentais (**HC 2.794/DF**, Rel. Min. GODOFREDO CUNHA – **HC 2.797/DF**, Rel. Min. OLIVEIRA RIBEIRO – **HC 2.990/DF**, Rel. Min. PEDRO LESSA – **RHC**

2.793/DF, Rel. Min. CANUTO SARAIVA – **RHC 2.799/DF**, Rel. Min. AMARO CAVALCANTI, *v.g.*), **estendendo-se**, *até o advento da Reforma Constitucional de 1926*, **para além** da mera proteção jurisdicional do direito de ir, vir e permanecer *("jus manendi, ambulandi, eundi ultro citroque")*:

> "**O 'habeas-corpus'**, *conforme o preceito constitucional, **não se restringe a garantir** a liberdade individual, **contra a prisão ou ameaça de prisão ilegais, ampara**, também, **outros direitos individuais** contra o abuso **ou** violência da autoridade.*

> *Em casos semelhantes ao atual, o Tribunal **tem concedido** o 'habeas-corpus' **para garantir** a posse e exercício de Vereador eleito, **impedido** pela autoridade **de exercitar** o cargo (...)."*

> (**HC 3.983/MG**, Rel. Min. CANUTO SARAIVA – **grifei**)

Em suma: Senhor Presidente, **causa-me grave preocupação**, *como anteriormente assinalei*, **essa limitação** imposta pela jurisprudência da Corte **quanto à utilização** do *"habeas corpus"* **em face** de decisões monocráticas **proferidas** por Ministros do Supremo Tribunal Federal, **pois** esse entendimento **provoca** – segundo penso – *gravíssima restrição a um fundamental instrumento* de proteção jurisdicional da liberdade em nosso País.

Por tais razões, Senhor Presidente, **e ressalvando**, *tão-somente*, **a subsistência** da Súmula 606/STF, **peço licença** *para conhecer* da presente ação de *"habeas corpus"*, **por entender possível** a impetração originária do presente *"writ"* **contra** atos **ou** omissões imputáveis, *singularmente*, a qualquer Ministro do Supremo Tribunal.

Lewandowski

O SENHOR MINISTRO RICARDO LEWANDOWSKI (PRE-SIDENTE) – Eu peço vênia à divergência para acompanhar o Relator, entendendo, antes de mais nada, que nesses tempos tumultuosos em que nós vivemos, em que o devido processo legal nem sempre tem sido observado, pelo menos sob a perspectiva da jurisprudência e da doutrina assentada há quase meio século, neste País, é muito importante que nós resgatemos todas as potencialidades desse remédio constitucional importantíssimo que é o *habeas corpus*. Também não vou repetir tudo aquilo que disse e peço até excusas por ter interrompido meus Pares, mas entendo que, na linha do que suscitou o eminente Ministro Marco Aurélio e, agora, na linha também do que argumentou o eminente decano, não posso compreender que um agravo interno, que um recurso interno, que é o agravo regimental, portanto, de envergadura menor do que o recurso ordinário especial ou extraordinário, possa representar um empecilho para o ajuizamento, desde logo, numa situação de emergência, deste remédio constitucional que existe desde o século XVII, como nós sabemos, e que foi um extraordinário avanço civilizatório. Peço vênia para entender, mas sem me pronunciar definitivamente, que a Súmula 606, no que tange às Turmas, pelo menos – não sei se com relação ao Plenário –, está em parte derrogada, porque eu penso que as decisões das **Turmas podem, sim, à luz do artigo 102, I, d, e, agora, com o que nos traz como contribuição o eminente ministro Marco Aurélio, o inciso I.**

Quanto ao mérito do HC **127483**/PR, o STF decidiu que ao homologar o acordo de delação, que é um contrato firmado com o Ministério Público e não as declarações, **o ministro "se limita a aferir a regularidade, a voluntariedade e a legalidade do acordo".**

Que isso não envolve "emissão de qualquer juízo de valor sobre as declarações do colaborador". Que o contrato, um Negócio jurídico processual personalíssimo que não permite "impugnação por coautores ou partícipes do colaborador". Inadmissibilidade. Possibilidade de, em juízo, os partícipes ou os coautores confrontarem as declarações do colaborador e de impugnarem, a qualquer tempo, medidas restritivas de direitos fundamentais adotadas em seu desfavor.

O Supremo não enfrentou outras teses que visem a demonstrar a ilicitude em razão da falta de voluntariedade, da obtenção da prova por meio de tortura física ou processual. Em razão da incompetência do juiz oriundo do caso que gerou a prisão. Da falta de atribuição do promotor natural que tenha escutado as declarações e negociado. E quanto à possibilidade desses temas serem debatidos.

14. Falta do Dever de Cuidado do STF

No Supremo demora, como se verá, para se compreender que o próprio STF seria vítima da Lava Jato. E o STF vai se omitindo dolosamanente também atento à sua popularidade. Em 24 de novembro de 2014, o STF cai em uma verdadeira esparrela. O Ministério Público Federal pede a prisão de um senador da República, Delcídio do Amaral.

Nestor Cerveró tentava uma negociação de delação premiada. Era seu advogado Edson Ribeiro, que tinha como representante em Curitiba Beno Brandão e Alessi Brandão. Quando do início das negociações, Edson teria ficado com os recursos enquanto Alessi negociava com o MP sem obter êxito. Também ingressa no caso Sergio Riera. Então, seu filho passa a uma missão que se tornou comum nos acordos com o Ministério Público: obter prova contra outras pessoas. O filho de Cerveró marca com o senador Delcídio do Amaral e o advogado de seu pai uma conversa. Para essa conversa o filho de Cerveró vai com gravadores. Em determinado momento o senador cita ministros do STF:

DELCÍDIO: Agora, agora, Edson e Bernardo, é eu acho que nós temos que centrar fogo no STF agora, eu conversei com o Teori, conversei com o Toffoli, pedi pro Toffoli conversar com o Gilmar, o Michel conversou com o Gilmar também, porque o Michel tá muito preocupado com o Zelada, e eu vou conversar com o Gilmar também.

EDSON: Tá.

DELCÍDIO: Por que, o Gilmar ele oscila muito, uma hora ele tá bem, outra hora ele tá ruim e eu sou um dos poucos caras...

EDSON: Quem seria a melhor pessoa pra falar com ele, Renan, ou Sarney...

DELCÍDIO: Quem?

EDSON: Falar com o Gilmar.

DELCÍDIO: Com o Gilmar, não, eu acho que o Renan conversaria bem com ele.

EDSON: Eu também acho, o Renan, é preocupante a situação do Renan.

DELCÍDIO: Eu acho que, mas por que, tem mais coisas do Renan? Não tem...

EDSON: Não, mas o..., acho que o Fernando fala nele, não fala?

DELCÍDIO: Fala, mas fala remetendo ao Nestor.

EDSON: Ah, é, também? Então tudo bem.

DELCÍDIO: Como também fala do Jader, remetendo ao Nestor.

EDSON: Então tudo bem. Escolheu o Fernando.

DELCÍDIO: Agora, então nós temos que centrar fogo agora pra resolver isto...

EDSON: Mas então seria bom ver Renan, olha só...

DELCÍDIO: Não, eu vou falar com ele...

DIOGO: Hoje tem reunião de líderes.

DELCÍDIO: Eu falo com o Renan hoje.

EDSON: Tá bom.

DELCÍDIO: Hoje eu falo, porque acho que o foco é o seguinte, tirar, agora a hora que ele sair tem que ir embora mesmo.

Ainda durante a conversa, o senador, o filho e o advogado falam na possibilidade de Cerveró, conseguindo um *habeas corpus* do STF, fugir para o Paraguai. Evidente que para a gravação combinada com os procuradores de Curitiba para os fins de obter provas contra o senador, o filho agiu como extensão dos agentes do Estado. A ilegalidade desse tipo de obtenção de provas enfrentei na matéria publicada no ConJur[166]. A jurisprudência do Supremo nunca enfrentou essa questão. Todas as vezes que julgou casos de gravação ambiental foram muito diferentes de uma gravação com o objetivo de obter prova criminal feita por alguém com ligação com o Ministério Público.

No Recurso Extraordinário 583.937, com repercussão geral admitida e usada como parâmetro nesses casos, não comporta todas as questões que devem ser examinadas do ponto de vista constitucional, que não foram debatidas no julgamento e não representam o conjunto das decisões do Supremo. Na ocasião, percebia-se que a Defensoria Pública requeria a juntada de uma gravação ambiental em defesa de um acusado. Todos os ministros acompanharam o ministro Marco Aurélio, sem que fosse comunicado pelo relator que se tratava, nada mais, nada menos, de prova de defesa.

As palavras ecoadas pelo ministro Marco Aurélio no Recurso Extraordinário 583.937 merecem ser repetidas em um tempo pós-moderno, em que as gravações ambientais a serviço do Estado policial se vulgarizam.

---

[166] **Gravação de Temer viola seu direito de não se autoincriminar.** 1 de maio de 2017. Por Fernando Augusto Fernandes. Disponível em: https://www.conjur.com.br/2017-mai-31/fernandes-gravacao-temer-viola-direito-nao-autoincriminar.

Disse ele: "Entendo que a gravação escamoteada, camuflada, não se coaduna com ares de realmente constitucionais, considerada a prova e, acima de tudo, a boa-fé que deve haver entre aqueles que mantêm, de alguma forma, um contato. Que mantêm, portanto, um diálogo".

O ministro afirmou ainda: "Não imagino que cheguemos ao ponto de ter de revistar alguém que peça uma audiência para manter contato sobre esta ou aquela matéria, visando a saber se porta, ou não, um gravador. Portando gravador e partindo para a gravação da conversa, adentra, a meu ver, campo contrário à boa-fé que deve ocorrer nas relações humanas, chegando a algo, sob minha ótica, inconcebível".

O Recurso Extraordinário apontou violações dos artigos 1º, inciso III; e 5º, incisos X, LIV e LV da Constituição Federal. Alegou-se que a prova seria lícita, porque "as audiências criminais são públicas". A afirmação foi a de que "não existe no ordenamento qualquer limitação para gravação de colóquio interpessoal, em ambiente público, mesmo que de forma clandestina ou sem conhecimento da gravação do outro interlocutor".

É preciso seguir os precedentes citados pelo então ministro Cezar Peluso na ocasião. O primeiro é um caso em que ele foi relator – o RE 402.717 (DJe de 13/2/2009). Esse precedente tratava de gravação clandestina ocorrida igualmente como prova de defesa. O voto até defende a tese de que somente há violação constitucional quando a conversa é gravada por terceiros sem ordem judicial. No entanto, o caso concreto tratava de prova de defesa, não fazendo precedente para a tese central que defendia.

O segundo precedente citado é o chamado "Caso Collor", a Ação Penal 307. Nela, o ministro afirma que "se limitou o Tribunal a reconhecer ilicitude à degravação do que se continha em disco apreendido sem as formalidades legais". Duas provas foram, então, consideradas ilícitas.

O que se debatia no processo Collor era a gravação de uma conversa entre Paulo César Farias e Fernando Collor, feita com o uso de uma secretária eletrônica, oferecida pela testemunha Sebastião Curió. A gravação foi considerada ilícita.

O terceiro precedente de gravação ambiental citado foi o Inquérito 657, contra o então ministro do Trabalho de Collor, Antônio Magri, processo de relatoria do ministro Carlos Veloso, do STF – o mesmo citado pelo ministro Marco Aurélio no voto do RE 583.937.

No Inquérito 657, o STF enfrentou o tema da gravação ambiental de forma tangencial, pois tratava-se do recebimento da denúncia e não exclusivamente da validade da gravação. O ex-ministro Antônio Magri teria confessado atos de corrupção, na presença de uma testemunha, Volnei Ávila, que gravou a fala. Depois, o ex-ministro se retratou do que dizia na gravação. Diz o voto do ministro Carlos Veloso:

> A alegação no sentido de que a prova é ilícita não tem procedência, dado que não ocorreu, no caso, violação do sigilo das comunicações – CF, art. 5º, XII – nem seria possível a afirmativa de que fora ela obtida por meios ilícitos (CF, artigo 5º, LVI). Não há, ao que penso, ilicitude em alguém gravar uma conversa que mantém com outrem, com a finalidade de documentá-la, futuramente, em caso de negativa. A alegação talvez pudesse encontrar ressonância no campo ético, não no jurídico.

O também ministro do STF Francisco Rezek acompanhou o relator, considerando lícita a prova. Ele afirmou que "o resultado pode variar entre a indiscrição inofensiva e a mais reprovável vilania; mas não há, aí, um ilícito". O ministro Ilmar Galvão também acompanhou o relator, entendendo que a confissão teria que estar em harmonia com outras provas dos autos.

O ministro Marco Aurélio pediu vista, e acompanhou o relator quanto ao recebimento da denúncia, mas votou pela invalidade da gravação. Ele disse: "Tratando-se de gravação obtida de forma ardilosa e incorreta, mediante a prática condenável de escamotear um gravador visando a obter a armazenagem de informações, forçoso é concluir que se está diante de prova indiciária alçada pelo meio ilícito, ao arrepio não só dos padrões éticos e morais, como também da própria Carta, no que preserva a intimidade da pessoa".

Antes de prosseguir, é necessário acentuar que o voto vencedor aborda a inexistência de norma legal quanto ao tema, e o ministro Marco Aurélio aborda a garantia da intimidade. Não enfrentam a garantia do silêncio.

Pediu vista o ministro Celso de Mello, que proferiu o seguinte voto:

> Essa questão – até em função das razões subjacentes ao tema da inadmissibilidade, em nosso sistema constitucional, das provas ilícitas – assume, ao meu ver, inegável relevo jurídico.

Outro precedente citado é o HC 75.338-8, de relatoria do ministro Nelson Jobim, no qual o acórdão aprecia e entende como legal a gravação telefônica de um dos interlocutores "quando há investida criminosa".

O caso é de um tabelião que gravou um telefonema de um juiz pedindo valores para influir em uma decisão da Corregedoria. Como vítima de extorsão, foi compreendido como lícita a gravação.

O ministro aborda que não há violação à garantia da privacidade, prevista no artigo 5º, inciso X, da Constituição. Em razão de sugestão do ministro Marco Aurélio, estando pendente o julgamento do caso Magri, o julgamento foi suspenso e afetado ao Pleno. Prosseguindo, o ministro Marco Aurélio ficou vencido.

Importante abordagem fez o ministro Sepúlveda Pertence, apontando falta de ofensa ao inciso XII do artigo 5º quanto à preservação de comunicação telefônica, talvez uma violação dos direitos autorais. Chegou a citar a decisão no HC 69.818, na qual apreciou a garantia contra a autoincriminação (art. 5º, LXIII, CF).

O entendimento foi de que o silêncio somente protege a própria pessoa, não sendo possível socorrer terceiros. Apontando que o tema da autoincriminação não estava sendo apreciado no caso, o ministro acompanhou o relator.

Os outros três precedentes citados, de igual forma, não sustentam a ementa da repercussão geral. Um trata de um agravo em que o tema do *"the fruits of poisonous tree"* (teoria do fruto da árvore envenenada) não foi objeto de debate (Ai-AgR 503.617, Rel. Ministro Carlos Velloso, DJ de 4/3/2005). Outro aborda o tema da ilicitude sob o ponto de vista de ter sido corroborada por outras no contraditório (RE – AGR n 402.035, Rel. Min. Ellen Gracie, DJ 6/2/2004). O último volta a abordar caso de sequestradores que são gravados por interlocutores que pedem o resgate (HC 75.261, Rel. Min. Octávio Galloti, DJD 22/9/97).

Assim, a ementa da repercussão geral foi editada em um acórdão que não contou com o debate necessário. A abordagem foi a de que não há ofensa ao artigo 5º, inciso XII, quanto à interceptação telefônica, de comunicação ou de intimidade, quando um dos interlocutores grava a conversa.

Em 30 de outubro de 2001, o Supremo, em processo de relatoria do ministro Sepúlveda Pertence, julgou o HC 80.949-9, de que fui impetrante. O caso abordava uma gravação ambiental, feita por um policial em uma conversa informal com o investigado, em que visou a obter deste uma confissão de seus atos, fora do depoimento em que negava as ações. Relembro o caso com certa nostalgia do excepcional humanista ministro Vicente Cernicchiaro e da passagem de Sepúlveda pela Corte.

Marca o acórdão a frase:

> Guarda da Constituição, e não dos presídios. É dessa opção clara, inequívoca, eloquente, da Constituição – da fidelidade à qual advém a nossa própria legitimidade – é que há de partir o Supremo Tribunal Federal.

O acórdão conclui que

a confissão gravada é ilegal por dois motivos. O primeiro porque estava o paciente preso sem flagrante ou ordem judicial (...) *Já decidiu esta Turma que confissão sob prisão ilegal é prova ilícita e inválida a condenação nela fundada* (HC 70277, 1ª T. 14.12.93, Pertence, TRJ 154/58; Lex 187/295).

A ementa é a seguinte:

III Gravação Clandestina de "Conversa informal" do indiciado com policiais.

3. Ilicitude decorrente – quando não da evidência de estar o suspeito, na ocasião, ilegalmente preso ou da falta de prova idônea do seu assentimento à gravação ambiental – de constituir, dita "conversa informal", modalidade de "interrogatório" sub-reptício, o qual – além de realizar-se sem as formalidades legais do interrogatório no inquérito policial (C.pr. Pen., art. 6º, V) –, se faz sem que o indiciado seja advertido do seu *direito ao silêncio*.

4. O privilégio contra a autoincriminação – *nemo tenetur se detegere* –, erigido em garantia fundamental pela Constituição – além da inconstitucionalidade superveniente da parte final do artigo 185 C. Pr. Pen. – importou em compelir os inquiridos, na polícia ou em juízo ao dever de advertir o interrogado do seu direito ao silêncio: *a falta de advertência* – e da sua *documentação formal* – faz ilícita a prova que, contra si mesmo, forneça o indiciado ou acusado no interrogatório formal contra si mesmo, e, com mais razão, em "conversa informal" gravada, clandestinamente ou não.

O acórdão é um ensinamento àqueles que tentam não "apelar" para o princípio da proporcionalidade – que pressupõe a necessidade da ponderação de garantias constitucionais em aparente conflito. Isso precisamente quando, entre elas, a Constituição não tenha um juízo explícito de prevalência, em virtude da diferença da previsão expressa de nossa Carta Magna da inadmissibilidade da prova ilícita (artigo 5º, LVI), ao contrário da Alemanha, onde a "solução do problema da admissibilidade, ou não, da prova ilícita no processo não arranca de norma constitucional específica mas, ao contrário, busca fundamento em princípios extremamente fluidos da Lei Fundamental, a exemplo daquele da dignidade da pessoa humana".

Evidente que é uma gravação ambiental em que um dos interlocutores visa a obter provas para o Ministério Público ou para qualquer membro das forças repressivas; este age como uma extensão do Estado, não podendo ser permitido uma forma de burlar a garantia contra autoincriminação. Quando o interlocutor faz a gravação ambiental com os fins de obter provas contra terceiro para os fins de fornecê-las aos agentes do Estado, este fere a garantia do silêncio.

A gravação ambiental, portanto, não é ilícita em razão da garantia do sigilo constitucional (artigo 5º, XII, CF), ou mesmo da intimidade (artigo 5º, X, CF), mas em razão da ofensa ao *nemo tenetur se detegere*, (artigo 5º, LXIII, CF). Assim, a gravação do presidente Temer está eivada de ilicitude.

Difícil adjetivar ato tão repulsivo de um indivíduo ir conversar com outro levando um gravador, traindo o que deveria ser intimidade. O mínimo ético não suporta sem repugnância atos de traição como este. Ocorre que bastou nessa gravação a citação de ministros do STF para que Fachin, com apoio, cometesse um ato de ilegalidade sem precedentes na história da República. O art. 53 da Constituição de 1988 é claro no texto que diz que deputados e senadores não podem ser presos, se não em flagrante delito por crime inafiançável:

Art. 53. Os Deputados e Senadores são invioláveis por suas opiniões, palavras e votos.

§ 1º – Desde a expedição do diploma, os membros do Congresso Nacional não poderão ser presos, salvo em flagrante de crime inafiançável, nem processados criminalmente, sem prévia licença de sua Casa.

Em 2001, houve uma Emenda Constitucional para suprimir a impossibilidade de processo criminal sem autorização das respectivas casas, Congresso Nacional e Senado:

Art. 53. Os Deputados e Senadores são invioláveis, civil e penalmente, por quaisquer de suas opiniões, palavras e votos

§ 1º Os Deputados e Senadores, desde a expedição do diploma, serão submetidos a julgamento perante o Supremo Tribunal Federal.

§ 2º **Desde a expedição do diploma, os membros do Congresso Nacional não poderão ser presos**, salvo em flagrante **de crime inafiançável. Nesse caso, os autos serão remetidos dentro de vinte e quatro horas à Casa respectiva, para que, pelo voto da maioria de seus membros, resolva sobre a prisão.**

§ 3º Recebida a denúncia contra o Senador ou Deputado, por crime ocorrido após a diplomação, o Supremo Tribunal Federal dará ciência à Casa respectiva, que, por iniciativa de partido político nela representado e pelo voto da maioria de seus membros, poderá, até a decisão final, sustar o andamento da ação.

§ 4º O pedido de sustação será apreciado pela Casa respectiva no prazo improrrogável de quarenta e cinco dias do seu recebimento pela Mesa Diretora.

§ 5º A sustação do processo suspende a prescrição, enquanto durar o mandato.

§ 6º Os Deputados e Senadores não serão obrigados a testemunhar sobre informações recebidas ou prestadas em razão do exercício do mandato, nem sobre as pessoas que lhes confiaram ou deles receberam informações.

§ 7º A incorporação às Forças Armadas de Deputados e Senadores, embora militares e ainda que em tempo de guerra, dependerá de prévia licença da Casa respectiva.

§ 8º As imunidades de Deputados ou Senadores subsistirão durante o estado de sítio, só podendo ser suspensas mediante o voto de dois terços dos membros da Casa respectiva, nos casos de atos praticados fora do recinto do Congresso Nacional, que sejam incompatíveis com a execução da medida.

O Supremo Tribunal Federal caiu na chantagem do Ministério Público que, de posse da gravação, poderia dar a impressão de que facilitaria a saída dos réus a pedido do senador. Todos sabem que isso não ocorre e que é absolutamente normal políticos aproveitarem encontros em ambientes políticos naturais de poderes para falar com ministros, fazer pedidos, inclusive. No entanto, isso não significa que o pedido será atendido. E também hipóteses de que o político minta dizendo que pediu algo aos ministros quando nunca o fez.

No entanto, se verdade fosse a gravação e Delcídio tivesse falado com os ministros, nada haveria de mais nisso. Mas no contorno isso foi desenhado como um tremendo ato de improbidade de que os ministros queriam se livrar. Gilmar Mendes lembrou que "a convivência com parlamentares é inevitável", diante da posição institucional que os ministros ocupam.

"Não tive a oportunidade de receber qualquer referência em relação a esses fatos. Não recebi qualquer apelo do senador Renan Calheiros ou do vice-presidente Michel Temer em relação à Corte", disse[167].

---

[167] CANÁRIO, Pedro. Consultor Jurídico. **Prisão do senador Delcídio do Amaral e banqueiro André Esteves é mantida no STF.** 25 de novembro de 2015. Disponível em: https://www.conjur.com.br/2015-nov-25/supremo-mantem-prisao-delcidio-amaral-dono-btg-pactual.

E partiram para o que a Constituição não permitia: prender preventivamente o senador. Mas como não podiam decretar a prisão preventiva e então citando uma ação controlada da lei de organização criminosa que somente poderia ser decretada com ordem judicial, decretam uma prisão em flagrante do senador:

> Ante o exposto, presentes situação de flagrância e os requisitos do art. 312 do Código de Processo Penal, decreto a prisão cautelar do Senador Delcídio do Amaral, observadas as especificações apontadas e ad referendum da Segunda Turma do Supremo Tribunal Federal.

No mesmo dia, em outra decisão, decreta a prisão de Edson, advogado do banqueiro André Esteves, e do assessor do deputado Diogo Ferreira. Em todos os casos "é determinado que a Polícia Federal cumpra as diligências simultaneamente, com a discrição necessária para sua plena efetividade e para a preservação da imagem dos investigados e de terceiros, se preciso com o auxílio de autoridades policiais de diversos Estados e de outros agentes públicos". Imprescindível, portanto, que a autoridade policial se desincumba de sua missão lançando mão da menor ostensividade necessária para cada caso, com estrita observância dos arts. 285 e seguintes do Código de Processo Penal.

José Roberto Batochio, ex-presidente da OAB Federal, quando deputado, foi o redator da emenda à Constituição de 2001. Batochio chegou a apelidar a manobra para a prisão do senador como se em flagrante estivesse, de "flagrante perpétuo"[168]:

O caso é encaminhado ao Senado, que comete um dos maiores atos de rebaixamento do seu poder na República. Por 59 votos a 13,

---

[168] Consultor Jurídico. **Constituição não permite prisão processual para parlamentar, afirma Roberto Batochio.** 25 de novembro de 2015. Disponível em: https://www.conjur. com.br/2015-nov-25/autor-regra-tema-batochio-ataca-prisao-delcidio.

mantém a prisão de Delcídio. Dois senadores do PT votaram pela manutenção da prisão: Paulo Paim (RS) e Walter Pinheiro (BA). Também votaram contra a decisão do STF os senadores Fernando Collor (PTB-AL), Telmário Motta (PDT-RR), João Alberto Souza (PMDB-MA) e Roberto Rocha (PSB-MA). A única abstenção foi a de Edison Lobão (PMDB-MA)[169].

Irônico é que diante do precedente, Aécio Neves, que votou pela manutenção da prisão em 19 de maio de 2017, por decisão monocrática de Fachin, foi afastado em razão de uma gravação do empresário Joesley Batista, dono do frigorífico JBS. Na mesma oportunidade o deputado Rodrigo Rocha Loures, do PMDB do Paraná, foi afastado e prendeu Andrea Neves, irmã do senador.

O empresário fez o mesmo que o filho do senador. Na realidade, virou uma técnica orientada por advogados delacionistas macomunados com procuradores. Em ambas as histórias, Marcelo Muller estava envolvido. E os vazamentos para a imprensa sempre a serviço dos interesses do MP. Os procuradores passaram a influenciar na própria indicação dos advogados e a combinar com estes a orientação de que passassem a realizar atos de gravação de terceiros.

Na gravação, de péssima qualidade, transparecia que Temer concordava com Joesley sobre valores que insinua que passava para Eduardo Cunha, que se encontrava preso. Na conversa com Aécio o senador pedia um empréstimo com a justificativa de pagar advogados.

O processo cautelar foi distribuído para Fachin, por dependência, dia 15 com o pedido, e dia 18 já havia prisão. Ocorre que, como já explicitado na parte deste livro que debateu a competência, não havia prevenção do ministro Fachin, que admite um pedido da defesa, representada por Alberto Zacharias Toron para distribuição. No dia 7 de junho, após dar vista do recurso, na Procuradoria o ministro Marco

---

[169] **Veja como votou cada senador sobre prisão de Delcídio do Amaral**. Do UOL, em São Paulo. 25 de novembro de 2015. Disponível em: https://noticias.uol.com.br/politica/ultimas-noticias/2015/11/25/como-votou-cada-senador-sobre-prisao-de-delcidio-do-amaral.htm?cmpid=copiaecola.

Aurélio profere uma decisão afirmando "a impossibilidade de rever, individualmente, a decisão do Relator substituído, ministro Edson Fachin, com quem tenho a honra de ombrear. Fazê-lo conduziria a verdadeira autofagia, a servir apenas ao descrédito do Judiciário".

No dia 26 de setembro de 2017, o ministro Marco Aurélio leva a julgamento na primeira turma e vota pela revogação das medidas. "Sejam quais forem as denúncias contra o senador minineiro, não cabe ao Supremo por seu plenário e muito menos por ordem monocrática afastar um parlamentar do seu exercício do mandato; trata-se de perigosíssima criação jurisprudencial que afeta de forma significativa o equilíbrio e a independência dos três poderes. Mandato parlamentar é coisa séria, e não se mexe impunemente nas suas prerrogativas"[170]. E é acompanhado pelo ministro Alexandre de Moraes. Mas Luis Roberto Barroso, Rosa Weber e Luiz Fux mantêm medidas cautelares entre as quais impedir o senador de ir ao Senado. "Ao votar, Fux afirmou que a atitude mais elogiosa a ser tomada por Aécio seria se licenciar do mandato para provar sua inocência. 'Já que ele não teve esse gesto de grandeza, nós vamos auxiliá-lo a pedir uma licença para sair do Senado Federal, para que ele possa comprovar à sociedade a sua ausência de culpa'[171]."

No dia 11 de agosto, o pleno do STF julga possível a aplicação de medida alternativa à prisão de parlamentares pelo Poder Judiciário, na ADI 5.526. O ministro Marco Aurélio vota contrariamente a essa tese, mas diz que as decisões precisam ser referendadas pela casa legislativa, votando contrários a isso os ministros Edson Fachin (Relator), Roberto Barroso, Rosa Weber, Luiz Fux e Celso de Mello. A ementa da decisão segue abaixo:

---

[170] **MARCO AURÉLIO VOTA CONTRA PRISÃO DE AÉCIO.** Disponível em: https://youtu.be/cZIPQGmYxms.

[171] **Supremo determina que Aécio Neves seja afastado do Senado e entregue passaporte.** 26 de setembro de 2017. Disponível em: https://www.conjur.com.br/2017-set-26/supremo-determina-aecio-neves-seja-afastado-senado.

CONSTITUCIONAL E PROCESSO PENAL. INAPLICABILIDADE DE PRISÃO PREVENTIVA PREVISTA NO ARTIGO 312 DO CPP AOS PARLAMENTARES FEDERAIS QUE, DESDE A EXPEDIÇÃO DO DIPLOMA, SOMENTE PODERÃO SER PRESOS EM FLAGRANTE DELITO POR CRIME INAFIANÇÁVEL. COMPETÊNCIA PLENA DO PODER JUDICIÁRIO PARA IMPOSIÇÃO DAS MEDIDAS CAUTELARES PREVISTAS NO ARTIGO 319 DO CPP AOS PARLAMENTARES, TANTO EM SUBSTITUIÇÃO A PRISÃO EM FLAGRANTE DELITO POR CRIME INAFIANÇÁVEL, QUANTO EM GRAVES E EXCEPCIONAIS CIRCUNSTÂNCIAS. INCIDÊNCIA DO § 2º, DO ARTIGO 53 DA CONSTITUIÇÃO FEDERAL SEMPRE QUE AS MEDIDAS APLICADAS IMPOSSIBILITEM, DIRETA OU INDIRETAMENTE, O PLENO E REGULAR EXERCÍCIO DO MANDATO PARLAMENTAR. AÇÃO PARCIALMENTE PROCEDENTE. 1. Na independência harmoniosa que rege o princípio da Separação de Poderes, as imunidades do Legislativo, assim como as garantias do Executivo, Judiciário e do Ministério Público, são previsões protetivas dos Poderes e Instituições de Estado contra influências, pressões, coações e ingerências internas e externas e devem ser asseguradas para o equilíbrio de um Governo Republicano e Democrático. 2. Desde a Constituição do Império até a presente Constituição de 5 de outubro de 1988, as imunidades não dizem respeito à figura do parlamentar, mas às funções por ele exercidas, no intuito de preservar o Poder Legislativo de eventuais excessos ou abusos por parte do Executivo ou Judiciário, consagrando-se como garantia de sua independência perante os outros poderes constitucionais e mantendo sua representação popular. Em matéria de garantias e imunidades, necessidade de interpretação separando o CONTINENTE ("Poderes de Estado") e o CONTEÚDO ("eventuais membros que pratiquem ilícitos"), para fortalecimento das Instituições. 3. A imunidade formal prevista constitucionalmente somente permite a prisão de parlamentares em flagrante delito por crime inafiançável, sendo, portanto, incabível aos congressistas, desde a expedição do diploma, a aplicação de qualquer outra espécie de prisão cautelar, inclusive de prisão preventiva prevista no artigo 312 do Código de Processo Penal. 4. O Poder Judiciário dispõe de competência para impor aos parlamentares, por autoridade própria, as medidas cautelares a que se refere o art. 319 do Código de Processo Penal, seja em substituição de prisão em flagrante delito por crime inafiançável, por constituírem medidas individuais e específicas menos gravosas; seja autonomamente, em circunstâncias de excepcional gravidade. 5. Os autos da prisão em flagrante delito por crime inafiançável ou a decisão judicial de imposição de medidas cautelares que impossibilitem, direta ou indiretamente, o pleno e regular exercício do mandato parlamentar e de suas funções legislativas, serão remetidos dentro de vinte e quatro horas à Casa respectiva, nos termos do § 2º do artigo 53 da Constituição Federal, para que, pelo voto nominal e aberto da maioria de seus membros, resolva sobre a prisão ou a medida cautelar. 6. Ação direta de inconstitucionalidade julgada parcialmente procedente.

No dia 17 de outubro de 2017 o plenário do Senado, por 44 votos a 26, afasta as medidas impostas pelo STF. O Senado havia amadurecido em relação à defesa do mandato de senador e a independência dos poderes. Ou tudo é um jogo político. A segunda interferência do STF, afastando, decretando prisão ou medidas alternativas substitutivas da prisão, afronta a separação de poderes. Senadores do PT que foram a favor do afastamento: José Pimentel (PT-CE), Lindbergh Farias (PT-RJ), Paulo Rocha (PT-PA), Regina Souza (PT-PI), se somando a João Capiberibe (PSB-AP), José Medeiros (PODE-MT), Kátia Abreu (PMDB-TO), Lasier Martins (PSD-RS), Lídice da Mata

(PSB-BA), Lúcia Vânia (PSB-GO), Magno Malta (PR-ES), Otto Alencar (PSD-PA), Randolfe Rodrigues (REDE-AP), José Reguffe (sem partido-DF), Roberto Requião (PMDB-PR), Romário (PODE-RJ), Ronaldo Caiado (DEM-GO), Walter Pinheiro (sem partido-BA).

Em 19 de outubro de 2019, na Ação Penal 1013633-17.2019.4.01.3400, remetida à 12ª Vara Federal de Brasília, quando Temer deixou a Presidência, o juiz Marcus Vinícius Reis Bastos absolve o ex-presidente Michel Temer, o que demonstra o quanto o STF e a população foram engabelados:

> Ao criticar a denúncia do Ministério Público, Reis Bastos evidenciou que o MPF editou a transcrição do diálogo, adulterando o seu sentido.
>
> "A prova sobre a qual se fia a acusação é frágil e não suporta sequer o peso da justa causa para a inauguração da instrução criminal", afirmou o juiz, para concluir que "o diálogo quase monossilábico entre ambos evidencia, quando muito, bravata do então Presidente da República, Michel Temer, muito distante da conduta dolosa de impedir ou embaraçar concretamente investigação de infração penal que envolva organização criminosa".
>
> Em determinado trecho da decisão, o juiz compara a transcrição do diálogo feita no laudo pericial com a edição feita pelo procurador-geral da República, Rodrigo Janot: "Por sua vez, a denúncia transcreve o mesmo trecho do áudio **sem considerar interrupções e ruídos, consignando termos diversos na conversa, dando interpretação própria à fala dos interlocutores (…)**".
>
> Depois de comparar as versões do mesmo diálogo, o juiz aponta outras distorções: "No trecho subsequente das transcrições – principal argumento da acusação quanto ao crime de obstrução da justiça – a denúncia, uma vez mais, **desconsidera as interrupções do áudio, suprime o que o Laudo registra como falas ininteligíveis e junta trechos de fala registrados**

separadamente pela perícia técnica que, a seu sentir, dão – ou dariam – sentido completo à conversa tida por criminosa"[172].

A balança da separação de poderes começou a ser distorcida quando, em 5 de maio de 2016, Teori Zavascki afasta do deputado Eduardo Cunha da presidência da Câmara dos Deputados e da legislatura. Estava pendente, com o ministro Marco Aurélio, uma Ação Cautelar (AC 4.070) que questionava se o presidente da Câmara poderia assumir a Presidência da República em caso de viagem do presidente, pois havia uma ação penal contra ele. Na realidade, Fachin se adianta para ultrapassar Marco Aurélio e usa o argumento de que "embora a Constituição Federal não declare expressamente a necessidade de afastamento da função de presidência dos poderes da República – nas lastimáveis hipóteses em que seus ocupantes se venham a se tornar réus – não é demasia afirmar que ela acena vividamente nesse sentido, sobretudo nas hipóteses em que seja possível vislumbrar que as infrações penais tenham sido adjetivadas por desvios funcionais" e ainda o "livre exercício de seu mandato parlamentar e à frente da função de presidente da Câmara dos Deputados, além de representar risco para as investigações penais sediadas neste Supremo Tribunal Federal, é um pejorativo que conspira contra a própria dignidade da instituição por ele liderada"[173].

Ainda no dia 5 de maio, o plenário, à unanimidade, manteve o afastamento de Cunha. "Decano do Supremo, o ministro Celso de Mello afirmou em seu voto que a decisão que a corte tomou nesta quinta é importante para mostrar que, numa democracia, 'não há

---

[172] CANÁRIO, Pedro e VOTARE, Emerson. **MPF adulterou diálogos de Joesley e Temer, diz juiz federal.** 16 de outubro de 2019, 19h47. Sentença disponível em: https://www.conjur.com.br/2019-out-16/juiz-chama-denuncia-temer-ilacao-absolve-sumariamente.

[173] Consultor Jurídico. https://www.conjur.com.br/dl/ac-4070-teori-afasta-cunha.pdf. http://www.stf.jus.br/portal/autenticacao/ sob o número 10910299.

poder absoluto, porque o poder não se exerce de forma ilimitada'"[174].
O ministro Gilmar Mendes se manifestou dizendo que "o que marca
o Estado de Direito é a ideia de que não existem soberanos". E qual
o limite do poder do STF?

Já em 7 de dezembro de 2016, vai a julgamento a ADPF 402
que visava a afastar o presidente do Senado, Renan Calheiros, da
presidência da casa legislativa. Marco Aurélio concedeu a liminar.
Mas a decisão do STF já foi outra. O relator votou destacando o precedente de Eduardo Cunha e foi acompanhado por Rosa Weber. "O
ministro Celso de Mello abriu a divergência no sentido de limitar os
efeitos da liminar para impedir o exercício temporário da Presidência da República por quem figure como réu em ação penal no STF,
sem, contudo, afastar o senador Renan Calheiros da presidência do
próprio Senado[175]." E foi seguido incrivelmente por Teori Zavascki,
Fux, Lewandowski e Cármen Lúcia.

No caso de Renan[176], a mesa diretora do Senado resolveu, um dia
antes da sessão, descumprir a decisão do STF e aguardar o julgamento

---

[174] CANÁRIO, Pedro. **Supremo mantém suspensão de mandato do deputado Eduardo Cunha.** 5 de maio de 2016. Disponível em: https://www.conjur.com.br/2016-mai-05/supremo-mantem-suspensao-mandato-deputado-eduardo-cunha.

[175] **QUESTÃO DE ORDEM NA PETIÇÃO 7.074 DISTRITO FEDERAL RELATOR: MIN. EDSON FACHIN** Todos os votos disponíveis em: http://www.stf.jus.br/portal/autenticacao/ sob o número 13370648. http://www.stf.jus.br/portal/cms/verNoticiaDetalhe.asp?idConteudo=331478.

[176] "Também preocupa a manipulação política do processo penal. Fico em um exemplo. Em 5.12.2016, o ministro Marco Aurélio concedeu medida cautelar, determinando o afastamento do senador Renan Calheiros da Presidência do Senado. Dois dias depois, o Pleno da Corte revogou a ordem – ADPF 402. Na segunda-feira seguinte, o Procurador-Geral da República valeu-se de investigações que, havia longa data, tramitavam para oferecer duas novas denúncias contra o senador. O ministro Teori Zavascki, sem alarde – mas talvez devesse ter feito, porque isso é pedagógico –, considerou tão açodadas as novas postulações, que devolveu as petições à PGR. As denúncias vieram desacompanhadas de quaisquer provas. Disse o ministro que, naquele caso de Renan, que julgamos aqui, já tinha dito que estava acolhendo a denúncia contra Renan, o caso da pensão, que se transformou em um caso de locação de automóveis; disse o ministro Teori Zavascki, de forma constrangida, porque era evidentemente inepta." Palavras de Gilmar Mendes na questão de ordem na petição 7.074. Disponível em: http://redir.stf.jus.br/paginadorpub/paginador.jsp?docTP=TP&docID=14752801.

do plenário[177]. Com isso, exatamente o Senado, que tem poderes de *impeachment* sobre ministros do STF, mostrou unidade e força. A ministra Cármen Lúcia na presidência da Suprema Corte afirmou no julgamento: "É da harmonia e independência dos Poderes que teremos que extrair as diretrizes para o julgamento".

No dia 12 de julho de 2018, o juiz Ricardo Leite, da 10ª Vara da Justiça Federal em Brasília, absolveu o ex-senador Delcídio do Amaral, o ex-presidente Lula, o banqueiro André Esteves, do BTG Pactual, e outras seis pessoas da acusação de ter tentado subornar o ex-diretor da Petrobras, Nestor Cerveró, para que ele não fizesse acordo de delação premiada. O ex-senador fez delação premiada e inventou que a conversa gravada teria sido a mando de Lula. A sentença demonstra como a precipitação dos ministros do Supremo Tribunal criou o escânlado, sendo ludibriados pelo Ministério Público.

> (…) Neste sentido, o próprio Bernardo menciona que já havia constituído o advogado EDSON antes deste pedido de auxílio. Até então, e é necessário que se frise este ponto, havia uma inércia de DELCÍDIO ante a prisão de Nestor Cerveró e sua possível delação premiada.
>
> (…)
>
> Bernardo, inclusive, coloca Edson (seu advogado) à disposição de DELCÍDIO para que possam empreender ações coordenadas, tanto jurídicas quanto políticas (entendidas estas como influência em Ministros dos Tribunais Superiores). A gravação feita por

---

[177] GARCIA, Gustavo e RAMALHO, Renan. **Senado decide descumprir liminar para afastar Renan e aguardar plenário do STF.** Documento assinado por integrantes da Mesa Diretora foi divulgado nesta terça; oficial de Justiça aguardou por 6h, sem sucesso, para entregar notificação de afastamento ao peemedebista.
G1 — Brasília. 6 de dezembro de 2016. Atualizado há 3 anos. Disponível em: https://g1.globo.com/politica/noticia/renan-senado-decide-nao-cumprir-liminar-e-aguardar-decisao-do-plenario-do-stf.ghtml.

Bernardo registra este fato, bastando verificar a dinâmica das conversas.

Entretanto, há um ponto na gravação que foi negligenciado pelo Ministério Público Federal em sua denúncia e nas alegações finais. Há claramente menção à delação de Fernando Soares, vulgo Fernando Baiano. Há, inclusive, a menção de que Fernando Baiano antecipou sua colaboração e utilizou informações prestadas por Nestor, o que acabou prejudicando a colaboração deste. Transcrevo o trecho mais claro da gravação referente a este fato:

Delcídio – não, claro isso é pra não aceitar, isso não tem nenhum sentido, isso não tem nenhum sentido ... agora é o Fernando pegou o material que o Nestor tinha feito?

Edson – é isso aí, é isso aí.

Delcídio – é brincadeira um negócio desse.

Edson – é isso aí.

Diogo – quase um ctrl c, ctrl v.

Edson – exatamente isso.

E adiante, Bernardo revela que este fato deixou Nestor raivoso:

Delcídio – o Nestor sabe disso?

Bernardo – Sabe, sabe ... tá meio puto.

A própria conversa de Nestor com Fernando ou então com seu advogado Sérgio Riera impediu sua delação, segundo consta deste diálogo. Este fato foi abordado no interrogatório de DELCÍDIO, tendo sido, inclusive, mencionado o vazamento da delação de Fernando Baiano pela revista *Época*. Há, então, comprovação de que, em um primeiro momento, a colaboração de Nestor Cerveró foi rejeitada pelo Ministério Público em razão da que fora prestada por Fernando Baiano. O argumento invocado pelo Ministério Público Federal para a rejeição do acordo foi a falta de elementos novos.

(...)

Neste contexto, realmente surge a única prova que, eventualmente, poderia ensejar a colaboração de Nestor. Uma gravação de DELCÍDIO realizada por Bernardo Cerveró juntamente com EDSON e DIOGO. Isto ocorreu em 04 de novembro de 2015 em um hotel em Brasília.

(...)

Vou além. Com esta situação por ele criada, obteve o áudio que possibilitou a delação premiada. Sem esta fonte probatória (mesmo que sujeita a confirmação ou outras provas complementares) não haveria a restituição da liberdade de Nestor, já que houve grande impacto midiático dos áudios, inclusive, por envolver a reputação de Ministros dos Tribunais Superiores. O próprio Nestor em seu interrogatório admitiu este fato.

Outro ponto importante a se mencionar é o de que não há como responsabilizar o réu EDSON por estas modalidades típicas, uma vez que o instituto da delação premiada, embora admitida em nosso ordenamento jurídico, é alvo de inúmeras controvérsias. Há inúmeros advogados que ainda hoje tecem ácidas críticas à sua adoção e que não trabalham com o denominado direito premial. Há inúmeros artigos de juristas neste sentido expostos em sítios jurídicos da internet.

Em seu interrogatório, EDSON teceu inúmeras razões que merecem crédito, como seu trabalho profícuo em favor de Nestor Cerveró (com abono de Nestor e de Alessi Brandão), elencando a impetração de vários habeas corpus, exceção de suspeição e defesa junto ao TCU, diante de sua responsabilização pelos prejuízos causados na compra da Refinaria de Pasadena. Havia realmente um receio de que suas colaborações pudessem agravar sua defesa perante órgãos de controle. A conduta de advogado criminal que não consegue reverter uma prisão não pode ser avaliada apenas em seu resultado final imediato[178].

Nesse caso específico, um ensinamento: o juiz faz uma observação sobre Edson, de que "estava exercendo com zelo seu ofício, tendo, inclusive, indicado a advogada que realizou a delação". Edson foi vítima do próprio cliente, do Ministério Público e dos colegas. Passou por uma exposição midiática incrível, digna da humilhação de Dreyfus na frente da tropa. Preso pela mais alta Corte do Judiciário. Mesmo não podendo se defender dos impropérios e bravatas relativos à fantasiosa fuga de Cerveró, essas não passaram de uma fantasia que serviu, em conjunto com as bravatas do senador, de elementos para que, por má-fé, o Ministério Público usasse para criar o clima com os ministros do STF. Um claro erro judicial. O TRF 1 manteve as absolvições. E Delcídio, que havia sido vítima da mesma armação do filho de Cerveró, acabou criando fatos contra Lula e se entregando em inúmeros ilícitos.

As gravações de Joesley fazem o tiro sair pela culatra. Um descuido de seus delacionistas acarreta a juntada nos autos de gravações em que este citava ministros do STF. Novamente nenhum crime havia dos ministros, mas esses imediatamente reagem.

Na gravação, Joesley aventa combinar, criar fatos contra o advogado e ex-ministro José Eduardo Cardozo e envolver ministros do STF. Seria uma forma de criar uma armadilha ao advogado e com isso envolver os ministros do STF.

As notícias abaixo permitem compreender a armação[179]:

Gravação da JBS cita quatro ministros do Supremo

---

[178] Consultor Jurídico. https://www.conjur.com.br/dl/10-vara-absolve-luiz-inacio-lula-silva.pdf.

[179] **Entenda o caso Joesley e as reviravoltas recentes na delação da J&F.** Principal acionista do grupo gravou diálogos com Temer. Novos áudios sugerem que ex-procurador orientou delação Fachin pode prender e anular benefícios dos executivos. PODER360. 9 de setembro de 2017. Disponível em: https://www.poder 360.com.br/lava-jato/entenda-o-caso-joesley-e-as-reviravoltas-recentesna-delacao-da-jf/.

Em áudio, delatores também dizem que ex-assessor de Janot trabalhava para eles enquanto integrava a Lava Jato[180].

Por Rodrigo Rangel – Atualizado em 5 set 2017, 18h12 – Publicado em 4 set 2017, 21h39

Fontes com acesso ao áudio revelaram a *VEJA* que os ministros são citados pelos delatores **Joesley Batista** e **Ricardo Saud** em situações que denotam "diferentes níveis de gravidade".

Algumas são consideradas até banais, mas "ruins" para a imagem dos ministros. Mas uma delas, em especial, se destaca por enredar um dos onze ministros da corte em um episódio que parece "mais comprometedor".

(…)

Além dos ministros do Supremo, os dois delatores da JBS mencionam o ex-procurador da República **Marcelo Miller**, que trocou a assessoria do procurador-geral da República, **Rodrigo Janot**, por um escritório de advocacia contratado pela JBS.

(…)

Joesley Batista e **Ricardo Saud** dão a entender na conversa que, mesmo no período em que auxiliava Janot na Lava Jato, Miller já trabalhava para a JBS.

Por terem omitido os episódios citados na conversa durante os depoimentos prestados como parte da delação premiada, os delatores poderão ter os benefícios do acordo cassados, conforme o próprio Rodrigo Janot anunciou no início da noite desta segunda-feira em Brasília.

---

[180] RANGEL, Pedro. **EXCLUSIVO: Gravação da JBS cita quatro ministros do Supremo** Em áudio, delatores também dizem que ex-assessor de Janot trabalhava para eles enquanto integrava a Lava Jato. – 4 de setembro de 2017. Disponível em: https://veja.abril.com.br/brasil/exclusivo-gravacao-da-jbs-cita-quatro-ministros-do-supremo/.

(...)

As gravações de conversas entre os empresários Joesley Batista e Ricardo Saud, da JBS, divulgadas hoje (6) pelo Supremo Tribunal Federal (STF), indicam que eles planejavam usar o ex-ministro da Justiça José Eduardo Cardozo para atingir ministros da Suprema Corte. A ideia era gravar uma conversa com Cardozo na tentativa de identificar os ministros sobre os quais ele poderia ter influência. "Depois vamos botar tudo na conta do Zé", diz Joesley no áudio divulgado pelo STF.

Após afirmar que entregaria o presidente da República, Michel Temer, Joesley informa que caberia a Saud entregar o ex-ministro, o que ocorreria após contato a ser feito pelo próprio Joesley com Cardozo. "Eu vou entregar o [chefe do] Executivo e você vai entregar o Zé. Vou ligar para o Zé e chamar ele para trabalhar conosco. Vou dizer que a gente precisa organizar o STF e vou perguntar quem ele tem e qual influência que tem neles [ministros]. Ele vai entregar tudo", afirma Joesley.

"Vou chamar o Zé e dizer a ele que a casa caiu e que preciso dele; que vamos ter de montar nossa tática de guerra. Depois vamos botar tudo na conta do Zé", reforça Joesley. "E se a gente pegar o Zé, a gente pega o STF", acrescenta Saud.

Em outro trecho da gravação, os dois empresários insinuam que uma advogada da equipe que defende a JBS [supostamente Fernanda Tórtima] teve um relacionamento amoroso com o ex-ministro da Justiça. "[Ela] surtou por causa do Zé, porque sabia que, se a gente entregar o Zé, ele entrega o Supremo", diz Joesley. Em outra parte da conversa, o empresário diz que Fernanda ficou preocupada com a possibilidade de a delação atingir ministros do Supremo. "E aí até a Fernanda perdeu o controle. Ela falou: 'Nossa Senhora, peraí, calma, o Supremo, não, peraí, calma, vai f* meus amigos", acrescenta Joesley.

Os delatores planejam, em outra parte do áudio, estratégias para se aproximar também de integrantes da Procuradoria-Geral da República (PGR), em especial do procurador-geral, Rodrigo Janot. Para tanto, usariam uma pessoa chamada Marcelo – que seria o ex-procurador Marcelo Miller. "Nós somos do serviço. Nós vamos virar amigo e funcionário do Ministério Público e desse Janot. Vamos falar a língua deles. Quer conquistar o Marcelo? Você já achou o jeito. É só chamar esse povo de bandido, e eles vão dizer; 'agora vocês estão do nosso lado'", afirma Joesley.

"Ele [Marcelo] já contou para o Janot que a gente tem muito mais para contar. Marcelo é do MPF. Ele tem linha direta com o Janot e com outros de lá. Nós somos a joia da coroa deles. O Marcelo já descobriu e falou para o Janot: 'Janot, nós já temos o pessoal que vai dar todas as provas que precisamos'", afirma Joesley[181].

Em 21 de junho de 2017, o Supremo Tribunal Federal se reúne para tratar das consequências das declarações de Joesley, em relação à Petição 7.074 e a um Agravo na mesma petição[182].

No dia 10 de setembro de 2017, o melhor acordo de delação premiada da história vai por água abaixo. O contrato dava imunidade completa aos irmãos. A bilionária empresa tinha conseguido o contrato por meio da relação dos advogados com Marcelo Muller, que trabalhava ainda no Ministério Público, e por meio de suas relações com Rodrigo Janot.

---

[181] PODER360 – 9 de setembro de 2017. **Gravações indicam que delatores planejavam usar ex-ministro para atingir STF.** Disponível em: https://agenciabrasil.ebc.com.br/politica/noticia/2017-09/gravacoes-indicam-que-delatores-planejavam-usar-ex-ministro-para-atingir audio em: https://www.youtube.com/watch?v=hvH4ErzgQT8.

[182] Sessão inicia no vídeo https://www.youtube.com/watch?v=slg-BwDPyww e prossegue no https://www.youtube.com/watch?v=gCjm3mc6go8.

No mesmo dia 10, O Antogonista[183] estampa uma foto do procurador-geral em um bar em Brasília. Janot, de óculos escuros, e Pierpaolo Bottini conversam por vinte minutos. A relação com o Ministério Público...

Dia 22 de junho de 2017, o Supremo vai julgar a petição PET 7.074. No HC127.483 o STF havia transpassado delação, mas naquela oportunidade se debatia se terceiro poderia impuganá-la. Seria a primeira vez que o STF se debruçaria sobre o tema da delação premiada em plenário. Fachin lembra que o falecido ministro "Teori Zavascki, homologou, àquele tempo, a maior e mais complexa colaboração premiada, por envolver 79 (setenta e nove) acordos firmados pelo Ministério Público Federal com executivos e ex-executivos do Grupo Odebrecht". Fachin defende limites de poderes do Judiciário em relação aos acordos:

> Cuidando-se de um legítimo negócio jurídico processual, o instituto da colaboração premiada é regido por normas de direito público, circunstância que delimita o ambiente negocial acerca dos benefícios que serão ofertados ao colaborador, disciplinados no art. 4º, caput, § 2º e § 5º, da Lei nº 12.850/2013. Isso equivale dizer, a meu sentir, que no âmbito de incidência da norma, as partes podem ajustar suas pretensões até a obtenção de um consenso sobre o acordo, que tem por essência concessões mútuas nas posições jurídicas dos interesses conflitantes. Logo, nessa fase homologatória, repito, não compete ao Poder Judiciário a emissão de qualquer juízo de valor acerca da proporcionalidade ou conteúdo das cláusulas que compõem o acordo celebrado

---

[183] **Foto mostra Janot e advogado de Joesley Batista em bar de Brasília.** Imagem divulgada pelo site 'O Antagonista' mostra o procurador-geral conversando com o advogado Pierpaolo Bottini no sábado, um dia depois de Janot pedir a prisão de Joesley. Por G1 – Brasília. 10 de setembro de 2017. Disponível em: https://www.oantagonista.com/brasil/exclusivo-janot-flagrado-com-advogado-de-joesley/ e https://g1.globo.com/politica/operacao-lava-jato/noticia/foto-mostra-janot-e-advogado-de-joesley-batista-em-bar-de-brasilia.ghtml.

entre as partes, sob pena de malferir a norma prevista no § 6º
do art. 4º da Lei nº 12.850/2013, que veda a participação do juiz
nas negociações, dando-se concretude ao princípio acusatório
que rege o processo penal no Estado Democrático de Direito.

O voto de Fachin é uma enorme fundamentação do que entende
quanto à legalidade do acordo e limites do Judiciário perante o que
entende direito do Ministério Público acordar.

Gilmar, que apoia a Lava Jato, profere um voto que é uma verdadeira denúncia ao abuso do Estado policial que passou a se implantar:

(...)

Não acho que o sistema atual seja bom. Pelo contrário, o delator
é fortemente incentivado a entregar delitos verdadeiros ou fictícios, especialmente quando os delatados são pessoas conhecidas.

Nós temos ouvido, todos nós recebemos em nossos gabinetes
advogados conhecidos que, pela fé do grau, dizem que delatores
foram estimulados, inclusive com lista de nomes que deveriam
ser delatados, sob pena de não colherem o benefício. Certamente,
essas histórias aparecerão e gerarão uma série de questões. Isso
já ouvi dos maiores advogados que estão participando dessas
causas. Seguramente, ninguém negará o que se tem praticado
e, como se sabe, não é uma prática escorreita, condizente com
o Estado de direito. Quem faz isso não age de maneira correta.
É preciso dizê-lo.

Estou convicto de que esse sistema expõe, de forma excessiva, a
honra dos delatados, os quais são apresentados à sociedade como
culpados, mesmo antes de saberem do quê. Faz tempo que venho
chamando a atenção para esse ponto, e pretendo continuar, Presidente. Creio que temos que evoluir em soluções jurisprudenciais
e legislativas, reforçando a presunção de inocência, sem impedir
as investigações. Mas o caso concreto não é ideal para tanto.

GEOPOLÍTICA DA
INTERVENÇÃO

...Tenho que os diversos casos de delação são suficientes para demonstrar o abuso nas promessas ao delator e o pouco-caso com direitos do delatado. ... Já se **falou aqui que nós teríamos um dever de lealdade para com a Procuradoria, por exemplo. Nós temos dever de lealdade para com a Constituição, e não para com a Procuradoria** – pelo menos esse era o meu entendimento até semana passada. Ademais, a Procuradoria também está submetida à Constituição.

(...) É nesse contexto, portanto, que quero assentar o propósito do meu voto: reforçar o controle judicial dos atos de colaboração premiada, o que não significa outra coisa, senão colocar esta norma central da Constituição, a mais importante delas todas, que diz que não pode haver qualquer afetação à proteção judicial efetiva, que está no art. 5º, XXXV, que Vossa Excelência tanto enfatizou no seu voto, Ministro Ricardo Lewandowski.

Pretendo demonstrar, no curso da argumentação, que os parâmetros legais que deveriam reger os acordos nunca foram devidamente observados. Hoje, são cada vez menos lembrados. **Criou-se um tipo de Direito Penal de Curitiba**. Normas que não têm nada a ver com que está na lei. E, portanto, torna-se impossível o controle da legalidade. Pouco importa o que a Corte venha a decidir, porque certamente isso será mudado daqui a pouco, tendo em vista as más práticas que se desenvolveram.

É evidente que o Congresso não conviverá com essa sorte de abusos, a não ser que alguém edite um *ucasse*, proibindo o Congresso de legislar. Porque até isso se cogita, Presidente. Discutir a aprovação de uma lei de abuso de autoridade, um projeto de lei que supera a velha lei, feita por Milton Campos, em 65, se tornou obstrução de justiça. Quanta desfaçatez, quanto cinismo, quanta ousadia, quanto pensamento totalitário de quem já disse que discutir o projeto de lei, seja lá qual for, é obstrução de justiça.

E Vossa Excelência, Ministro Edson Fachin, tem aí, sob a sua apreciação, casos desse tipo. É preciso realmente ter perdido o senso das medidas, é preciso imaginar que é um tiranete quem age dessa maneira.

(...) Por fim, pretendo demonstrar que, aqui e alhures, a outorga de poderes sem controle ao Ministério Público faz com que boas intenções degringolem em uma rede de abusos e violações de direitos fundamentais.

Começo destacando a inobservância dos parâmetros legais, que deveriam reger os acordos.

(...)

Ocorre que os contornos legais de negociação do acordo não foram observados até o momento – essa é a verdade, em todos os casos. Pelo contrário, ante a falta de um controle jurisdicional efetivo – e não estou fazendo crítica a Vossa Excelência, Ministro Fachin, ou ao saudoso Ministro Teori Zavascki –, o Ministério Público foi, de forma progressiva, fazendo uma nova legislação. Hoje, os parâmetros da lei têm valor meramente literário – é algo lítero-poético recreativo. Isso os próprios advogados reconhecem.

Prevaleceu o acordado sobre o legislado.

Discute-se tanto isso, no Direito do Trabalho, Ministra Rosa Weber, e, aqui, no Direito Penal, isso passou a ser a regra, obliviando-se o princípio da legalidade estrita. "Ah, mas pode ser o direito de defesa do delator que está sendo afetado." Só que há o delatado também. Isso é um sistema, e a legalidade nunca poderia ter sido banalizada.

Veja, Presidente, não se trata de nenhuma reserva mental em relação à importância do programa e do combate à criminalidade, mas, como eu disse outras vezes, combate a crime não se pode fazer cometendo crimes ou irregularidades.

(...)

O objetivo do artigo era verificar se Portugal deveria colaborar com o Brasil, fornecendo provas ao caso Lava Jato. Os autores ressaltam que o Código de Processo Penal português trata dos métodos proibidos de prova em seu artigo 126. O dispositivo reputa nulas as provas obtidas mediante ofensa à integridade física ou moral das pessoas – § 1º. Mesmo com o consentimento da pessoa, é reputada nula a prova obtida mediante "promessa de vantagem legalmente inadmissível" – § 2º. Essa disposição encontra correspondência em outros países. Na Alemanha, vedação semelhante está no § 136a, nº 1, do StPO.

Tendo isso em vista, os autores comparam as sanções premiais prometidas a Alberto Youssef e Paulo Roberto Costa com aquelas legalmente admitidas pela legislação. Apontam as seguintes condições acordadas, sem respaldo na legislação: redução da pena de multa; início do cumprimento da pena privativa de liberdade com a celebração do acordo, independentemente de condenação; fixação de requisitos menos gravosos para a progressão de regime da pena privativa de liberdade; suspensão de investigações e procedimentos, após atingido o teto de pena privativa de liberdade em outras sentenças.

Gilmar faz uma historiação de várias delações da Lava Jato, chegando a denunciar que o acordo feito por Paulo Roberto Costa previa 20% do recuperado aos "órgãos responsáveis pela colaboração". Como "um tipo de direito de honorários sobre o dinheiro furtado da Petrobras. Porque, como não há mãos a medir, e não há parâmetros de controle, pode-se inventar qualquer coisa. Daqui a pouco, também, pagamentos diretos aos procuradores. O ministro Teori Zavascki fez o controle dessa cláusula, determinando a integral devolução do valor à vítima Petrobras, mas veja-se a que ponto se chega!"

Gilmar denuncia casos em que acordos preveem penas sem sentença:

Esse ciclo de inovações parece ter chegado ao ápice nas delações do Grupo Odebrecht. Nessas, chegou-se a desafiar o art. 5º, LXI, da CF, segundo o qual ninguém será preso sem ordem escrita e fundamentada da autoridade judiciária competente. A notícia que foi dada pelo repórter Walter Nunes, da *Folha* – eu já fiz referência, na outra assentada, a esse belo trabalho do jornalista –, é de que foram acordadas as penas para pronto cumprimento. Matéria de 5.3.2017. Acesso em: 22.6.2017. Disponível em: http://www1.folha.uol.com.br/poder/2017/03/1863736- delatores-daodebrecht-cumprirao-pena-sem-condenacao.shtml.

É, de fato, o novo Direito Penal e uma nova jabuticaba, nunca vista em lugar nenhum. É o Direito Penal Constitucional de Curitiba.

Gilmar ingressa no caso concreto:

> Resta claro que os parâmetros legais, que deveriam reger os acordos, nunca foram devidamente observados. Hoje, são cada vez menos lembrados. Por isso que o saúdo mais uma vez, Ministro Edson Fachin, pela iniciativa de ter trazido esse tema ao Plenário; porque, pelo menos, consciente ou inconscientemente, todos nós teremos que fazer esse tipo de contraste e verificar se vale esse novo Direito, em que se está escrevendo o acordado sobre o legislado, em matéria de Direito Penal, de direitos individuais – não só de delatores, mas também de delatados. E aí estaremos a reescrever a Constituição, com todos aqueles valores que nós considerávamos até ontem, Ministro Celso de Mello, como cláusulas pétreas; mas que, agora, podem ser dissolvidos por um acordo feito com o Ministério Público.

> Sob curiosa perspectiva, dois dos primeiros acordos de colaboração premiada realizados no âmbito da Lava Jato foram

GEOPOLÍTICA DA INTERVENÇÃO

avaliados pela doutrina de J. J. Gomes Canotilho e Nuno Brandão – *Colaboração premiada e auxílio judiciário em matéria penal: a ordem pública como obstáculo*. In Revista de Legislação e de Jurisprudência. Ano 146, n. 4000, set/out 2016. pp. 16-38.

De tudo, percebe-se de forma inequívoca que a legalidade dos acordos não está sendo avaliada em momento algum. Essa é a verdade dos fatos. Essa é a inequívoca verdade dos fatos. Não se está fazendo controle de legalidade. Enquanto se faz análise da voluntariedade, precário é o exame da legalidade. Mas, de novo, saúdo o ministro Edson Fachin por ter trazido o debate ao Plenário, permitindo que nós façamos essa análise vertical da temática.

Entretanto, as outras tantas cláusulas duvidosas relatadas antes foram homologadas sem discussão. Não houve argumentação específica afirmando sua validade. Um indicativo da insuficiência da análise é o tempo empregado na homologação do acordo – isso é fácil de ver. Só para ficar em um exemplo, os 77 acordos de colaboração dos executivos da Odebrecht, com volumosos anexos, foram apresentados ao Tribunal para homologação no final do ano passado. Em 19 de janeiro de 2017, o relator, ministro Zavascki, faleceu trágica e repentinamente.

Os procedimentos de verificação da voluntariedade dos delatores foram suspensos pela presidente da Corte, ministra Cármen Lúcia. Em um segundo momento, a presidente retomou as audiências e, em pleno recesso – ou seja, em um curto espaço de tempo –, homologou os 77 acordos.

A despeito da turbulência do momento e do número de acordos, a instrução e decisão, neste caso, demoraram pouco mais de dez dias, contados da assunção da competência pela Presidência. Dez dias para homologar 77 acordos. Com toda diligência, com toda presteza, com toda seriedade que certamente a presidente emprestou ao tema, é óbvio que é um juízo de delibação, considerando inclusive todas as atas volumosas, com todos os anexos, como nós sabemos.

(...)

O *hot site* da Operação Lava Jato informa que o STF já homologou 49 acordos de colaboração premiada no âmbito da investigação. Essas delações redundaram na investigação de 413 pessoas. Desse universo de investigados, 68 foram acusados. O número de denunciados é expressivo. No entanto, a subtração dos denunciados do número de investigados leva a uma indesejável conclusão: 345 delatados não foram acusados. Tramita nesta Corte um número expressivo de investigações contra pessoas que vivem do seu capital político, sem perspectiva de solução, seja redundando em uma acusação, seja em arquivamento.

Grande parte do parlamento e outros tantos políticos de projeção nacional estão sob a lupa da Procuradoria-Geral da República. Algumas investigações foram abertas já sem qualquer perspectiva de sucesso. Cito alguns exemplos.

Foi aberta investigação, com base em depoimentos de Emílio Odebrecht, contra Fernando Henrique Cardoso, tendo em vista relatos superficiais de financiamento irregular nas campanhas de 1994 e 1998 – não sei se o relator anotou que já estava prescrito. A Procuradoria não anotou, mas o processo foi mandado para São Paulo. Essa investigação, declinada para a Justiça Federal em São Paulo, já nasceu tratando de fatos prescritos.

Para que se faz isso? É para brincar com o Supremo Tribunal Federal? Ou tem alguns propósitos outros, políticos? Fatos prescritos dão ensejo a abertura de inquérito? É muito sério o que estamos falando. E, quem sabe, alguém ainda vai dizer: "Ah, mas, se decretar a prescrição aqui, nós estamos sendo desleais com a Procuradoria da República". Lealdade, volto a dizer, devemos à Constituição. Quem deve lealdade à Procuradoria-Geral da República são os procuradores. Eles que honrem a missão à qual foram investidos.

O voto de Gilmar Mendes merece ser lido na íntegra. E, repetindo, o ministro tinha apoiado o início da operação e proferido voto dando apoio integral à Lava Jato e ainda impedido Lula de ser nomeado ministro. Cita ainda o caso de Flávio Dino que foi citado por delator por hipoteticamente ter recebido R$ 400.000 para campanha em troca de ser relator de uma lei que impedisse a aplicação de lei americana no Brasil, pois os Estados Unidos punem quem tem relações comerciais com Cuba, e a Odebrecht faria um porto em Cuba. Ocorre que Dino nunca foi relator desse projeto. De Sérgio Machado ter gravado José Sarney em uma cama de hospital, "Sérgio Machado fala em evitar a remessa da investigação para Curitiba, ao que Sarney menciona que tem que 'conseguir isso', 'sem meter advogado no meio'". O procurador-geral chegou a pedir a busca na casa de Sarney, e Zavascki reiterou o pedido em 14 de junho de 2016. E Gilmar, de maneira muito incisiva, denuncia em voz alta os abusos da Lava Jato: "Se o Espírito Santo não nos ajuda e se não preserva o nosso senso de justiça, pelo menos rezemos para que preserve o nosso senso do ridículo", acrescendo: "Como se faz uma coisa dessa? Prisão preventiva de José Sarney por obstrução de justiça! Quanta ousadia, quanta falta de leitura, quanta irresponsabilidade!".

E mais, Gilmar confronta o ministro paranaence que tinha virado o Moro do STF:

(...)

Por mais de um semestre, o caso restou esquecido. Após a morte de Teori Zavascki, em janeiro de 2017, o procurador--geral recauchutou as representações por medidas cautelares, transformando-as – Vossa Excelência pode fazer a comparação inclusive no sistema Word – em pedido de abertura de inquérito. Inicialmente, não havia pedido de abertura de inquérito, agora, com a morte de Teori Zavascki, transformam-se em pedido de abertura de inquérito.

No novel inquérito, pretende investigar quantas vezes um advogado, notório amigo do magistrado falecido, esteve neste Tribunal. Para tanto, pediu a obtenção de todos os registros de entrada e de gravações dos deslocamentos do advogado neste Tribunal. E pedia mais, Vossa Excelência, inclusive, depois fez ressalva. Postulou o Ministério Público que ele pudesse participar diretamente da diligência ou praticá-la diretamente. Um tipo de delírio! Colocando em dúvida as informações que o Tribunal prestaria ao Ministério Público, Presidente. É o pedido que se fez de investigação do Doutor Ferrão, neste caso.

São fatos que não têm sido analisados, mas que devem ser ditos! Para colocar limites a esses absurdos! Trazer isso à luz do sol, para que não se diga que a expressão de que há uma ameaça de Estado policial é uma expressão de retórica! Não! Há uma ameaça, sim! Verdadeira! Abusiva! E vilipendiam a dignidade da Corte! E não venham dizer que a Corte deve lealdade ao Ministério Público! Deve lealdade à Constituição!

Essa medida foi inicialmente deferida, mas posteriormente suspensa. A investigação pende de conclusão. Acho que suspensa, inclusive, a pedido, salvo engano, Ministro Edson Fachin, da OAB.

Nesses altos poderes, em parte anterior do voto, Gilmar já confrontava os poderes de Fachin[184]. Isso faz inúmeras vezes quando, de forma irônica, cumprimenta o ministro por ter trazido o tema ao plenário. Mas denuncia peças secretas a que ninguém tinha acesso e eram usadas em processo contra Lula somente partes:

> Quanto à legalidade, tem-se conhecimento de apenas um acordo cuja homologação foi negada por problemas substanciais. O Ministro Teori Zavascki devolveu o acordo de Pedro Correa à Procuradoria-Geral da República. O procedimento está em sigilo, não se tem informação oficial sobre a motivação da decisão. Entretanto, conforme noticiou Fausto Macedo, do *Estado de S. Paulo*, as declarações foram avaliadas como "vagas, sem provas específicas" e "amplas demais". Matéria de 26 de outubro de 2016. Disponível em: http://politica.estadao.com.br/blogs/fausto- macedo/supremo-devolvepara-pgr-delacao-de-pedro--correa-que-acusoulula/. Acesso em: 24.6.2017
>
> Muito embora sem homologação, as declarações do colaborador foram usadas contra delatados. O ex-presidente Luiz Inácio Lula da Silva pleiteia o acesso ao acordo nos autos da Pet 6.160. Reportou que dois termos de depoimento de Pedro Correa instruem ações penais em seu desfavor, em trâmite na 13ª Vara Federal de Curitiba. Negado o acesso pelo relator, sob o fundamento de que o acordo não fora homologado, pende de julgamento agravo regimental, ainda não apresentado à Segunda Turma.

---

[184] Os poderes individuais e as homologações em especial vão gerando conflitos e críticas públicas, como quando Gilmar afirma que Fachin foi enganado na JBS. **Tensão entre Gilmar e Fachin no STF.** Disponível em: https://www.youtube.com/watch?v=E2DGlYbwpxo.
"Ministro Fachin, eu imagino o seu drama pessoal, eu consigo imaginar. Ter sido ludibriado por Muller e Caterva e ter tido o dever de homologar isso, deve lhe impor um constrangimento pessoal muito grande nesse episódio da JBS. Eu, que fui da Procuradoria-Geral da República e lá entrei em 1984 e vi o estado de putefração, de degradação dessa instituição me constrange". Em resposta, Fachin disse que age com a lei e diz que está com a alma em paz.

Fora esse caso, temos a glosa de cláusulas não essenciais. O ministro Teori Zavascki deixou de homologar cláusulas que importavam renúncia ao direito de acesso ao Poder Judiciário. Escreveu-se isso, inclusive de não usar habeas corpus. Lembro-me do ministro Teori Zavascki indignado, chocado, com esse tipo de prática.

O voto do ministro, em que pese ter sido televisionado, disponível no YouTube, vai sendo esquecido e não teve a atenção que deveria. Todos os ministros calados como se houvesse um intervalo, um hiato nos absurdos que o Supremo ia autorizando por ação e por omissão. A Lava Jato, aliás, criava elementos de investigações e de mídia quanto a ministros do STJ que tinham votado em *habeas corpus*:

Todos esses casos têm muito em comum. Investigações sem futuro são movidas contra pessoas que não serão acusadas de nada, mas que, para demonstrar a própria inocência, teriam que produzir prova negativa. Já falei sobre isso aqui, e, relembrando, Ministro Ricardo Lewandowski, o célebre caso dos dois investigados do STJ, Ministro Falcão e Ministro Marcelo Navarro. Qual seria o crime deles? Obstrução de justiça. De novo isso virou a panaceia! Quando não se sabe o que é, é obstrução de justiça, Ministro Dias Toffoli. Discutir projeto de lei é obstrução de justiça! Discutir lei de anistia é obstrução de justiça! "Ah, pode ser que eles teriam sido cooptados". Não houve um fato relevante, e eles estão lá, já há mais de dois anos, a responder inquérito.

Agora, esse inquérito cumpre que função, Ministro Edson Fachin? De medrar o STJ, de inibi-los, tanto é que, há até pouco tempo, o STJ não tinha concedido um habeas corpus na matéria da Lava Jato. Esse era o objetivo! Vejam que forma covarde de lidar com o Judiciário! É preciso repudiar claramente esses métodos totalitários! Alguém tem dúvida de que esse inquérito será encerrado, de que não tem futuro? Não, mas fica-se alongando, pedem-se novas testemunhas, como se ninguém tivesse experiência, como se o procurador-geral não tivesse sido indicado a partir de mediações políticas. Poucos aqui, neste Plenário, podem dizer que não fizeram peregrinação política para serem indicados. Eu até poderia dizê-lo, mas não vou, agora, satanizar um Colega que teve que fazer.

Além de ministros, em razão dos valores pagos em larga escala, um sem-número de deputados, senadores e políticos de diversos níveis passaram a responder inquéritos. Mas muitos dos quais se iniciam sem o mínimo de elemento e com evidente falta de crime de corrupção, pois o próprio relato do delator não dá conta de nenhum favor, favorecimento ou ato do político. Empresas como a Odebrecht ou JBS deram valores para campanha por caixa 2 indiscriminadamente e em larga escala, mesmo que nada tivessem para pedir. Tudo pelo simples fato de serem bem-vistos, ou de talvez, no futuro, contar com a simpatia do político. Mas as investigações são instauradas e "Vazamentos seriais dão o ritmo das apurações, revelando um propósito de enaltecimento da pujança dos investigadores e de desrespeito ao estado de inocência dos investigados[185]".

Gilmar vai relatar no voto algo que leva ao texto de Moro sobre a *mani pulite*, demonstrando nos atos do Judiciário que passa a contribuir em ataques constantes ao mundo político, desestruturando-o e elevando os poderes do próprio Judiciário. Um sentimento dos magistrados e dos juízes de que somente eles são puros e têm

---

[185] GREENWALD, Glenn e NEVES, Rafael. VAZAMENTO SELETIVO. Dallagnol mentiu: Lava Jato vazou sim informações das investigações para a imprensa — às vezes para intimidar suspeitos e manipular delações. 29 de agosto de 2019, 1h33. Disponível em: https://theintercept.com/2019/08/29/lava-jato-vazamentos-imprensa/.

a missão de limpar o mundo da política. Isso, mesmo recebendo verbas acima do teto constitucional, valores de verba para auxílio habitação tendo casa. Gilmar, em outro voto, vai denunciar que esses atos admitidos somente são relembrados quando para pressionar os juízes. O ministro, que tinha votado a favor da Lava Jato e ajudado a derrubar o governo Dilma quando impediu Lula de ser nomeado ministro pelos vazamentos de gravações ilegais e abusivas, agora revelava as razões da Lava Jato:

> No Governo Dilma Rousseff, construiu-se a narrativa de que a Operação Lava Jato era politicamente direcionada contra o Partido dos Trabalhadores e seus próceres. Olhando em retrospectiva, percebe-se que esse é um erro de avaliação. O governo do dia foi o alvo inicial simplesmente porque seus agentes estavam na melhor posição para efetivamente performar atos de corrupção. Mas o erro é apenas parcial. Os objetivos da Lava Jato não são imediatamente políticos. A disputa é por poder entre os Poderes de Estado. Tanto é que estamos assentando aqui que a Procuradoria tem primazia, que nós não vamos negar à Procuradoria a homologação, porque eles celebraram acordos com bandidos e nós não podemos frustrar as expectativas dos bandidos! Que modo estranho de aplicar o princípio da segurança jurídica – com as vênias de estilo!

> Nós, que declaramos a inconstitucionalidade de tratados internacionais. O princípio da segurança jurídica já teve outra serventia, Ministro Celso de Mello. Já teve outra serventia! Não se faz o controle da legalidade, e agora nós não podemos ser desleais com a Procuradoria, que ofereceu o que não poderia ter oferecido! Que coisa!

> Já se falou aqui que eu estava preocupado com uma dada tese, porque eu estaria perdendo. Quem perde causa ou ganha causa é

advogado, Presidente! Juiz não perde ou ganha causa. Quem está vinculado a escritório de advocacia é que perde ou ganha causa.

Repito, mas o erro é apenas parcial: os objetivos da Lava Jato não são imediatamente políticos. A disputa é por poder entre Poderes do Estado, inclusive subjugando o Judiciário, e não se está percebendo isso! Está-se submetendo o Judiciário agora ao crivo da Procuradoria, inclusive essas ações que são enjambradas para amedrontar magistrados. Eu vivi isso no julgamento do Tribunal Superior Eleitoral (TSE), Ministro Luiz Fux, Vossa Excelência estava lá. No meio da manhã, eclode um vazamento, tentando envolver o Ministro Napoleão em uma delação, causando tumulto no julgamento. Todos só falavam disso! Coisa de gente mau-caráter! Realmente vocacionada! Esse tipo de gente é capaz de plantar cocaína no carro de um filho nosso. Quem faz esse tipo de vazamento, Ministra Cármen Lúcia, realmente é um celerado. No meio de um julgamento daquela importância, faz-se esse tipo de coisa, e se faz de maneira impune. Vossa Excelência estava lá, Ministra Rosa Weber, e vivenciou todo aquele tumulto! Nós tivemos que ter firmeza para evitar que aquele ambiente descambasse em um desvario.

Gilmar vai denunciar as práticas que acabavam sendo adotadas e as compara com o texto de Moro – *mani pulite*:
Voto:

Estamos cultivando nossa própria versão do chamado "Direito Penal do inimigo". Delatados são investigados e presos até a própria delação, quando deixam de ser tratados como párias. O uso da prisão preventiva de maneira a subverter toda a noção que tínhamos de prisão preventiva, Ministro Edson Fachin. Só se solta depois de assinar o termo de delação. Isto é uma subversão de tudo aquilo que esta Corte desenvolveu até hoje.

Abre-se um novo ciclo de prisões na expectativa da colheita de uma nova safra de delações. Delatados que não são presos são expostos e aguardam indefinidamente a oportunidade de limpar seu nome. Todos estão expostos a esse ciclo. Não há reputação fora do alcance do rolo compressor.

Comparando o voto já citado do ministro Gilmar Mendes com o texto de Sérgio Moro, escrito anos antes, verifica-se que o ministro constava o que era um plano de ação implementado por Moro e copiado por juízes e membros do Ministério Público e virado uma prática:

> A estratégia de ação adotada pelos magistrados incentivava os investigados a colaborar com a Justiça: a estratégia de investigação adotada desde o início do inquérito submetia os suspeitos à pressão de tomar decisão quanto a confessar, espalhando a suspeita de que outros já teriam confessado e levantando a perspectiva de permanência na prisão pelo menos pelo período da custódia preventiva no caso da manutenção do silêncio ou, vice-versa, de soltura imediata no caso de uma confissão (uma situação análoga do arquétipo do famoso "dilema do prisioneiro"). Além do mais, havia a disseminação de informações sobre uma corrente de confissões ocorrendo atrás das portas fechadas dos gabinetes dos magistrados. Para um prisioneiro, a confissão pode aparentar ser a decisão mais conveniente quando outros acusados em potencial já confessaram ou quando ele desconhece o que os outros fizeram e for do seu interesse precedê-los. Isolamento na prisão era necessário para prevenir que suspeitos soubessem da confissão de outros: dessa forma, acordos da espécie "eu não vou falar se você também não" não eram mais uma possibilidade.

Gilmar, nesse voto às páginas 682 e seguintes, vai contar a história da prisão de Delcídio do Amaral e André Esteves[186] e destaca:

Qual o tamanho do constrangimento para o Colegiado, Senhores Ministros, quando se descobriu que aquela narrativa era falsa. Esse dinheiro teria vindo de Bumlai e não do André Esteves. O preço disso foi só a quebra do banco, a partir de uma narrativa falsa, que envolveu o decreto de prisão preventiva. Por isso, nós temos que ter muito cuidado, muito escrutínio quando decretamos a prisão preventiva, porque é uma narrativa unilateral, imaginosa. Este é um fato de que nós somos testemunhas. Nós, que estivemos na Turma, sabemos disso. Devo louvar, de qualquer forma, a lealdade com que o Ministro Teori Zavascki pautou-se também nesse caso. Esse é um caso palmar de erro judiciário inequívoco, sob o qual não se fala, porque só se fala no sucesso.

O Ministro Sepúlveda Pertence foi despachar e usou essa expressão: "Estou diante de um escabroso caso de erro judiciário". O Ministro Teori Zavascki convenceu-se, nem permitiu que ele sustentasse e despachou monocraticamente. Quantos estarão eventualmente na situação desse banqueiro, a partir desse tipo de relato?

Mas eu falava sobre Delcídio do Amaral. Talvez o maior representante desse ciclo seja o Senador. Delatado, foi preso por ordem desta Corte. Após algum tempo de prisão processual, firmou ele mesmo um acordo de delação. Foi posto em liberdade e, em seguida, deu longa entrevista ao programa *Roda Viva* – passou a ser uma técnica. É preso, delatado, agora, dá uma entrevista. Lá se apresentou como arrependido

---

[186] **QUESTÃO DE ORDEM NA PETIÇÃO 7.074 DISTRITO FEDERAL RELATOR: MIN. EDSON FACHIN**. Disponível em: http://redir.stf.jus.br/paginadorpub/paginador.jsp?docTP=TP&docID=14752801; o http://www.stf.jus.br/portal/autenticacao/ sob o número 13370648.

e disposto a mudar o País – grande herói. Vai mudar o País! Perguntando sobre os próprios crimes, respondeu com evasivas. Da mesma forma, quando perguntado sobre os malfeitos dos delatados.

Compete a esta Corte a guarda dos Direitos Fundamentais. Temos uma tradição liberal, de afirmação de direitos frente a invasões indevidas – venham de onde vier. Direitos Fundamentais assistem à pessoa humana em geral. Opressores e oprimidos. Fortes e fracos. Governantes e governados. Renegar essa tradição representaria um retrocesso incontornável.

Terminada esta parte histórica do voto, que fica nos Anais da Suprema Corte brasileira, Gilmar defende que a homologação de delação não seja monocrática do relator, mas do colegiado. E nos casos de juízes de primeira instância a falta de revisão torna o Ministério Público "senhor e possuidor da delação premiada" e trata da "sindicabilidade das cláusulas de acordo de colaboração pelo Poder Judiciário". O problema está em que "ao acordar, promete, mas não sabe se poderá cumprir. Haveria aí uma ameaça à segurança jurídica. Ao prometer o que está na lei, o Ministério Público tem relativa certeza de que poderá cumprir sua parte do acordo. Entretanto, resta claro que o Ministério Público não se conforma com os limites legais, ao menos nos acordos firmados no âmbito da Lava Jato. Ou seja, primeiro o Ministério Público se assenhorou da lei, agora empurra a culpa da insegurança jurídica para o Poder Judiciário". Mais uma vez Gilmar brada no Pleno:

> Muito interessante! E passamos nós a dizer que não podemos ser desleais com o Ministério Público. Embora ele venha sistematicamente não cumprindo a lei. Muito interessante esse argumento de segurança jurídica!

Infelizmente, não é possível e não é objeto deste livro fazer uma análise aprofundada desses acórdãos[187] e votos. Também não seria conveniente simplesmente relatar, por isso, a opção clara de mostrar trechos da fala direta do ministro. Dois trechos do voto em especial valem estudos mais aprofundados. Os comentários de dever de lealdade com o Ministério Público[188].

Já se falou aqui que nós teríamos um dever de lealdade para com a Procuradoria, por exemplo. Nós temos dever de lealdade para com a Constituição, e não para com a Procuradoria – pelo menos esse era o meu entendimento até semana passada. Ademais, a Procuradoria também está submetida à Constituição.

É muito sério o que estamos falando. E, quem sabe, alguém ainda vai dizer: "Ah, mas, se decretar a prescrição aqui, nós estamos sendo desleais com a Procuradoria da República". Lealdade, volto a dizer, devemos à Constituição. Quem deve lealdade à Procuradoria-Geral da República são os procuradores. Eles que honrem a missão à qual foram investidos."

---

[187] Repetindo a indicação, esse acórdão. http://redir.stf.jus.br/paginadorpub/paginador. jsp?docTP=TP&docID=14752801 tendo, gravado em https://www.youtube.com/watch?-v=gCjm3mc6go8 e mais dois acórdãos: http://redir.stf.jus.br/paginadorpub/paginador. jsp?docTP=TP&docID=14751660 e http://redir.stf.jus.br/paginadorpub/paginador.jsp?doc-TP=TP&docID=14752801.

[188] **Gilmar Mendes sobre a Lava Jato: "STF foi cúmplice dessa gente ordinária"**. Publicado em 28 de agosto de 2019, por Luiz Müller. "É um grande vexame e participamos disso. Somos cúmplices dessa gente. Homologamos delação. É altamente constrangedor. Todos nós que participamos disso temos que dizer 'nós falhamos', disparou o ministro." "A República de Curitiba nada tem de republicana, era uma ditadura completa. (…) Assumiram papel de imperadores absolutos. Gente com uma mente muito obscura. (…) Que gente ordinária, se achavam soberanos", completou. Para o ministro, os procuradores são corruptos. "Gente sem nenhuma maturidade. Corrupta na expressão do termo. Não é só vender função por dinheiro. Violaram o Código de Processo Penal". "Descemos demais na escala das degradações. Gente que tem que ter imparcialidade, que tem que ter decência e tem a obrigação de não fazer sobre a acusação um excesso, fazendo esse tipo de coisa." O ministro citou a nova matéria do caso apontando que os procuradores teriam tratado, por mensagens, do luto do ex-presidente Lula diante da morte da ex-primeira-dama Marisa Letícia, de seu irmão Vavá e do seu neto Arthur. Disponível em: https://luizmuller. com/2019/08/28/gilmar-mendes-sobre-a-lava-jato-stf-foi-cumplice-dessa-gente-ordinaria/.

O professor Geraldo Prado utilizando o texto "Justicia Penal En El Estado Arbitrario" abordou as influências nazistas na ideia de fidelidade do advogado ao Estado. Esta palestra na OAB, analisou um processo em que eu estava na defesa do maior executivo da Copa do Mundo e a Polícia o perseguia. Eu e o cliente saímos pela porta dos fundos do Copacabana Palace para conversar, enquanto a policia se deslocava para cumprir uma ordem para sua prisão (Ver nota 210). Estamos em um grave momento não compeendido no qual juízes, ministros e advogados que não coadunam com as colaborações premiadas como são feitas, que se opõem à barbárie, são perseguidos, como se verá no capítulo 19. *OAB – Omissa ou coautora?* sobre os advogados. Enquanto os ministros e juízes que coadunam com a "voz das ruas" acabam enaltecidos pela imprensa, cumprimentados nas ruas, na praia de Ipanema, advogados dela-cionistas e colaboracionistas com a acusação são indicados para legitimar esse sistema.

JUSTICIA PENAL EN EL ESTADO ARBITRARIO
la reforma procesal penal durante el nacionalsocialismo

"Por otro lado, no puede dejarse de considerar que el abo-gado defensor adquirió durante el nacionalsocialismo fun-ciones incluso contrarias a su defendido. **Debe tenerse en cuenta que la doctrina nacionalsocialista hacía mención a la función del defensor como órgano de la Adminis-tración de Justicia, indicando que su principal función era colaborar con el juez en la averiguación de la ver-dad y apoyar el dictado de la sentencia correcta.** Así se consideraba que el defensor debía defender los intereses de su representado, siempre y cuando los mismos fueran compatibles con el bienestar del Estado. Con ello se llegó a fomentar las intervenciones del defensor del imputado en contra de su defendido. Se suma a ello que los defensores debían cuidarse en la forma en que ejercían su defensa, ya que podrían quedar ellos mismos detenidos[189]."

Os agentes repressivos do Estado passaram a escolher, influenciar e se movimentar para que os advogados delacionistas e subservientes ao MP sejam escolhidos em troca dos advogados competentes. A delação premiada virou o sucumbir da defesa. Um exemplo foi o caso de Palocci, que ao ter a possibilidade de ver pautado seu *habeas corpus* pelo STF, fez com que a força-tarefa da Lava Jato acelerasse as pressões sobre ele até que substituísse o advogado Batochio para que esse desistisse do HC. Escrevi uma matéria no ConJur com Batochio, intitulada: **"Lava Jato" pressiona seus reféns a desistir de HC para esconder ilegalidades**[190].

No julgamento do *habeas corpus* de Palocci, Gilmar volta a denunciar:

> Presidente, esteve comigo, quando se imaginava que ia julgar esse habeas corpus, o Doutor Batochio. Isso, nos idos do ano passado. E Sua Excelência, comentando comigo as dificuldades dizendo: "Eu estou aqui porque fui constituído pelo Doutor Palocci, mas estou deixando o caso" – até trouxe um advogado com ele – "mas me sinto envolvido com este caso, e por isso fiz questão de vir despachar. Estou deixando o caso porque Curitiba assim exige". Palavras do Doutor Batochio: "Curitiba assim exige". "Doutor Palocci está querendo fazer negociação" – esse é um ponto importante, Doutora Raquel, para prestar atenção,

---

[189] LLOBET RODRÍGUEZ, Javier. *Justicia penal en el estado arbitrario: la reforma procesal penal durante el nacionalsocialismo*. San José: Editorial Jurídica Continental, 2004. p. 117.

[190] BATOCHIO, José Roberto e FERNANDES, Fernando Augusto. Consultor Jurrídico. **"Lava jato" pressiona seus reféns a desistir de HC para esconder ilegalidades.** Disponível em: https://www.conjur.com.br/2017-mai-21/lava-jato-pressiona-refens-desistir-h-c-esconder-ilegalidades.

para necessidade da transparência desse processo – "Curitiba assim exige". Por quê? "Porque temos que escolher os advogados, e eu não sou bem-visto nesta roda". Dizia claramente, portanto, Batochio.

(...)

O que acontece quando começamos a fazer aquilo? Eu estou vendo. Aqui, o que o Doutor Batochio fez, com a seriedade do grau, foi dizer que estavam escolhendo advogados para delação, ou aqueles que não poderiam sê-lo. Veja como esse sistema vai engendrando armadilhas. E, na medida em que estamos diminuindo a nossa competência, estamos o alimentando. É o ovo da serpente.

Uma notícia antiga, a Doutora Raquel deve conhecer, de 13 de maio de 2017, na notícia Painel, e os advogados continuam falando sobre essa história agora: "Irmão de procurador da Lava Jato atua como advogado de defesa do marqueteiro João Santana". A história que corre – os advogados, depois, poderão confirmar ou não – é que vários dos processos tinham que passar pelo escritório desse Doutor Castor, que era irmão do procurador da República. É neste contexto que temos que ver isso também, com a responsabilidade da política judiciária que nós temos. E depois, quando foi denunciado que esse advogado era um advogado ativo nessa relação, afirmou-se: continua a passar pelo escritório do Doutor Castor, só que, agora, de forma clandestina. Se nós começarmos a empoderar essa gente, não conhecendo de habeas corpus, impedindo e tornando isso uma corrida maluca, Ministro Lewandowski, estaremos empoderando.

Não queria falar sobre isso mais uma vez, Doutora Raquel, mas a corrupção já entrou na Lava Jato pela Procuradoria, ou alguém tem dúvida do episódio – hoje está nos jornais – da atuação de

Fernanda Tórtima e Marcelo Miller[191] É um clássico de corrupção. Isso tem que ser investigado e tem que ser dito. Veja, na medida em que vamos fechando o sistema e empoderando esses nichos, nós estamos dando azo. E eu estou dizendo que sou mau profeta. Eu falei aqui daquele acordo, na semana seguinte eclodiu aquela fita, agora os jornais de hoje noticiam que a JBS entrou nos Estados Unidos contra Trench Rossi Watanabe, pedindo indenização. É um caso seríssimo. As consequências políticas da opção que estamos fazendo são extremamente graves, porque nós perdemos o controle do sistema, o que decidirem será.

(…) Não preciso adivinhar, isto já está prenhe de corrupção, no verdadeiro sentido da palavra. Quando vi esses dias que o Doutor Marcelo Miller recebeu um montante de indenização por conta daquele grampo do escritório, pensei: A Procuradoria é tão ágil para pedir indisponibilidade de bens de todo mundo, por que ainda não fez em relação ao Doutor Marcelo Miller? A sua prisão preventiva foi indeferida pelo Ministro Fachin, não houve recurso, mas é um caso sério, é um caso sério de corrupção! Não tem outra palavra! E isto está sendo alimentado por esse empoderamento, porque não se faz revisão. Isto é muito sério, Presidente[192].

Os ministros Dias Toffoli, Ricardo Lewandowski, Gilmar Mendes e Marco Aurélio concediam o HC 143.333. O relator Fachin foi voto vencedor para não conceder o *habeas corpus* de ofício, no que foi

---

[191] **O MP ofereceu uma denúncia contra Muller e Joesley por corrupção.** Disponível em: http://www.mpf.mp.br/df/sala-de-imprensa/noticias-df/mpf-df-denuncia-ex-procurador-da-republica.
Corre uma ação cível pública em face de Muller e Joesley: Joesley Batista e Marcello Miller responderão por improbidade por contratação quando ex-procurador ainda era do MP
Denúncia do MPF foi rejeitada com relação a advogadas e outros empresários. 19 de novembro de 2019. Disponível em: https://www.migalhas.com.br/quentes/315458/joesley-batista-e-marcello-miller-responderao-por-improbidade-por-contratacao-quando-ex-procurador-ainda-era-do-mp e https://www.migalhas.com.br/arquivos/2019/11/58B2FB71C09C90_decisaosjdf.pdf.

[192] **HABEAS CORPUS 143.333 PARANÁ RELATOR: MIN. EDSON FACHIN.** Disponível em: http://redir.stf.jus.br/paginadorpub/paginador.jsp?docTP=TP&docID=749413076.

acompanhado pelos ministros Roberto Barroso, Alexandre de Moraes e Luiz Fux. O voto do ministro Marco Aurélio retrata a diferença de visão:

> Vinte e oito anos praticamente no Supremo, completarei no dia 13 de junho do corrente ano, e trinta e nove, partindo para quarenta em novembro, de judicatura. Conhecia, Presidente, proposta inicial, submetida à votação, de concessão de ordem, mas jamais ouvi num colegiado, neste Colegiado principalmente, proposta inicial de relator pelo indeferimento, de ofício, a ordem.
>
> Recuso-me, Presidente, terminantemente, a votar essa proposta. Mas não há impasse, porque preconizo – aí, sim, há algo que deve ser votado – a concessão da ordem de ofício.
>
> (...)
>
> Proponho – porque não voto a proposta formalizada inicialmente pelo Relator, de indeferir-se, de ofício, a ordem – a concessão da ordem e a implemento, para que se afaste ou, como está previsto na própria Constituição Federal, se relaxe a custódia, que de provisória não tem mais nada, a não ser que – e já se disse isso aqui – se queira continuar fragilizando o paciente para vir – então será solto de imediato – a fazer um acordo de delação, que não poderá ser tido como espontâneo. Não posso vislumbrar espontaneidade, como é própria à colaboração premiada, quando se inverte a ordem do processo-crime. Coloca-se alguém na cadeia e o fragiliza, a mais não poder, até que entregue – entregue – outros cidadãos. Para mim, isso tem uma nomenclatura: é inquisição em pleno século XXI. É como voto.

Como era previsto e todos sabiam, Palocci passa a delação premiada e de acordo com as negociações passa a acusar Lula[193].

---

[193] **Pleno – Suspensa análise de habeas corpus de Antonio Palocci (1/2).** O julgamento pode ser assistido em https://www.youtube.com/watch?v=1yImkyY3fyA; e a segunda parte em https://www.youtube.com/watch?v=hfASjdaGzj0.

15. O Crime do Acervo Presidencial e o Julgamento

Mônica Bergamo, importante jornalista e colunista da *Folha de S.Paulo*, cita que a manifestação de Gilmar Mendes durante o mensalão, de que Lula teria tentado influenciar no julgamento em encontro com Nelson Jobim, teria sido a senha do "Cabra Marcado para Morrer".

O Caso Lula, relativo ao tríplex e ao acervo presidencial, é certamente o primeiro e mais importante caso da Lava Jato, e o registro de incrível manipulação, ingratidão, cinismo e mau-caratismo.

Quem se manifesta sobre o caso com olhos na grande mídia, influenciado pelo debate político, não conseguirá entender sem se despir do lulismo ou anti-PT e das imagens de pixulecos e super-Moro. Um estudante de Direito dos primeiros períodos tem condições de compreender que a decisão do processo de Lula não se sustenta. Nesse caso tive a honra de defender o presidente do Instituto Lula, Paulo Okamotto.

Para explicar o processo ao leitor que não tem formação jurídica, de maneira rápida, é necessário esclarecer alguns conceitos. O crime é aquele ato definido como tal, antijurídico, culpável que é consumado. Ou seja, concluído. O exemplo é o homicídio. Há evidentemente um cadáver.

Ocorre que entre a ideia de cometer o crime e sua consumação com o resultado da lesão à vida, que chamamos de bem jurídico tutelado, há a ideia de cometimento, o planejamento, a compra de apetrechos para o cometimento (uma corda, uma pá ou uma arma), chamado de atos preparatórios e o início da execução. No nosso direito, todos os atos anteriores ao início da execução não são crimisosos se não definidos dessa forma.

A compra da corda não é crime. A compra da arma sem licença é. Caso não haja nenhum ato que seja definido como crime, até o início da execução não há crime, e inclusive pode o agente criminoso desistir. É do início da execução que há o crime. Se o agente não consuma por circunstâncias alheias à sua vontade, por exemplo errou o tiro, responde por tentativa.

Pois bem. Se verdade fosse a versão do Ministério Público sobre o tríplex, o fato é que apesar da obra, de Lula ter visitado o apartamento que estava em construção, ele nunca recebeu o imóvel. Caso fosse verdade, a corrupção nunca teria se consumado, pois ele não recebeu a chave do apartamento. Nunca teve a posse dele nem usufruiu de nenhuma forma. Se na corrupção o crime pode se consumar com o simples pedido, nunca se imputou Lula de ter pedido a propina nem em momento nenhum se descreve esse momento.

É como alguém que visita um apartamento em construção. Esse apartamento até a entrega da chave é da construtora. O Código Civil considera a entrega da chave o momento da posse, chamado de tradição (art. 1.267 CC). Então, além de corrupção por ter recebido o apartamento que nunca recebeu, inclusive porque Leo Pinheiro foi preso antes, porque o apartamento estava no nome da construtora que pagou as benfeitorias no imóvel que ainda era dela, ele foi acusado de ocultar que o apartamento era dele. Por isso lavagem de dinheiro.

Lula sempre negou a compra do apartamento e afirmou que a compra e mesmo o recebimento não teriam sentido, porque não poderia sair andando do apartamento até a praia. Mas algo mais grave salta aos olhos. Corrupção na nossa legislação somente pode ser praticada por funcionário público que pede, ou recebe vantagem em razão do seu cargo para fazer ou deixar de fazer algo.

Pois bem. Estávamos no governo Dilma Rousseff já reeleita presidente. Lula já não era presidente havia cinco anos. Portanto, poderia até ganhar de presente de Leo Pinheiro o apartamento. Como se verá, o Ministério Público, Moro, o Tribunal e todos os envolvidos nessa farsa judiciária precisavam de uma gambiarra jurídica.

A acusação contra Okamotto, então presidente do Instituto Lula, e de Lula, na parte do acervo presidencial, consistia no fato de a OAS ter pago à Granero 61 parcelas para conservação e estocagem do acervo presidencial.

O crime do acervo presidencial

Os acervos privados presidenciais *"integram o patrimônio cultural brasileiro e são declarados de interesse público para os fins de aplicação do § 1º do art. 216 da Constituição Federal"* (art. 3º, caput, da Lei nº 8.394/91), pois constituem *"referência à identidade, à ação, à memória dos diferentes grupos formadores da sociedade brasileira"* (art. 216, *caput,* da Constituição da República).

Daí que os bens do *"acervo presidencial privado são na sua origem, de propriedade do Presidente da República, inclusive para fins de herança, doação ou venda"* (art. 2º da Lei nº 8.394/91). Contudo, a lei impõe um *"conjunto de medidas e providências a serem levadas a efeito por entidades públicas e privadas, coordenadas entre si, para a preservação, conservação e acesso aos acervos documentais privados dos presidentes da República"* (art. 4º da Lei nº 8.394/91).

De acordo com a peça acusatória, o ex-presidente LULA, Leo Pinheiro e o RECORRENTE *"dissimularam a origem, a movimentação e a disposição de R$ 1.313.747,24 provenientes dos crimes (...) praticados pelos executivos da CONSTRUTORA OAS, em detrimento da Administração Pública Federal (...), por meio de contrato ideologicamente falso de armazenagem (...) o qual se destinava na verdade a armazenar bens pessoais de LULA, firmado com a empresa GRANERO TRANSPORTES LTDA"*. *A falsidade estaria no fato de a OAS pagar e o contrato estar no nome do pagador e não de Lula.*

O MP pretendeu fazer crer que seria *"fato carente de comprovação"* a alegação de que *"empresas privadas contribuíssem para a manutenção do acervo privado de ex-presidentes"*. Contudo, tal comprovação é dispensável, pois se trata de fato notório (cf. art. 3º do CPP c.c. art. 374, inc. I, do CPC). Nesse sentido:

FHC PASSA O CHAPÉU

Presidente reúne empresários e levanta R$ 7 milhões para ONG que bancará palestras e viagens ao Exterior em sua aposentadoria

Gerson Camarotti

Foi uma noite de gala. Na segunda-feira, o presidente Fernando Henrique Cardoso reuniu 12 dos maiores empresários do país para um jantar no Palácio da Alvorada, regado a vinho francês Château Pavie, de Saint-Émilion (US$ 150 a garrafa, nos restaurantes de Brasília). Durante as quase três horas em que saborearam o cardápio preparado pela chef Roberta Sudbrack – ravióli de aspargos, seguido de foie gras, perdiz acompanhada de penne e alcachofra e rabanada de frutas vermelhas –, FHC aproveitou para passar o chapéu. **Após uma rápida discussão sobre valores, os 12 comensais do presidente se comprometeram a fazer uma doação conjunta de R$ 7 milhões à ONG que Fernando Henrique Cardoso passará a presidir assim que deixar o Planalto em janeiro e levará seu nome: Instituto Fernando Henrique Cardoso (IFHC).** O dinheiro fará parte de um fundo que financiará palestras, cursos, viagens ao Exterior do futuro ex-presidente e servirá também para trazer ao Brasil convidados estrangeiros ilustres. **O instituto seguirá o modelo da ONG criada pelo ex-presidente americano Bill Clinton.** Os empresários foram selecionados pelo velho e leal amigo Jovelino Mineiro, sócio dos filhos do presidente na fazenda de Buritis, em Minas Gerais, e boa parte deles termina a era FHC melhor do que começou. Entre outros, estavam lá Jorge Gerdau (Grupo Gerdau), David Feffer (Suzano), Emílio Odebrecht (Odebrecht), Luiz Nascimento (Camargo Corrêa), Pedro Piva (Klabin), Lázaro Brandão e Márcio Cypriano (Bradesco), Benjamin Steinbruch (Companhia Siderúrgica Nacional, CSN), Kati de Almeida Braga (Icatu), Ricardo do Espírito Santo (grupo Espírito Santo). Em troca da doação, cada um dos convidados terá o título de cofundador do IFHC. **Antes do jantar, as doações foram tratadas de forma tão sigilosa que vários dos empresários presentes só ficaram conhecendo todos os integrantes do seleto grupo de cofundadores do IFHC naquela noite. Juntos, eles já haviam colaborado antes com R$ 1,2 milhão para a aquisição do imóvel onde será instalada a sede da ONG, um andar inteiro do Edifício Esplanada, no Centro de São Paulo**. Com área de 1.600 metros quadrados, o local abriga há cinco décadas a sede do Automóvel Clube de São Paulo. **O jantar, iniciado às 20 horas,** foi dividido em dois momentos. Um mais descontraído, em que Fernando Henrique relatou aos convidados detalhes da transição com o presidente eleito, Luiz Inácio Lula da Silva. Na segunda parte, o assunto foi mais privado. Fernando Henrique fez questão de explicar como funcionará seu instituto. Segundo o presidente, o IFHC terá um conselho deliberativo e o fundo servirá para a administração das finanças. Além das atividades como palestras e eventos, o presidente explicou que o instituto vai abrigar todo o arquivo e a memória dos oito anos de sua passagem pela Presidência. A iniciativa de propor a doação partiu do fazendeiro Jovelino Mineiro.

Ele sugeriu a criação de um fundo de R$ 5 milhões. Só para a reforma do local, explicou Jovelino, será necessário pelo menos R$ 1,5 milhão. A concordância com o valor foi quase unânime. A exceção foi Kati de Almeida Braga, conhecida como a mais tucana dos banqueiros quando era dona do Icatu. Ela queria aumentar o valor da ajuda a FHC. Amiga do marqueteiro Nizan Guanaes, Kati participou da coleta de fundos para a campanha da reeleição de FHC em 1998 – ela própria contribuiu com R$ 518 mil. "Esse valor é baixo. O fundo poderia ser de R$ 10 milhões", propôs Kati, para espanto de alguns dos presentes. Depois de uma discreta reação, os convidados bateram o martelo na criação de fundo de R$ 7 milhões, o que levará cada empresário a desembolsar R$ 500 mil. Para aliviar as despesas, Jovelino ainda sugeriu que cada um dos 12 presentes convidasse mais dois parceiros para a divisão dos custos, o que pode elevar para 36 empresários o número total de empreendedores no IFHC. Diante de uma plateia tão requintada, FHC tratou de exercitar seus melhores dotes de encantador de serpentes. "O presidente estava numa noite inspirada. Extremamente sedutor", observou um dos presentes. Outro empresário percebeu a euforia com que Fernando Henrique se referia ao presidente eleito, Lula da Silva. "Só citou Serra uma única vez. Mas falou tanto em Lula que deu a impressão de que votou no petista", comentou o convidado. O presidente exagerou nos elogios a Lula da Silva. Revelou que deixaria a Granja do Torto à disposição do presidente eleito. "Ele merece", justificou. "A transição no Brasil é um exemplo para o mundo." Em seguida, contou um episódio ocorrido há quatro anos, quando recebeu Lula no Alvorada, depois de derrotá-lo na eleição de 1998. O presidente disse que na ocasião levou Lula para uma visita aos aposentos presidenciais, inclusive ao banheiro, e comentou com o petista: "Um dia você ainda vai morar aqui". Na conversa, Fernando Henrique ainda relatou que vai tentar influir na nomeação de alguns embaixadores, em especial na do ministro do Desenvolvimento, Sérgio Amaral, para a ONU. Antes de terminar o jantar, o presidente disse que passaria três meses no exterior e só voltaria para o Brasil em abril. Também revelou que pretende ter uma base em Paris. "Nada mal!", exclamou. Ao acabar a sobremesa, um dos convidados perguntou se ele seria candidato em 2006. FHC não respondeu. Mas deu boas risadas. Para todos os presentes, ficou a certeza de que o tucano deseja voltar a morar no Alvorada, projeto que FHC desmente em conversas mais formais. **Embora a convocação de empresários para doar dinheiro a uma ONG pessoal possa levantar dúvidas do ponto de vista ético, a iniciativa do presidente não caracteriza uma infração legal. "Fernando Henrique está tratando de seu futuro, e não de seu presente", diz o PROCURADOR DA REPÚBLICA RODRIGO JANOT.**

"O problema seria se o presidente tivesse chamado empresários ao Palácio da Alvorada para pedir doações em troca de favores e benefícios concedidos pelo atual governo." O IFHC não será o primeiro no país a se dedicar à memória de um ex-presidente. O senador José Sarney (PMDB-AP) criou a Fundação Memória Republicana para abrigar os arquivos dos cinco anos de seu governo.

Conhecida hoje como Memorial José Sarney, a entidade está sediada no Convento das Mercês, um edifício do século XVII, em São Luís, no Maranhão. Pelo estatuto, é uma fundação cultural, sem fins lucrativos. Mas também já foi alvo de muita polêmica. Em 1992, Sarney aprovou no Congresso uma emenda ao Orçamento que destinou o equivalente a US$ 153 mil para memorial. Do total, o ex-presidente conseguiu liberar cerca de US$ 55 mil.

Fonte: Revista *Época*

http://revistaepoca.globo.com/Revista/Epoca/0,,EDR53647-6009,00.htm.

Acesso em 11/03/16, às 14h45min

"Sauditas são os maiores doadores de Bill Clinton"

19 de dezembro de 2008

Com doações de até US$ 25 milhões, a Arábia Saudita é o país que mais contribuiu com a Fundação Clinton, criada para combater a Aids, a malária e o aquecimento global.

Noruega, Dubai e Catar, além de milionários americanos, também estão entre os maiores doadores da fundação, que, desde 1997, já arrecadou mais de US$ 500 milhões.

Bill Clinton concordou em revelar os nomes de mais de 200 mil doadores para evitar possíveis conflitos de interesses e possibilitar a nomeação de sua mulher, Hillary, para o Departamento de Estado de Obama. Bill Gates e o investidor George Soros estão entre os doadores individuais.

A Unitaid, organização formada por Brasil, França, Chile, Noruega e Reino Unido que compra drogas anti-Aids, fez uma das maiores doações únicas: US$ 25 milhões.

Fonte: *DestakJornal* – http://www.destakjornal.com.br/noticias/mundo/sauditas-sao-os-maior-doadores-de-bill-clinton-sauditas-sao-os-maiores-30856/. Acesso em 11/03/16, às 14h45min

"OBAMA QUER ARRECADAR US$ 1 BILHÃO PARA BIBLIOTECA APÓS DEIXAR O GOVERNO"

Michael D. Shear Gardiner Harris

Do "*NEW YORK TIMES*", em Washington 17/08/2015 11h29

O jantar na sala privativa de refeições no piso superior da Casa Branca estourou tanto o horário que Reid Hoffman, o bilionário criador do LinkedIn, por fim sugeriu, lá pela meia-noite, que talvez o presidente Barack Obama precisasse se recolher.

"Pode nos mandar embora quando quiser", Hoffman recorda ter dito ao presidente. Mas Obama mal havia começado. "Vou mandá-los embora quando for a hora", ele respondeu.

Doug Mills – 15 de junho de 2015 – *The New York Times*

Barack Obama percorre a Casa Branca; presidente planeja arrecadar US$ 1 bilhão para sua fundação

E a conversa entre Obama, sua mulher Michelle e os 13 convidados do casal – entre os quais a romancista Toni Morrison, o administrador de fundos de hedge Marc Lasry e o executivo de capital para empreendimentos do Vale do Silício John Doerr – se estendeu até bem depois das 2h. (...)

O longo jantar, em fevereiro, foi parte de um esforço metódico que está em curso dentro e fora da Casa Branca, com o presidente, a primeira-dama e um quadro de importantes assessores mapeando uma infraestrutura pós-presidencial e uma rede de instituições que pode requerer capital de até US$ 1 bilhão (R$ 3,48 bilhões).

Os assessores do presidente não pediram doações aos convidados depois do jantar, mas alguns dos participantes podem se tornar doadores, no futuro.

O capital de US$ 1 bilhão – o dobro do montante arrecadado por George W. Bush para sua biblioteca e diversos programas – deve ser usado para o que um assessor definiu como uma biblioteca presidencial "primariamente digital", repleta de tecnologias modernas, e para estabelecer uma fundação com alcance mundial. Partidários instaram Obama a evitar o erro cometido por Bill Clinton, cuja equipe arrecadou só o dinheiro necessário para bancar a construção de sua biblioteca presidencial em Little Rock, no Arkansas, forçando Clinton a dedicar anos em busca de novas doações.

A equipe de Obama estabeleceu o objetivo de arrecadar pelo menos US$ 800 milhões – dinheiro suficiente, segundo eles, para evitar a necessidade de esforços permanentes de arrecadação posteriores. Um importante assessor disse que US$ 800 milhões representava um mínimo, não um limite.

Até agora, Obama arrecadou pouco mais de US$ 5,4 milhões de 12 doadores, cujas contribuições variaram entre US$ 100 mil e US$ 1 milhão.

Michael Sachs, um empresário de Chicago, doou US$ 666.666; Fred Eychaner, fundador de um império televisivo em Chicago, doou US$ 1 milhão.

Mark Gallogly, executivo do setor de capital privado, e James Simons, empreendedor no ramo da tecnologia, doaram cada qual US$ 340 mil à fundação estabelecida para comandar o desenvolvimento da biblioteca. A verdadeira busca de doações, disseram os dirigentes da fundação, acontecerá depois que Obama deixar a Casa Branca.

Shailagh Murray, uma importante assessora, comanda um esforço na Casa Branca para manter a atenção no futuro de Obama e garantir que seus 17 meses finais na presidência, desconsideradas as possíveis crises, sirvam como plataforma de decolagem para a vida pós-presidencial.

A recente visita de Obama a uma penitenciária federal indica, dizem assessores, uma provável ênfase na reforma do sistema de justiça criminal, depois que ele deixar o posto. Seu discurso no serviço fúnebre de uma das nove vítimas negras em uma igreja em Charleston, Carolina do Sul, serviu como precursor, eles dizem, de um foco nas relações raciais. A diplomacia com o Irã e Cuba poderia servir como fundação para seu trabalho na política externa.

"O foco dele é concluir o trabalho de maneira completa e cuidadosa", disse Valerie Jarrett, uma das confidentes mais próximas de Obama na Casa Branca.

Mas outros assessores presidenciais dizem que o pensamento de Obama sobre algumas de suas causas mais marcantes – entre as quais a saúde, a desigualdade econômica e o combate à mudança no clima – também pode torná-las parte de sua vida depois de janeiro de 2017.

O coração do planejamento para a pós-presidência é o esforço pessoal de Obama para formar elos com grupos ecléticos de pessoas, algumas das quais extraordinariamente ricas.

Fonte: *Folha Uol* – https://www1.folha.uol.com.br/mundo/2015/08/1669662-obama-quer-arrecadar-us-1-bilhao-para-biblioteca-apos-deixar-o-governo.shtml. Acesso em 11/03/16, às 14h59min.

Fomos ao TRF, que negou um *habeas corpus* para trancar a ação penal, tendo o desembargador Leandro Paulsen exarado voto vencido com exaustiva análise do caso, reconhecendo a carência de justa causa para o exercício da ação penal. Recorremos ao STJ, e no dia 14 de março de 2017 a procuradora Áurea Lustosa, a mesma que tinha reconhecido os maus-tratos a Paulo Roberto Costa, proferiu parecer pelo trancamento da ação quanto a essa acusação no HC 80.087/RS. Mesmo assim, ao ingressarmos, apontamos a falta de prevenção do ministro Felix Fischer. Ingressamos com Recurso Extraordinário e a procuradora foi favorável. No dia 4 de dezembro de 2017, ele foi conhecido pelo vice-presidente do STJ e remetido ao Supremo.

Em que pese recurso extraordinário admitido com parecer da Procuradoria favorável, Edson Fachin, em 15 de dezembro de 2017, proferiu um despacho individual e monocrático não admitindo o recurso. Foram realizados embargos em fevereiro de 2018 para, em 27 de abril, julgar prejudicado o recurso em razão da absolvição. A técnica do relator sempre foi impedir os julgamentos pelo colegiado.

Em sentença publicada na data de 12 de julho de 2017, Lula foi condenado e Paulo Okamotto absolvido por Moro, pela suposta prática do delito de corrupção passiva (uma vez) em concurso material com o crime de lavagem de dinheiro. A dosimetria penal totalizou nove anos e seis meses de reclusão.

O julgamento no TRF

Houve apelações. O Ministério Público apelou para aumentar a pena; os advogados de Lula, para que fosse absolvido. Nós apelamos da absolvição de Okamotto. A absolvição foi por falta de provas, e nosso objetivo era que a absolvição fosse na mesma linha dos *habeas corpus* que teve parecer favorável da Procuradoria, pela inexistência de crime.

No dia do julgamento quarteirões estavam fechados, com barreiras policiais. Helicópteros de jornalismo e da polícia; jornalistas do mundo inteiro estavam credenciados e assistiam ao julgamento por um telão dentro do Tribunal. As televisões brasileiras transmitiam ao vivo o julgamento[194].

Iriam sustentar Cristiano Zanin, por Lula; eu, Fernando Augusto Fernandes, por Okamotto. Pela acusação, o procurador e o assistente de acusação René Dotti. O australiano Geoffrey Ronald Robertson, que representava Lula no Comitê de Direitos Humanos da ONU, veio para assistir ao julgamento[195].

Após a acusação, fui o primeiro a sustentar no TRF, sendo seguido pela sustentação de Cristiano Zanin:

Desembargador Federal Leandro Paulsen: Dou as boas-vindas ao Dr. Fernando Augusto Henriques Fernandes. Esta 8ª Turma tem o prazer de recebê-lo aqui nesta casa, no dia de hoje, assim como todos os advogados da defesa aqui presentes, que são mais de 20 tendo em conta que não se faz justiça senão com o trabalho da defesa, com o trabalho permanente, diligente e atuante dos defensores. O senhor tem 15 minutos para sua sutentação. Com a palavra...

Doutor Fernando Fernandes: Excelentíssimo Senhor Presidente desta Egrégia Turma, Desembargadores componentes, Ilustre Representante do Ministério Público, Caros colegas,

É de se dizer que o recurso feito pelos procuradores da força-tarefa de Curitiba, para tentar reformar a absolvição de Paulo

---

[194] **Lula condenado pelo TRF-4 por unanimidade** – Íntegra. Disponível em: https://www.youtube.com/watch?v=b_NAdxFTYwA.

[195] **Advogado de Lula na ONU estará no julgamento no TRF-4, em Porto Alegre.** Pedido da defesa do petista foi autorizado nesta sexta-feira (19) pelo desembargador Leandro Paulsen, que é presidente da 8ª Turma da Corte. Julgamento da apelação está marcado para a próxima quarta-feira (24). Por G1, Rio Grande do Sul. 19 de janeiro de 2018. Atualizado há 2 anos. Disponível em: https://g1.globo.com/rs/rio-grande-do-sul/noticia/advogado-de-lula-na-onu-estara-no-julgamento-no-trf-4-em-porto-alegre.ghtml.

Okamotto, e, neste caso, nesta imputação, também do presidente Lula, quanto a acusação de lavagem de dinheiro sob o valor pago pela OAS, construtora, diretamente à empresa Granero, que estocava parte do acervo, é a prova absoluta da falta de senso, da falta de tempero seja da denúncia, seja da atuação do Ministério Público nesse caso. Repita-se, não há nenhum valor da OAS em relação ao acervo, que tenha sido entregue para pagar a Granero que não tenha sido contabilizado, ao instituto, ao Paulo Okamotto ou ao ex-presidente Lula, o valor foi pago diretamente a Granero, e isto, esta atuação desmedida do Ministério Público, é o indício das falhas neste processo.

Detalhar as provas, e a história do processo é sim fundamental, mas, de início, relembrar que a Lei 9.394, de 1991, considera acervos presidenciais como patrimônio cultural brasileiro e é declarado interesse público do referido patrimônio. De lembrar que se apresentou como testemunha de defesa neste caso ninguém menos – e isto é muito simbólico, do que o ex-presidente Fernando Henrique Cardoso. Nessa época de ódio que cerca este caso, que certamente tenta influenciar sim o Judiciário, o depoimento de Fernando Henrique Cardoso é um símbolo, e o depoimento deixa claro não só o interesse público do acervo, mas todas as dificuldades que um ex-presidente da República tem para manter e custear um acervo presidencial. Há um depoimento da responsável pelo acervo presidencial de Fernando Henrique Cardoso, de... chamada Danielle Ardaillon, dando conta não só do trabalho, mas de suas visitas internacionais e a verificação que os presentes que Fernando Henrique Cardoso recebeu eram os mesmos presentes que outros ex-presidentes mundiais recebiam, há passagens extremamente engraçadas, em que o presidente Fernando Henrique Cardoso dizia que sequer sabia o que tinha recebido no encontro, estes... estes dados foi o que foi chamado e exposto como "o tesouro do Lula". E o que é Paulo Okamotto

GEOPOLÍTICA DA
INTERVENÇÃO

se não um presidente do instituto, e se não aquele que exerce papel muito semelhante a Danielle Ardaillon, são milhares de cartas, oito contêineres de cartas do povo brasileiro, chamado na apelação do Ministério Público de interesse privado, na verdade, interesse histórico-nacional.

A defesa veio a este tribunal com um *habeas corpus* visando ao trancamento da ação penal, cujo desembargador Leandro Paulsen proferiu espetacular voto, destacando a possibilidade, inclusive, de financiamento público para manutenção deste acervo, e votou favoravelmente ao trancamento da ação penal. No Superior Tribunal de Justiça, a Procuradora da República Áurea Lustosa Pierre proferiu, pelo Ministério Público, perante o STJ um parecer pelo trancamento da acusação de lavagem de dinheiro em relação ao acervo presidencial, é de se dizer que o STJ negou o *habeas corpus*, argumentando que era necessário o aprofundamento de provas na ação penal, e registre-se que o recurso ao Supremo Tribunal Federal encontra-se até hoje com o relator Fachin. E, sem ter medo, faço uma crítica ao Supremo Tribunal Federal, que tem agido nessas questões tal qual o crime omissivo impróprio, deixando que as ilegalidades corram, e, neste caso, sem a prestação jurisdicional adequada, porque este *habeas corpus* deveria ter sido julgado antes da sentença e antes dessa apelação.

Mas, se era necessário aprofundamento de prova, vamos às provas, inicialmente o depoimento do senhor Emerson Granero sobre os elementos que são fundamentais, primeiro dando conta que esse acervo chegou à Granero durante o mês de janeiro. Veja-se que formalmente ao chegar se colocou no contrato um do um de dois mil e dez, de dois mil e onze, algo meramente formal, porque é óbvio e todos sabem que não foi em um do um de dois mil e onze que adentraram os contêineres. E dá conta de que durante o mês de janeiro, Paulo Okamotto… o acervo é composto de duas partes, uma parte que precisa de climatização e uma parte que não precisa, por isso foram feitos dois contratos diferentes, e Paulo Okamotto, foi... vamos dizer assim mais popularmente foi correr atrás de quem pudesse financiar essa manutenção. Essa denúncia é tão cheia de impropriedades que o Ministério Público, por exemplo, traz valores contábeis de 2011 para dizer que o Instituto tinha valores, óbvio que não tinha em janeiro de dois mil e onze. Sim, foram feitas doações ao instituto durante o ano de dois mil e onze, assim como depois do presidente Fernando Henrique. Aliás, sem nenhuma acusação de Fernando Henrique Cardoso, durante a Presidência do Fernando Henrique Cardoso, nos últimos meses o próprio Fernando Henrique fez reunião no palácio para que fossem arrecadados valores para o acervo, assim como fez o Obama, e o procurador-geral da República, o último, se manifestou publicamente à época dizendo que não havia nada ilegal nisso, que não se tratava de ato de ofício nenhum. Como as coisas mudam, como as coisas mudam...

Muito bem, disse o senhor Eduardo Granero... Emerson Granero que não houve nenhuma artimanha no contrato e que quando o Okamotto conseguiu a promessa da OAS para patrocinar o acervo, por quê? porque a OAS já tinha centenas de contratos com a Granero, centenas, portanto não haveria diferença nenhuma, a Granero entrou em contato diretamente... não, a OAS entrou em contato diretamente com a Granero, e se comprometeu a pagar a manutenção, a estocagem de fato, e daí seguiu seu automático de que simplesmente se pegou um contrato que já se tinha, colocou-se o nome da OAS, por isso constou material de escritório, porque já... porque era automático em inúmeros contratos com a OAS.

Este ponto é fundamental pra se chegar ao depoimento do senhor Leo Pinheiro, tentando ser rápido diante do tempo, porque no

GEOPOLÍTICA DA INTERVENÇÃO

depoimento de Leo Pinheiro o senhor juiz de primeira instância pergunta, depois de ele dizer, impropriamente, que Paulo Okamotto pediu a contribuição em novembro de 2010 – o que não é verdade se comparando com o depoimento de Emerson Granero, que só foi ocorrer durante o mês de janeiro, e o juiz pergunta "*e isso tem alguma relação com aquela conta geral de Vaccari?*" e diz o senhor Leo Pinheiro: "*Não, isso foi uma deliberação minha, como não se tratava de uma coisa pessoal, se tratava de uma coisa que ia para o museu, não achei conveniente misturar coisas*"; diz o juiz: "*Então esse pagamento que o senhor entende que não havia nenhuma espécie de ilicitude?*"; diz o senhor Leo: "*Eu achei que não e continuo achando que não*".

Pois bem, por que o juiz pergunta se tem alguma relação com a conta de Vaccari? Porque o próprio Leo Pinheiro durante cinco vezes do depoimento, perguntado... e não é possível examinar um depoimento como esse por espelho, por citações da... dele no processo... é preciso assisti-lo, nós estávamos lá, durante cinco vezes o senhor Leo Pinheiro é perguntado se alguma vez falou de valores com o ex-presidente Lula e ele diz: "*Não, nunca falei de nenhum valor, nem de dinheiro, nem sobre acervo, nem sobre apartamento, nem sobre tríplex, nunca conversei com o presidente Lula*". Senhor Procurador, veja a intimidade, veja a intimidade que um ex-presidente da República, ele não era presidente da República, nós estamos falando desse fato que o senhor Leo fala é 2014, não é durante o seu governo, não é em 2011, no primeiro ano que deixou de ser presidente, é em 2014, nunca tinha falado. E diz o senhor Leo Pinheiro durante o depoimento que foi ao Vaccari perguntar como e quem iria pagar a conta da diferença do tal do tríplex. Portanto, se o próprio colaborador que dá depoimentos... que o depoimento inclusive entra em confronto com outros dos autos em relação ao acervo, mas que garante que não há ilegalidade, se ele afirma que nunca falou em dinheiro com o ex-presidente da República, e se afirma que em 2014 não sabia quem ia pagar, onde está qualquer ato de ofício do ex-presidente ou ligação com Okamotto enquanto ele era presidente da República? Nenhum...

Desembargador Federal Leandro Paulsen: Doutor, peço que encaminhe à conclusão...

Doutor Fernando Fernandes: Um minuto, eu gostaria de dizer o seguinte: essas incongruências todas e falta de ato de ofício... o excepcional advogado René Dotti se referiu a Monteiro Lobato, realmente, mas neste caso me lembra a referência de Monteiro Lobato pela sua capacidade criativa, não pela luta da Petrobras, o que é esse processo? Uma capacidade criativa de uma história, que não tem nexo nenhum entre 2010 pra 2011, se joga um monte de questões e tenta se juntar. E também disse que era tão complexa a questão, que não era possível à Petrobras tomar conhecimento... eu acredito, é verdade, mas o seguinte, a mesma lógica não é usada quanto ao Okamotto, quanto ao ex-presidente Lula e o Ministério Público sustenta que não é de se dizer sobre ato de ofício e é de simplesmente de se concluir que todos sabiam...

Desembargador Federal Leandro Paulsen: Doutor...

Doutor Fernando Fernandes: Portanto, concluindo, se requer a manutenção da absolvição, e a absolvição, não por falta de provas de materialidade, mas pela inocência de Paulo Okamotto[196].

Advindo recurso de apelação, deliberou a 8ª Turma do Tribunal Regional Federal da 4ª Região no dia 24 de janeiro de 2018 pelo incremento a Lula da dosimetria penal aplicada em 1º grau, para

---

[196] Apelação Criminal 5046512-94.20164.04.7000 TRF4. Sustentação do advogado Fernando Fernandes (representando Paulo Okamotto) Julgamento em 24 de janeiro de 2018.

doze anos e um mês de reclusão, em regime inicialmente fechado. Okamotto continuou absolvido, sem mudança na forma[197].

Quanto à imputação por corrupção passiva, assim dispôs o desembargador relator:

> No caso, a corrupção passiva perpetrada pelo réu **difere do padrão dos processos já julgados relacionados à "Operação Lava Jato".** **Não se exige a demonstração de <u>participação ativa</u> de LUIZ INÁCIO LULA DA SILVA** em cada um dos contratos. O réu, em verdade, era o **garantidor de um esquema maior**, que tinha por finalidade incrementar de modo sub-reptício o financiamento de partidos, pelo que agia nos bastidores para nomeações e manutenções de agentes públicos em cargos-chave para a empreitada criminosa.
>
> Das provas testemunhais e dos interrogatórios acima reproduzidos é possível apurar o contraste entre as versões da acusação e da defesa. **Um único ponto, todavia, deve ficar desde logo demarcado. As provas são seguras quanto à inexistência de transferência da propriedade no registro imobiliário em favor do apelante** LUIZ INÁCIO LULA DA SILVA ou sua esposa **e quanto à não ocorrência da transferência da posse.** (Grifo nosso)

Do ponto de vista prático, o próprio desembargador relator admitiu a especial condição de Lula, como visto acima.

Estamos diante de uma situação sem precedentes. Observe-se o quão inovadora – para não usar outro adjetivo – é a tese utilizada para imputar ao paciente o delito de corrupção passiva: não há um

---

[197] **Coletiva de imprensa com advogados do ex-presidente, após condenação no TRF 4** A defesa deu uma coletiva de imprensa ao fim do julgamento. Disponível em: https://www.youtube.com/watch?v=iSRpSQQIHzs.
Denúncia Completa de Deltan Dallagnol Contra Lula. Talvez uma reação à forma midiática do dia da denúncia. Disponível em: https://www.youtube.com/watch?v=tCUQ__rZ3HQ.

ato de ofício, ou identificação do pedido ou do aceite da vantagem ilícita, mas uma espécie de posição de *garantidor geral*, que viabilizaria todos os outros supostos atos de corrupção, segundo o órgão acusatório e a autoridade coatora.

> O processo é tão único, tão diferente de todos os outros julgados na Operação Lava Jato, que o próprio Tribunal destaca essa diferença ("difere do padrão dos processos já julgados") e pontua o que é incontroverso nos autos "inexistência de transferência da propriedade no registro imobiliário em favor do apelante LUIZ INÁCIO LULA DA SILVA"

Da mesma forma, ao passo que o acórdão afirma categoricamente a notabilidade do presente caso, e que não foi exigida a *"demonstração de participação ativa"* de Lula, responsabiliza-o na qualidade de um "garantidor de um esquema maior". Esta figura é inexistente juridicamente.

Quanto à vantagem indevida, acórdão afirma que é incontroverso nos autos que houve *"inexistência de transferência da propriedade"* assim como não houve a *"ocorrência de transferência da posse"*.

Fato é que, na verdade, a decisão dispensa a indicação de qualquer ato de ofício, ao mesmo tempo em que não aponta qualquer solicitação e/ou recebimento de vantagem pelo ex-presidente da República antes ou durante o cargo.

A PRESUNÇÃO DE CULPABILIDADE

Em 28 de junho de 1991, o Supremo Tribunal Federal manifestou-se pela primeira vez, pós-Constituição de 1988, a respeito do princípio constitucional da presunção de inocência (CF, art. 5º, LVII) no que toca à execução provisória da pena.

No voto condutor do acórdão do HC nº 68.726, o ministro Néri da Silveira entendeu que a prisão após o segundo grau seria de

natureza processual, para garantir a aplicação da lei penal ou a execução da pena:

> "A ordem de prisão, em decorrência de decreto de custódia preventiva, de sentença de pronúncia ou de decisão de órgão julgador de segundo grau, é de natureza processual; concerne aos interesses da garantia da aplicação da lei penal ou da execução da pena imposta, após reconhecida a responsabilidade criminal do acusado, segundo o devido processo legal, com respeito aos princípios do contraditório da ampla defesa".

Na Suprema Corte, então, assentou-se que não contrastaria com o art. 5º, LVII, da Constituição da República, a execução provisória de sentença condenatória na pendência de recursos especial ou extraordinário, ao fundamento de que ambos não têm efeito suspensivo, desde que decretada **para garantir a aplicação da lei penal ou a execução da pena.**

Esse entendimento perdurou na Suprema Corte por quase duas décadas, até que, em 05 de fevereiro de 2009, no julgamento do HC nº 84.078/MG, pleno, relator o ministro **Eros Grau**, DJe de 26/2/10, a Corte estabeleceu a exigência do trânsito em julgado da condenação para a execução da pena, assentando que, antes do trânsito em julgado, a prisão somente poderá ser decretada ou mantida a título cautelar.

No entanto, em 2016, no julgamento do HC nº 126.292/SP, o Plenário voltou a admitir a execução provisória do acórdão penal condenatório a partir do exaurimento dos recursos ordinários.

O Supremo Tribunal Federal, portanto, repristinou o entendimento que vigorou até 2009 – até o julgamento do HC nº 84.078/MG – de que a execução provisória de sentença condenatória após o segundo grau não contraria o art. 5º, LVII, da Constituição Federal, desde decretada **para garantir a aplicação da lei penal ou a execução da pena.**

Tudo se preparava para a prisão de Lula. E o tribunal correu então para acelerar o fim do trâmite do processo no TRF. Havia duas possibilidades. Ingressar com um *habeas corpus* ou com um pedido cautelar para dar efeito suspensivo ao recurso especial e extraordinário, ou seja, suspender a possibilidade de prisão, demonstrando que o caso era excepcional e a frase do acordão de que "no caso, a corrupção passiva perpetrada pelo réu **difere do padrão dos processos já julgados relacionados à 'Operação Lava Jato'. Não se exige a demonstração de participação ativa de LUIZ INÁCIO LULA DA SILVA" era suficiente para demonstrar a excepcionalidade e diferença do caso em relação a outros.**

Este já era o entendimento à época da vigência da primeira orientação pela admissibilidade da medida. Vejamos decisão da lavra do ministro Joaquim Barbosa, de 29 de novembro de 2005 neste sentido:

> EMENTA: HABEAS CORPUS. AUSÊNCIA DE TRÂN-SITO EM JULGADO DA SENTENÇA CONDENATÓRIA. RECURSO ESPECIAL PENDENTE. EXECUÇÃO PRO-VISÓRIA. CONSTITUCIONALIDADE. LEGITIMIDADE DA PRISÃO PROVISÓRIA NO CASO EM ESPÉCIE. ORDEM DENEGADA. Até que o Plenário do Supremo Tribunal Federal decida de modo contrário, prevalece o entendimento de que é constitucional a execução provisória da pena, ainda que sem o trânsito em julgado e com recurso especial pendente. No caso concreto, é legítima a execução provisória da sentença, **uma vez que bem fundamentada em motivo de ordem cautelar.** Denegação da ordem.
>
> (HC 86628/PR, Relator Min. Joaquim Barbosa, julgada em 29.11.2005)

Aplicam-se, portanto, os critérios exigidos para a aplicação da prisão preventiva, previstos no artigo 312 do Código de Processo Penal. Vale a leitura da obra do professor Gustavo Henrique Badaró:

Por fim, a presunção de inocência funciona como regra de tratamento do acusado ao longo do processo, não permitindo que ele seja equiparado ao culpado. É manifestação clara deste último sentido da presunção de inocência a vedação de prisões processuais automáticas ou obrigatórias. A presunção de inocência não veda, porém, toda e qualquer prisão no curso do processo. **Desde que se trate de uma prisão com natureza cautelar, fundada em um juízo concreto de sua necessidade, e não em meras presunções abstratas de fuga, periculosidade e outras do mesmo gênero, a prisão será compatível com a presunção de inocência**[198].

(Grifo nosso)

Mesmo antes da modificação da jurisprudência do STF, no HC 126.292/SP, já havia decisões apontando a necessidade da presença das causas autorizativas do Art. 312, quais sejam, HC 94296/SP (Min. Celso de Mello, Segunda Turma, julgado em 10/06/08, DJ 19/10/2012), HC 88276/RS (Min. Celso de Mello, Primeira Turma, julgado em 07/11/2006, DJU 16/03/2007), HC 84029/SP (Min. Gilmar Mendes, Segunda Turma, julgado em 2006, DJU 06/09/2007).

Cabe mencionar trecho do voto do ministro Gilmar Mendes, do HC 84.029/SP, julgado em 6 de setembro de 2007:

Embora a reclamação tenha sido declarada prejudicada, por perda de objeto (DJ 12.2.2007), o entendimento que estava a se firmar, inclusive com o meu voto, pressupunha que eventual custódia cautelar, após a sentença condenatória e sem trânsito em julgado, somente poderia ser implementada se devidamente fundamentada, nos termos do art. 312 do Código de Processo Penal.

---

[198] BADARÓ, Gustavo Henrique. *Processo penal*. 3ª ed. São Paulo: RT, 2015, p. 58.

Também considero que não se pode conceber como compatível com o princípio constitucional da não-culpabilidade qualquer antecipação de cumprimento da pena. Outros fundamentos hão para se autorizar a prisão cautelar de alguém (vide art. 312 do Código de Processo Penal). No entanto, o cerceamento preventivo da liberdade não pode constituir um castigo àquele ou àquela que sequer possui uma condenação definitiva contra si.

Parece evidente, outrossim, que uma execução antecipada em matéria penal configuraria grave atentado contra a própria ideia de dignidade da pessoa humana.

Caso se entenda, como enfaticamente destacaram a doutrina e a jurisprudência, que o princípio da dignidade humana não permite que o ser humano se convole em objeto da ação estatal, não há como compatibilizar semelhante ideia com a execução penal antecipada.

Ressaltei ainda, em meu voto na referida Reclamação nº 2.391-PR, que o recolhimento à prisão, quando não há uma definitiva sentença condenatória, determinada por lei, sem qualquer necessidade de fundamentação, tal como disposto no art. 9º, da Lei nº 9.034, de 1995, afronta, a um só tempo, os postulados da presunção da inocência, da dignidade humana e da proporcionalidade. Justamente porque não se trata de uma custódia cautelar, tal como prevista no art. 312, do Código de Processo Penal, que pode efetivar-se a qualquer tempo, desde que presentes os motivos dela ensejadores, o recolhimento à prisão por força legal, tal como previsto para as ações praticadas por organizações criminosas, afigura-se-me uma antecipação da pena não autorizada pelo texto constitucional.

Assim, estou também em que (*sic*) o recolhimento à prisão quando ainda cabe recurso da sentença ou acórdão

condenatório há que ser embasado em decisão judicial devidamente fundamentada em quaisquer das hipóteses previstas no art. 312 do Processo Penal.

A defesa, então, chegou ao STF com um HC pleiteando que fosse concedida a mudança da jurisprudência do STF e concedido a Lula recorrer em liberdade. Então, o caso Lula se confundia com a necessidade de mudança de jurisprudência e não uma análise meramente da peculiaridade do caso e a diferença desse de todos os demais da Lava Jato, como afirmou o próprio TRF quando condenou Lula.

Além do *habeas corpus* em favor de Lula, havia duas Ações Diretas de Constitucionalidade (ADC) no STF com o ministro Marco Aurélio: a ADC42 MC/DF e a ADC 44 DF, ingressadas em 2016. A tese de ambas era simples. Após o precedente de 1991, o Congresso fez uma modificação no Código de Processo Penal em 2011, para se adequar à decisão do STF. Para compreensão, o tema em debate está em torno da redação da disposição constitucional de que "LVII – ninguém será considerado culpado até o trânsito em julgado de sentença penal condenatória"; abaixo como estava redigido o Código de Processo Penal, como passou a ser redigido em 2011 e posteriormente à última decisão em 2019:

> Art. 283. A prisão poderá ser efetuada em qualquer dia e a qualquer hora, respeitadas as restrições relativas à inviolabilidade do domicílio.
>
> (Redação dada pela Lei nº 12.403, de 2011).
>
> Art. 283. Ninguém poderá ser preso senão em flagrante delito ou por ordem escrita e fundamentada da autoridade judiciária competente, em decorrência de sentença **condenatória transitada em julgado** ou, no curso da investigação ou do processo, em virtude de prisão temporária ou prisão preventiva.

§ 1º As medidas cautelares previstas neste Título não se aplicam à infração a que não for isolada, cumulativa ou alternativamente cominada pena privativa de liberdade;

§ 2º A prisão poderá ser efetuada em qualquer dia e a qualquer hora, respeitadas as restrições relativas à inviolabilidade do domicílio.

(Redação dada pela Lei nº 13.964, de 2019) (Vigência)

Art. 283. Ninguém poderá ser preso senão em flagrante delito ou por ordem escrita e fundamentada da autoridade judiciária competente, em decorrência de prisão cautelar ou em virtude de condenação criminal transitada em julgado.

Então as ações não visavam a debater o artigo 5º inciso LVI, mas se a redação do art. 283 do CPP não ofendia a Constituição. Ou seja, que esse artigo não é inconstitucional e não admite prisão em razão de sentença não transitada em julgado.

Também, para compreensão, não se debatia a impossibilidade de prisão preventiva ou em flagrante. Dos brasileiros presos, 40% são provisórios. Portanto, muitos iniciam a responder o processo presos pelo flagrante ou têm a prisão preventiva decretada e permanecem presos até o trânsito em julgado.

O debate, no entanto, para o grande público se transforma em uma grande enganação de que a impunidade decorre da impossibilidade de prisão antes do trânsito em julgado, quando 92% dos homicídios não são solucionados.

Mas do ponto de vista da manipulação de informação, prisão em razão de decisão de segunda instância, virou o símbolo da solução do funcionamento do sistema de justiça.

Em setembro de 2016, o ministro Marco Aurélio leva a julgamento uma antecipação da decisão, e em 5 de outubro de 2016 o Tribunal, por maioria, indeferiu a cautelar, vencidos os ministros

Marco Aurélio (relator), Rosa Weber, Ricardo Lewandowski, Celso de Mello, e, em parte, o ministro Dias Toffoli. Presidiu o julgamento a ministra Cármen Lúcia. No Plenário após dois meses, dezembro de 2017, o ministro Marco Aurélio libera as ADCs para pauta de julgamento para o Pleno do STF. Apesar da liberação das ADCs para julgamento, o poder de incluir o processo em pauta era da presidente do STF, Cármen Lúcia. Ela podia incluir na pauta de julgamento o poder inconstitucional de impedir a prestação jurisdicional.

Enquanto a ministra Cármen Lúcia impedia o julgamento das ações de constitucionalidade, o ministro Fachin também liberou o *habeas corpus* em favor de Lula para julgamento. Após um enorme movimento do mundo jurídico, a ministra Cármen Lúcia inclui somente o *habeas corpus* em favor de Lula, HC 152752, em 22 de março de 2019[199]. Assim empurrava para que o debate sobre a presunção de inocência se desse no caso Lula para que toda a questão constitucional fosse midiaticamente ocultada pelo debate sobre Lula. Para que o antilulismo, antipetismo, se somasse ao discurso de que se estava lutando contra a corrupção.

Inicia a tarde de quinta-feira, e apesar da complexidade e importância do tema, somente após 48 minutos o julgamento do *habeas corpus* se inicia.O julgamento começa na parte da tarde, como se fosse mais um caso do STF, e 53 minutos são dedicados ao término do julgamento da ação ADI 5394 do Conselho Federal da OAB sobre doação de partidos. A ministra Cármen Lúcia apregoa o julgamento do *habeas corpus* e passa a palavra ao ministro Fachin para relatório, e finalmente sobe à tribuna José Roberto Batochio.

O advogado experiente faz a primeira defesa oral de Lula. A defesa de Lula, desde o primeiro momento, foi protagonizada pelo

---

[199] **Pleno – Julgada inconstitucional norma que permitia doações eleitorais anônimas.** Disponível em: https://www.youtube.com/watch?v=RCW-49Vo_H0.

advogado Cristiano Zanin, casado com Valeska, que por conseguinte é filha de Roberto Teixeira. Teixeira foi presidente de uma subseção da Ordem dos Advogados e sempre atuou pela OAB quando das greves na década de 1980. A amizade só cresceu e passou a ter uma relação de quase parentesco.

Cristiano era reconhecido como um excelente advogado de Direito Cível, e Valeska de igual forma, somando-se um inglês fluente de formação. O escritório do casal passou a ser um dos mais tradicionais e conceituados e cresceu muito durante o governo Lula.

Durante a defesa do ex-presidente, montou-se uma equipe criminal interna que assumiu inúmeras frentes com uma produção impressionante. Conseguiram também articular internacionalmente ações em favor de Lula. Dedicados e obstinados, defendem Lula em todos os processos. A falta de experiência anterior em processos penais é o "calcanhar de aquiles".

Após o julgamento pelo TRF confirmando a condenação, Lula chamou para participar o advogado e ex-ministro do STF Sepúlveda Pertence. O nome pesado da advocacia já tinha sido advogado de Lula na década de 1980. Sepúlveda é reconhecido como um ministro que marcou história na mais alta Corte do país. Em um dos memoriais usou como argumento a possibilidade alternativa de a Corte conceder parcialmente a ordem para uma prisão domiciliar.

A imprensa noticiou o pedido, e Cristiano em vez de falar com o ex-ministro, proferiu uma nota na imprensa. É costume na advocacia o advogado mais velho estar de frente na causa, e aquela nota causou um sério desgaste na defesa. E Sepúlveda acabou saindo do caso[200].

---

[200] **Com críticas a advogados, Sepúlveda Pertence pede para deixar defesa de Lula**
Pedido foi feito por meio de carta entregue nesta sexta a Lula. Bela Megale, 15 de julho de 2018. Disponível em: https://oglobo.globo.com/brasil/com-criticas-advogados-sepulveda-pertence-pede-para-deixar-defesa-de-lula-22889995.
Troca de mensagens acentua crise na defesa de Lula. Coluna do *Estadão*, 14 de julho de 2018, 05h30. Disponível em: https://politica.estadao.com.br/blogs/coluna-do-estadao/troca-de-mensagens-acentua-crise-na-defesa-de-lula/.

GEOPOLÍTICA DA
INTERVENÇÃO

Outro advogado que acabou em conflito foi Juarez Cirino dos Santos. Paranaense, é um dos maiores nomes acadêmicos do país, com pós-doutorado na Alemanha em Direito Penal, na cidade de Saarbrücken, sob a orientação de Alessandro Baratta. Formou-se em 1965, e desde 1974 ministra aulas de Direito Penal, tendo se aposentado como professor em 2012 na UFPR, aos 70 anos. Juarez não conseguiria ser comandado por um advogado com experiência cível. No *site* do Instituto de Criminologia e Política Criminal, onde ainda tem cursos *on line*, encontram-se dez artigos sobre o caso Lula. Ele também lançou o livro *Como defendi Lula na Lava Jato*[201].

Batochio, já descrito no capítulo 14. *Falta do dever de cuidado do STF*, ex-presidente da OAB e com muitos anos de advocacia, sobe à tribuna do STF e inicia cumprimentando os ministros e colegas nas pessoas de José Paulo Sepúlveda Pertence, José Gerardo Grossi e após, Cristiano Zanin Martins.

> **Ministra Presidente Doutora Cármen Lúcia:** Convido o doutor José Roberto Batochio, que falará pelo paciente Luiz Inácio Lula da Silva. Doutor Batochio, Vossa Excelência tem até quinze minutos para se pronunciar e tem a palavra.

> **Doutor Roberto Batochio:** Excelentíssima Senhora Ministra Presidente desta augusta Suprema Corte,

> Excelentíssima Senhora Ministra componente deste conspícuo plenário,

> Senhores Ministros,

> Excelentíssima Senhora Procuradora-Geral da Justiça,

> Eminentes colegas da bancada da defesa,

---

[201] SANTOS, **Juarez Cirino dos Santos**. *Como defendi Lula na Lava Jato*. Editora: Empório do Direito, 2017. p. 258.

Peço vênia a todos os demais colegas presentes, para nas pessoas do eminente advogado e ex-ministro desta casa Zé Paulo Sepúlveda Pertence, do eminente advogado José Gerardo Grossi e do douto advogado Cristiano Zanin Martins saudar, cumprimentar e homenagear a todos os advogados presentes que compõem a heroica Ordem dos Advogados do Brasil, que um dia eu tive o prazer e o privilégio de conduzir.

Senhores ministros, os jornais de ontem de todo o planeta publicaram a prisão do ex-presidente Nicolas Sarkozy, da França. Esta prisão teria ocorrido para que os agentes do Estado, encarregados da investigação criminal, pudessem ouvir aquele que foi por duas vezes presidente de uma República – que no passado foi modelar e, através do Iluminismo, exportou liberdade e democracia para o mundo – para que ele pudesse ser ouvido num inquérito, numa indagação que versava sobre recursos de contribuição de campanha.

Dei-me então conta de que esta maré montante de autoritarismo que se hospeda em determinados setores da burocracia estável do Estado não é fenômeno que ocorre apenas no território brasileiro. Preocupantemente, isto está a suceder em todo o planeta.

Em França mesmo, não se pode conhecer dos conteúdos das investigações – nem o investigado nem os seus representantes. Na Itália, o processo penal está sofrendo com o recrudescimento como nunca antes visto. Isso me preocupa, porque a continuarem as coisas como vão, eu não sei qual é o futuro que nos aguarda, senhores ministros. Se ele for assim, confesso aos Senhores que não tenho nenhum interesse em conhecê-lo. Porque, como disse José Bonifácio, "a liberdade e os princípios libertários são uma coisa que não se perde, senão com a vida". É impossível viver fora de um sistema que não seja o sistema de liberdades.

Pois bem, então, inspirado por esta, este acontecimento de ontem decidi começar esta peroração trazendo as palavras ditas por Chrétien Guillaume de Lamoignon Malesherbes, que foi um grande jurista

GEOPOLÍTICA DA
INTERVENÇÃO

francês e que foi até o advogado do Luís XVI no julgamento que o conduziu à Bastilha e à guilhotina; tinha sido ministro do rei e foi o seu advogado e sabia que tinha ter que enfrentar a opinião pública e sabia que ia ter que enfrentar os jacobinos sedentos de sangue, sedentos de punição a qualquer preço; e ele começou a defesa de Luís XVI perante a corte francesa dizendo o seguinte: "Monsieur, le juge. Je vous apporte ici, aujourd'hui, deux choses: la première c'est ma tête, la deuxième c'est la vérité. Vous pouvez prendre la première d'après écouter la deuxième"[202]. E aqui, trago a Vossas Excelências, também, duas coisas – são dois preceitos do nosso ordenamento jurídico democrático.

Um é o artigo 5º, inciso 57 da Carta Política; o outro é o artigo 283 do nosso Código de Processo Penal. Eles estão sob ameaça de mortificação, de extinção. Então eu trago dois normativos que se encontram sob ameaça de extinção. E trago também, como segunda coisa, a verdade, que preciso dizer, sem peias, sem freios, sem receios; e Vossas Excelências poderão, depois de ouvir a segunda, matar ou não esses preceitos democráticos que aqui estou a defender na tarde de hoje.

De onde veio, qual é a origem deste preceito constitucional que instituiu entre nós a presunção da não culpabilidade ou a presunção da inocência? Numa conversa com o eminente Sepúlveda Pertence, ainda na noite passada, nos lembramos de que este princípio constitucional que nós conseguimos introduzir na nossa lei *máxima* tem origem na legislação eleitoral, porque a ditadura militar, o autoritarismo que nós vivemos no passado não muito remoto, considerava fator impeditivo de elegibilidade – de ser sujeito ativo eleitoralmente – aquele que tivesse contra si uma denúncia recebida.

Vejam, vossas excelências, a simetria. Quando na Constituinte de 1987, quando na Constituição de 1988, nós escrevemos o plexo de

---

[202] A parte em francês foi transcrita por Guilherme Garnier. Tradução: Senhor juiz. Trago-lhe aqui, hoje, duas coisas: a primeira é a minha cabeça, a segunda é a verdade. Pode pegar a primeira depois de ouvir a segunda.

direitos que compõe o capítulo dos direitos e garantias individuais e coletivas, nós procuramos, sim, positivar no texto nobre da mais alta hierarquia legislativa do nosso país essas garantias para que nós pudéssemos ter o instrumental necessário para repelir as outras investidas do autoritarismo, vestisse ele verde-oliva ou envergasse a cor negra da asa da graúna.

De onde vier será repelido, porque nós, brasileiros, não aceitamos viver sob o tacão autoritário de quem quer que seja. E por esta razão é que nós escrevemos na Carta Política: "que antes de trânsito em injugado nenhum cidadão pode ser considerado culpado". E isto significa que aconteceram grandes discussões a respeito de se isso eliminaria, digamos assim, as prisões, as custódias cautelares, as custódias temporárias etc. Não, não há incompatibilidade.

O que há incompatibilidade é com pretender-se dar início à execução de uma pena encontrada numa sentença que não se tornou imutável. Esta é a discussão que a aqui se faz. Não só pela dicção do artigo 5º, parágrafo 57 da Constituição, mas também pelo artigo 283 do nosso Código de Processo Penal, que espelhadamente reflete este dispositivo constitucional.

E o que é que nós temos nesta impetração de hoje, em há uma certa volúpia em encarcerar um ex-presidente da República? Não que um presidente da República seja um cidadão diferente que qualquer outro – não, não é. Ele não está acima da lei. Não pode estar! Ninguém pode estar acima da lei. Mas ninguém pode ser subtraído da sua proteção. Ninguém pode ser retirado da proteção do ordenamento jurídico.

E o que nós temos aqui? Nós temos aqui uma decisão do Tribunal Regional Federal da 4ª Região que confirmou decisão condenatória proferida em 1º grau e que dispôs expressamente o seguinte. "De acordo com a Súmula 122 desta corte regional, esgotada a jurisdição em série de revisão neste tribunal regional, expeça-se ordem de prisão e oficie-se o juiz". Com base nessa Súmula 122.

GEOPOLÍTICA DA INTERVENÇÃO

E o que diz essa súmula? Ela não é... Ela não diz o que se encontrou aqui nesta Corte, nesta Suprema Corte, que em determinados casos, antes do trânsito em julgado pode a possibilidade do início da execução da pena. Não! Essa Súmula 122 é inconstitucional, senhores ministros, porque ela diz que é obrigatória, ela diz que é obrigatório o início da execução da pena! Coisa que contraria frontalmente a Constituição, frontalmente o artigo 283 do Código do Processo Penal e que contraria a decisão tomada aqui nesta casa, que apenas acenou com a possibilidade.

E o que é que diz este julgado na corte regional, nos termos da Súmula 122. E vossas excelências, proponho eu, deveriam *incidenter tantum*, declarar inconstitucional esta súmula. Não só pelo que ela contraria a Constituição, no sentido de dar início à execução da pena, mas porque ele transforma este início da execução da pena em obrigatório, contra a letra da Constituição.

Quando eu vejo, senhores ministros, os tribunais – e peço vênia para dizer isso com o mais elevado respeito, com todas as vênias – quando eu vejo os tribunais entrarem a legislar, eu sinto uma frustração enorme. Eu sinto a sensação de que eu perdi anos na Câmara dos Deputados, quando fui parlamentar a cuidar, a trabalhar numa coisa inútil, porque as leis que nós elaboramos lá são substituídas por exegeses que as mortificam e que às vezes têm o desplante de contrariá-las, substituindo-as por mirabolâncias exegéticas que fazem revirar no túmulo o senhor Charles-Louis de Secondat, o barão de La Brède e de Montesquieu. Tal o grau da – me perdoem o termo – da sem-cerimônia com que se invadem atribuições dos outros poderes para atender a não sei que inclinações. A voz das ruas? Mas a voz das ruas pertence às ruas. Quem tem que manter a mão no pulso da sociedade nas ruas, não é o Poder Judiciário, é o parlamento, são os políticos, que têm que captar os anseios e os batimentos da população e da turba, por que não dizer?, e interpretá-los e transformá-los em normas.

Não é dado ao Poder Judiciário, digo isso como brasileiro. Não é dado ao Poder Judiciário, nem daqui nem de nenhum lugar do mundo, entrar a legislar para atender a este ou aquele pragmatismo, a esta ou aquela conveniência social de ocasião.

Senhores, eu pergunto, como seria possível nós denegarmos esta ordem de *habeas corpus*? Está caracterizado o constrangimento ilegal em potência. Iminente, tem data marcada. A prisão está marcada para o dia 26 de março, próximo futuro. Foi a data em que se marcou o julgamento dos embargos e declaração e já está decidido. Julgados os embargos e declaração, esgotou-se a jurisdição, mandato de prisão nos termos da Súmula 122.

Agora, eu pergunto a vossas excelências, se nós temos na casa duas ações diretas de constitucionalidade, de que é relator o eminente ministro Marco Aurélio; e se este plenário declarar a constitucionalidade do artigo 283 do Código de Processo Penal, como é que nós vamos justificar a prisão de um ex-presidente da República por um descuido, por uma vacilação? Por que este açodamento em prender? Por que esta volúpia em encarcerar? O que justifica isso, senão a maré-montante da violência da autoridade, senão a maré montante da volúpia do encarceramento? Peço a Vossa Excelência que tenha condescendência, porque a causa é complexa. Peço mais alguns instantes para terminar.

Ministra presidente doutora Cármen Lúcia: Peço a Vossa Excelência que, por favor, conclua.

Doutor Roberto Batochio: Três anos atrás, num evento da Ordem dos Advogados do Brasil, nós já tínhamos dito isso: "Se o Judiciário não entender pela ciência, pela razão, pela racionalidade que o encarceramento em massa é uma política desastrosa, vai ter que engolir esta realidade pela necessidade econômica que a superpopulação carcerária acarreta". Nós não podemos querer resolver todos os problemas...

Ministra presidente doutora Cármen Lúcia: Doutor Batochio, eu peço desculpa, mas peço que Vossa Excelência conclua.

Doutor Roberto Batochio: Muito obrigado. Agradeço. Peço que seja concedida a ordem para o efeito de ser... de se determinar que se aguarde, pelo menos, pelo menos, julgamento das duas ações diretas de constitucionalidade, se não for aguardar o trânsito em julgado. Muito obrigado.

Terminadas as sustentações, a sessão é suspensa e volta após um grande intervalo e reinicia o julgamento[203].

O relator inicia cumprimentando Batochio e faz citação em francês, dizendo que lembrava *Honi soit qui mal y pense*[204] da Ordem da Jarreteira. A lembrança é um indício que merece destaque em capítulo posterior, porque também é religiosa e foi "fundada em 1348 criada por Eduardo III, da Inglaterra, com dedicação à imagem e armas de São Jorge"[205]. Com estas palavras, cria uma preliminar pelo não conhecimento do *habeas corpus*[206]. De fato, o relator criou uma armadilha para a defesa e para o ex-presidente, sabendo que a consequência seria a prisão sem o julgamento do *habeas corpus*, já que a defesa não teria tempo de impetrar outro.

No capítulo 7. *O início da Lava Jato – A fase 1. Banho e Sobral Pinto*, expliquei que uma jurisprudência desafia a tradição brasileira de ampliação do *habeas corpus*. Disse que nas faculdades se ensina que é o mais lindo remédio constitucional e que pode ser feito até por quem não é advogado e até em papel de pão. Passam a não conhecer *habeas corpus* substitutivo. Mas nesse caso o HC para o STF tinha sido impetrado antes da decisão no STJ. Contra uma

---

[203] **Pleno – Concedido salvo-conduto ao ex-presidente Lula até julgamento final de HC.** Disponível em: https://www.youtube.com/watch?v=uWtOTlnfgD8.

[204] *Honi soit qui mal y pense.* Disponível em: https://pt.wikipedia.org/wiki/Honi_soit_qui_mal_y_pense.

[205] **Ordem da Jarreteira**. Disponível em: https://pt.wikipedia.org/wiki/Ordem_da_Jarreteira.

[206] **HABEAS CORPUS 152.752 PARANÁ**. Disponível em: http://redir.stf.jus.br/paginadorpub/paginador.jsp?docTP=TP&docID=15132272.

decisão o relator passa horas para fundamentar que o *habeas corpus* não fosse conhecido.

A decisão quanto ao conhecimento do *habeas corpus* passa a ser uma das mais importantes quanto ao tema do remédio constitucional. O ministro Alexandre de Moraes vota pelo cabimento do *habeas corpus*. E o placar vai se fazendo sempre no conflito cujo direito esconde uma ideia de Estado. Barroso vota pelo não conhecimento do *habeas corpus* não o admitindo, para que a defesa tivesse que impetrar um novo *habeas corpus*. Ou seja, jogando a liberdade a um meio burocrático. Rosa Weber percebe o ato do relator e dá um voto aceitando o *habeas corpus* e não permitindo o fato de ter admitido o aditamento para depois não conhecer:

> Não obstante, entendo que não há como adotar, aqui, tal solução. E isso diante do aditamento oferecido, em que apontado como ato coator o acórdão da Quinta Turma, conhecido e enfrentado pelo eminente Relator – e ora submetido a julgamento –, sob pena de estarmos, com todo o respeito, a prestigiar a forma pela forma. E, assim, eu não procedo.

Mas ao fim Fachin, Barroso, Fux e Cármen Lúcia votam no sentido de que o *habeas corpus* não fosse julgado. E quando termina esse debate já era tarde e anunciam que a sessão seria suspensa pela hora. A sessão seguinte seria depois de um feriado de Páscoa, como advertiu o ministro Marco Aurélio. Depois de 1h52min, o advogado Batochio sobe à tribuna e requer uma liminar para sobrestar no caso de suspenderem a sessão. E "por maioria, vencidos os ministros Edson Fachin (relator), Alexandre de Moraes, Roberto Barroso, Luiz Fux e Cármen Lúcia (presidente), deferiu liminar para que seja expedido salvo-conduto ao paciente até o julgamento deste *habeas corpus*, que se dará na sessão de 4 de abril de 2018".

Ao proferir o acórdão[207] no dia 4 de abril a sessão foi gravada[208]. Depois do voto de Fachin, o ministro Gilmar Mendes coloca claramente que sendo um *habeas corpus* não poderia ser negado a Lula. E depois, no futuro, julgar as ADCs em razão do acórdão do segundo turno seria inconstitucional:

> Não há por que denegar o *habeas corpus* e conceder a ADC, não faz nenhum sentido. Não faz nenhum sentido por quê? Porque é o tema que estamos decidindo. É o Plenário do Supremo, por sua completude, por sua unanimidade, que está a deliberar sobre o tema. Há muito se vindicava a necessidade desse debate, e essa questão, portanto, agora se pôs. Por acidentalidade do destino, se pôs em sede de *habeas corpus*. Que venha, portanto, o *habeas corpus*, e que se decidamos o *habeas corpus* com a inteireza que estamos a decidir um processo de feição objetiva. Até porque, como sabemos muito bem, é assim que funciona nos sistemas de jurisdição constitucional; as ações vão ganhando esse papel. Recentemente, inclusive, uma tese pela qual eu me batia há muitos anos foi reconhecida aqui a partir de um voto do ministro Dias Toffoli: a questão do não encaminhamento ao Senado ou do encaminhamento apenas para publicização da decisão.
>
> O senhor ministro Marco Aurélio – Vossa Excelência me permite um aparte?
>
> O senhor ministro Gilmar Mendes – Por favor!

---

[207] **HABEAS CORPUS 152.752 PARANÁ.** Disponível em: http://redir.stf.jus.br/paginadorpub/paginador.jsp?docTP=TP&docID=15132272.

[208] O julgamento pode ser visto em três vídeos:
Pleno – Negado habeas corpus preventivo ao ex-presidente Lula (1/3). Disponível em : https://www.youtube.com/watch?v=jqqnHt7kGaY;
o segundo: **Pleno – Negado habeas corpus preventivo ao ex-presidente Lula (2/3).** Disponível em: https://www.youtube.com/watch?v=M2MrkZVpmBg
e o terceiro: **Pleno – Negado habeas corpus preventivo ao ex-presidente Lula (3/3).** Disponível em: https://www.youtube.com/watch?v=Ip4TfQ21yO4.

O senhor ministro Marco Aurélio – A rigor, a rigor, por isso ou por aquilo, apreciando este *habeas corpus*, estaremos apreciando as ações declaratórias de constitucionalidade. O Colegiado será o mesmo quanto à decisão que proferirá nas duas ações – de nº 43 e nº 44. E causará estranheza se avançar--se agora – não sei qual será a conclusão do Colegiado – para o indeferimento da ordem neste *habeas* e depois acolher-se os pedidos formulados nas declaratórias de constitucionalidade. Ou seja, estamos julgando em definitivo – e precisamos ter presente que processo não tem capa, tem conteúdo estritamente – a questão de ser ou não possível, ante a cláusula do principal rol das garantias constitucionais, o do artigo 5º, alusiva ao princípio da não culpabilidade – pelo Pacto de São José da Costa Rica, princípio da inocência –, a execução da pena, portanto, sanção implementada antes do trânsito em julgado.

O Tribunal empana no julgamento do *habeas corpus*. Rosa Weber, que havia votado pela inconstitucionalidade da prisão em segunda instância, diz que respeitando o colegiado votava pela negativa do *habeas corpus*. Batochio levanta uma questão de ordem para que a presidente Cármen Lúcia não votasse tendo em vista ao empate, para os fins do *habeas corpus* ser concedido por empate, o que é rejeitado. Nesse dia o Supremo Tribunal Federal por 6 a 5 permite a prisão de Lula.

No dia 7 de abril de 2018 Lula, após vigília e horas no sindicato dos metalúrgicos com uma multidão à porta, se entrega na Polícia Federal em São Paulo e é deslocado de helicóptero para o aeroporto e de lá para Curitiba. Escrevi um artigo intitulado: "Por proximidade da família, Lula deve ficar preso em São Paulo, não em Curitiba"[209].

---

[209] FERNANDES, Fernando Augusto e MONTEIRO, Breno de Carvalho. Consultor Jurídico. **Por proximidade da família, Lula deve ficar preso em São Paulo, não Curitiba.** 6 de abril de 2018, 17h04. Disponível em: https://www.conjur.com.br/2018-abr-06/opiniao-proximidade-familia-lula-ficar-preso-sp.

GEOPOLÍTICA DA
INTERVENÇÃO

A Lava Jato somente conseguiu sobreviver devido às constantes fraudes de escolha de juízes e um esforço para não permitir que nenhum recurso fosse distribuído. Assim foi a escolha de Moro e as fraudes de conexões eternas. Assim foi com Gebran e a prevenção em caso que não tinha nenhuma relação com a Lava Jato. Assim, no STJ passaram o caso para Fischer e mesmo antes deram uma interpretação para manter tudo com um único ministro. Assim foi no STF com Zavascki e depois com a escolha de Fachin para ficar no seu lugar.

Veja que quando o juiz de plantão, Eduardo Fernando Appio, analisou o caso, permitiu que Paulo Roberto tomasse banho. Quando o ministro Navarro chegou à Corte do STJ votou a favor de *habeas corpus* de Marcelo Odebrecht. Mas não era suficiente, pois não havia distribuição da turma. No STF, quando se iniciaram as distribuições, houve decisões diferentes.

Se ocorria fraude na escolha do juiz, era hora de demonstrar que o Judiciário poderia não pensar igual. Foi nesse sentido que incentivei os três deputados, dois deles eram advogados, a tentar ir ao plantão no Rio Grande do Sul, onde estaria de plantão em um fim de semana o desembargador Favreto. Quando a Corte Especial nº 0003021-32.2016.4.04.8000/RS, do TRF se deparou com um pedido de processo disciplinar para julgar a conduta de Moro por ter divulgado gravações entre a presidente Dilma Rousseff e o ex-presidente Lula, feitas depois do prazo autorizado, o desembargador Rogério Favreto foi voto vencido aceitando a punição. O desembargador Rômulo Pizzolatti fundamentou que Moro não respondesse o processo, porque "De início, impõe-se advertir que essas regras jurídicas só podem ser corretamente interpretadas à luz dos fatos a que se ligam e de todo modo verificado que incidiram **dentro do âmbito de normalidade** por elas abrangido. É que a norma jurídica incide no plano da normalidade, **não se aplicando a situações excepcionais**". Favreto se opõe votando da seguinte forma:

De início, entendo **não ser adequada a invocação da teoria do Estado de exceção**, sustentada por Eros Roberto Grau tanto em sede doutrinária quanto em alguns votos no Supremo Tribunal Federal. A propósito do tema, bem observam os professores Daniel Sarmento e Cláudio Pereira de Souza Neto:

*Em diversos votos proferidos no STF pelo ministro Eros Grau, empregou-se a **teoria do Estado de exceção para justificar a não aplicação de regras constitucionais** a casos em que, pelo seu texto, deveriam incidir, mas nos quais a presença de circunstâncias excepcionais justificaria o respectivo afastamento. Algumas dessas decisões poderiam ser explicadas por meio do recurso à ideia de equidade, ao invés da teoria do Estado de exceção. Não nos parece apropriado (...) **atribuir ao STF o "poder soberano", no sentido de Carl Schmitt, de suspender a força de normas jurídicas para instaurar a exceção.** Esta linha argumentativa, além de desnecessária, pode revelar-se perigosa, se manejada por quem não tenha os mesmos compromissos democráticos do ministro Eros Grau (SARMENTO, Daniel; SOUZA NETO, Cláudio Pereira de. Direito Constitucional: teoria, história e métodos de trabalho. Belo Horizonte: Fórum, 2013. 1ª edição. pp. 545-546).*

Vale dizer que o Poder Judiciário deve deferência aos dispositivos legais e constitucionais, sobretudo naquilo em que consagram direitos e garantias fundamentais. Sua não observância em domínio tão delicado como o Direito Penal, evocando a teoria do Estado de exceção, pode ser temerária se feita por magistrado sem os mesmos compromissos democráticos do eminente relator e dos demais membros desta Corte (...).

Haveria assim a possibilidade de uma decisão negativa. Sabíamos que se fosse favorável ela duraria pouco, pois no primeiro dia útil seria cassada. Mas demonstraria que não era unânime a posição em relação ao caso. Não era a Justiça como ente que condenava Lula e o prendia e amordaçava, mas alguns juízes. Impetramos o *habeas corpus* argumentando que a decisão do STF permitia a prisão após a decisão do tribunal, mas não de forma automática. Isso somente poderia ocorrer se houvesse razões. Entramos com *habeas corpus* no dia 6 de julho de 2018, que tomou o nº 5025614-40.2018.4.04.0000, logo após o fim do jogo da Copa do Mundo no qual o Brasil perdia para a Bélgica por 2 a 1[210].

(...) o Paciente interpôs recurso de apelação no dia 31.07.2017, apresentando as respectivas razões, perante a Corte de Apelação, no dia 11.09.2017.

O recurso de Apelação foi pautado e julgado no dia 24.01.2018. Em tal assentada, decidiu o TRF4 manter a

---

[210] Na Copa de 2014 eu estava na defesa de um dos principais executivos. O caso chegou ao STF e o ministro Marco Aurelio deferiu liminar pela soltura afirmando que: "Quanto à credibilidade da Justiça, o fenômeno não resulta da punição a ferro e fogo. Ao contrário, advém da atuação em respeito irrestrito ao figurino legal. Possibilidade de um acusado deixar o território nacional, pouco importa se brasileiro ou estrangeiro, mostra-se latente, mesmo que recolhido o passaporte. As fronteiras são quilométricas, a inviabilizar fiscalização efetiva. Todavia, essa circunstância territorial não leva à prisão de todo e qualquer acusado. Há meios de requerer-se a Estado estrangeiro a entrega de agente criminoso, ou até, em cooperação judicial, de executar-se título condenatório no país em que se encontre". HC 123.431/RJ – nesse caso que virou livro *Place... Prison and Beyond – The real story ... the factual truth, by Ray Whelan – self-published for limit distribution.* – Antes da liminar ser deferida pelo ministro Marco Aurélio foi feita uma campanha televisiva contra a defesa e o advogado, que era eu. Porque saímos para deliberar o que fazer e nos reunir, pelas portas dos fundos do Copacabana Palace. Geraldo Prado e Juarez Cirino dos Santos se solidarizaram. Nilo Batista ingressou com *habeas corpus* a meu favor para defender minhas prerrogatrivas profissionais. Havia sido intimado para depor em inquérito no qual meu cliente era investigado. A OAB ficou omissa. Era presidente Felipe Santa Cruz, que chegou a divulgar que instauraria um procedimento ético contra o advogado. Fernanda Tórtima era presidente da comissão de prerrogativa e tão simplesmente "deferiu" que eu fosse acompanhado ao depoimento. A liminar no HC de Nilo Batista foi deferida. Posteriormente o inquérito sobre "favorecimento pessoal" foi arquivado. O objetivo era punir o advogado como se tivesse favorecido a fuga. Isso porque resolvemos que diante daquela ordem e prisão ser sexta-feira antes da final da Copa do Mundo, Raymond somente se entregaria após o fim da Copa do Mundo. O *habeas corpus* foi deferido pela Suprema Corte e a prisão foi declarada ilegal.

condenação aumentando-se, ainda, a pena anteriormente imposta para 12 (doze) anos e 1 (um) mês de reclusão.

Na mesma decisão, o Des. Relator João Pedro Gebran Neto da 8ª Turma do TRF-4 determinou a execução provisória da pena, condicionando-a à devida fundamentação.

O acórdão foi publicado em 06.02.2018, e em 20.02.2018 foram opostos Embargos de Declaração, os quais foram julgados em 26.03.2018, tendo a e. 8ª Turma dado parcial provimento, sem produzir qualquer alteração no julgado.

Antes mesmo da intimação do Paciente da decisão, em 05.04.2018 (17h31min), o Juiz Federal substituto NIVALDO BRUNONI expediu Ofício ao Juiz da 13ª Vara Criminal Federal comunicando exaurimento da 2ª instância, apesar da pendência de julgamento de novos embargos declaratórios.

Na mesma data, minutos após o recebimento do Ofício (17h53), sem qualquer fundamentação idônea e específica, o magistrado SÉRGIO FERNANDO MORO, ora autoridade coatora, determinou a expedição do mandado de prisão do Paciente, nos seguintes termos:

"Registre-se somente, por oportuno, que a ordem de prisão para execução das penas está conforme o precedente inaugurado pelo Plenário do Egrégio Supremo Tribunal Federal, no HC 126.292, de 17/02/2016 (Rel. Min. Teori Zavascki), está conforme a decisão unânime da Colenda 5ª Turma do Egrégio Superior Tribunal de Justiça no HC 434.766, de 06/03/208 (Rel. Min. Felix Fischer) e está conforme a decisão por maioria do Egrégio Plenário do Supremo Tribunal Federal no HC 152.752, de 04/04/2018 (Rel. Min. Edson Fachin).

***Expeçam-se**, portanto, como determinado ou autorizado por todas essas Cortes de Justiça, inclusive a Suprema, os* *mandados de prisão para execução das penas contra José Adelmário Pinheiro Filho, Agenor Franklin Magalhães Medeiros e Luiz Inácio Lula da Silva.*

Encaminhem-se os mandados à autoridadade policial para cumprimento, observando que José Adelmário Pinheiro Filho, Agenor Franklin Magalhães Medeiros já se encontram recolhidos na carceragem da Polícia Federal em Curitiba.

Após o cumprimento dos mandados, expeçam-se em seguida as guias de recolhimento, distribuindo ao Juízo da 12ª Vara Federal. Relativamente ao condenado e ex-presidente Luiz Inácio Lula da Silva, concedo-lhe, em atenção à dignidade cargo que ocupou, a oportunidade de apresentar-se voluntariamente à Polícia Federal em Curitiba até as 17:00 do dia 06/04/2018, quando deverá ser cumprido o mandado de prisão".

Portanto, o magistrado de piso, sem demonstrar qualquer necessidade ou utilidade ao processo, determinou a prisão do Paciente sob a única base argumentativa de que o STF permite a execução da pena antes do trânsito em julgado. Ou seja, não se incumbiu de demonstrar, no caso concreto, qualquer utilidade ou necessidade da prisão do Paciente, ainda que exigido pelo precedente da Suprema Corte.

Então, em 7 de abril de 2018, o Paciente apresentou-se na Polícia Federal.

Dia 8 de julho é expedida liminar para soltar Lula[211]. A liminar é deferida às 9h05 da manhã, expedido Alvará de Soltura e entregue à Polícia Federal. Às 11h49 não havia cumprimento, então comunicamos

---

[211] BERGAMO, Mônica. **Desembargador do TRF-4 manda soltar Lula da prisão ainda neste domingo.** Ministério Público Federal deve recorrer da decisão. Disponível em: https://www1.folha.uol.com.br/colunas/monicabergamo/2018/07/desembargador-do-trf-4-manda-soltar-lula-da-prisao-ainda-neste-domingo.shtml.

que a Polícia não cumpria a decisão. Somente Favreto estava de plantão, o que significava que nenhum outro desembargador poderia despachar. Às 12h24 vem um segundo despacho determinando "o IMEDIATO cumprimento da medida judicial de soltura do Paciente, sob pena de responsabilização por descumprimento de ordem judicial, nos termos da legislação incidente"; e ainda sem cumprimento, o MP pede reconsideração.

Gravíssimo: as arbitrariedades vão se revelando de forma mais evidente. Às 12h5, Sérgio Moro, que não tinha jurisdição naquele dia porque estava de férias e não de plantão, profere uma decisão mandando a Polícia não cumprir a ordem superior. Descobrimos a ordem e a juntamos ao desembargador. Ou seja, o juiz que naquele dia não era juiz, pois não estava por lei exercendo o cargo pelas férias e porque nos plantões somente os juízes de plantão estão exercendo o cargo, intervém para Lula não ser solto.

E as arbitrariedades não param. João Gebran, que também não poderia despachar porque de igual forma não estava de plantão, profere uma decisão mandando não cumprir a ordem.

Favreto, o único desembardor de plantão, manda o *habeas* voltar para seu gabinete e profere novo despacho mandando cumprir sua Ordem:

> (…) "No mais, esgotadas as responsabilidades de plantão, sim o procedimento será encaminhado automaticamente ao relator da 8ª Turma dessa Corte. Desse modo, já respondo a decisão (Evento 17) do eminente colega, Des. João Pedro Gebran Neto, que este magistrado não foi induzido em erro, mas sim deliberou sobre fatos novos relativos à execução da pena, entendendo por haver violação ao direito constitucional de liberdade de expressão e, consequente liberdade do paciente, deferindo a ordem de soltura.
>
> Da mesma forma, não cabe correção de decisão válida e vigente, devendo ser apreciada pelos órgãos competentes,

GEOPOLÍTICA DA
INTERVENÇÃO

dentro da normalidade da atuação judicial e respeitado o esgotamento da jurisdição especial de plantão.

Mais, não há qualquer subordinação do signatário a outro colega, mas apenas das decisões às instâncias judiciais superiores, respeitada a convivência harmoniosa das divergências de compreensão e fundamentação das decisões, pois não estamos em regime político e nem judicial de exceção.

Logo, inaplicável a decisão do Evento 17 para o presente momento processual.

Por outro lado, desconheço as pretendidas orientações e observações do colega sobre entendimentos jurídicos, reiterando que a decisão em tela considerou a plena e ampla competência constitucional do *Habeas Corpus*, não necessitando de qualquer confirmação do paciente quando legitimamente impetrado. Inclusive esse remédio constituional não exige técnica apurada no seu manejo, visto que pode ser impetrado por qualquer cidadão sem assistência de advogado. De igual maneira, pode ser deferido de ofício pela autoridade judiciária quando denota alguma ilegalidade passível de reparação por esse instrumento processual-constitucional.

Sobre o cabimento da apreciação da medida em sede plantão judicial, suficiente tratar-se de pleito de réu preso, conforme preveem as normativas internas do TRF e CNJ. Ademais, a decisão pretendida de revogação – a qual não se submete, no atual estágio, à reapreciação do colega – foi devidamente fundamentada quanto ao seu cabimento em sede plantonista.

Outrossim, extraia-se cópia da manifestação do magistrado da 13ª Vara Federal (Anexo 2 - Evento 15), para encaminhar ao conhecimento da Corregedoria dessa Corte e do Conselho Nacional de Justiça, a fim de apurar eventual falta funcional, acompanhada pela petição do Evento 16.

Por fim, reitero o conteúdo das decisões anteriores (Eventos 3 e 10), determinando o imediato cumprimento da medida de soltura no prazo máximo de uma hora, face já estar em posse da autoridade policial desde as 10:00 h, bem como em contato com o delegado plantonista foi esclarecida a competência e vigência da decisão em curso.

Assim, eventuais descumprimentos importarão em desobediência de ordem judicial, nos termos legais".

Mas para manter Lula preso, valia tudo! Então, usando uma medida que só serve para processos cíveis da Fazenda Pública para verbas de governo e em dias fora do plantão, o presidente do TRF-RS, Carlos Eduardo Thompsom Flores Lenz, às 19h30 manda não cumprir a ordem. Um dia de ilegalidades evidentes que parou o Brasil, no meio da Copa do Mundo.

Lula não saiu, mas as entranhas das ilegalidades foram expostas. Lula não estava preso pela Justiça, mas por membros escolhidos do Judiciário. E, para deixá-lo preso, todo tipo de abusos sempre seria cometido.

Preso em Curitiba em uma cela especial, Lula fica incomunicável. O primeiro turno das eleições seria em 7 de outubro. Praticamente um mês antes o TSE nega a candidatura de Lula[212], e por incrível que pareça, com o único voto favorável de Fachin acatava uma decisão da ONU que deferiu liminar para Lula ser candidato; e Fachin[213] entendeu que "a Justiça Eleitoral brasileira deve esperar

---

[212] **REGISTRO DE CANDIDATURA (11532) Nº 0600903-50.2018.6.00.0000 BRASÍLIA DISTRITO FEDERAL RELATOR: Ministro LUÍS ROBERTO BARROSO REQUERENTE: LUIZ INACIO LULA DA SILVA.** Disponível em: https://www.conjur.com.br/dl/acordao-tse-lula-candidatura-barrada.pdf.
Gravação do julgamento: **JULGAMENTO DA CANDIDATURA DE LULA NO TSE – COMPLETO (31/08)** Disponível em: https://www.youtube.com/watch?v=-YaUnN9Q-ZXE.

[213] COELHO, Gabriela. Consultor Jurídico. **Brasil deve seguir decisão da ONU e autorizar candidatura de Lula, vota Fachin.** 31 de agosto de 2018. Disponível em: https://www.conjur.com.br/2018-ago-31/brasil-seguir-onu-autorizar-candidatura-lula-fachin.

um pronunciamento definitivo do Comitê de Direitos Humanos da ONU, já que o pronunciamento em vigor foi uma liminar proferida por dois dos 18 membros".

Absolutamente incomunicável, no dia 28 de setembro de 2018, na Reclamação 32.035/PR, Lewandowski com base na liberdade de imprensa, admite liminar para a *Folha de S.Paulo*, por intermédio de Mônica Bergamo, entrevistar Lula[214]. Também o jornalista Florestan Fernandes conseguia a autorização.

> "Logo, não cabe ao Estado, por qualquer dos seus órgãos, definir previamente o que pode ou o que não pode ser dito por indivíduos e jornalistas", disse o relator ao concluir pela impossibilidade de qualquer tipo de censura estatal à imprensa, citando na sequência o decano da Suprema Corte: "Ou, nas palavras do ministro Celso de Mello, 'a censura governamental, emanada de qualquer um dos três Poderes, é a expressão odiosa da face autoritária do poder público'". Dessa forma, não há como se chegar a outra conclusão, senão a de que a decisão reclamada, ao censurar a imprensa e negar ao preso o direito de contato com o mundo exterior, sob o fundamento de que "não há previsão constitucional ou legal que embase direito do preso à concessão de entrevistas ou similares" (pág. 8 do documento eletrônico 13), viola frontalmente o que foi decidido na ADPF 130/DF.
>
> (...)
>
> O STF, em inúmeros precedentes, mesmo antes do julgamento da ADPF 130/DF, já garantiu o direito de pessoas custodiadas pelo Estado, nacionais e estrangeiros,

---

[214] COELHO, Gabriela . Consultor Jurídico. **Lewandowski autoriza Lula a conceder entrevista da prisão.** 28 de setembro de 2018. Disponível em: https://www.conjur.com.br/2018-set-28/lewandowski-autoriza-lula-dar-entrevistas-prisao.

de concederem entrevistas a veículos de imprensa, sendo considerado tal ato como uma das formas do exercício da autodefesa. Confira-se: Ext 906-ED-ED/República da Coreia, Rel. Min. Marco Aurélio; Ext 1.008/Colômbia, Rel. Min. Gilmar Mendes; Pet 2.681/Argentina, Rel. Min. Sydney Sanches; Ext 785 terceira/México, Rel. Min. Néri da Silveira. Ressalto, ainda, que não raro, diversos meios de comunicação entrevistam presos por todo o país, sem que isso acarrete problemas maiores ao sistema carcerário, das quais cito algumas: ex-senador, Luiz Estevão, concedeu entrevista ao *SBT Repórter* em 28/5/2017; Suzane Von Richthofen concedeu entrevista ao programa *Fantástico* da TV Globo em abril de 2006; Luiz Fernando da Costa (Fernandinho Beira-Mar) concedeu entrevista ao *Conexão Repórter* do SBT em 28/8/2016; Márcio dos Santos Nepomuceno (Marcinho VP) concedeu entrevista ao *Domingo Espetacular* da TV Record em 8/4/2018; Gloria Trevi concedeu entrevista ao *Fantástico* da TV Globo em 4/11/2001, entre outros inúmeros e notórios precedentes[215].

No dia 2 de outubro de 2018, redigimos outra reclamação, da qual fui o signatário, e o reclamante era o deputado Wadih Damous, ex-presidente e ex-conselheiro federal da OAB-RJ. Damous, como deputado federal, passou a participar da defesa e tinha procuração de Lula. Somaram-se à iniciativa Paulo Teixeira, que é advogado e também deputado; e Paulo Pimenta, que era líder do PT na Câmara. Essa reclamação era diferente das anteriores, porque foi feita em nome de Lula e pedia que ele pudesse dar entrevistas para quem desejasse.

---

[215] http://www.stf.jus.br/portal/autenticacao/autenticarDocumento.asp
RECLAMAÇÃO 32.035 PARANÁ. Disponível em: https://www.conjur.com.br/dl/lewandowski-autoriza-lula-dar-entrevista.pdf.

A magistrada Carolina Moura Lebbos tem incansavelmente violado os direitos constitucionais do requerente, entre eles, aquele que garante sua integridade física e moral (art. 5º, XLIX), a manifestação de pensamento (art. 5º, IV), a liberdade de atividade intelectual (art. 5º, IX) e o acesso e direito à informação (art. 5º, XIV e XXXIII).

A conduta da magistrada, ao impedir entrevistas, beira a censura, o que é expressamente vedado pelo constituinte, como corolário da democracia em seu artigo 220, § 2º CRFB:

> Art. 220. A manifestação do pensamento, a criação, a expressão e a informação, sob qualquer forma, processo ou veículo não sofrerão qualquer restrição, observado o disposto nesta Constituição.
>
> (...)
>
> § 2º É vedada toda e qualquer censura de natureza política, ideológica e artística.
>
> (Constituição Federal)

Em situação semelhante, obtive no TSE a consagração da liberdade de expressão no RHC número 515-42, em favor do ex-governador Anthony Garotinho:

> Ademais, naquele feito, o eminente ministro Teori Zavascki analisou a questão exclusivamente sob o enfoque do direito à liberdade de imprensa, eis que a reclamação se baseava na garantia da autoridade da decisão da ADPF 130, e não de alegada **afronta às garantias de liberdade de expressão do pensamento e do livre exercício da profissão, violações que considero presentes *in casu*.**
>
> A Constituição Federal garante, no inciso IX de seu art. 5º 11, a faculdade de todos expressarem seus pensamentos – assim compreendidos as opiniões e os juízos de valores acerca de fatos, ideias e posicionamentos de terceiros (Sarlet, Marinoni

e Mitidiero, 2016, pág. 492) –, sem censura e sem a necessidade de autorização, por meio da palavra falada ou escrita.

Trata-se de um dos direitos fundamentais mais preciosos do cidadão, cuja garantia tem se feito presente nas compilações normativas do constitucionalismo moderno, e se traduz num dos pilares do próprio Estado Democrático de Direito, na medida em que é por meio dele que se permite ao indivíduo desenvolver a pluralidade de ideias e manifestações sociais, culturais e políticas, numa dialética que termina por constituir as características próprias de um povo, de uma nação.

A respeito da natureza primordial do **direito à liberdade de expressão**, cito as lições de Sarlet, Marinoni e Mitidiero (pág. 492), *in verbis*: Assim como **a liberdade de expressão e manifestação do pensamento encontra um dos seus principais fundamentos (e objetivos) na dignidade da pessoa humana, naquilo que diz respeito à autonomia e ao livre desenvolvimento da pessoa humana**, naquilo que diz respeito à autonomia e ao livre desenvolvimento da personalidade do indivíduo, ela também guarda relação, **numa dimensão social e política**, com as **condições e a garantia da democracia e do pluralismo político, assegurando uma espécie de livre mercado das ideias, assumindo, nesse sentido, a qualidade de um direito político** e revelando ter também uma dimensão nitidamente transindividual, já que a **liberdade de expressão e os seus respectivos limites operam essencialmente na esfera das relações de comunicação e da vida social**.

Um detalhe fundamental para entender o despacho de Lewandowski. A decisão que garantia as entrevistas não era liminar. O ministro havia julgado o caso monocraticamente.

Isso posto, julgo procedente a reclamação para cassar a decisão reclamada, nos termos do art. 992 do CPC, restabelecendo-se a autoridade do STF exarada da decisão no acórdão da ADPF 130/DF, determinando que seja franqueado ao reclamante e à equipe técnica, acompanhada dos equipamentos necessários à captação de áudio, vídeo e fotojornalismo, o acesso ao ex-presidente Luiz Inácio Lula da Silva a fim de que possa entrevistá-lo, caso seja de seu interesse.

No dia 28 de agosto a procuradora-geral da República comunica que não recorreria da decisão de Lewandowski, que garantia a liberdade de imprensa[216].

"Em respeito à **liberdade de imprensa**, a procuradora-geral da República, **Raquel Dodge**, não recorrerá de decisão judicial que autorizou entrevista do ex-presidente Lula a um veículo de comunicação", informou a PGR por meio do Twitter.

No mesmo dia, 28 de setembro, mesmo com a Procuradora informando que não iria recorrer, o Partido Novo requer uma liminar para suspender a decisão. E Fux, que era vice-presidente do STF, exercendo a presidência, concede uma ordem suspendendo as entrevistas[217]. Não havia nenhuma técnica jurídica no pedido que requeria "suspensão de liminar", e não era o partido legitimado a realizar o pedido. Mas Fux novamente amordaçava Lula.

---

[216] **PGR diz que não vai recorrer de decisão que liberou entrevista de Lula**
A decisão do STF foi tomada após ação dos jornalistas Mônica Bergamo e Florestan Fernandes. Lula está preso desde 7 de abril
COMUNICAÇÃO 28/09/2018 ÀS 17:43. Disponível em: https://radiojornal.ne10.uol.com.br/noticia/2018/09/28/pgr-diz-que-nao-vai-recorrer-de-decisao-que-liberou-entrevista-de-lula-61156; e https://diariodonordeste.verdesmares.com.br/editorias/pais/online/pgr-nao-vai-recorrer-de-liberacao-de-entrevista-de-lula-1.2006569.

[217] CALEGARI, Luiza. Fux concede liminar suspendendo entrevista de Lula. 28 de setembro de 2018. Disponível em: https://www.conjur.com.br/2018-set-28/fux-concede-liminar-suspendendo-entrevista-lula e SUSPENSÃO DE LIMINAR 1.178 PARANÁ. Disponível em: https://www.conjur.com.br/dl/decisao-ministro-luiz-fux-stf-deferindo.pdf

O extenso currículo de Fux[218] informa que em 2011 ele foi nomeado ministro do STF. Fux foi nomeado por Lula. Em sua campanha, pediu apoio a José Dirceu e Palocci. A *Folha de S.Paulo* chegou a publicar a confirmação do ministro, que teria dito que "Mata no Peito" quanto ao mensalão[219]. Não haveria nada demais na campanha de Fux para o STF. Não há como chegar ao STF sem apoios.

O ministro indicado por Lula tomava contra ele decisões que tolhiam as garantias constitucionais e definiam o futuro do país. Evidente que em uma eleição acirrada manter Lula preso, calado, isolado, teria influência direta nos rumos do país.

No dia 6 de setembro de 2018, Bolsonaro, em um ato público, toma uma facada de um portador de sérias doenças mentais. Adélio Bispo da Silva, na audiência de custódia[220], relata que o que "houve foi incidente", que se sentia ameaçado pelos discursos de Bolsonaro, mas no momento da prisão fala de coisas alucinadas, dizendo que quem teria mandado cometer o crime seria Deus[221].

Em 8 de setembro de 2018, o candidato a vice de Bolsonaro, em entrevista a Globo News, afirma que haveria a possbilidade

---

[218] Disponível em: http://www.stf.jus.br/arquivo/cms/sobreStfComposicaoComposicaoPlenariaApresentacao/anexo/CV_Min_LuizFux_2019_agosto_29.pdf.

[219] Disponível em: https://www1.folha.uol.com.br/fsp/poder/81379-em-campanha-para-o-stf-fux-procurou-dirceu.shtml?origin=folha; "MATO NO PEITO" – Indicação de Fux ao Supremo é cobrada por PT. Disponível em: https://www.conjur.com.br/2012-dez-02/ministro-luiz-fux-cobrado-pt-indicacao-supremo.

[220] **Depoimento de Adélio Bispo de Oliveira, autor do ataque a Jair Bolsonaro PSL.** 10 de setembro de 2018. Disponível em: https://www.youtube.com/watch?v=xW2X9FNrhlo.

[221] **"Foi Deus quem mandou", diz Adélio de Oliveira, agressor de Bolsonaro.** 6 de setembro de 2018. Disponível em: https://www.youtube.com/watch?v=0jXf8nTrClw. Um detalhe importante é que os advogados que se disseram contratados por uma pessoa da igreja de Adélio não gostariam de aparecer com medo
A História de um Atentado – Parte 2 | Conexão Repórter (10/09/18). Disponível em: https://www.youtube.com/watch?v=8TyxbM_NuoE.
Os advogados tiveram violadas suas prerrogativas, e o escritório foi invadido por ordem do juiz federal da 3ª Vara de Juiz de Fora. A OAB Federal e de Minas Gerais ingressou com um mandado de segurança que teve liminar deferida (número 1000399-80.2019.4.01.000, processo de referência 000485-84.2018.4.01.3801 pelo desembargador Néviton Guedes. [Ver andamento]

de um autogolpe Militar[222]. Afirma que não prega o golpe militar, mas questionado pelos jornalista, diz que em uma loja maçônica teria respondido mal a uma pergunta, mas ao fim afirma que teoricamente "o comandante" poderia decidir quando houvesse uma anarquia.

Ocorreu um fenômeno no Brasil. Misturado com o discurso anticorrupção que travestia ao fim em antipetismo, ressurgiram ou se desencapsularam discursos anticomunistas. Lemas como "nossa bandeira nunca será vermelha" e o uso das cores da bandeira do Brasil para os fins da campanha de Bolsonaro, a absorção de discursos xenofóbicos[223], homofóbicos[224] e violentos[225].

A facada em Bolsonaro potencializou o discurso de acirramento e as fantasias de um grande complô. De que o PT teria mandado matar o candidato.

Assim como Moro visou a efeitos políticos no vazamento das gravações de Lula com Dilma, em 1º de outubro de 2018 ele levanta o sigilo de delações do ex-ministro Antonio Palocci. Essa delação,

---

[222] **General Mourão fala da possibilidade de um autogolpe no Brasil.** Disponível em: https://www.youtube.com/watch?v=HBHeSMa-KWQ.
Outro vídeo: "Secretário de economia e finanças do Exército, general Antonio Hamilton Martins Mourão, dá declarações favoráveis a uma intervenção militar durante palestra promovida pela maçonaria em Brasília". **GENERAL FALA EM INTERVENÇÃO MILITAR**. Disponível em: https://www.youtube.com/watch?v=5mLi9Wv1Pp4.

[223] VIANA, Gabriela. **Refugiado sírio é atacado em Copacabana: 'Saia do meu país!'** Mohamed Ali vendia esfirras na esquina da Rua Santa Clara com a Avenida Nossa Senhora de Copacabana quando foi insultado. 3 de agosto de 2017. Disponível em: https://oglobo.globo.com/rio/refugiado-sirio-atacado-em-copacabana-saia-do-meu-pais-21665327.

[224] **"Sou homofóbico, sim, com muito orgulho", diz Bolsonaro em vídeo.** Disponível em: https://catracalivre.com.br/cidadania/sou-homofobico-sim-com-muito-orgulho-diz-bolsonaro-em-video/. Na gravação que está viralizando na web, o candidato faz uso da imunidade parlamentar para assumir que tem preconceito com LGBTs. Disponível em: https://catracalivre.com.br/cidadania/sou-homofobico-sim-com-muito-orgulho-diz-bolsonaro-em-video/. **"Ator Stephen Fry entrevistando Bolsonaro em 2013 para documentário sobre homofobia."** Disponível em: https://www.youtube.com/watch?v=FKrtotVAjfI.

[225] BITTENCOURT, Julinho. **Bolsonaro já defendeu a tortura e o fuzilamento de FHC. Veja o vídeo.** A entrevista foi dada em 1999, quando o deputado já tinha 44 anos, ou seja, não era nenhum garoto. Disponível em: https://revistaforum.com.br/politica/bolsonaro-ja-defendeu-tortura-e-o-fuzilamento-de-fhc-veja-o-video/.

que o Ministério Público não aceitou por não ver provas, acaba sendo feita pela Polícia Federal:

> O juiz Sérgio Moro, da 13ª Vara Federal de Curitiba, tornou público, nesta segunda-feira (1º/10), um dos anexos que integra o acordo de delação premiada firmado entre o ex-ministro petista Antonio Palocci e a Polícia Federal. O levantamento do sigilo se deu a uma semana das eleições presidenciais, que têm o primeiro turno no domingo, dia 7.

> O titular da 13ª Vara Federal de Curitiba acusou, ainda, o ex-presidente Lula de tornar interrogatórios "eventos partidários", negando, também, o segundo pedido, por não haver mais audiências previstas.

> "Ora, na ação penal 5021365-32.2017.404.7000 suspendi os interrogatórios para evitar qualquer confusão na exploração das audiências, inclusive e especialmente pelo acusado Luiz Inácio Lula da Silva que tem transformado as datas de seus interrogatórios em eventos partidários, como se viu nesta e na ação penal 5046512-94.2016.4.04.7000. Realizar o interrogatório dele durante o período eleitoral poderia gerar riscos ao ato e até mesmo à integridade de seus apoiadores ou oponentes políticos. Não vislumbro os mesmos riscos na continuidade do curso normal da presente ação penal, já que não haverá mais audiências, mas apenas a apresentação de peças escritas."

> O desembargador João Pedro Gebran Neto, do Tribunal Regional Federal da 4ª Região, homologou o acordo de delação premiada do ex-ministro Antonio Palocci em 22 de junho. A decisão foi tomada dois dias depois de o Supremo Tribunal Federal ter declarado constitucional trecho da Lei

da Organização Criminosa que autoriza a polícia a negociar delações[226].

O primeiro turno ocorreria em 7 de outubro de 2018 com resultado de 46,06% a Bolsonaro (PSL) e 29,28% para Fernando Haddad (PT). Os demais: Ciro Gomes (PDT) com 12,47%; Geraldo Alckmin (PSDB) 4,76%; João Amoedo (Novo) 2,50%; Cabo Daciolo[227] (PATRI) 1,26%; Henrique Meirelles (MDB) 1,20%; Marina Silva (Rede) 1%; Alvaro Dias (Pode) 0,80%; Guilherme Boulos (PSOL) 0,58%; Vera (PSTU) 0,05%; Eymael (DC) 0,04%; e João Goulart Filho (PPL) 0,03%.

Em 18 de outubro de 2018 a jornalista Patrícia Campos Mello publicou, na *Folha de S.Paulo*, uma matéria intitulada "Empresários bancam campanha contra o PT pelo WhatsApp. Com contratos de R$ 12 milhões, prática viola a lei por ser doação não declarada"[228], demonstrando um largo investimento oculto para disparo de mensagens falsas pelo aplicativo de mensagens. As ligações com um mundo de manipulações digitais e a participação de Steve Bannon[229], extremista de direita que participou da campanha de Trump, já tinham vindo à tona em agosto, quando Eduardo Bolsonaro postou uma foto com ele.

---

[226] POMPEU, Ana. Consultor Jurídico. MULTA DE R$ 37,5 MILHÕES. Moro levanta sigilo da delação do ex-ministro petista Antonio Palocci
1 de outubro de 2018. Disponível em: https://www.conjur.com.br/2018-out-01/moro-levanta-sigilo-delacao-ex-ministro-pt-antonio-palocci.

[227] Há uma história engraçada. Durante os debates do Cabo Benevenuto Daciolo, que era candidato a presidente da República e ficou conhecido pela frase "Glória a Deus", falava que tinha sido bombeiro e havia sido preso. Quando fui verificar fui o impetrante do *habeas corpus* em seu favor: HC 0003818.91.2013.8.05.0000 no TJ da Bahia. Fiz o *habeas corpus pro-bono* e nunca o encontrei.

[228] *Folha de S.Paulo*, 18 de outubro de 2018. Disponível em: https://www1.folha.uol.com.br/poder/2018/10/empresarios-bancam-campanha-contra-o-pt-pelo-whatsapp.shtml.

[229] Ricardo Senra – @ricksenraDa BBC News Brasil em Washington. **Steve Bannon declara apoio a Bolsonaro, mas nega vínculo com campanha: 'Ele é brilhante'.** Disponível em: https://www.bbc.com/portuguese/brasil-45989131.

Para compreender o contexto da eleição brasileira em uma realidade, o que se soma ao relatado no capítulo "O Grande Irmão" sobre a trama de vigilância revelada por Edward Snowden ao jornalista Glenn Greenwald, é necessário assistir ao documentário *Privacidade Hackeada*[230] sobre o escândalo no uso de dados pessoais de 87 milhões de páginas do Facebook e a participação da empresa Cambridge Analytica. Com os dados pessoais que revelavam tendências e dúvidas, a empresa direcionava propagandas específicas incluindo *fake news* manipulando os eleitores americanos. No Brasil, foi criada uma rede de manipulação de informações de *fake news* que desencavou preconceitos encapsulados, em uma campanha de ódio criando um efeito de debate anticomunista contra o PT, como se retornássemos a uma lógica da Guerra Fria. A Lava Jato se somava a um potencial submundo da *web*, potencializando a frase do criador do *marketing* Joseph Goebbels: "Repita uma mentira um milhão de vezes, e ela se tornará a mais absoluta do todas as verdades".

No segundo turno, em 28 de outubro, Bolsonaro é eleito com 57,8 milhões de votos, equivalente a 55,13% dos votos válidos. Fernando Haddad, do PT, com 44,87%. O total de votos foi 115.933,45, sendo válidos 104.838.753 (90,43%), brancos 2.486.593 (2,14%) e nulos 8.608.105 (7,43%). De abstenções chegou-se a 31.371.704 (21,30%). Conclui-se que Bolsonaro se torna presidente sem apoio da maioria da população brasileira[231].

---

[230] Cambridge Analytica, produzido e dirigido por Jehane Noujaim e Karim Amer, ambos indicados anteriormente para o Oscar de documentário. A música do filme foi composta por Gil Talmi, compositor nomeado para EMMY. Disponível em: https://www.ted.com/talks/carole_cadwalladr_facebook_s_role_in_brexit_and_the_threat_to_democracy?language=pt-br.

[231] No resultado de 2014, Dilma ganhou com 51,64% contra Aécio com 48,36, e também houve 21,10% de abstenção. Em 2010, as abstenções somaram 24.610.296 no primeiro turno. https://placar.eleicoes.uol.com.br/2010/1turno/; e segundo turno com 29.197.152. Possível ver o mapa do Brasil dividido https://placar.eleicoes.uol.com.br/2010/2turno/. Lula se reelege em 2006 com 16,75 % de abstenção http://g1.globo.com/Noticias/Eleicoes2006/0,,APL0-6282,00.html e em 2002 Lula se elege com 20,47 de abstenção http://www.justicaeleitoral.jus.br/arquivos/tse-relarorio-resultado-eleicoes-2002/rybena_pdf?file=http://www.justicaeleitoral.jus.br/arquivos/tse-relarorio-resultado-eleicoes-2002/at_download/file.

Em 1º de novembro de 2018, o juiz Sérgio Moro vai[232] visitar Bolsonaro, convidado para ser ministro da Justiça. O mesmo juiz que condenou Lula. A afirmação de que "condenou Lula sem provas" não representa o que ocorreu. Moro condenou Lula, e os tribunais mantiveram uma acusação que juridicamente não se sustentou. Não é questão de prova, mas de falta de justa causa. Uma verdadeira aberração jurídica e midiática. Esses dados são fundamentais para entender a nova fraude do conflito de Moro com Bolsonaro. A afirmação de que Bolsonaro tentava influir na Polícia Federal em 2020 gera a separação entre os dois.

Em 1º de janeiro de 2019, Jair Bolsonaro toma posse como presidente da República.

---

[232] **Moro se encontra com Bolsonaro para tratar do Ministério da Justiça.** Disponível em: https://www.youtube.com/watch?v=Ip-EY9QQESA. **Responsável pela Lava Jato em Curitiba, Sérgio Moro é o quinto ministro anunciado para compor o governo do presidente Jair Bolsonaro** (PSL). Por G1 – Brasília 1 de novembro de 2018. **Moro aceita convite de Bolsonaro para comandar o Ministério da Justiça**—Responsável pela Lava Jato em Curitiba, Sérgio Moro, é o quinto ministro anunciado para compor o governo do presidente Jair Bolsonaro (PSL). Disponível em: https://g1.globo.com/politica/noticia/2018/11/01/moro-aceita-convite-de-bolsonaro-para-comandar-o-ministerio-da-justica.ghtml e logo se revela que **"Moro foi convidado para o ministério ainda na campanha, diz Mourão"**. Por Cristiane Agostine, *Valor*. Rio de Janeiro. 1 de novembro de 2018. Disponível em: https://valor.globo.com/politica/noticia/2018/11/01/moro-foi-convidado-para-ministerio-ainda-na-campanha-diz-mourao.ghtml.

16. O Ano de 2019

Em 2 de março de 2019, Lula é autorizado a ir ao enterro do neto. Em dezembro a juíza de execução já havia negado que Lula fosse ao enterro de um grande amigo, Sigmaringa Seixas[233]; e em janeiro, ao enterro do próprio irmão[234]. A defesa foi ao STF, e Dias Toffoli profere uma decisão permitindo que Lula fosse deslocado para uma unidade do Exército, podendo o corpo do irmão ser levado até ele[235]:

> Por essas razões, concedo ordem de *habeas corpus* de oficio para, na forma da lei, assegurar, ao requerente Luiz Inácio Lula da Silva, o direito de se encontrar exclusivamente com os seus familiares, na data de hoje, em Unidade Militar na Região, inclusive com a possibilidade do corpo do *de cujos* ser levado à referida unidade militar, a critério da família.

---

[233] COELHO, Gabriela. Consultor Jurídico. **Justiça nega pedido de Lula para ir ao enterro de Sigmaringa Seixas.** 25 de dezembro de 2018, 17h10. Disponível em: https://www.conjur.com.br/2018-dez-25/justica-nega-pedido-lula-ir-enterro-sigmaringa-seixas.

[234] Consultor Jurídico. **TRF-4 nega pedido de Lula para ir ao enterro de seu irmão.** 30 de janeiro de 2019. Disponível em: https://www.conjur.com.br/2019-jan-30/trf-nega-pedido-lula-ir-enterro-irmao.

[235] RODAS, Sérgio. Consultor Jurídico. **Dias Toffoli permite que Lula deixe prisão para ir a enterro do irmão.** 30 de janeiro de 2019, 13h01. Disponível em: https://www.conjur.com.br/2019-jan-30/dias-toffoli-permite-lula-va-enterro-irmao.

Fica assegurada a presença de um advogado constituído e vedado o uso de celulares e outros meios de comunicação externo, bem como a presença de imprensa e a realização de declarações públicas[236].

Diante da decisão, houve a seguinte manifestação da defesa: "A decisão [do Supremo] foi absolutamente inócua. Ela foi proferida quando o corpo já estava baixando à sepultura", disse o advogado Manoel Caetano Ferreira, que esteve com o ex-presidente por cerca de meia hora nesta quarta (30) em Curitiba.

Lula já havia perdido a mulher em 3 de fevereiro de 2017, um dos melhores amigos em dezembro, e o irmão em janeiro. E em 1º de março de 2019, a juíza, diferentemente de todas as vezes anteriores, permite que Lula vá ao enterro de Arthur, seu neto de 7 anos. Assim como quando morreu dona Marisa, uma campanha de ódio corre na internet festejando a morte de Arthur[237], num grupo de WhatsApp os procuradores da Lava Jato se regozijavam[238].

Em 9 de junho de 2019 inicia-se a "vaza jato". Novamente Glenn Greenwald, o jornalista e advogado que tinha conseguido o material da CIA, foi procurado por *hackers* que tinham obtido acesso a mensagens trocadas entre Sérgio Moro e os procuradores da Lava Jato,

---

[236] Consultor Jurídico. **PETIÇÃO AVULSA NA RECLAMAÇÃO 31.965 PARANÁ RELATOR: MIN. RICARDO LEWANDOWSKI.** Disponível em: https://www.conjur.com.br/dl/ministro-dias-toffoli-concede-ex.pdf. http://www.stf.jus.br/portal/autenticacao/autenticarDocumento.asp.

[237] **A morte do inocente neto de Lula soltou os monstros do ódio.** Cai sobre nossa consciência de adultos a infâmia de transformar em piadas baratas, em ironia e sarcasmo a dor de um avô pela perda de seu neto. Disponível em: https://brasil.elpais.com/brasil/2019/03/02/opinion/1551487708_675741.html.
"Monstros do ódio", reage *El País* ao sarcasmo sobre morte de neto de Lula nas redes sociais". Disponível em: http://www.rfi.fr/br/brasil/20190302-monstros-do-odio-reage-el-pais-ao-sarcasmo-sobre-morte-de-neto-de-lula-nas-redes-soc.

[238] **Procuradora da "Lava Jato" pede desculpas a Lula por ironizar seu luto.** Disponível em: https://www.conjur.com.br/2019-ago-27/procuradora-desculpas-lula-ironizar-luto.

e essas mensagens trocadas vão gerar uma sequência de matérias jornalísticas denominadas de vaza jato[239].

O juiz e os procuradores tratavam do processo, trocavam mensagens sem conhecimento da defesa e sem a publicidade exigida constitucionalmente. Na defesa de Paulo Okamotto exigimos que essas mensagens fossem juntadas aos autos[240]. Mas a questão ia além. Os procuradores chegavam a remeter minutas de peças ao juiz[241]. Nesse mesmo dia o ministro que havia votado a favor da Lava Jato, impedindo-o de se tornar ministro, equivocadamente se torna a maior voz a denunciar os abusos da operação. Gilmar Mendes telefona para Lula prestando as condolências[242].

A Lava Jato, além de ver exibida as entranhas demonstrando que as ações dos procuradores visavam a claros efeitos políticos[243], também revelava uma relação absolutamente promíscua do juiz Sérgio Moro para com os procuradores. Mas ainda, e graves, eram as vinculações dos procuradores nos ataques a ministros do Supremo Tribunal Federal por meio de vinculação com grupos políticos, de vazamento de materiais sigilosos para determinados jornalistas[244] e relações de apoio com alguns ministros do STF.

---

[239] LEIA TODAS AS REPORTAGENS QUE O INTERCEPT E PARCEIROS PRODUZIRAM PARA A VAZA JATO *The Intercept Brasil*. Disponível em: https://theintercept.com/2020/01/20/linha-do-tempo-vaza-jato/.

[240] RODAS, Sérgio. **Mensagens entre Moro e procuradores são atos processuais, diz Okamotto.** 19 de julho de 2019. Disponível em: https://www.conjur.com.br/2019-jul-19/mensagens-moro-sao-atos-processuais-paulo-okamotto.

[241] **Em julho, "Vaza Jato" mostrou que Moro recebeu manifestação inacabada do MP.** Disponível em: https://www.conjur.com.br/2019-dez-29/julho-vaza-jato-mostrou-moro-recebeu-manifestacao-mp:

[242] **Gilmar Mendes liga para Lula, que reage aos prantos no velório.** Ministro do STF telefonou para apresentar condolências pela morte do neto do ex-presidente. Disponível em: https://www1.folha.uol.com.br/colunas/monicabergamo/2019/03/gilmar-mendes-liga-para-lula-que-reage-aos-prantos-no-velorio.shtml.

[243] Ex-procurador da "Lava Jato" escancara na TV: t(iv)emos lado político, por Lenio Streck. Disponível em: https://www.conjur.com.br/2019-ago-29/senso-incomum-ex-procurador-lava-jato-escancara-tv-tivemos-lado-politico.

[244] Consultor Jurídico. **Para *The Intercept*, "Lava Jato" e jornalistas mantiveram relação pouco ética** https://www.conjur.com.br/2020-jan-21/procuradores-lava-jato-jornalistas-atuaram-politicamente.

Em outubro de 2018[245], durante a eleição, a *Folha de S.Paulo* havia revelado uma rede que bancava disparo de notícias falsas pela internet. Esse método de propagação de notícias falsas pelas redes sociais foi uma das bases da campanha de Trump[246], usada por Steve Bannon, seu assistente[247]. Usando essas estratégias, a direita criou uma "onda conservadora"[248] na América Latina.

Os procuradores estavam por trás de inúmeros ataques ao STF. Eles tentaram, de alguma forma, derrubar Gilmar Mendes do STF[249], e uma procuradora, de forma camuflada, ajudou a redigir um pedido de *impeachment* contra Mendes[250]. Dallagnol tentou utilizar suas investigações e poderes para incluir nelas o ministro Dias Toffoli para atacar o ministro como corrupto[251].

Deltan Dallagnol foi advertido pelo Conselho Nacional do Ministério Público (CNMP) por ter dito que o Supremo passaria uma

---

[245] **Empresários bancam campanha contra o PT pelo WhatsApp.** Com contratos de R$ 12 milhões, prática viola a lei por ser doação não declarada. Disponível em: https://www1.folha.uol.com.br/poder/2018/10/empresarios-bancam-campanha-contra-o-pt-pelo-whatsapp.shtml.

[246] **Steve Bannon declara apoio a Bolsonaro, mas nega vínculo com campanha: 'Ele é brilhante'.** Ricardo Senra - @ricksenraDa BBC News Brasil em Washington. Disponível em: https://www.bbc.com/portuguese/brasil-45989131 e https://epoca.globo.com/filho-de-bolsonaro-diz-que-marqueteiro-de-trump-vai-ajudar-seu-pai-22963441.

[247] Steve Bannon. Disponível em: https://pt.wikipedia.org/wiki/Steve_Bannon.

[248] **Eleições 2018: por que especialistas veem 'onda conservadora' na América Latina após disputa no Brasil. Fernanda Odilla da BBC News Brasil em Londres.** Disponível em: https://www.bbc.com/portuguese/brasil-45757856.

[249] Consultor Jurídico. **Procuradores da "Lava Jato" falaram em derrubar Gilmar Mendes do Supremo.** Disponível em: https://www.conjur.com.br/2019-ago-06/lava-jato-tentou-derrubar-gilmar-mendes-supremo.

[250] Consultor Jurídico. **Procuradora cotada para a PGR ajudou a escrever pedido de** *impeachment* **de Gilmar.** "A procuradora Thaméa Danelon, do Ministério Público Federal em São Paulo, colaborou com o advogado Modesto Carvalhosa na redação de um pedido de *impeachment* do ministro do Supremo Tribunal Federal Gilmar Mendes." Disponível em: https://www.conjur.com.br/2019-set-16/procuradora-ajudou-escrever-pedido-impea-chment-gilmar.

[251] Consultor Jurídico. **Dallagnol tentou conectar ministro Dias Toffoli a casos de corrupção.** Disponível em: https://www.conjur.com.br/2019-ago-01/dallagnol-tentou-conectar-ministro-dias-toffoli-casos-corrupcao.

imagem de leniência a favor da corrupção[252], assim como a procuradora Camila de Fátima Teixeira, por ofender ministros em seu Twitter[253]. Membros do Ministério Público, como Antônio Bigonha, pediram desculpas por notas públicas dos procuradores de 1º grau. "Quero deixar registrado que não comungo das críticas feitas na aludida nota pública ou em outras declarações prestadas pelos membros da Lava Jato à imprensa. Conviver com a frustração faz parte do amadurecimento pessoal e profissional", disse o procurador[254].

O STF parece somente reagir quando é atacado. E quando o faz acaba passando por cima da Constituição. Os procuradores fizeram uma manobra para incluir Toffoli em um processo e assim vazar documentos para a imprensa.

O *site* O Antagonista e a revista *Crusoé* publicaram uma matéria noticiando que Marcelo Odebrecht teria comentado que "o amigo do amigo do meu pai" e que este seria Toffoli, quando era advogado-geral da União. Na matéria nada tinha que pudesse imputar a Toffoli quanto à corrupção. O ministro poderia ter respondido que qualquer um poderia ser citado pelo empresário, que isso nada provava e, mesmo que fosse citado, nada de pejorativo havia. Ou mesmo ter denunciado que a Lava Jato persistia em envolver pessoas para achincalhar seus nomes. Poderiam ter dado um basta nessa técnica de vazamento. Mas, em vez disso, o STF partiu para cima da imprensa.

---

[252] **CNMP aplica advertência a Deltan Dallagnol por críticas ao Supremo.** CNMP aplica advertência a Deltan Dallagnol por críticas ao Supremo. Disponível em: https://www.conjur.com.br/2019-nov-26/deltan-dallagnol-advertido-cnmp-criticas-supremo.

[253] Consultor Jurídico. **CNMP censura procuradora que ofendeu ministros do STF no Twitter** – "Generais, saiam do Twitter e posicionem seus homens no entorno do STF, até que Gilmar Mendes, Ricardo Lewandowski e Dias Toffoli entreguem suas togas. Marquem dia que vamos juntos: Brasileiros + Exército salvaremos a Lava Jato", escreveu a procuradora Camila Fátima Teixeira na sua conta em abril deste ano, quando utilizava o apelido "Camila Moro". Em outra publicação ela escreveu: **"Que venha a intervenção militar e exploda o STF e o Congresso de vez".** Disponível em: https://www.conjur.com.br/2019-mar-13/cnmp-censura-procuradora-ofendeu-ministros-stf-twitter.

[254] Consultor Jurídico. **Subprocurador critica colegas da "Lava Jato" que reclamaram do Supremo**. Disponível em: https://www.conjur.com.br/2019-set-03/subprocurador-critica-colegas-lava-jato-reclamaram-stf.

Toffoli resolve instaurar um inquérito no Supremo Tribunal Federal e designa o ministro Alexandre de Moraes para presidir no STF essa investigação. Esse determina a censura à revista *Crusoé*[255]. O *site The Intercept Brasil*, em 15 de abril de 2019, publica a matéria[256] "'OAMIGO DO AMIGO DE MEU PAI': publicamos a reportagem da *Crusoé* que o STF censurou".

Enquanto todos bradavam contra a censura, Mônica Bergamo não perdeu tempo, e no dia 18 de abril de 2019 noticia: "O Antagonista aplaudiu censura de Fux à *Folha*". O *site*, disse que o magistrado merecia homenagem por impedir o jornal de entrevistar o ex-presidente Lula. "O *site* O Antagonista, que foi censurado pelo ministro Alexandre de Moraes, do STF (Supremo Tribunal Federal), aplaudiu a censura à *Folha* em 2018, quando o ministro Luiz Fux proibiu o jornal de entrevistar Lula"[257].

Inúmeras entidades protestam contra a censura do STF: a OAB a AASP (Associação dos Advogados de São Paulo), o IAB (Instituto dos Advogados do Brasil)[258]. Mas ao mesmo tempo os grupos de extrema-direita passam a atacar o STF.

---

[255] **STF censura *sites* e manda retirar matéria que liga Toffoli à Odebrecht.** Ministro Alexandre de Moraes, do STF, relator de inquérito que apura notícias fraudulentas, estipulou multa diária de R$ 100 mil. PF vai ouvir responsáveis do site 'O Antagonista' e da revista 'Crusoé', que publicaram documento que cita presidente do STF. Disponível em: https://g1.globo.com/politica/noticia/2019/04/15/stf-censura-sites-e-e-manda-retirar-materia-que-liga-toffoli-a-odebrecht.ghtml.

[256] 'O AMIGO DO AMIGO DE MEU PAI': PUBLICAMOS A REPORTAGEM DA CRUSOÉ QUE O STF CENSUROU. Disponível em: Https://Theintercept.Com/2019/04/15/Toffoli-Crusoe-Reportagem-Stf-Censura/.

[257] **O Antagonista aplaudiu censura de Fux à Folha.** *Site* disse que magistrado merecia homenagem por impedir o jornal de entrevistar o ex-presidente Lula. Disponível em: https://www1.folha.uol.com.br/colunas/monicabergamo/2019/04/o-antagonista-aplaudiu-censura-de-fux-a-folha.shtml.

[258] **Entidades se manifestam acerca de censura a sites que divulgaram reportagem sobre Toffoli.** Entidades representativas da advocacia e da imprensa divulgaram notas sobre decisão do ministro Alexandre de Moraes, do STF. Disponível em: https://www.migalhas.com.br/quentes/300488/entidades-se-manifestam-acerca-de-censura-a-sites-que-divulgaram-reportagem-sobre-toffoli.

No dia 4 de maio, juristas e advogados do grupo Prerrogativas, do qual faço parte, um grupo de *whastapp* que se tornou real, que tem como admistrador o advogado Marco Aurélio de Carvalho[259], fizeram um jantar em apoio ao STF. Não a esse abuso da censura. Foi convidado, evidentemente, o representante da Corte, ministro Toffoli, que tinha em outubro de 2018 falado em "movimento de 1964" em vez de intitular de "golpe"[260]. Estava com um general como assessor[261] o qual acabaria indicado para ministro da Defesa de Bolsonaro[262].

Não apoiar a censura não seria o mesmo que não apoiar o STF como instituição. Conversamos muito, e merecida e destacadamente Lenio foi o orador da noite. Como apoiar e criticar? Como ir na medida certa do apoio, seguir com a responsabilidade de demonstrar os caminhos errados que o STF estava, ou está, condzindo em muitas omissões o país?

Minutos antes lembrei a Lenio as palavras de Evandro Lins e Silva no *impeachment* de Collor: "porto aqui uma procuração invisível de todo o povo brasileiro". Lenio portava essa procuração e era nosso porta-voz das indignações e do apoio crítico. Parte de seu discurso Lenio relembrou em um texto:

---

[259] Consultor Jurídico. **O STF, o sangue do soldado argentino e as canetas brasileiras.** Disponível em: https://www.conjur.com.br/2019-mai-09/senso-incomum-stf-sangue-soldado-argentino-canetas-brasileiras.

[260] PESSOA, Gabriela Sá. **Toffoli diz que hoje prefere chamar golpe militar de 'movimento de 1964'.** Segundo ele, esquerda e direita conservadora tiveram a conveniência de não assumir seus erros. Disponível em: https://www1.folha.uol.com.br/poder/2018/10/toffoli-diz-que-hoje-prefere-chamar-ditadura-militar-de-movimento-de-1964.shtml.

[261] BRÍGIDO, Carolina e SASSINE, Vinicius. O GENERAL ASSESSOR DE TOFFOLI, QUE FAZ PONTES ENTRE O STF E A CASERNA. Escalado como assessor pelo presidente do STF, Fernando Azevedo tem vínculos estreitos com Bolsonaro, Mourão e a cúpula do Exército. Disponível em: https://epoca.globo.com/o-general-assessor-de-toffoli-que-faz-pontes-entre-stf-a-caserna-23168326.

[262] GULLINO, Daniel. **Bolsonaro anuncia general do Exército, assessor de Toffoli no STF, para o Ministério da Defesa.** Militar atuava como braço-direito do presidente da Corte. 13/11/2018 - 09:14 / Atualizado em 13 de novembro de 2018. Disponível em: https://oglobo.globo.com/brasil/bolsonaro-anuncia-general-do-exercito-assessor-de-toffoli-no-stf-para-ministerio-da-defesa-23231226.

Em 1840, no meio da guerra, o general Rosas, ditador argentino, ofereceu tropas, casa, comida e roupa lavada para o exército farroupilha, com o objetivo de, juntos – argentinos e farrapos –, derrotarem o Império.

E o general David Canabarro, então líder da revolução Farroupilha, mandou-lhe uma carta, dizendo:

"Senhor: o primeiro de vossos soldados que transpuser a fronteira fornecerá o sangue com que assinaremos a paz com os imperiais. Acima de nosso amor à República está nosso brio de brasileiros. Se a separação for a esse custo, preferimos a integridade com o Império. Vossos homens, se ousarem invadir nosso país, encontrarão, ombro a ombro, os republicanos de Piratini e os monarquistas do Sr. Dom Pedro II."

Do mesmo modo, respondemos nós, aqui presentes, senhor presidente do Supremo Tribunal Federal, parafraseando o general David Canabarro, que

– Podemos ter sérias críticas e divergências com relação ao tratamento dado pelo Supremo Tribunal à questão da presunção da inocência;

– Podemos ter sérias críticas ao fato de que o STF já deveria ter decidido de há muito as ADCs 44 e 54 e ainda não o fez;

– Podemos ter críticas às restrições ao *habeas corpus*, em um país que possui mais de 300 mil presos provisórios, dezenas de milhares dos quais em delegacias de polícia e em prisões tipo masmorras medievais, como um antecessor seu já disse de antanho;

– Podemos ter críticas e divergências com a nossa Suprema Corte quando esta faz juízos morais e parte dela quer ser vanguarda iluminista e empurrar a história;

GEOPOLÍTICA DA INTERVENÇÃO

– Podemos ter críticas e divergências com a nossa Suprema Corte quando decide com base na voz das ruas, esquecendo seu papel contramajoritário;

– Podemos ter críticas e divergências quando o STF pratica ativismos e passa ao largo dos limites semânticos da Constituição.

Mas, porém, contudo, todavia, senhor presidente de nosso tribunal maior da República brasileira, assim como já dissera David Canabarro em resposta ao ditador Rosas, podemos ter nossas críticas ao STF, só que o primeiro detrator, o primeiro que fez ou vier a fazer *Contempt of Court*, será enfrentado por todos nós aqui presentes e iremos arregimentar forças ombro a ombro nessa imensa comunidade jurídica de mais de um milhão de "soldados".

Então, senhor presidente ministro Dias Toffoli:

Acima de nossas críticas ao STF está nosso brio de juristas democratas. Não lutamos por mais de vinte anos para restabelecer a democracia e construir uma Constituição democrática – talvez a mais democrática do mundo – para, agora na democracia, entregarmo-nos para grupos e grupelhos, institucionalizados ou não, que querem fragilizar e, quiçá, aniquilar a Suprema Corte e, consequentemente, o Estado de Direito.

Respondemos aos detratores como David Canabarro respondeu ao ditador Rosas:

O primeiro que atacar a Suprema Corte brasileira servirá como exemplo de nosso brio por lutar pela democracia. As canetas *Mont Blanc* e as canetas *Bic* que os detratores usam para escrever seus discursos de ódio contra a Suprema Corte serão por nós utilizadas para assinarmos novos e novos manifestos a favor da força institucional da Suprema Corte brasileira.

Enfim, essa foi a nossa intenção com o manifesto e o jantar. E acho que fizemos bem. Não há democracia sem um Tribunal que guarde o conteúdo da Constituição. Parece óbvio isso. Mas, como disse Darcy Ribeiro, Deus é tão treteiro, faz as coisas de forma tão recôndita e sofisticada, que ainda precisamos desvelar as obviedades do óbvio. O óbvio se esconde. É ladino[263].

Dia 18 de abril de 2019 Alexandre de Moraes revoga a censura à revista *Crusoé*[264], e no mesmo dia Toffoli[265] libera as entrevistas de Lula:

> Preconiza o § 9º do art. 4º da Lei nº 8.437/92 que "a suspensão deferida pelo presidente do Tribunal vigorará até o trânsito em julgado da decisão de mérito na ação principal."
>
> Consoante certificou a Secretária Judiciária da Corte, o trânsito em julgado da decisão de mérito proferida na Rcl. nº 32.035/PR, se efetivou em 24/11/18.
>
> Operado, portanto, o trânsito em julgado da ação principal, que foi objeto de questionamento neste incidente, há de se reconhecer a perda superveniente de objeto, **atingindo, por consequência, os efeitos da liminar anteriormente deferida em toda sua extensão.**

---

[263] STRECK, Lenio. Consultor Jurídico. **O STF, o sangue do soldado argentino e as canetas brasileiras.** 9 de maio de 2019, 8h00. Disponível em: https://www.conjur.com. br/2019-mai-09/senso-incomum-stf-sangue-soldado-argentino-canetas-brasileiras.

[264] COELHO, Gabriela. **Alexandre de Moraes revoga decisão que tirou reportagem do ar.** 18 de abril de 2019. Disponível em: https://www.conjur.com.br/2019-abr-18/alexandre-moraes-revoga-decisao-tirou-reportagem-ar.

[265] **SUSPENSÃO DE LIMINAR 1.178 PARANÁ.** Disponível em: https://www.conjur. com.br/dl/dias-toffoli-extingue-liminar-libera.pdf.

Por essas razões, nos termos do art. 485, inciso VI, do Código de Processo Civil, julgo extinta a presente suspensão de liminar.

Ficam prejudicados, ademais, os agravos regimentais manejados por terceiros (Petições/STF nos 67.298/18 e 67.739/18).

Em 15 de outubro de 2018 já havíamos pedido, na reclamação 32.111/PR, a certificação do trânsito em julgado, pois a Procuradoria tinha sido intimada em outubro do mesmo ano. Apesar do trânsito em julgado, houve uma clara opção de, contra a lei, deixar permanecer vigente uma liminar do ministro Fux contra a eficácia de uma decisão transitada em julgado por seis meses. Nesse meio ano as consequências da liminar e da prisão influíram claramente no processo eleitoral brasileiro.

Com diversos ataques, alguns ministros do STF resolveram reagir. Alexandre de Moraes mandou suspender as investigações secretas de autoridades[266].

Em abril de 2018, Cármen Lúcia, usando seus poderes de presidente, impediu as ADCs de irem a julgamento e somente em outubro de 2019 são incluídas em julgamento. A sequência do julgamento das ADCs[267] está nas notas de rodapé para fins de auxiliar em pesquisas.

---

[266] CANÁRIO, Pedro e COELHO, Gabriela. Consultor Jurídico. **Alexandre manda Receita suspender investigações secretas de autoridades**. 1 de agosto de 2019, 15h53. Disponível em: https://www.conjur.com.br/2019-ago-01/alexandre-manda-receita-suspender-investigacoes-secretas.

[267] <u>**Levantamento de Informações – Julgamento das ADCs 43, 44 e 54 – STF**</u> **Plenário 17.10.2019**
Link **para acesso**:
https://www.youtube.com/watch?v=T12G9CLw_Fk – (primeira parte).
https://www.youtube.com/watch?v=xCKpehiNrDs – (segunda parte).
Breve resumo:
Leitura de Relatório pelo Relator do caso, i. Min. Marco Aurélio (*link* do relatório: http://www.stf.jus.br/arquivo/cms/noticiaNoticiaStf/anexo/ADC434454.pdf.
Sustentação oral dos Drs. Heracles Marconi Goes Silva, Lucio Adolfo da Silva e Marco Vinícius Pereira de Carvalho pelo requerente; pelo amicus curiae Instituto de Garantias Penais – IGP, o Dr. Antonio Carlos de Almeida Castro; pelo amicus curiae Defensoria Pública da União, o Dr. Gabriel Faria Oliveira, Defensor Público-Geral Federal; pelo amicus curiae

Fernando Augusto Fernandes

Ao se aproximar o julgamento, o Supremo passa a sofrer uma

Defensoria Pública do Estado do Rio de Janeiro, o Dr. Pedro Carriello, Defensor Público do Estado do Rio de Janeiro; pelo amicus curiae Associação Brasileira dos Advogados Criminalistas – ABRACRIM, o Dr. Lenio Streck https://migalhas.com.br/arquivos/2019/10/art20191017-09.pdf; pelo amicus curiae Instituto Brasileiro de Ciências Criminais – IBCCRIM, o Dr. Mauricio Stegemann Dieter; pelo amicus curiae Instituto Ibero Americano de Direito Público – Capítulo Brasileiro – IADP, o Dr. Frederico Guilherme Dias Sanches; pelo amicus curiae Instituto de Defesa do Direito de Defesa – Márcio Thomaz Bastos.

Plenário 23.10.2019

***Link* para acesso:**
https://www.youtube.com/watch?v=Iy8N6Be0puk (parte 1).
https://www.youtube.com/watch?v=8fvdtMX4hPo (parte 2).
https://www.youtube.com/watch?v=1pEDCzYJafM (parte 3).

Breve resumo:
Falaram: pelo amicus curiae Instituto dos Advogados de São Paulo – IASP, o Dr. Miguel Pereira Neto; pelo Instituto dos Advogados Brasileiros – IAB, o Dr. Técio Lins e Silva; pela Advocacia-Geral da União, o Ministro André Luiz de Almeida Mendonça, Advogado-Geral da União https://www.conjur.com.br/dl/manifestacao-agu-adcs-43-44-54.pdf; pela Procuradoria-Geral da República, o Dr. Antônio Augusto Brandão de Aras, Procurador-Geral da República https://www.conjur.com.br/dl/nosso-sistema-penitenciario-parece.pdf; voto do Min. Marco Aurélio (Relator) – julgando procedente o pedido (*link* de acesso http://www.stf.jus.br/arquivo/cms/noticiaNoticiaStf/anexo/ADCvotoRelator.pdf; voto do Min. Alexandre de Moraes – julgando parcialmente procedente o pedido http://www.stf.jus.br/arquivo/cms/noticiaNoticiaStf/anexo/ADC43AM.pdf; voto do Min. Fachin – julgando improcedente as ações http://www.stf.jus.br/arquivo/cms/noticiaNoticiaStf/anexo/ADC43EF.pdf; voto do Min. Luis Roberto Barroso – julgando parcialmente procedente o pedido https://www.conjur.com.br/dl/leia-voto-ministro-barroso-execucao.pdf.

Plenário 24.10.2019

***Link* para acesso:**
https://www.youtube.com/watch?v=DLghLl6ZBwQ (parte 1).
https://www.youtube.com/watch?v=48hi4UYTXko (parte 2).

Breve resumo:
Voto da Min. Rosa Weber – julgando procedente o pedido http://www.stf.jus.br/arquivo/cms/noticiaNoticiaStf/anexo/ADC43votoRW.pdf; voto do Min. Luiz Fux – julgando parcialmente procedente o pedido (voto não disponibilizado); voto do Min. Ricardo Lewandowski – julgando procedente o pedido http://www.stf.jus.br/arquivo/cms/noticiaNoticiaStf/anexo/ADC43RL.pdf.

Plenário 07.10.2019

***Link* para acesso:**
https://www.youtube.com/watch?v=JdpSdrxSKmc (parte 1).
https://www.youtube.com/watch?v=j9esiq65rFY (parte 2).
https://www.youtube.com/watch?v=HCnJpeGoyos (parte 3).

Breve Resumo:
Voto da Min. Cármen Lúcia – julgando parcialmente procedente o pedido (voto não disponibilizado); voto do Min. Gilmar Mendes – julgando procedente o pedido https://www.conjur.com.br/dl/voto-gilmar-mendes1.pdf; voto do Min. Celso de Mello – julgando procedente o pedido http://www.stf.jus.br/arquivo/cms/noticiaNoticiaStf/anexo/ADC43MCM.pdf; voto do Min. Dias Toffoli – julgando procedente o pedido (voto não disponibilizado).
Proclamação do resultado – O Tribunal, por maioria, nos termos e limites dos votos proferidos, julgou procedente a ação para assentar a constitucionalidade do art. 283 do Código de Processo Penal, na redação dada pela Lei nº 12.403, de 4 de maio de 2011, vencidos o Ministro Edson Fachin, que julgava improcedente a ação, e os Ministros Alexandre de Moraes, Roberto Barroso, Luiz Fux e Cármen Lúcia, que a julgavam parcialmente procedente para dar interpretação conforme. Presidência do Ministro Dias Toffoli. Plenário, 7 de novembro 2019.
*Acordão ainda não publicado (07.05.2020)

série de pressões, inclusive de militares no governo[268] falando em risco de "convulsão social". No novo julgamento, que demora dias, o resultado inverte novamente a posição do STF, dessa vez Rosa Weber vota favoravelmente a ação. Ou seja, a ministra votou contra o *habeas corpus* de Lula sabendo que ele permaneceria preso injustamente; e seis meses depois, passada a eleição, votou a favor.

O Supremo Tribunal Federal preserva a presunção de inocência, e entre os poucos que seriam soltos está Lula. Novas pressões se voltam ao STF. O general vice-presidente faz críticas ao STF[269], e o general Villas Bôas posta que a "alta cúpula militar" iria se reunir para definir "ações das forças armadas[270]" criando um constante clima golpista contra as instituições, e complementa as palavras de Mourão sobre autogolpe e mesmo as manifestações de Eduardo Bolsonaro, divulgadas em 2018, de que bastariam um soldado e um cabo para fechar o Supremo[271]. O fantasma da instabilidade parece que nos ronda; e o ministro Toffoli, em entrevista em agosto de 2019, diz que teria havido movimentos golpistas em 2019[272]. A advogada e eleita deputada estadual por São Paulo, Janaína Paschoal, se manifesta

---

[268] **Na véspera de julgamento sobre segunda instância, Villas Bôas fala em risco de 'convulsão social' Ex-comandante do Exército recebeu a visita de Bolsonaro nesta quarta; STF começa a analisar na quinta possível mudança de entendimento sobre o tema.** Marco Grillo. 16 de outubro de 2019. Disponível em: https://oglobo.globo.com/brasil/na-vespera-de-julgamento-sobre-segunda-instancia-villas-boas-fala-em-risco-de-convulsao-social-24022807.

[269] **Mourão questiona se decisão do STF sobre 2ª instância foi tomada 'ao sabor da política'.** Voto de Toffoli, decisivo para o resultado que agora pode soltar o ex-presidente Lula, frustrou o Palácio do Planalto. Disponível em: https://checamos.afp.com/tuite-sobre-reuniao-militar-apos-stf-derrubar-prisao-em-segunda-instancia-foi-publicado-por-conta; https://www1.folha.uol.com.br/poder/2019/11/mourao-questiona-se-decisao-do-stf-foi-tomada-ao-sabor-da-politica.shtml.

[270] Disponível em: https://checamos.afp.com/tuite-sobre-reuniao-militar-apos-stf-derrubar-prisao-em-segunda-instancia-foi-publicado-por-conta.

[271] Disponível em: https://www.migalhas.com.br/quentes/289602/bastam-um-soldado-e-um-cabo-para-fechar-stf-afirma-filho-de-bolsonaro-em-video; https://www1.folha.uol.com.br/poder/2018/10/basta-um-soldado-e-um-cabo-para-fechar-stf-disse-filho-de-bolsonaro-em-video.shtml.

[272] Disponível em: https://veja.abril.com.br/politica/toffoli-se-reuniu-com-autoridades-contra-movimento-para-afastar-bolsonaro/; https://www.poder360.com.br/governo/toffoli-teve-reunioes-com-autoridades-contra-movimento-para-afastar-bolsonaro/.

sobre decisão de ADC pedindo *impeachment* de ministros do STF[273] acusando que o Supremo fez uma escolha política de desfazer a depuração do país pedindo *impeachment* do ministro presidente do STF.

Demorou para que o STF tomasse decisões sobre o devido processo legal, reconhecendo que as alegações finais de delatores deveriam ser anteriores às da defesa[274]. Em março de 2019, no Inq. 4.423[275] o STF decide impor um limite às avessas, definindo que quando citados crimes eleitorais a Justiça Eleitoral atrairia a competência de outros crimes. Ao mesmo tempo que criou um limite, a Lava Jato acabou por criar uma distorção ao assentar que a Justiça Eleitoral, que tem por objeto específico a tutela das eleições, possa julgar crimes não eleitorais. Em abril, Barroso arquiva um inquérito contra o desembargador Favreto, que mandou soltar Lula[276], e nenhum ato é tomado contra Moro que despachou sem jurisdição nem contra os desembargadores que exerceram poderes quando não estavam com jurisdição. Alexandre de Moraes suspende o recebimento de valores bilionários pelos procuradores da Lava Jato que haviam combinado com os americanos[277]. Mas ainda mantém longas prisões preventivas que se revelam verdadeiras

---

[273] Disponível em: https://www.youtube.com/watch?v=qiFcwvsGdzE.

[274] Disponível em: https://www.conjur.com.br/2019-dez-30/agosto-stf-definiu-delatado--apresenta-alegacoes-ultimo; https://www.conjur.com.br/2019-ago-27/turma-stf-anula-sentenca-moro-aldemir-bendine.

[275] **Supremo começa a julgar competência para julgar crimes conexos a eleitorais.** Disponível em: https://www.conjur.com.br/2019-mar-13/supremo-comeca-julgar-competencia-crimes-conexos-eleitorais.

[276] Disponível em: https://www.conjur.com.br/2019-abr-03/barroso-arquiva-inquerito-desembargador-deu-hc-lula.

[277] Disponível em: https://www.conjur.com.br/2019-mar-15/alexandre-moraes-suspende-efeitos-acordo-lava-jato **Moraes quer saber para onde foi parte do dinheiro do fundo da "Lava Jato"** https://www.conjur.com.br/2020-fev-05/moraes-questiona-destino-parte-dinheiro-fundo-lava-jato. Sobre o tema ver também: **Carvalhosa processa Gilmar Mendes por citar sociedade com a "lava- jato".** Disponível em: https://www.conjur.com.br/2019-nov-06/carvalhosa-processa-gilmar-citar-sociedade-lava-jato e de decisão negando pedido contra o *site* ConJur pelo mesmo advogado; https://www.conjur.com.br/2019-ago-23/conjur-nao-indenizara-carvalhosa-informar-sociedade-lava-jato e https://www.conjur.com.br/2019-abr-03/barroso-arquiva-inquerito-desembargador-deu-hc-lula.

antecipações da pena[278].

Fora do Supremo Tribunal, em dezembro, o STJ reconheceu que a soma de crimes dos anos de pena em condenações em concurso material é ilegal[279]. Alguns absurdos gritantes acabam sendo reconhecidos até pelo TRF do Rio Grande do Sul, como a sentença copiada pela juíza Gabriela Hardt que substituiu Moro[280]. Ao substituir prisões por medidas alternativas[281], Gebran questionou a competência de Moro no caso do irmão de Lula[282].

O Congresso também demorou a reagir quanto ao seu papel na contenção desses abusos, aprovando a Lei de Abuso de Autoridade[283]. E modificando o projeto apresentado por Sérgio Moro. A intervenção da comissão cuja presidência foi exercida pela deputada e advogada Margareth Coelho e a participação do deputado e ex-presidente da OAB-MS, Fabio Trad, o deputado Marcelo Freixo e a participação de várias entidades como o IBCCRIM (Instituto Brasileiro de Ciências Criminais) e ABRACRIM (Associação Brasileira de Advogados Criminais)[284].

Em 5 de maio de 2020, Toffoli suspende a decisão da Justiça

---

[278] Disponível em: https://www.conjur.com.br/2019-ago-20/turma-stf-revoga-hc-concedido-cunha-ano-passado.

[279] Resp. 1.722.075 e Resp. 1.758.459 e www.conjur.com.br/2019-dez-18/turma-stj-corrige-interpretacoes-trf-lava-jato.

[280] **TRF-4 anula sentença "copia e cola" da juíza Gabriela Hardt.** Disponível em: https://www.conjur.com.br/2019-nov-13/trf-derruba-sentenca-copia-cola-juiza-gabriela-hardt.

[281] Disponível em: https://www.conjur.com.br/2019-jun-13/trf-solta-ex-executivos-banco-paulista-medidas-cautelares.

[282] Disponível em: www.conjur.com.br/2019-dez-18/turma-stj-corrige-interpretacoes-trf-lava-jato.

[283] Disponível em: https://www.conjur.com.br/2019-ago-15/camara-aprova-projeto-abuso-autoridade. Ver Também Lenio. Lei do abuso: **Juízes e procuradores não confiam neles mesmos?** Disponível em: https://www.conjur.com.br/2019-ago-17/lenio-streck-juizes-procuradores-nao-confiam-neles-mesmos.

[284] Disponível em: https://www.youtube.com/watch?v=kOl_2PQYbVs e https://www2.camara.leg.br/atividade-legislativa/comissoes/grupos-de-trabalho/56a-legislatura/legislacao--penal-e-processual-penal/documentos/audiencias-publicas/congressopalestra21_25dia-19v7FINAL.pdf.

Federal que determinava a retirada de uma mensagem do *site* do Ministério da Defesa, comemorativa ao Golpe de 1964. Para compreensão, trechos da mensagem merecem ser lidos:

MINISTÉRIO DA DEFESA

Ordem do Dia Alusiva ao 31 de Março de 1964

Brasília, DF, 31 de março de 2019

As Forças Armadas participam da história da nossa gente, sempre alinhadas com as suas legítimas aspirações. O 31 de Março de 1964 foi um episódio simbólico dessa identificação, dando ensejo ao cumprimento da Constituição Federal de 1946, quando o Congresso Nacional, em 2 de abril, declarou a vacância do cargo de Presidente da República e realizou, no dia 11, a eleição indireta do Presidente Castello Branco, que tomou posse no dia 15.

(...)

Contra esses radicalismos, o povo brasileiro teve que defender a democracia com seus cidadãos fardados. Em 1935, foram desarticulados os amotinados da Intentona Comunista. Na Segunda Guerra Mundial, foram derrotadas as forças do Eixo, com a participação da Marinha do Brasil, no patrulhamento do Atlântico Sul e Caribe; do Exército Brasileiro, com a Força Expedicionária Brasileira, nos campos de batalha da Itália; e da Força Aérea Brasileira, nos céus europeus.

(...)

O 31 de março de 1964 estava inserido no ambiente da Guerra Fria, que se refletia pelo mundo e penetrava no País. As famílias no Brasil estavam alarmadas e colocaram-se em marcha. Diante de um cenário de graves convulsões, foi interrompida a escalada em direção ao totalitarismo. As Forças Armadas, atendendo ao clamor da ampla maioria da população e da imprensa brasileira, assumiram o papel de estabilização daquele processo.

Em 1979, um pacto de pacificação foi configurado na Lei da Anistia e viabilizou a transição para uma democracia que se estabeleceu definitiva e enriquecida com os aprendizados daqueles tempos difíceis. As lições aprendidas com a História foram transformadas em ensinamentos para as novas gerações. Como todo processo histórico, o período que se seguiu experimentou avanços.

As Forças Armadas, como instituições brasileiras, acompanharam essas mudanças. Em estrita observância ao regramento democrático, vêm mantendo o foco na sua missão constitucional e subordinadas ao poder constitucional, com o propósito de manter a paz e a estabilidade, para que as pessoas possam construir suas vidas.

Cinquenta e cinco anos passados, a Marinha, o Exército e a Aeronáutica reconhecem o papel desempenhado por aqueles que, ao se depararem com os desafios próprios da época, agiram conforme os anseios da Nação Brasileira. Mais que isso, reafirmam o compromisso com a liberdade e a democracia, pelas quais têm lutado ao longo da História[285].

FERNANDO AZEVEDO E SILVA - Ministro de Estado da Defesa

ILQUES BARBOSA JUNIOR - Almirante de Esquadra Comandante da Marinha

Gen. Ex. EDSON LEAL PUJOL - Comandante do Exército

---

[285] Disponível em: https://www.defesa.gov.br/noticias/54245-ordem-do-dia-alusiva-ao-31-de-marco-de-1964.

Ten. Brig. Ar ANTONIO C. M. BERMUDEZ

Comandante da Aeronáutica

A decisão de Toffoli no procedimento cautelar[286], que não foi distribuída, mas seguiu diretamente para a presidência da Corte, suspendendo a ordem da juíza da 5ª Vara Federal do Rio Grande do Norte, Moniky Mayara Costa Fonseca[287] que fundamentava que: "A ordem do dia prega, na realidade, uma exaltação ao movimento, com tom defensivo e cunho celebrativo à ruptura política deflagrada pelas Forças Armadas em tal período, enaltecendo a instauração de uma suposta democracia no país, o que, para além de possuir viés marcantemente político em um país profundamente polarizado, contraria os estudos e evidências históricas do período"[288]. Toffoli permitu a publicação alusiva ao Golpe de 1964 como lícita e constitucional de seu ex-assessor e atual ministro da Defesa Fernando Azevedo e Silva:

(...)

Pese embora as razões elencadas pela ilustre prolatora dessa decisão, ao fundamentá-la, tem-se que sua execução poderá acarretar grave lesão à ordem público-administrativa da União.

Conforme amplamente debatido nos autos, o texto ora em análise foi editado para fazer alusão a uma efeméride e se destinava ao ambiente castrense, publicado que foi no *site* do Ministério da Defesa e subscrito pelo eminente titular

---

[286] Disponível em: http://portal.stf.jus.br/processos/detalhe.asp?incidente=5902782.

[287] **Juíza manda ministro da Defesa tirar do ar nota que defendeu golpe de 1964, Rubens Valente.** Disponível em: https://noticias.uol.com.br/colunas/rubens-valente/2020/04/25/justica-federal-ditadura-militar.htm.

[288] Disponível em: https://noticias.uol.com.br/colunas/rubens-valente/2020/04/25/justica-federal-ditadura-militar.htm.

daquele Ministério, além dos Chefes das três Forças.

Cuida-se, assim, de ato inserido na rotina militar e praticado por quem detém competência para tanto, escolhidos que foram pelo Chefe do Poder Executivo, para desempenhar as elevadas funções que ora ocupam.

Não parece assim adequado exercer juízo censório acerca do quanto contido na referida ordem, sob pena de indevida invasão, por parte do Poder Judiciário, de seara privativa do Poder Executivo e de seus Ministros de Estado.

(...)

Reitero, ainda uma vez, meu entendimento, agora aplicado ao caso concreto ora em análise, de que não cabe ao Poder Judiciário decidir o que pode ou não constar em uma ordem do dia, ou mesmo qual a qualificação histórica sobre determinado período do passado, substituindo-se aos historiadores nesse mister e, no presente caso, aos legítimos gestores do Ministério da Defesa, para redigir, segundo a compreensão que esposam, os termos de uma simples ordem do dia, incidindo em verdadeira censura acerca de um texto editado por Ministro de Estado e Chefes Militares.

(...)

Pouco tempo antes, "a desembargadora de plantão no Tribunal Regional Federal da 1ª Região, Maria do Carmo Cardoso, concedeu liminar para suspender determinação da 6ª Vara Federal do Distrito Federal que proibia os atos de comemoração do aniversário de 55 anos do golpe militar de 1964"[289]. A desembargadora suspendia a decisão da juíza Ivani Silva da Luz da 6ª Vara da

---

[289] Disponível em: https://exame.abril.com.br/brasil/desembargadora-derruba-liminar-e-libera-31-de-marco-festivo-de-bolsonaro/.

Justiça Federal.

A ideia de que se trata de versão da história permitiria afirmações absurdas, como as de Ernesto Araújo, de que o nazismo foi de esquerda[290], abrindo brechas de comparação com a quarentena[291], negar que o holocausto existiu[292] ou enaltecer um torturador, como fez Bolsonaro[293]. Tais afirmações comemorativas de um golpe militar são incompatíveis com o art. 1º da CF quanto ao Estado Democrático de Direito, abrem possibilidade para novos golpes, não criam a cultura democrática que garante a dignidade da pessoa humana (art. 1º, II, CF) e colocam em risco as garantias individuais do art. 5º da CF.

---

[290] Disponível em: https://jovempan.com.br/noticias/brasil/ministro-das-relacoes-exteriores-diz-que-nazismo-era-regime-de-esquerda.html – **Historiadores criticam Ernesto Araújo por dizer que fascismo e nazismo eram de esquerda.** Disponível em: https://g1.globo.com/politica/noticia/2019/03/29/historiadores-criticam-ernesto-araujo-por-dizer--que-fascismo-e-nazismo-eram-de-esquerda.ghtml. **"Nazismo de esquerda": o absurdo virou discurso oficial em Brasília.** Disponível em: https://www.dw.com/pt-br/nazismo--de-esquerda-o-absurdo-virou-discurso-oficial-em-bras%C3%ADlia/a-48060399.

[291] **Ernesto Araújo anula e relativiza a memória do Holocausto.** Disponível em: http://institutobrasilisrael.org/noticias/noticias/ernesto-araujo-anula-e-relativiza-a-memoria-do--holocausto; https://veja.abril.com.br/mundo/associacao-judaica-exige-desculpas-de-chanceler-por-analogia-com-nazismo/. **Presidente da Confederação Israelita rebate versão de chanceler sobre comparação entre quarentena e campos de concentração.** Fernando Lottenberg afirma que ficou incrédulo ao ler texto de Ernesto Araújo sobre a pandemia da Covid-19. Disponível em: https://oglobo.globo.com/mundo/presidente-da-confederacao--israelita-rebate-versao-de-chanceler-sobre-comparacao-entre-quarentena-campos-de-concentracao-24403934. Propriedade intelectual do Jornal Página 3 https://www.pagina3.com.br. Disponível em: https://www.pagina3.com.br/geral/2019/abr/3/2/associar-holocausto-a--esquerda-e-falsificar-a-historia-diz-rabino.

[292] **O que defendem os negacionistas do Holocausto, no centro de polêmica envolvendo Mark Zuckerberg.** Disponível em: https://www.pagina3.com.br/geral/2019/abr/3/2/associar-holocausto-a-esquerda-e-falsificar-a-historia-diz-rabino. **Revisão ou negação: o mito dos seis milhões.** Disponível em: http://www.morasha.com.br/holocausto/revisao-ou-negacao-o-mito-dos-seis-milhoes.html.

[293] **Bolsonaro chama coronel Brilhante Ustra de 'herói nacional'.** Ustra, chefe do DOI-Codi na ditadura, foi apontado pela Justiça como responsável por torturas. Para o presidente, coronel evitou que o país caísse 'naquilo que hoje em dia a esquerda quer'. Por Guilherme Mazui, G1 — Brasília. Disponível em: https://g1.globo.com/politica/noticia/2019/08/08/bolsonaro-chama-coronel-ustra-de-heroi-nacional.ghtml.

17. Religião

Um aspecto que não pode ser relegado na análise da Lava Jato é o religioso. Os aspectos religiosos estão ocultos em muitos debates jurídicos e de Estado. No livro *Poder e Saber – Campo Jurídico e Ideologia*[294] destacamos a diferença de visão de direito em razão das diferentes origens religiosas entre as duas primeiras faculdades de direito: Recife e São Paulo. "Gizlene Neder aponta as raízes beneditinas da Faculdade de Direito do Recife e as franciscanas, de São Paulo; estas, somadas às origens militares, em virtude das nomeações do tenente-general José Arouche de Toledo Rendon para diretor; e do Dr. José Maria de Avelar Brotero para lente, em 13 de outubro de 1827. Assim, é possível supor que as forças acadêmicas de São Paulo tenham fornecido o arcabouço teórico para o autoritarismo pós-1964, enquanto Recife, superada pelo dogmatismo, elaborava uma influência maior sobre a questão nacional, vinculada às ideias liberais mais fortemente ligadas à Revolução Francesa. Clóvis Beviláqua, segundo Gizlene, estabelece uma relação entre a Escola do Recife e o 'estado mental do Brasil' sob influência das ideias de

---

[294] *Poder e Saber – Campo Jurídico e Ideologia*. São Paulo: Geração Editorial, 2020

Arruda Câmara e Azeredo Coutinho, pensadores com ampla atividade intelectual e política na virada do século XVIII para o XIX[295]."

Duas linhas principais podem ser identificadas na Lava Jato: a católica, de Sérgio Moro; e a evangélica, de Bretas. Grande parte do conflito político ideológico transpassa por visões e permanências religiosas ou pela utilização das religiões como canal e liga do senso comum e da ideologia. Faz-se um registro que o presidente Jair Bolsonaro apresentou-se ao lado do atual prefeito do Rio de Janeiro, Marcelo Crivella, que é sobrinho de pastor, em evento evangélico[296] assim como compareceu em outro em fevereiro de 2020. O presidente chegou a afirmar que sua indicação para futuro ministro do STF será um "terrivelmente evangélico"[297]. A presença do juiz Bretas causou acusações de que ele estivesse fazendo política[298]. Enquanto isso, o vice-presidente, general Mourão, representou o presidente em evento da igreja católica, de canonização de irmã Dulce. O próprio lema de campanha "Brasil acima de todos, Deus acima de tudo" se misturou com discursos anticomunistas que nos jogam em uma dicotomia anterior ao fim da Guerra Fria.

A mídia brasileira também está dividida em conglomerados, entre os quais a Rede Globo, ligada ao catolicismo; e a Rede Record[299], do

---

[295] *Poder e Saber – Campo Jurídico e Ideologia*, pág. 13, NEDER, Gizlene. **Discurso Jurídico e Ordem Burguesa no Brasil**. Porto Alegre: Sérgio Antonio Fabris, Editor, 1995, p. 55. Relatório do Ministro da Justiça, 1921, p. VI.

[296] **Bolsonaro vai a evento evangélico: "País é laico, mas presidente é cristão"...** – Veja mais em https://noticias.uol.com.br/politica/ultimas-noticias/2020/02/15/bolsonaro-pre-carnaval-evento-evangelico.htm?cmpid=copiaecola.

[297] **Bolsonaro diz que vai indicar ministro 'terrivelmente evangélico' para o STF.** Disponível em: https://g1.globo.com/politica/noticia/2019/07/10/bolsonaro-diz-que-vai-indicar-ministro-terrivelmente-evangelico-para-o-stf.ghtml.

[298] RODAS, Sérgio. Consultor Jurídico. **TRF-2 autoriza processo que apura se Bretas violou regras em eventos com Bolsonaro.** 8 de maio de 2020. Disponível em: https://www.conjur.com.br/2020-mai-08/trf-autoriza-apuracao-participacao-bretas-eventos.

[299] Há um trabalho de graduação interessante "EDIR MACEDO VERSUS REDE GLOBO: UMA ANÁLISE DAS ESTRATÉGIAS DA IURD E DA RECORD NA CRISE DE IMAGEM - AGOSTO DE 2009." De Santa Maria, RS, de 2010, de Osvaldo Henriques Maia. Disponível em: https://lapecjor.files.wordpress.com/2011/04/osvaldo-henriques-maia.pdf.

pastor Edir Macedo, dono da Igreja Universal do Reino de Deus. Na chamada Guerra Santa envolve filmes de cinema, programas televisivos e matérias jornalísticas[300]. A pesquisa "Media Ownership Monitor Brasil", desenvolvida em parceria pelas ONGs Repórteres sem Fronteiras e Intervozes, revela que 9 dos 50 veículos mais influentes no Brasil são controlados por igrejas[301]. Veja que a primeira entrevista do presidente Bolsonaro, quando eleito, foi exclusiva para a Record[302].

Bretas é membro da Comunidade Evangélica Internacional da Zona Sul, no Rio de Janeiro. Segundo seus colegas de trabalho e familiares, o magistrado reconhece a importância da religião em sua vida. Mais velho de uma família de quatro irmãos, Bretas nasceu em uma família evangélica. Um de seus irmãos é pastor.

Matéria de Italo Nogueira e Marco Aurélio Canônico, intitulada **"Juiz da Lava Jato no RJ destaca por penas duras e religiosidade"**[303], descreve que "A Bíblia fica ao alcance da mão, em sua mesa na 7ª Vara Federal Criminal, que assumiu em 2015, após 15 anos no interior do Estado. Ele entrou na Lava Jato em novembro daquele ano, após Teori Zavascki, do STF, separar do processo o julgamento das investigações referentes à corrupção na Eletronuclear, sediada no Rio".

---

[300] **OS CATÓLICOS CONTRA-ATACAM. A Igreja de Roma, que encolhe ao ritmo de 1 milhão de fiéis por ano, aposta no cinema e na TV para recuperar o rebanho perdido** Disponível em: http://revistaepoca.globo.com/Revista/Epoca/0,,EDR59060-6014,00.html.

[301] **9 dos 50 veículos mais influentes do Brasil são controlados por igrejas.** A presença de igrejas no controle de veículos de comunicação no Brasil já pode ser medida. Dos 50 veículos de maior audiência ou capacidade de influenciar o público, ao menos 9 são controlados por lideranças religiosas cristãs, católicas ou evangélicas, revela a pesquisa "Media Ownership Monitor Brasil". Disponível em: https://www.pragmatismopolitico. com.br/2018/02/veiculos-mais-influentes-controlados-por-igrejas.html.

[302] Disponível em: https://noticias.r7.com/prisma/r7-planalto/bolsonaro-dara-primeira-entrevista-ao-vivo-hoje-para-a-recordtv-as-19h-26042019; https://noticias.uol.com.br/politica/ultimas-noticias/2019/01/04/bolsonaro-idade-minima-aposentadoria-armas-queiroz-entrevista-sbt.htm.

[303] Disponível em: https://www1.folha.uol.com.br/poder/2017/02/1858829-juiz-da-lava-jato-no-rj-se-destaca-por-penas-duras-e-religiosidade.shtml.

Segundo a *Folha de S.Paulo*, em seu primeiro dia na Vara, Marcelo Bretas deixou claro que era evangélico. "No dia em que ele chegou, tirou a Bíblia da pasta e disse: 'Esse é o principal livro desta vara'", lembra Fernando Pombal, diretor de secretaria da 7ª Vara. "É o que guia o espírito e a inteligência dele", sublinha.

Por causa da citação bíblica no despacho, a defesa de Cabral chegou a pedir o afastamento de Bretas, acusando-o de julgar baseado num pensamento religioso. O pedido foi negado[304].

Mais velho de uma família de quatro irmãos, Bretas nasceu e foi criado na Baixada Fluminense, vivendo a maior parte da infância e adolescência em Queimados (RJ).

Evangélicos, os pais criaram os filhos na igreja – um deles tornou-se pastor – trabalhando em uma loja de bijuterias no Saara, mercado popular do centro do Rio.

Bretas fez faculdade de Direito na UFRJ. Lá, aos 19 anos, conheceu sua mulher, a também juíza federal Simone Diniz Bretas. O casal tem dois filhos adolescentes.

Além da Bíblia, a foto de Simone é um dos poucos objetos pessoais que o magistrado tem em seu gabinete. Há também uma minibateria – ele é baterista e gosta de jazz – sobre uma estante.

A decoração conta com uma cópia da Constituição dos Estados Unidos, o selo da Suprema Corte daquele país, e na parede dois diplomas de cursos de capacitação, que ele fez em Washington.

---

[304] Disponível em: https://noticias.gospelprime.com.br/marcelo-bretas-lava-jato-rj-biblia/.

"A justiça nos Estados Unidos é mais respeitada e mais efetiva. Mas hoje no Brasil já estamos caminhando para o que eu vi lá", disse Bretas ao jornal *El País* há um ano – ele e não concedeu entrevista à *Folha*[305].

Quando Deltan Dallagnol[306], outra figura evangélica, símbolo da Lava Jato e membro da igreja Batista se apresenta, antes de outra coisa, como "seguidor de Jesus"[307], usou as redes sociais para dizer que faria jejum durante o julgamento do *habeas corpus* de Lula pelo Supremo. Bretas se manifestou no seu Twitter[308].

"Uma derrota significará que a maior parte dos corruptos de diferentes partidos, por todo país, jamais serão responsabilizados, na Lava Jato e além. O cenário não é bom. Estarei em jejum, oração e torcendo pelo país", postou o procurador.

Bretas se manifestou no seu Twitter

---

[305] Disponível em: http://www1.folha.uol.com.br/poder/2017/02/1858829-juiz-da-lava-jato-no-rj-se-destaca-por-penas-duras-e-religiosidade.shtml.

[306] **Deltan diz que fará jejum durante julgamento de HC de Lula. Prática assemelha-se à iniciativa do pastor Enéas Tognini, que em 1963 também decidiu parar de comer contra 'ameaça comunista'.** Disponível em: https://oglobo.globo.com/brasil/deltan-diz-que-fara-jejum-durante-julgamento-de-hc-de-lula-22548453.
Dallagnol diz que vai fazer jejum em nome da prisão de Lula. Procurador da República afirma que julgamento de *habeas corpus* do ex-presidente é "dia D" contra corrupção. Disponível em: https://noticias.r7.com/brasil/dallagnol-diz-que-vai-fazer-jejum-em-nome-da-prisao-de-lula-02042018; http://www.amigodedeus.floripa.br/noticia/43750/juiz-marcelo-bretas-junta-se-a-dallagnol-em-campanha-"acompanha-lo-ei-em-oracao.

[307] Disponível em: https://pleno.news/brasil/alem-do-jejum-por-prisao-saiba-quem-e-deltan-dallagnol.html.

[308] Disponível em: http://www.amigodedeus.floripa.br/noticia/43750/juiz-marcelo-bretas-junta-se-a-dallagnol-em-campanha-"acompanha-lo-ei-em-oracao.

"O rei que exerce a justiça dá estabilidade ao país, mas o que gosta de subornos o leva à ruína", diz o provérbio escolhido por Bretas. O juiz, que se mantém ativo na rede social desde a criação de sua conta, em novembro passado, apagou todas as outras postagens da plataforma[309].

Antes disso, em 3 de julho de 2017, Bretas decretou a prisão de Jacob Barata e de vários outros empresários do ramo de transportes no Rio de Janeiro sob suspeita de pagamento de propina[310]. No dia 17 de agosto, o ministro Gilmar Mendes manda soltar Barata[311] e Lélis Teixeira, substitui a prisão por medidas cautelares, como a suspensão do exercício de cargos em associações ligadas ao transporte, a proibição de sair do país e de manter contato com outros investigados. Ocorre que em 25 de agosto Bretas decreta nova prisão dos empresários, apesar da decisão do ministro do STF[312].

Bretas imitava dois atos anteriores do próprio Moro, quando cumpriu a ordem de Zavascki e pediu informações. Dez anos antes, em 2008, Gilmar mandou soltar o banqueiro Daniel Dantas, e o juiz Fausto De Sanctis mandou prendê-lo novamente. Esta atitude do juiz, que para um advogado seria claramente chamada de chicana, acabava tentando "dar a volta" na decisão, já que a primeira era uma prisão temporária e a segunda seria uma prisão preventiva. Gilmar

---

[309] Disponível em: https://br.noticias.yahoo.com/bretas-publica-sobre-ruina-de-presidente-que-gosta-de-subornos-142127408.html.

[310] Disponível em: https://www.conjur.com.br/2017-jul-03/acusados-pagar-propina-setor-transportes-rj-sao-presos.

[311] **Fatos antigos não autorizam preventiva, diz Gilmar Mendes ao soltar empresários** 17 de agosto de 2017. Por Matheus Teixeira. Disponível em: https://www.conjur.com.br/2017-ago-17/fatos-antigos-nao-autorizam-preventiva-gilmar-soltar-empresarios. Liminar a favor de Jacob Barata. Disponível em: https://www.conjur.com.br/dl/hc-jacob-gilmar.pdf e em favor de Lelis Teixeira https://www.conjur.com.br/dl/hc-lelis-transporte-gilmar.pdf.

[312] RODAS, Sérgio. **Marcelo Bretas manda prender réu três dias após Gilmar Mendes libertá-lo.** 25 de agosto de 2017. Disponível em: https://www.conjur.com.br/2017-ago-25/bretas-manda-prender-reu-dias-gilmar-mendes-liberta-lo.

manda soltar o banqueiro novamente e há um movimento de juízes[313] de primeira instância em apoio ao juiz que ao fim diz que faria novamente e emitiu nova ordem de prisão[314].

O pedido de informações e a nova decretação de prisão não deram certo, e Gilmar reagiu com a expressão do rabo que abana o cachorro. Gilmar apenas repetiu um antigo ditado, para ilustrar situações em que a ordem natural das coisas é alterada. Mas Bretas viu algo sobrenatural. O juiz de primeira instância reagiu mostrando ao repórter Luiz Maklouf Carvalho um versículo da Bíblia, Antigo Testamento, que define o homem de Deus – no caso, escolhido por se tratar do povo hebreu – como cabeça e não como cauda. É o versículo 13 do capítulo 28 do livro de Deuteronômio, que ele leu para o repórter:

> E o Senhor te porá por cabeça, e não por cauda; e só estarás em cima, e não debaixo, se obedeceres aos mandamentos do Senhor teu Deus que hoje te ordeno, para os guardar e cumprir.

Bretas condece entrevista em 2 de setembro ao jornalista Luiz Maklouf Carvalho, do *Estadão*[315]. Trechos da matéria merecem destaque:

> Na véspera – quinta-feira, dia 24 – uma manifestação concorrida de desagravo, na entrada da Justiça Federal, na Avenida Venezuela 134, apoiou Bretas, e espicaçou Mendes. Do meio da tarde para o começo da noite a aglomeração cresceu, com a presença de artistas como Caetano Veloso, Thiago Lacerda

---

[313] **Juízes repudiam reclamação de Gilmar contra De Sanctis.** Disponível em: https://www.conjur.com.br/2008-jul-11/juizes_repudiam_reclamacao_gilmar_sanctis.

[314] **De Sanctis diz que faria tudo de novo, se fosse necessário.** 14 de julho de 2008, 20h43. Disponível em https://www.conjur.com.br/2008-jul-14/sanctis_faria_tudo_fosse_necessario

[315] **'Nunca quis ser igual ao Moro, não sou', diz Bretas.** Responsável pela Lava Jato no Rio, juiz Marcelo Bretas conta ao 'Estado' como trocou a paz do interior pela tensão da força-tarefa. Disponível em: https://politica.estadao.com.br/noticias/geral,nunca-quis-ser-igual-ao-moro-nao-sou-diz-bretas,70001963483.

e Christiane Torloni. No final da tarde o juiz desceu do quarto andar do bloco B, onde fica a movimentada 7.ª Vara. Tinha a companhia da juíza federal Simone Diniz Bretas, sua esposa há 22 anos, que despacha no bloco A do mesmo prédio, e, também, a de três seguranças à vista (e mais três dispersos), "um incômodo necessário". (…)

Para esclarecer melhor qual é o seu estilo, Bretas contou que no aniversário de 46 anos, no ano passado, ganhou de presente cinco exemplares de *Operação Lava Jato*, livro do jornalista Vladimir Neto. "Dei quatro de presente, fiquei com um, e até hoje não li, porque não quero ser influenciado", afirmou. A juíza leu – mas ele pediu que não fizesse comentários a respeito. Diga-se, por ele próprio ter contado, que livros, tirante a Bíblia, não são sua praia preferida. "Nem me lembro qual foi o último que eu li", disse. Um hobby mais praticado, embora já nem tanto, é a bateria. Toca desde menino, principalmente na igreja, e tem uma, eletrônica, no quarto de dormir. É fã do baterista Dave Weckl, do chamado jazz fusion, e, também, do conjunto Spyro Gyra, da mesma pegada. (…)

Há pastores que interpretam o versículo como uma mensagem de que o cristão deve ser sempre o chefe, o empresário, nunca o subordinado ou o empregado.

Há lideranças evangélicas que pensam diferente. Para estas, essa interpretação literal é equivocada. Ter cabeça significa ter controle sobre suas ações, não ser facilmente manipulado ou influenciado. Bretas parece ter o entendimento literal, próprio de uma visão fundamentalista, como mostra a reação descrita por Maklouf:

(…)

O juiz deu entrevistas ao *Estado* na semana em que entrou na mira do ministro Gilmar Mendes, do Supremo Tribunal

Federal. Gilmar o atacou, em 18 de agosto, por ter mandado prender novamente dois empresários amigos que mandara soltar, na véspera. "Isso é atípico. E em geral o rabo não abana o cachorro, é o cachorro que abana o rabo", disse o ministro, sugerindo subserviência. "Não vou comentar, para evitar confronto e polêmica, mas confesso que me atingiu um pouco, por causa da minha formação religiosa evangélica", disse Bretas no meio da tarde da sexta-feira, dia 25, na última de quatro entrevistas que concedeu ao *Estado* em intervalos das audiências ao longo de dez dias úteis.

Pegou então o celular e trouxe à tela, em segundos, o "Deuteronômio", um dos livros da "Bíblia", no capítulo 28, versículo 13, que leu com emoção: "E o Senhor te porá por cabeça, e não por cauda; e só estarás em cima, e não debaixo, se obedeceres aos mandamentos do Senhor teu Deus que hoje te ordeno, para os guardar e cumprir".

"Foi a lembrança que me veio à cabeça naqueles momentos", disse o juiz, evangélico desde sempre. Frisou, na citação, a palavra "cauda", sinônimo digamos mais elevado do termo usado por Gilmar: "E o Senhor te porá por cabeça, e não por cauda", repetiu, repelindo a metáfora canina. A "Bíblia", que diz já ter lido inteira, é um hábito diário, ao acordar e ao recolher-se, ultimamente facilitado pelo aplicativo no celular. Tem "Bíblia" em sentença, na dissertação de mestrado, em conversa-fiada, e em conversa séria[316].

Parte das tropas de segurança do Rio de Janeiro, como o Bope (Batalhão de Operações Policiais Especiais), tem profunda influência

---

[316] CARVALHO, Joaquim de. **O fundamentalismo evangélico do juiz Bretas.** Blog Diário do Centro do Mundo. Disponível em: http://altamiroborges.blogspot.com.br/2017/09/o-fundamentalismo-evangelico-do-juiz.html.

evangélica, tendo sido, inclusive, inaugurado um templo evangélico no Batalhão do Bope em Laranjeiras[317]. Do ponto de vista estético, Bretas passa a ter o mesmo comportamento com suas postagens com fuzil.

Bope ganha templo evangélico com dinheiro doado

Fabio Stenio, jornalista, publicou um texto onde afirma que Bretas:

> "Na ânsia de construir o ódio, escolheu o melhor caminho, o bíblico, o predestinado e o fanatismo religioso. Entendendo que o Rio de Janeiro é um dos estados mais ligados ao ódio neopentecostal, em certa altura apagou todos os seus twits e se tornou um quase pastor supremo, concorrendo com o pastor Dallagnol. Não por acaso, o discurso de ambos é similar ao de Silas Malafaia".

---

[317] **Bope ganha templo evangélico com dinheiro doado.** Fundada em 1995, a Congregação Evangélica do Batalhão de Operações Policiais Especiais agora tem um templo para chamar de seu. Por Redação *VEJA RIO* – 24 de julho de 2017. Publicado em 24 jul 2017, 13h22. Disponível em: https://vejario.abril.com.br/cidade/bope-ganha-templo-evangelico-com-dinheiro-doado/.
Bope inicia semana de comemoração de 20 anos. Disponível em: http://www.oriobranco.net/noticia/policial/bope-inicia-semana-de-comemoracao-de-20-anos.

GEOPOLÍTICA DA INTERVENÇÃO

Prossegue comentando a publicação do juiz, de 25 de março de 2018.

> Surge, então, a predestinação divina à limpeza do Brasil. Como postou o próprio juiz, dando exemplo de administrador honesto, uma figura bíblica, Neemias. É simplesmente inaceitável num Estado laico, que um juiz demonstre publicamente seu padrão religioso de honestidade. Nesse mesmo ritmo, nas próximas peças condenatórias não assustará se surgir algumas lições de moral neopentecostal. Afinal, até no "façam o que eu digo mas, não faça o que eu faço", imita as igrejas agiotas. A moral serve aos outros, pra mim, auxílio moradia e dois, por que um é para os crentes. Ah! Demos um print, porque Bretas posta e apaga tudo a cada dois dias[318].

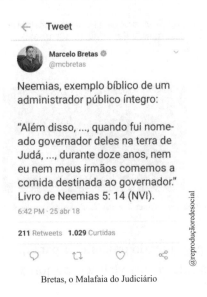

Bretas, o Malafaia do Judiciário

---
[318] **BRETAS, O MALAFAIA DO JUDICIÁRIO: Demos print, por que ele sempre apaga tudo que posta.** Por Fabio Stenio. 25 de abril de 2018. Disponível em:https://www.apostagem.com.br/2018/04/25/bretas-o-malafaia-do-judiciario-demos-print-por-que-ele-sempre-apaga-tudo-que-posta/.

Como se fizesse uma ponte com o catolicismo, Bretas dá uma entrevista à Rede Globo ao visitar o papa. Na entrevista, afirma que o caminho "é controle da sociedade e liberdade de imprensa[319]. Que teria sofrido ameaça e por isso não poderia levar uma vida normal na cidade". A matéria da Rede Globo não traz nenhuma manifestação do papa, mas uma manifestação, a de Bretas causando uma impressão de apoio papal com o título: "Juiz Bretas pede a Papa que continue a se manifestar contra a corrupção". Ao *JN*, o juiz da Lava Jato no Rio defendeu o julgamento de casos de corrupção por tribunais internacionais e a liberdade de imprensa. O juiz não é recebido pelo papa, mas vai a uma cerimônia e o papa o cumprimenta com a divisão de uma cancela. Mas na imagem e na matéria passa a impressão de uma bênção papal.

"Juiz Bretas pede a Papa que continue a se manifestar contra a corrupção ", afirma o próprio juiz

Retornando ao jejum do procurador para que o STF mantivesse Lula preso, Ruan de Souza Gabriel, no jornal *O Globo*, fez uma

---

[319] **Juiz Bretas pede a Papa que continue a se manifestar contra a corrupção.** Ao JN, juiz da Lava Jato no Rio defendeu o julgamento de casos de corrupção por tribunais internacionais e a liberdade de imprensa. Disponível em: http://g1.globo.com/jornal-nacional/noticia/2017/12/juiz-bretas-pede-papa-que-continue-se-manifestar-contra-corrupcao.html.

comparação das ações do procurador com o pastor Enéas Tognini durante o governo João Goulart:

> No meio evangélico, a prática do jejum é semelhante às "promessas" aos santos católicos: um exercício espiritual que aproxima o fiel de Deus e ainda ajuda a alcançar uma graça ou outra. Dallagnol, fiel da igreja Batista, não é o primeiro protestante na história política brasileira que, preocupado com as instituições, propõe um dia de jejum e oração. Em 1963, o pastor batista Enéas Tognini (1914-2015) convocou os evangélicos para o "Dia Nacional de Jejum e Oração", no dia 15 de novembro, feriado da Proclamação da República.

> Os fiéis deveriam rogar aos céus que livrassem o país da corrupção e da ameaça comunista que alguns enxergavam no governo do presidente João Goulart. O golpe militar de 31 de março de 1964 foi interpretado por Tognini como a resposta de Deus àquele feriado de jejum e oração.

> – As convocações para movimentos de oração e para a realização de jejuns comunitários não são novidade na história religiosa brasileira – afirma o historiador Leandro Seawright, autor de *Ritos da oralidade: a tradição messiânica de protestantes no regime militar brasileiro* e professor da Universidade Federal da Grande Dourados (UFGD). – Duas iniciativas correlatas à iniciativa de Dallagnol foram realizadas por batistas antes de rupturas políticas. A primeira aconteceu às vésperas do golpe do Estado Novo. E a segunda poucos meses antes do golpe militar de 1964. Quem conclamou os evangélicos para o chamado movimento de "jejum, oração e humilhação" foi o pastor batista Enéas Tognini.

> Seawright entrevistou Tognini para suas pesquisas sobre a colaboração – e a oposição – de lideranças protestantes

com a ditatura militar. O pastor afirmou ao historiador que convocou seu rebanho para um dia de oração e jejum porque "o diabo estava reinando no Brasil"[320].

A revista *CartaCapital* traz interessante publicação intitulada "Diálogos de fé. Martin Luther King vs. Deltan Dallagnol".

"Luther King tornou-se um grande líder do movimento de superação do racismo nos EUA e por direitos civis, com atos, protestos e manifestações públicas não-violentas. Recebeu o **Prêmio Nobel da Paz** em 1964 e no mesmo ano viu o alcance dos direitos concedidos por lei. Ele prosseguiu: liderou a Campanha pelos Pobres, contra a desigualdade econômica, e pregou ardentemente contra a **Guerra do Vietnã**. Recebeu também muitas ameaças de morte, mas se manteve firme no compromisso de sua fé no Deus da vida e da dignidade para todos. Em 4 de abril de 1968, foi assassinado com um tiro".

Após relembrar, em poucas linhas, a história de Martin, faz a comparação com "O jovem procurador, da Igreja Batista de Curitiba, que igualmente esteve em evidência. Ganhou notoriedade a partir de 2014, por causa da **Lava Jato**. Entre suas intervenções políticas, destacam-se as '10 medidas de combate à corrupção', com assinaturas colhidas em peregrinação em igrejas evangélicas".

A atuação de Dallagnol é divulgada em eventos de igrejas e pelas mídias como vocação cristã. Dallagnol é apresentado em um enorme evento evangélico como um servo do Senhor, em que se pediu oração e assinatura a favor das "10 medidas contra a corrupção"[321]. O

---

[320] GABRIEL, Ruan de Sousa. **Deltan diz que fará jejum durante julgamento de HC de Lula.** Prática assemelha-se à iniciativa do pastor Enéas Tognini, que em 1963 também decidiu parar de comer contra 'ameaça comunista'. 2 de abril de 2018. Disponível em: https://oglobo.globo.com/brasil/deltan-diz-que-fara-jejum-durante-julgamento-de-hc-de-lula-22548453.

[321] **Culto Fé – Lava Jato com Dr. Deltan Dallagnol.** Disponível em: https://www.youtube.com/watch?v=7TsiQleURNQ.

GEOPOLÍTICA DA INTERVENÇÃO

procurador que faz uma palestra diz que "combater corrupção é uma missão cristã". O procurador usa passagens bíblicas para sustentar sua tese e resume que todos os problemas de falta de educação, saúde e pobreza são gerados exclusivamente pela corrupção. O evento religioso foi usado para apoiar a Operação Lava Jato e pedir assinaturas para o projeto das 10 medidas. A repercussão acabou por impregnar de um caráter messiânico sua atuação, por causa do punitivismo da força-tarefa. Ela responde a anseios de vingança de parte da população contra alvos da operação, em especial o ex-presidente **Lula**, vítima de um processo internacionalmente questionado.

Há ainda outras controvérsias em torno do procurador evangélico que comprometem a imagem construída de paladino na luta contra a corrupção. Elas incluem certa ilegalidade de ações, como a prática de escutas telefônicas sem autorização, a apresentação pública de acusações sem provas, que gera a destruição prematura de reputações, a aquisição de apartamentos do Programa Minha Casa Minha Vida como investimento, e o recebimento mensal de verbas públicas para **auxílio-moradia** (4.377,73 reais), apesar de possuir um imóvel próprio em Curitiba[322].

A Constituição Federal impede aos membros do Ministério Público atividades político-partidárias[323]. Ocorre que Dallagnol passou a usar seu cargo de procurador da República com intenções de candidatura ao Senado. O *The Intercept Brasil* publicou a matéria intitulada "De olho em vaga no Senado em 2022, Dallagnol mirou apoio de evangélicos – Chefe da força-tarefa da Lava Jato também fez *lobby* com maçons,

---

[322] **Martin Luther King vs. Deltan Dallagnol.** Disponível em: https://www.cartacapital.com.br/blogs/dialogos-da-fe/martin-luther-king-vs-deltan-dallagnol.

[323] CF Art. 128 O Ministério Público abrange: II – as seguintes vedações: a) receber, a qualquer título e sob qualquer pretexto, honorários, percentagens ou custas processuais; b) exercer a advocacia; c) participar de sociedade comercial, na forma da lei; d) exercer, ainda que em disponibilidade, qualquer outra função pública, salvo uma de magistério; e) exercer atividade político-partidária;

rotarianos e empresários, segundo chats vazados"[324] revelando que o procurador participou de 18 encontros evangélicos e claramente, por meio de mensagens, aventou usar os encontros religiosos e suas palestras como procurador para se candidatar em 2022.

Enquanto a linha evangélica representada pelo juiz Bretas e por Dallagnol segue uma de exposição pública, assumindo um caráter como público evangelizador que mistura os poderes de Estado e de repressão com o viés religioso, Sérgio Moro segue um catolicismo que tenta ocultar a arbitrariedade.

Na tese *Poder e Saber – Campo Jurídico e Ideologia*, destacamos essa formação absolutista ilustrada. Uma forma de criar um verniz rebuscado à arbitrariedade. Vale a pena ler o original:

> A cultura jurídica portuguesa estava cravada em um tomismo e no humanismo, de fundo militarista e religioso. Em meados do século XVI, abraçou-se uma segunda escolástica, ou escolástica barroca, de corte tomista com uma visão coerente e hierárquica do universo, aristotélica, combinando teologia especulativa com filosofia racional, mantendo um equilíbrio entre a fé e a razão. A segunda escolástica foi profundamente influenciada por Santo Tomás de Aquino e pela reforma religiosa católica, ou Contrarreforma. Esta base foi a resistência da Península Ibérica, que permaneceu com uma visão aristocrática e rigidamente hierarquizada, imune aos ventos do pensamento político inglês, que passou longe, com as mudanças de inspiração de Hobbes e Locke. A opção

---

[324] MACIEL, Alice, AUDI, Amanda. **De olho em vaga no Senado em 2022, Dallagnol mirou apoio de evangélicos** – Chefe da força-tarefa da Lava Jato também fez *lobby* com maçons, rotarianos e empresários, segundo chats vazados
23 de setembro de 2019, 13:00. Texto: Agência Pública/The Intercept Brasil | Infográficos: Ana Karoline Silano. Disponível em: https://apublica.org/2019/09/de-olho-em-vaga-no-senado-em-2022-dallagnol-mirou-apoio-de-evangelicos/. Leia também:
'SERIA FACILMENTE ELEITO' Deltan avaliou concorrer ao Senado, deixou em aberto tentar em 2022 e via necessidade de o MPF 'lançar um candidato por Estado'. Rafael Moro Martins, Rafael Neves. 3 de setembro de 2019.

GEOPOLÍTICA DA INTERVENÇÃO

portuguesa, a escolha política da elite, no ingresso na modernidade, foi a de manutenção da sociedade hierarquizada.

Na virada do século XVIII para o XIX, o "império luso--brasileiro" não apresentou ruptura ideológica ou política, nem mesmo no período pombalino, que primou pelo ataque à escolástica e ao jesuitismo. Apesar das modernizações do humanismo e racionalismo como orientação histórica (pois já no século XVI havia ocorrido influência do humanismo na península), ao fim aquele império manteve-se com o viés autoritário e conservador de obediência e submissão. Os estudantes remetidos para as universidades italianas em 1527, cerca de 50 bolsistas que alcançariam 200, apelidados de bordaleses, na volta trouxeram ares novos para Portugal, mas logo encontraram resistência de uma orientação ferrenha e ortodoxa, acabando nos tribunais do Santo Ofício, saindo o humanismo enfraquecido e os jesuítas sob o comando educacional.

Mesmo rompendo com os jesuítas, na reforma pombalina, defensora de uma ortodoxia católica com obediência direta ao pontífice, o sistema escolar, ação fundamental jesuítica, permaneceu marcado pelo conservadorismo clerical, substituído por outra ordem religiosa, a Congregação do Oratório. A reforma pombalina foi uma tentativa de secularização, dela advindo a Lei da Boa Razão, de 1769, que limitava a aplicação do Direito Romano ao rei e extinguia a aplicação subsidiária do Direito Canônico. Os estatutos de Coimbra também seriam reformados, passando a incluir matérias como história das leis, usos e costumes, que posteriormente se transformaram em história da jurisprudência teorética ou ciência das leis de Portugal. O humanismo crítico foi sufocado, interrompendo a laicização da política, preponderando uma visão sagrada do mundo, aristotélica e tomista.

O Iluminismo passou por um filtro pombalino, uma forma de absolutismo ilustrado ou esclarecido. O isolamento português chegou ao ponto de aquela nação ser chamada de "reino cadaveroso"[325].

A formação de humanidades, de fato, decorre da intelectualidade no campo jurídico; e em especial no Brasil, outros campos passaram a ter formação independente, pois várias atividades estavam diretamente ligadas às faculdades de Direito, como o Jornalismo, a Administração Pública, o ensino de História, Geografia, Sociologia, Economia...

Para análise de Sérgio Moro, Gizlene Neder destaca o "lugar máximo da idealização, através dos atributos de perfeição, neutralidade, universalidade da lei, responsável pela construção do mito do super-homem. Certamente, a fantasia de controle político e social absoluto, parte do absolutismo ilustrado, soma-se a esta ideia de perfeição".

Outra observação em minha tese de doutorado é que Gizlene Neder destaca em seu livro que a escola de Direito do Recife foi formada no convento de São Bento; portanto, de raízes beneditinas, enquanto a de São Paulo teve alicerces franciscanos. Informa ela que, à herança franciscana acoplou-se, de início, uma outra, de origem militar. Por decreto de 13 de outubro de 1827, haviam sido nomeados o tenente-general José Arouche de Toledo Rendon, para diretor, e o dr. José Maria de Avelar Brotero, para lente do primeiro ano. Rendon havia sido nomeado (decreto de 20 de maio de 1822) comandante das armas de São Paulo; foi eleito deputado[326]. Aqui uma pista sobre

---

[325] SERGIO, Antonio. Reino Cadaveroso ou o Problema da Cultura em Portugal *In* SERÃO, Joel (org.). Prosa Doutrinal de Autores Portugueses, Lisboa: Portugália, s/d, *apud* NEDER, Gizlene. *Op. cit.*, p. 69.

[326] Meu livro e NEDER, Gizlene. *Op. cit.*, p. 103. Cf. *Idem*. A Ilustração Luso-brasileira: Perinde Ac Cadaver. In Concurso para Professor Titular de História Moderna do Departamento de História da UFF – Universidade Federal Fluminense, 1995, p. 159.

a proximidade dos militares com Moro. O catolicismo e a forma de dominação histórica ligam os dois grupos.

No livro *Poder e Saber – Campo Jurídico e Ideologia*, no capítulo 7, Julgamentos no Superior Tribunal Militar, também destacamos as atas comemorativas de aposentadorias e posses de ministros, cujos discursos eram mais livres, e partindo de uma matriz ibérica do direito brasileiro[327]. O projeto republicano, tanto no Brasil (1889) quanto em Portugal (1910) por meio do pombalismo, possibilitou um conjunto de modernizações, separando a Igreja do Estado, mas esta "cisão" não evitou a continuidade de permanências psicológicas e ideológicas que garantem a prática autoritária do controle social. Lá, afirmamos que a visão do mundo tomista, com influências políticas e ideológicas da Igreja Romana, sustentando uma posição hierarquizada da sociedade, produziu permanência cultural especialmente no mundo jurídico, em um conjunto de fantasias totalitárias de um controle social absoluto[328].

O processo de secularização em toda a Europa não atingiu a laicização, como demonstra Carlo Ginzburg, tornando claras as influências religiosas por meio do termo *awe* e, impregnado nele, o medo do "estado de natureza" e a necessidade de impor sujeição, como na obra *Leviatã*, de Thomas Hobbes[329]. Naquela obra destacamos que no STM (Superior Tribunal Militar) havia uma placa com os dizeres "Deus e teu Direito", colocada na entrada do plenário e inaugurada na 71ª Sessão, em 19 de setembro de 1975. O presidente afirmou que a placa simbólica "representa, doravante, nossa divisa, reconhecida pelos contemporâneos, a ser consagrada pela posteridade".

---

[327] Pág. 81 do meu livro e Raymundo Faoro, na obra *Existe um pensamento político do Brasil?*

[328] Nota 241 do livro *Poder e Saber – Campo Jurídico e Ideologia,* NEDER, Gizlene e FILHO, Gisálio Cerqueira. *Op. cit.*, p. 39, ver também, FAORO, Raymundo. *Op. cit.* e NEDER, Gizlene. *Op. cit.*

[329] Nota 244 do livro *Poder e Saber – Campo Jurídico e Ideologia*, GINZBURG, Carlo. *Op. cit.*

A análise mais profunda pode ser encontrada naquela obra. Mas outra chave de compreensão está entre o catolicismo ilustrado e o ultramontanismo, tendo como protagonistas Michel de Montaigne e Blaise Pascal, inserido no conflito entre o rigorismo e o laxismo[330].

Na 22ª Sessão de 1976, analisada naquela obra, Montaigne foi citado:

> Foi o Exército – grande escola de civismo e proficiência – que fez o que somos; que nos moldou e fortaleceu o caráter; que nos cultivou a mente; que nos fez soldados, chefes e Juízes; que nos incutiu a ciência da bondade (sem a qual, como dizia Montaigne, qualquer outra ciência é prejudicial). Foi o Exército, em suma, que nos mostrou que o essencial na vida, mormente na vida militar, é ser e não parecer que é – embora, como lembrava Carlyle, mais fácil, em regra, é reconhecerem-se as aparências do mérito do que o mérito verdadeiro.
>
> (…) Nesse Batalhão, vivemos horas tormentosas na Revolução de 1930 e na Intentona Comunista de 1935. E quando houve juntado na ESG, sob o comando do insigne Juarez Távora, chefe de marcante influência nas nossas vidas, cuja autoridade compunha-se como a de Turenne, de equipada mescla de indulgência e da humanidade.

Perceba que nas palavras que ligam o catolicismo ilustrado ao oculto, no fingimento, quando se refere a "Foi o Exército, em suma, que nos mostrou que o essencial na vida, mormente na vida militar, é ser e não parecer que é…" está toda a carga da camuflagem constante

---

[330] FILHO, Gisálio Cerqueira e NEDER, Gizlene. *A Teoria Política no Brasil e o Brasil na Teoria Política*. ABCP: PUC-RIO, p. 18. Ver também FILHO, Gisálio Cerqueira e NEDER, Gizlene. Idéias Jurídicas e Pensamento Político no Brasil entre Dois Catolicismos: Ultramontanismo *versus* Catolicismo Ilustrado In Anais do II Encontro Anual do Instituto Brasileiro de História do Direito, Niterói, RJ, 9/12 de agosto de 2006. Também no meu livro nota 251.

de Moro de se fingir modesto, soltar informações todo o tempo e criar uma falsa figura de discrição em relação a entrevistas. De vazar telefonemas e fingir pedir desculpas a Zavascki, e anos depois de sua morte defender o vazamento que fez[331], de ocultar suas arbitrariedades manipulando e prestando informações falsas ao Supremo.

José Luís Costa publicou, no *site* GaúchaZH, o artigo "A História de Sérgio Moro, o juiz que sacudiu o Brasil com a Lava Jato". A formação e a trajetória do magistrado paranaense que se tornou herói para uns e vilão para outros à frente de uma das maiores investigações judiciais do país[332]. O texto afirma que Moro "se espelhou na mãe, voluntária da primeira fila na Igreja Católica, preparando catequistas e distribuindo alimentos a necessitados – gesto que repete até hoje, aos 70 anos, além de ir à missa quase todos os dias". A professora de português Odete Starki Moro informa que: "Por 13 anos – desde a Educação Infantil, Moro frequentou o Colégio Santa Cruz, um dos mais conceituados de Maringá, pertencente à Associação Civil Carmelitas da Caridade".

Outras partes desse texto podem ser analisadas no capítulo sobre a família Lava Jato. Aqui interessa sua religiosidade. Renan Antunes de Oliveira escreveu "Retrato de Sérgio Moro quando jovem"[333], iniciando a descrição do ex-juiz assim:

> Nascido em berço de ouro. Educado dos 6 aos 16 por freiras carmelitas espanholas. Andou de busão pela primeira vez aos

---

[331] **Roda Viva | Sérgio Moro | 20/01/2020.** Disponível em: https://www.youtube.com/watch?v=a6pJr7XdaiY e https://www.youtube.com/watch?v=DD9TUAouRQU.

[332] **A história de Sergio Moro, o juiz que sacudiu o Brasil com a Lava Jato.** A formação e a trajetória do magistrado paranaense que se tornou herói para uns e vilão para outros à frente de uma das maiores investigações judiciais do país. Disponível em: https://gauchazh. clicrbs.com.br/geral/noticia/2016/04/a-historia-de-sergio-moro-o-juiz-que-sacudiu-o-brasil-com-a-lava-jato-5784184.html.

[333] **Retrato de Sérgio Moro quando jovem.** Por Renan Antunes de Oliveira. Publicado por Diário do Centro do Mundo. 25 de dezembro de 2017. Disponível em: https://www. diariodocentrodomundo.com.br/retrato-de-sergio-moro-quando-jovem-por-renan-antunes-de-oliveira/.

18. Até quase 30 não sabia o que era um pobre. Idolatrava o pai, um professor apoiador da ditadura e militante do PSDB.

Parte da estratégia de fingimento e ocultação do ex-juiz estava em aparecer, vazar para a mídia seus casos, ludibriar o que se oculta. O jornalista descreve Moro como discreto:

> Moro raramente dá entrevistas. Ele dificulta qualquer investigação sobre sua vida privada, revelando uma obsessão pelo impossível: manter-se fora da mídia, num momento em que todos os holofotes estão voltados para seu gabinete.
>
> Amigos e familiares admitiram estar orientados para manter silêncio. Aqueles que falam qualquer coisinha recebem broncas.
>
> A um juiz federal ele pediu para retirar fotos do Instagram onde aparecia de camiseta vermelha e tomando cerveja. E conseguiu deletar a maioria das fotos antigas – a que ilustra esta reportagem é do álbum de uma colega de faculdade não alcançada pela vigilância dele.
>
> (…) Parece que o faz para copiar o estilo do pai, Dalton.
>
> Este foi descrito por amigos como tendo sido um homem discreto, modesto, eficiente, legalista, focado na família e no trabalho de professor – no cemitério local tudo o que está escrito sobre ele cabe em meia linha: "Dalton Áureo Moro 1934-2005."

O jornalista descreve que Moro teve a personalidade "moldada pela carolice da mãe e pelo jeitão autoritário do pai", que ocupava um cargo público nomeado por políticos da Arena, partido que apoiava o regime militar. Cresceu como classe média alta e frequentador do Country Club de cidade interiorana.

Outro trecho da reportagem passa a ser uma extraordinária chave para compreensão de Moro, da Lava Jato e das suas ideias autoritárias e ilusórias. A chave no "Caminho da Perfeição":

CDF EM COLÉGIO DE FREIRAS

Mesmo sendo formada em Letras e lecionando em escola pública, Odete confiou a educação do filho às freiras carmelitas espanholas da escola particular católica Santa Cruz.

Nascida Starki, de origem alemã, ela é muito carola. Hoje aposentada, Odete é ministra da eucaristia da igreja matriz, ajudando nas missas e auxiliando inválidos em asilos.

(...)

CAMINHO DA PERFEIÇÃO

Sérgio Fernando entrou aos 6 anos na Escola Santa Cruz "para receber educação católica". Os princípios da escola se baseiam nos ensinamentos de duas freiras espanholas, ambas canonizadas, Santa Teresa de Ávila e Santa Joaquina de Vedruna. Em sua obra Teresa gostava muito de citar os mártires da Igreja. Seu objetivo era buscar "o caminho da perfeição". Joaquina ainda hoje é reverenciada nas orações dos estudantes da Escola Santa Cruz – ela parece ter recebido um milagre, porque mesmo sem qualquer tratamento químico seu cadáver não apodreceu. Exposta numa urna em Barcelona, surpreende cientistas e deslumbra turistas.

Nos seus 10 anos de educação católica Sérgio sempre foi CDF. Seu boletim só tem O e B, de ótimo e bom. E nenhuma mancha. Colegas o descreveram como "inteligente" e "obediente", sem notar nada mais expressivo. Apesar de ser uma coisa comum entre crianças e adolescentes, ele não teve nenhuma traquinagem conhecida.

No livro *Poder e Saber – Campo Jurídico e Ideologia*, dizemos que a "obediência e a submissão intelectual são um *habitus* desta intelectualidade, na qual existem o sentimento e o desejo de obedecer e de se submeter ao censor, como poder e autoridade do dono do saber[334]. Este sentimento soma-se à busca da perfeição por meio, também, da lei perfeita, em especial a Lei Maior, um viés de Direito Constitucional[335], uma razão universal expressa na lei".

Afirmei ainda: "Isto, porém, se deu no âmbito de um direito tomista que nega o indivíduo, ou o individualismo, tornando tudo hierarquizado, acomodando as 'partes' do 'todo' de forma ordenada e 'harmônica'. O todo, para o tomismo, significa o perfeito, trazendo consigo a ideia de 'condições ideais'. Para Santo Tomás, em sua Suma Teológica, o indivíduo, ou a família, está relacionado a toda a sociedade. 'O bem de um único homem não é o fim último, mas está relacionado ao bem comum. Paralelamente, o bem de uma casa está relacionado ao bem da cidade, que constitui a comunidade perfeita'[336]."

Afirmei ainda: "A ideia de perfeição desdobra-se em duas hipóteses, a aspiração pela obra perfeita em toda plenitude divina, ao mesmo tempo em que a própria ciência busca atingir uma verdade que ideologicamente aproxima-se do tomismo. Este sentimento da busca pelo perfeito atinge as manifestações do campo jurídico (legisladores, magistrados, procuradores, promotores, advogados). Soma-se a isso a reificação ideológica da superioridade e perfeição do saber jurídico diante de outros campos do saber, como se inatingível para o 'comum, pairando a sacralização do poder-saber'".

Gizlene destaca o "lugar máximo da idealização, por meio dos atributos de perfeição, neutralidade, universalidade da lei, responsável

---

[334] LEGENDRE, Pierre. *O amor do censor* – ensaio sobre a ordem dogmática, Rio de Janeiro, Forense-Universitária/Colégio Freudiano do Rio de Janeiro *apud* NEDER, Gizlene. *Op. cit.*, p. 20.

[335] NEDER, Gizlene. *Op. cit.*, p. 61. Também meu livro.

[336] NEDER, Gizlene. *Op. cit.*, p. 64.

pela construção do mito do super-homem"[337]. Certamente, a fantasia de controle político e social absoluto, parte do absolutismo ilustrado, soma-se a esta ideia de perfeição[338].

Em maio de 2018, Sérgio Moro é homenageado na Universidade de Notre Dame, nos Estados Unidos. Parece um coroamento de suas ligações americanas, mas também não é à toa que a *University of Notre Dame du Lac*, em inglês, uma universidade particular católica americana, é vinculada à Congregação de Santa Cruz, a mesma do colégio que ingressou quando tinha 6 anos.

Homenagem na Universidade de Notre Dame, em South Bend, Indiana, EUA

O discurso de Moro para os formandos na Notre Dame foi postado na página de Jair Bolsonaro[339] #NASRUAS. Após agradecer o convite e falar do sacrifício dos pais para formar os filhos e o orgulho

---

[337] A nota destaca o trabalho comum de Gizlene e Gisálio, *Emotion in motion*.

[338] NEDER, Gizlene. *Op. cit.*, p. 114.

[339] **Discurso do Juiz Sergio Moro na University of Notre Dame nos Estados Unidos.** Disponível em: https://www.youtube.com/watch?v=xqVHsblY-cw.

da vitória da formatura que também seria vitória dos pais, revela que também é pai e tem uma filha estudante de Direito. Ele se pergunta o que um juiz de um país latino-americano tem a ver com uma cerimônia nos Estados Unidos. Depois de reflexão chegou à conclusão que o mundo seria pequeno. Diz que trabalhou em casos complexos de corrupção no Brasil e que foi influenciado por pessoas além do Brasil destacando o juiz italiano Giovanni Falconi, que teria lutado contra a máfia. Que nessa cruzada em que morriam juízes, promotores chegaram a matar um general do exército. Mas com coragem do juiz e dos colegas teria dado um fim à máfia, desembocando em 1987 em 344 condenações. Moro diz que leu em um livro de um juiz sobre a admiração pelas leis dos Estados Unidos contra as organizações criminosas e como as leis de 1982 na Itália teriam sido influenciadas pelo *Rico Act – Racketeer Influenced and Corrupt Organizations Act*[340], e o que tornaria o mundo pequeno seria que o ato foi esboçado por um graduado na Notre Dame, George Robert Blaykey, e a partir daí passa a enaltecer a *Rico Act* que teria ajudado a desmantelar a máfia de cinco famílias de Nova York.

E a partir daí passou a sustentar que a Lei 12.850/13 teria sido influenciada pela legislação americana e permitiu a Lava Jato. Para ele, isso significa "que tudo está concectado em um pequeno mundo". Assim, os alunos poderiam ter a expectativa de que o que fizessem nos Estados Unidos, e de forma mais específica na Notre Dame, poderia ter um impacto mundial. "Isso torna a responsabilidade de vocês ainda maior", afirmava Moro. Terminada essa fase do discurso, Moro diz que passa a falar sobre o Brasil e seu trabalho.

Moro explica que o Brasil é o maior país da América Latina e a oitava economia mundial e teria muito em comum com os Estados Unidos. "Afinal, nós somos americanos no novo mundo." Após, passa a fazer uma retrospectiva de que o Brasil teria obtido a

---

[340] **Racketeer influenciado e Corrupt Organizations (RICO) Act.** Disponível em: https://en.wikipedia.org/wiki/Racketeer_Influenced_and_Corrupt_Organizations_Act.

GEOPOLÍTICA DA
INTERVENÇÃO

independência em 1822 enquanto os EUA, em 1776. Ambos os países teriam sofrido com a escravidão no século XIX, e ambos receberam imigrantes de vários lugares do mundo. Que a democracia brasileira não seria tão antiga como a americana. "Para ser honesto, sofremos várias ditaduras, terminando a última em 1985, e a partir de então os brasileiros conquistaram suas liberdades e os mesmos sonhos de liberdade e igualdade." Mas que teríamos cometido uma série de erros e falhamos em evitar o mau uso e abuso de poder público para interesses privados, e isso causou uma corrupção endêmica ou quase sistêmica. Mas, em 2014, uma investigação gigante, sob sua jurisdição, teria mudado e diferentemente vários crimisosos e políticos teriam sido processados e 157 condenados de empresas brasileiras de construção e da Petrobras, ex-governadores, ex-deputados e até um ex-presidente. E que as empresas brasileiras teriam corrompido outros países na América Latina, que isso teria gerado uma onda anticorrupção na América Latina. Mesmo no mundo como teria ocorrido com os ex-presidentes da África do Sul e Coreia do Sul.

Após todos esses autoelogios, diz que ele é somente uma de muitas pessoas trabalhando nessas investigações, um produto e trabalho institucional de juízes, promotores e policiais. Que lutam contra os poderosos e numerosos corruptos. Que os processos estavam em andamento e com apoio da população brasileira. Que em 2015 milhões de brasileiros foram às ruas protestar contra as corrupção e a Lava Jato. Que 84% dos brasileiros apoiariam a Lava Jato, apesar de ser uma vergonha, mas olhando de outra forma descobrir a corrupção não seria uma vergonha, mas uma honra segundo as palavras de Theodore Roosevelt. Que os brasileiros não querem ser conhecidos como país para corrupção, mas por uma democracia forte.

Mas isso tudo o ensinou, como juiz, a nunca desistir de uma luta por uma boa causa. "Não há muito tempo a corrupção parecia invencível. Para alguns, era um destino natural, uma doença tropical, mas na verdade o resultado de fraqueza institucional." Que não sabe o que ocorreria no Brasil, que poderia ter retrocessos, mas que acreditava que pelo menos deram uma chance ao Brasil ser um país melhor, e o que importava era por que lutava. A partir daí volta a cumprimentar a todos pela formatura, esperando que todos sejam felizes, mas que nenhuma pessoa nasce para si mesma.

E faz uma observação de que a igualdade, também como a lei, está acima de tudo. Parafraseia Thomas Miller dizendo que você nunca estará tão acima que a lei estará abaixo de você. É isso que tornaria uma democracia.

Moro é convidado pela universidade em razão dos serviços prestados nas relações com os americanos e por suas raízes católicas. Não é o mundo que é pequeno, mas sua visão de mundo. Não são coincidências que o levam a Notre Dame nem suas citações. Mesmo que ele próprio não perceba. Um exemplo é sua ligação despercebida com George Robert Blaykey. De uma família católica irlandesa, além de formado na Universidade, a ela volta já no fim da carreira, com 80 anos, e em 2013 "concordou em aceitar a censura do D.C. Office of Bar Counsel, relacionado a acusações feitas contra ele pela divulgação de documentos confidenciais da empresa General Electric. A advogada denunciante de Washington D.C., Lynne Bernabei, e a ex-aluna de Blakey (e ex-advogada da General Electric) Adriana Koeck apresentaram as acusações em relação aos documentos internos da General Electric que haviam compartilhado com Blakey, e que posteriormente ele deu a um repórter de *The New York Times*, bem como à Comissão de Valores Mobiliários dos Estados Unidos e aos promotores federais". Sua justificativa para vazar para imprensa documento de clientes foi que "estavam cobertos por uma exceção de crime/fraude às regras que proíbem advogados de divulgar informações confidenciais dos clientes".

Para o juiz que "vazava como peneira", a citação do professor condenado eticamente não é à toa. Também as participações na Suprema Corte Americana de Blakey não são das melhores. No caso Berger v. Nova York (1967), em que a Suprema Corte dos Estados

Unidos invalida uma lei de Nova York que descumpriu a Quarta Emenda, porque o estatuto autorizava a espionagem eletrônica sem salvaguardas processuais exigidas, apresentou uma petição em nome dos procuradores-gerais de Massachusetts e Oregon e da Associação Nacional de Procuradores Distritais. Usando a lei que o Supremo invalidou, o escritório de advogado Ralph Berger foi inteceptado por dois meses. Em uma opinião escrita pelo juiz Tom C. Clark, a Suprema Corte dos Estados Unidos decidiu que a seção 813-a violava a Quarta Emenda.

Outro caso foi o Scheidler vs. Organização Nacional para as Mulheres, 547 US 9 (2006). Ele argumentou em nome do ativista pró-vida Joseph Scheidler. Na realidade, o professor católico se posicionava a favor da utilização do Rico Act contra uma organização nacional sem fins lucrativos que apoia a disponibilidade legal de abortos e duas clínicas de saúde que realizam abortos. A organização feminina, os peticionários, indivíduos e organizações que se opõem ao aborto legal se envolveram em uma conspiração nacional para encerrar as clínicas de aborto por violência e outros atos ilegais

O júri concluiu que os peticionários violavam as disposições civis do Rico, a Lei Hobbs e outras leis relacionadas à extorsão. Em Scheidler vs. Organização Nacional para as Mulheres, Inc., 537 U.S. 393 (NOW II), este Tribunal reverteu a afirmação do Sétimo Circuito da concessão de indenização pelo júri e a emissão pelo Tribunal Distrital de uma liminar permanente nacional.

Com a ideia de que somos todos americanos, dita por Moro, ou ele desconhece intelectualmente a Doutrina Monroe da América para os americanos, ou simplesmente emocionalmente se toma pelo desejo de ser efetivamente americano e desconhece as gigantes diferenças dos anglo-saxônicos para nossas origens portuguesas. A frase "Não há muito tempo a corrupção parecia invencível. Para alguns, era um destino natural, uma doença tropical, mas na verdade o resultado de fraqueza institucional" é mais que sintomática. Primeiramente, o coloca como o sujeito do seu espelho que livrou o Brasil de um determinismo geográfico. Ele e Moro e a Lava Jato na sua fantasia egocentrista de perfeição o tornaram americanos.

Acima de tudo, a ideia de que está em uma missão divina, tal qual seus dois idealizados (o juiz italiano Giovanni Falconi e George Robert Blaykey) em uma cruzada contra o mal, representada pelo crime organizado, pela Máfia, títulos que ele atribui a todos aqueles que viram réus em suas ações.

Essa pureza fajuta e idealizada oculta que na mesma viagem a Notre Dame teve palestra custeada pelo escritório de advocacia Nelson Willians que havia conseguido o contrato de partido para a Petrobras e pelo Banco do Brasil após o *impeachment*[341]. Também de ter passado anos recebendo auxílio habitação tendo casa própria[342]. Atitude imoral que ofende o teto constitucional dos juízes que ao defenderem justificam suas improbidades. Assim como Bretas, casado com uma juíza e com casa própria na frente da Lagoa Rodrigo de Freitas e uma casa em Itaipava de 600m^2, usou medidas judiciais aos seus próprios pares para manter essa imoralidade[343]. Um pecado evidente cometido também pelo procurador Dallagnol. Além de pecado, um consumo de verbas públicas por uma parcela da magistratura desviando do destino que poderia estar sendo dado à população.

---

[341] CARVALHO, Joaquim de. **Exclusivo: Palestra de Moro em Nova York foi bancada por escritório contratado pela Petrobras.** – 22 de maio de 2018. Disponível em: https://www.diariodocentrodomundo.com.br/exclusivo-palestra-de-moro-em-nova-york-foi-bancada-por-escritorio-contratado-pela-petrobras-por-joaquim-de-carvalho/.

[342] ALBUQUERQUE, Ana Luiza. **Moro tem imóvel em Curitiba, mas recebe auxílio-moradia.** Tribunal declara que pagamento segue legislação. Disponível em: https://www1.folha.uol.com.br/poder/2018/02/moro-tem-imovel-em-curitiba-mas-recebe-auxilio-moradia.shtml.

[343] À VENDA – **Descobrimos a mansão de R$ 5,8 mi dos juízes Bretas, que entraram na Justiça por auxílio-moradia.** Disponível em: https://theintercept.com/2018/09/05/mansao-bretas-juizes-auxilio-moradia/.

18. Os Laços da Família Lava Jato

Raymundo Faoro destacou que "o governo prepara escolas para criar letrados e bacharéis que se incorporam à burocracia, regulando a educação, de acordo com os seus fins. Está para ser escrito um estudo acerca da 'paideia' do homem brasileiro, amadurecido na estufa de um Estado de funcionário público".

No livro *Poder e Saber – Campo Jurídico e Ideologia*, tratamos das estratégias de formação dos juristas e dos conflitos de pensamento, inicialmente de origem religiosa entre as duas primeiras faculdades (as raízes beneditinas, da faculdade de Direito do Recife; e as franciscanas, da faculdade de Direito de São Paulo)[344], que irão influenciar uma linha tecnicista da faculdade de São Paulo *versus* a do Recife. A influência dessas escolas vai se propagar pelo país, mas serão mais abertas as que forem influenciadas pela escola do Recife, e mais dogmáticas as influenciadas pela escola de São Paulo. Ainda, a estratégia de poder da reforma universitária de 1930, feita pelo primeiro ministro da Educação de Getúlio Vargas, Francisco Campos, visou a separar totalmente a possibilidade de uma faculdade de Direito que se aproximasse ou fosse berço das ciências humanas como História, Sociologia, Geografia. Campos

---

[344] FERNANDES, Fernando Augusto. *Poder e saber – Campo Jurídico e Ideologia*, pág. 13.

será o ministro da Justiça do Estado Novo e o redator do Ato Institucional número 1.

Se na formação brasileira a oligarquia preparava alguns dos filhos para os cargos de poder no Judiciário e as relações de poder estavam, portanto, ligadas diretamente ao mundo político e financeiro, pode-se verificar que o grupo de funcionários públicos do Judiciário passou a exercer um poder próprio, formado ideologicamente pelas faculdades com permanências históricas e oriundas, na maior parte das vezes, de famílias que já vinham exercendo cargos de juízes e promotores havia gerações.

Fernando Fontainha, que é professor de Ciência Política na Universidade do Estado do Rio de Janeiro (UERJ) e foi da Fundação Getúlio Vargas (FGV), fala em "oligarquia decadente". A indústria milionária de concursos públicos mantém a desigualdade e prepara aqueles que vêm da classe média para exercer os cargos[345].

Sobre a Lava Jato, os professores Ricardo Costa de Oliveira, José Marciano Monteiro, Mônica Helena Harrich Silva Goulart e Ana Christina Vanali fizeram um trabalho intitulado "Prosopografia familiar da operação 'Lava Jato' e do Ministério Temer"[346]. O trabalho visa a auxiliar e identificar os valores construídos desde a infância e reforçados nos espaços escolares, nos espaços de sociabilidades frequentados, levantando questões como: Quais as matrizes de percepções destes agentes, observando a condição e a posição de classe que ocupam na estrutura social? Quais suas trajetórias e em que espaços foram formados? Percebendo-se como agentes de uma operação como a Lava Jato, agem de acordo com interesses

---

[345] **"Concurso público é uma máquina de injustiça social".** Autor de estudo que critica os métodos de seleção de funcionários públicos no país, Professor da FGV propõe o fim das provas de múltipla escolha e das taxas de inscrição. Por Taís Laporta – iG São Paulo | 15 de setembro de 2019. Disponível em: https://economia.ig.com.br/carreiras/2014-09-15/concurso-publico-e-uma-maquina-de-injustica-social.html.

[346] **PROSOPOGRAFIA FAMILIAR DA OPERAÇÃO "LAVA JATO" E DO MINISTÉRIO TEMER.** Disponível em: https://revistas.ufpr.br/nep/article/view/55093/33455.

construídos no decorrer de sua formação, o que possibilita, em certo sentido, desmistificar "o mito das decisões neutras" e de um sistema de justiça que atua em consonância com o "princípio da imparcialidade". O trabalho, citando tese de doutorado de Almeida, identifica três elites jurídicas no Brasil:

> Na pesquisa realizada por Almeida (2010)[347] é possível identificar três elites políticas que têm em comum a origem social, as universidades e as trajetórias profissionais. Segundo Almeida (2010, p. 38), todos os juristas que formam esses três grupos provêm da elite ou da classe média em ascensão e de faculdades de Direito tradicionais, como a Faculdade de Direito (FD) da USP, a Universidade Federal de Pernambuco e, em segundo plano, as Pontifícias Universidades Católicas (PUCs) e as Universidades Federais e Estaduais da década de 1960. Ao lançarmos o olhar sobre a "elite" responsável pela Operação Lava Jato, veremos que sua formação tem vinculação, em termos de graduação, no Brasil e com especial destaque para as Universidades situadas no eixo sul-sudeste, com destaque a Universidade Federal do Paraná. Porém, em termos de pós-graduação, o núcleo duro da operação realiza formação no Brasil e no exterior, com especial destaque para formações em universidades de língua inglesa.

O trabalho afirma que "(...) o sistema de justiça e, mais especificamente, os poderes que constituem o Judiciário são atravessados por disputas e interesses de classes, no sentido de disputa política pelo controle da administração do sistema judiciário no Brasil". Segundo o autor, no STF, sete dos onze ministros têm parentes como

---

[347] ALMEIDA, Frederico Normanha Ribeiro de (2010). *A nobreza togada: as elites jurídicas e a política da Justiça no Brasil*. Tese de Doutorado em Ciência Política. Universidade de São Paulo. 2010. Disponível em: https://www.teses.usp.br/teses/disponiveis/8/8131/tde-08102010-143600/pt-br.php.

donos, administradores ou funcionários de grandes escritórios de advocacia, aponta levantamento do *site* Poder 360. O ministro Fux tem uma filha advogada que trabalhava em um grande escritório até o ano passado, quando deixou o posto para virar desembargadora no Tribunal de Justiça do Rio de Janeiro, sob questionamento formal de que não tinha qualificações para tanto e suspeitas de influência de seu pai na nomeação. Assim, esse tipo de suspeita está disseminada por praticamente todos os níveis do Judiciário nacional.

Não é o único.

Quanto à "Operação Lava Jato – 14 procuradores do Ministério Público Federal, 8 delegados da Polícia Federal, o juiz Sérgio Moro e o procurador-geral da República Rodrigo Janot Monteiro de Barros" compõem a equipe. "A força-tarefa da Lava Jato compreende cerca de 22 membros: o juiz titular Sérgio Fernando Moro, da primeira instância da Justiça Federal do Paraná, os 14 membros designados pelo procurador-geral da República, Rodrigo Janot, pelo Ministério Público: Deltan Martinazzo Dallagnol (coordenador), Antônio Carlos Welter, Carlos Fernando dos Santos Lima, Januário Paludo, Orlando Martello Junior, Athayde Ribeiro Costa, Diogo Castor de Mattos, Roberson Henrique Pozzobon, Paulo Roberto Galvão de Carvalho, Júlio Carlos Motta Noronha, Jerusa Burmann Viecili, Isabel Cristina Groba Vieira, Laura Gonçalves Tessler; e Andrey Borges de Mendonça que já integrou a equipe e atua como colaborador. E 8 (oito) delegados da Polícia Federal: Marcio Adriano Anselmo, Igor Romário de Paula, Erika Mialik Marena, Eduardo Mauat da Silva, Renata Rodrigues, Luciano Flores, Ivan Ziolkowski e Felipe Hayashi".

O trabalho apresenta um relato sobre o círculo familiar de Sérgio Moro, a respeito do qual já nos dedicamos no capítulo *Religião*, desta obra. Pode-se completar que: "A genealogia política básica de Rosângela Maria Wolff de Quadros Moro a insere na grande família do poder, no Centro Cívico de Curitiba. A classe dominante do Paraná tradicional é uma grande estrutura de parentesco, quase sempre com as mesmas famílias da elite estatal ocupando simultaneamente os poderes Executivo, Legislativo e Judiciário. Rosângela Moro é prima do prefeito Rafael Greca de Macedo".

Ainda que Moro e Wolff sejam membros de famílias imigrantes e conseguiram entrar para o Poder Judiciário, têm parentes desembargadores. Do lado de Wolff, os desembargadores Haroldo Bernardo da Silva Wolff e Fernando Paulino da Silva Wolff Filho; e do lado de Moro, o desembargador Hildebrando Moro. Outro parente influente de Rosângela é Luiz Fernando Wolff de Carvalho, do grupo Triunfo, bastante ativo nas atividades empresariais e na política regional, sempre envolvido com problemas jurídicos. A família Wolff dominou por muitos anos a prefeitura de São Mateus do Sul, no interior do Paraná.

Dos membros do Ministério Público, vale destacar que Carlos Fernando dos Santos Lima é considerado o estrategista da investigação. Estudou no Colégio Santa Maria, graduou-se na Faculdade de Direito de Curitiba; e entre 1978 e 1991 foi escriturário do Banco do Brasil e promotor de Justiça do MP-PR entre 1991 e 1995. Desde então, é procurador regional da República e foi membro da força-tarefa no caso Banestado. Fez mestrado na Cornell Law School em 2008 e 2009. O procurador Carlos Fernando dos Santos Lima é filho do deputado estadual da Arena Osvaldo dos Santos Lima, promotor, vice-prefeito em Apucarana e presidente da Assembleia Legislativa do Paraná, em 1973. O avô Luiz dos Santos Lima foi comerciante e juiz em São Mateus do Sul, à época do coronelismo local.

Por se tratar de uma família de procuradores, na posse de seu irmão Paulo Ovídio dos Santos Lima como procurador de Justiça no MP-PR em 2015, a cerimônia foi presidida pelo procurador-geral de Justiça Gilberto Giacoia, que destacou a história da família Santos Lima referindo-se ao pai, Osvaldo (*in memoriam*) e ao irmão Luiz José, que foram procuradores de Justiça do MP-PR; e ao irmão Carlos Fernando, procurador da República com atuação na força-tarefa da Lava Jato, do MPF.

Já o procurador Deltan Dallagnol nasceu em Pato Branco (PR), em 1980, filho do procurador de Justiça Agenor Dallagnol e membro da igreja Batista. Tal como nos outros dois casos, verificamos uma reprodução dentro da elite estatal, com os filhos preservando, muitas vezes, os valores e as ideologias dos pais na década de 1970, época de autoritarismo e justiça de exceção. A mentalidade colonizada, subalterna e entreguista persiste.

Vários pontos podem ligar pela origem os atores da Operação Lava Jato. No STF, o ministro Zavascki, que atuou até seu falecimento em Paraty (RJ) em 19 de janeiro de 1917, é do Sul do país. Nasceu em 15 de agosto de 1948 em Faxinal dos Guedes (SC)[348]. Formado em Direito em 1971 pela Universidade Federal do Rio Grande do Sul ingressou, em março de 1989, por meio do quinto constitucional, em vaga destinada a advogado e tomou posse como desembargador no Tribunal Regional Federal da 4ª Região. Em dezembro de 2002, foi indicado por Fernando Henrique Cardoso para o cargo de ministro do Superior Tribunal de Justiça (STJ) sendo então nomeado por Luiz Inácio Lula da Silva, tomando posse em 8 de maio de 2003[349]. Foi casado e ficou viúvo em 2013, após sua esposa, a juíza federal do Tribunal Regional Federal da 4ª Região, Maria Helena de Castro[350], falecer por causa de um câncer[351].

---

[348] **Na juventude, Teori Zavascki era austero com gastos.** Disponível em: https://www1.folha.uol.com.br/poder/2017/01/1852011-na-juventude-teori-zavascki-era-austero-com-gastos.shtml.

[349] Biografia disponível em: https://pt.wikipedia.org/wiki/Teori_Zavascki.

[350] Natural de Porto Alegre (RS), Maria Helena iniciou sua carreira na magistratura federal em agosto de 2002, na Vara Federal de Santana do Livramento (RS), onde atuou por quatro meses. Nos três anos seguintes, construiu carreira na 1ª Vara Federal de Criciúma (SC). Em maio de 2005, foi removida para a 1ª Vara Federal de Porto Alegre, onde permaneceu.

[351] FGV – CPDOC. Disponível em: http://www.fgv.br/cpdoc/acervo/dicionarios/verbete-biografico/teori-albino-zavascki.

Alguns detalhes importantes: o ministro era filho de Severino Zavascki[352], descendente de poloneses; e Pia Maria Fontan[353], descendente de italianos[354], considerado um magistrado com perfil *low-profile*[355], "discreto" e "técnico"[356]. Zavascki saiu de casa ainda menino, aos 11 anos, e foi estudar no seminário de Chapecó (SC), para ser padre. Já havia estudado em colégio coordenado por freiras[357]. Gostava dos livros e era sempre muito concentrado nos estudos. Deixou o sítio da família para viver no colégio religioso e só voltava nos fins de semana para rever os parentes e amigos[358]. Era tido por colegas da Magistratura e do Direito, e por amigos e familiares, como um julgador rigoroso na observância da vontade do legislador, um "linha-dura constitucional"[359]. Zavascki, após se separar da advogada Liana Maria Prehn Zavascki casou-se com Maria Helena Marques de Castro Zavascki; iniciou sua carreira na magistratura federal em agosto de 2002[360].

---

[352] Documentário sobre a vida de Teori Tempo e história. 21 de janeiro de 2018. TV Justiça. Disponível em: https://www.youtube.com/watch?v=ocYQtsQeAtA. O ministro Barroso afirma no documentário que combinou a estratégia sobre a mudança de jurisprudência sobre presunção da inocência.

[353] Faleceu com 101 anos em 2016. Matéria disponível em: http://www.tudosobrexanxere.com.br/index.php/desc_noticias/morre_em_faxinal_maee_do_ministro_do_stf_teori_zavascki.

[354] **Teori Zavascki, um retrato do estudante que deixou Santa Catarina para ser ministro do STF.** A TV Justiça retoma o programa. Disponível em: http://www.tvjustica.jus.br/index/detalhar-noticia/noticia/367289.

[355] **Luto: veja a trajetória do ministro do Supremo Tribunal Federal Teori Zavascki.** Último Segundo – iG São Paulo. 19 de janeiro de 2017. Disponível em: https://ultimosegundo.ig.com.br/politica/2017-01-19/ministro-teori-albino-zavascki.html.

[356] **O ministro e a lista: 'discreto' e 'técnico', Teori Zavascki decide sobre sigilo.** Luís Guilherme BarruchoDa BBC Brasil em São Paulo. Disponível em: https://www.bbc.com/portuguese/noticias/2015/03/150306_zavascki_perfil_lgb.

[357] Documentário TV Justiça.

[358] **Saiba mais sobre Teori Zavascki, o poderoso do Supremo.** Por Redação *O Sul* | 29 de março de 2016. Disponível em: https://www.osul.com.br/saiba-mais-sobre-teori-zavascki-o-poderoso-do-supremo/.

[359] https://www.osul.com.br/saiba-mais-sobre-teori-zavascki-o-poderoso-do-supremo/.

[360] **Morre mulher do ministro do STF Teori Zavascki.** Maria Helena Zavascki era juíza federal aposentada e enfrentava câncer. Velório ocorre em Porto Alegre; Joaquim Barbosa divulgou nota de pesar. Disponível em: http://g1.globo.com/politica/noticia/2013/08/morre-mulher-do-ministro-do-stf-teori-zavascki.html.

A substituição de Zavascki no STF não foi por distribuição, o que seria a norma constitucional, mas pela mudança de turma para a cadeira de Edson Fachin, paranaense, católico praticante[361] e também de descendência italiana[362]. Nascido em 8 de fevereiro de 1958, no município de Rondinha (RS), aos 17 anos, Fachin passou a viver em Curitiba (PR), onde se formou em Direito pela Universidade Federal do Paraná (UFPR), em 1980[363]. Não foge à regra, casou-se com Rosana Amara Girardi Fachin, desembargadora do Tribunal de Justiça do Paraná, com quem teve duas filhas.

Em razão das relações pessoais e visão de mundo que se percebem nas entrelinhas e o apoio de Zavascki às ilegalidades da Lava Jato, a Vaza Jato divulgou matéria importante cuja manchete foi: "Lava Jato levou ministro do STF a manter empreiteiros presos para fechar delação. Teori engavetou *habeas corpus* após dar aval à prisão domiciliar de executivos da Andrade Gutierrez em 2016, mostram mensagens".

A matéria traz mensagens trocadas entre procuradores, revelando que Zavascki se comprometeu a atrasar e arquivar *habeas corpus* de executivos presos para que o MP conseguisse chegar ao acordo de delação premiada[364].

Quem permitiu a mudança de Fachin para a cadeira do falecido ministro Zavascki para assumir a Lava Jato, sem distribuição, foi a

---

[361] **Saiba quem é e o que pensa Luiz Edson Fachin, novo ministro do STF.** Ele é reconhecido no meio jurídico por atuação no direito civil e de família. Católico, é casado com desembargadora e possui escritório de advocacia. Por Renan Ramalho. Do G1, em Brasília. Disponível em: http://g1.globo.com/politica/noticia/2015/05/saiba-quem-e-e-o-que-pensa-luiz-edson-fachin-indicado-para-o-stf.html.

[362] PEREIRA, Rodrigo da Cunha. **Luiz Edson Fachin representa uma nova luz para o Supremo.** 19 de abril de 2015. Disponível em: https://www.conjur.com.br/2015-abr-19/processo-familiar-luiz-edson-fachin-representa-luz-supremo.

[363] FGV – CPDOC. Disponível em: http://www.fgv.br/cpdoc/acervo/dicionarios/verbete-biografico/luiz-edson-fachin.

[364] **Lava Jato levou ministro do STF a manter empreiteiros presos para fechar delação** Teori engavetou *habeas corpus* após dar aval à prisão domiciliar de executivos da Andrade Gutierrez em 2016, mostram mensagens. Ricardo Balthazar, da *Folha*. Rafael Neves, do *The Intercept Brasil*. Disponível em: https://www1.folha.uol.com.br/poder/2019/10/lava-jato-levou-ministro-do-stf-a-manter-empreiteiros-presos-para-fechar-delacao.shtml?origin=folha

ministra Cármen Lúcia. Nascida em 19 de abril de 1954 em Montes Claros (MG), a ministra viveu na pequena Espinosa, no norte de Minas Gerais, até ser mandada para um internato de freiras em Belo Horizonte, aos 10 anos. "Mas me deu disciplina. Não quero ser a Cármen. Quero ser a Justiça. Acho que acabei ficando com uma madre superiora dentro de mim", diz a ministra[365]. Outra frase sua é: "Peço todas as manhãs a Deus: Senhor, livra-me de mim". O texto de uma matéria mostra a ministra quase como freira:

> E os namoros? "Acabaram como tinham de acabar. A paixão pela minha vida foi maior do que uma paixão por um homem." Talvez, por isso, não tenha se casado, nem tido filhos? "Vejo as grandes mães que abrigam todos sob as suas asas, mas para mim não é colocar debaixo, é em cima das asas[366]."

O voto que manteve Lula na cadeia antes da eleição de Bolsonaro, mesmo tendo manifestado entendimento favorável ao recurso em liberdade antes do julgamento de *habeas corpus* do ex-presidente e posteriormente votado novamente pelo recurso em liberdade, foi de Rosa Maria Pires Weber, nascida em 2 de outubro de 1948 em Porto Alegre (RS). Weber ingressou na magistratura em 1976, por concurso, como juíza do Trabalho substituta. Em 1991, foi promovida para o segundo grau de jurisdição, tornando-se juíza do Tribunal Regional do Trabalho da 4ª Região. É casada com Telmo Candiota da Rosa Filho, procurador do Estado do Rio Grande do Sul, aposentado, com

---

[365] **"Tenho uma madre superiora dentro de mim", diz ministra Cármen Lúcia.** Maria Cristina Frias. Em Brasília 27/05/2012 10h00. Disponível em: https://www1.folha. uol.com.br/serafina/2012/06/1095486-tenho-uma-madre-superiora-dentro-de-mim-diz-ministra-carmen-lucia.shtml.

[366] Disponível em: https://www1.folha.uol.com.br/serafina/2012/06/1095486-tenho-uma-madre-superiora-dentro-de-mim-diz-ministra-carmen-lucia.shtml. Vale ler: Quem são as poderosas do jantar misterioso da ministra Cármen Lúcia. Disponível em: https://www. uol.com.br/universa/noticias/redacao/2017/10/04/quem-sao-as-poderosas-do-jantar-misterioso-da-ministra-carmen-lucia.htm?cmpid=copiaecola.

quem teve dois filhos[367]. São eles Mariana Pires Weber Candiota da Rosa e Demétrio Pires Weber Candiota da Rosa, que em 10 de julho de 2018 foi nomeado assessor da Secretaria de Previdência[368]. A ministra cursou o clássico no Instituto Nossa Senhora das Graças das Cônegas de Santo Agostinho[369].

No STJ, Felix Fischer, apesar de ser alemão, nascido em Hamburgo em 30 de agosto de 1947, tornou-se promotor de Justiça do Ministério Público do Paraná em 1974, sendo promovido a procurador de Justiça em 1990[370]. Também não foge à regra, com uma filha advogada e um filho desembargador no Paraná tendo ingressado pelo quinto constitucional. Percebe-se que a OAB tem servido para permitir a sucessão hereditária de filhos de ministros nos Tribunais[371], como é o caso do juiz João Fischer, filho de Felix Fischer.

As ligações não param. O enteado é Fernando Fischer, descrito como "alguém com um perfil bem parecido com o de Sérgio Moro, que sacudiu o Brasil e minimizou sobremaneira as ranhuras na imagem do Judiciário brasileiro. Como o colega da Lava Jato, Fischer, que está na faixa dos 40 anos e ganhou notoriedade ao mandar prender o ex-governador Beto Richa e outras 14 pessoas na operação Rádio Patrulha, é o típico magistrado discreto e sem medo de cara feia"[372]. É "filho da procuradora de Justiça Sônia Maria Bardelli Silva Fischer", casada com o ministro.

A 8ª Turma já havia analisado e negado pedidos de *habeas corpus* relacionados à Lava Jato. Quando da apelação de Lula havia

---

[367] Disponível em: http://web.archive.org/web/20150722134504/http://www.senado.gov.br/atividade/materia/getPDF.asp?t=40867&tp=1.

[368] Disponível em: http://www.in.gov.br/materia/-/asset_publisher/Kujrw0TZC2Mb/content/id/29500717/do2-2018-07-11-portaria-n-286-de-10-de-julho-de-2018-29500705.

[369] Consultor Jurídico. Disponível em: https://www.conjur.com.br/dl/sabatina-rosa-weber-senado-transcricao.pdf.

[370] Disponível em: https://pt.wikipedia.org/wiki/Felix_Fischer.

[371] Disponível em: https://www.tjpr.jus.br/desembargadores-tjpr-museu/-/asset_publisher/V8xr/content/des-octavio-campos-fischer/397262?inheritRedirect=false.

[372] Disponível em: https://www.alertaparana.com.br/noticia/2021/mais-um-juiz-linha-dura.

GEOPOLÍTICA DA INTERVENÇÃO

a composição de três desembargadores: Victor Luiz dos Santos Laus, Leandro Paulsen e João Pedro Gebran Neto[373].

João Pedro Gebran Neto, natural de Curitiba, é amigo de Sérgio Moro, de quem foi colega de mestrado na Universidade Federal do Paraná, no início dos anos 2000. Os dois foram orientados pelo mesmo professor, o renomado constitucionalista Clèmerson Merlin Clève. Ele lembra dos pupilos como "alunos singulares", dedicados e participativos. "Eles dominam o direito positivo, leram a melhor literatura jurídica, inclusive estrangeira, e conhecem o Direito Constitucional como poucos", me disse Clève, que vive em Curitiba. No seu discurso de posse, agradece: "Primeiro, àqueles que serviram de instrumento divino e me deram à luz: Maria de Lourdes e Antonio Gebran". É casado com Daniela Gebran, advogada, e tem como filhos João Guilherme e João Gabriel.

Na seção de agradecimentos do livro *A Aplicação Imediata dos Direitos e Garantias Individuais*, com base na sua tese de mestrado, Gebran descreve Moro como um "homem culto e perspicaz". "Nossa afinidade e amizade só fizeram crescer nesse período, sendo certo que [Moro] colaborou decisivamente com sugestões e críticas para o resultado deste trabalho", escreveu Gebran[374].

Leandro Paulsen iniciou a carreira como juiz federal aos 23 anos. Aos 30, já era diretor do Foro da Seção Judiciária do Rio Grande do Sul. Com 37, tornou-se juiz auxiliar da ministra Ellen Gracie, tendo atuado também no STF.

---

[373] Disponível em: https://www.conjur.com.br/2018-jan-20/conheca-desembargadores-julgarao-lula-trf.
As relações imbricadas podem ser percebidas no discurso de posse "... A segunda coincidência é a presença do Vice-Presidente do Superior Tribunal de Justiça, Ministro Gilson Langaro Dipp, que, no dia 6 de setembro do remoto ano de 1993, presidindo este Tribunal, deu posse aos três magistrados que hoje passam a integrar esta Corte. Menos de um mês depois, na instalação da Vara Federal de Cascavel, estava Vossa Excelência, com sua humildade e sua simplicidade, a jantar em minha casa. Na sua pessoa, Sr. Ministro, rendo minhas homenagens às autoridades já nominadas..." Disponível em: https://www2.trf4.jus.br/trf4/revistatrf4/arquivos/Rev84.pdf.

[374] Disponível em: https://piaui.folha.uol.com.br/eles-vao-julgar-lula/.

Victor dos Santos Laus, 54 anos, é filho de Linésio Laus, um advogado reconhecido em Balneário Camboriú (SC), que até 1964 atuava como superintendente federal da Fronteira Sudoeste, uma função de confiança do então presidente João Goulart. Seu bisavô materno, o desembargador Domingos Pacheco d'Ávila, foi um dos cofundadores do Tribunal de Justiça de Santa Catarina. Na sua posse, afirmou: "Sentimo-nos, além de profundamente lisonjeados, credenciados a tomar assento neste Plenário e, humildemente, pedimos a Deus que nos ilumine nessa nova tarefa, companhia, que somada à dos nossos pares, não olvidaremos um instante sequer em recorrer, a fim de que possamos ser, apenas e acima de tudo, um homem-juiz"[375].

Pode-se verificar que os laços da família Laja Jato são como o que Moro chamou de mundo pequeno no seu discurso na Universidade Notre Dame, nos Estados Unidos. No Sul do país, em especial no interior do Rio Grande do Sul e do Paraná, são perceptíveis as raízes conservadoras católicas com suporte ideológico religioso de ligações e conexões históricas de poder, oriundas de São Paulo (Largo de São Francisco), decorrentes da política café com leite. Talvez seja este o suporte emocional ideológico que afetou a ministra Cármen Lúcia a escolher Fachin para sua missão.

---

[375] **Íntegra do discurso de posse do desembargador federal Victor Laus.** 4 de fevereiro de 2003. Disponível em: ttps://www.trf4.jus.br/trf4/controlador.php?acao=noticia_visualizar&id_noticia=1762.

19. OAB – Omissa ou Coautora?

No campo dos juristas, a história é contada com uma visão "evolucionista" como se houvesse sempre um progresso do desenvolvimento das instituições legais. "Gizlene Neder adverte que tal questão se coloca para nós na medida em que os historiadores do Direito, abraçando quase sempre a perspectiva positivista, não enfocam a problemática histórico-social. Assim, professam uma visão evolucionista, regida pela ideia de progresso do desenvolvimento das instituições legais. Estas, segundo eles, teriam percorrido ao longo dos séculos o trajeto da 'barbárie à civilização'"[376].

Há uma idealização da história dos juristas e da Ordem dos Advogados, mas a OAB apoiou o golpe de 1964[377]. "Para o Conselho Federal da OAB, a ação das Forças Armadas foi vista como uma medida emergencial para evitar o desmantelamento do Estado democrático. Dessa forma, a Ordem recebeu com satisfação a notícia do golpe, ratificando as declarações do presidente, Povina Cavalcanti[378]. (...) Em maio de 1964, Povina Cavalcanti

---

[376] FERNANDES, Fernando Augusto. *Poder e Saber – Campo Jurídico e Ideologia*. São Paulo: Geração Editorial, 2020, p. 44.

[377] O historiador Marco Aurélio Vanucchi Leme de Mattos, em *Contra as reformas e o comunismo*. Disponível em: https://www.oab.org.br/historiaoab/estado_excecao.htm.

[378] Disponível em: https://www.oab.org.br/historiaoab/estado_excecao.htm.

ainda participou da comissão designada pelo presidente Castelo Branco para verificar a integridade física dos nove membros da Missão Comercial da República Popular da China, que visitavam o Brasil a convite de João Goulart e foram presos no quartel da Polícia do Exército. No dia 22 de dezembro, os chineses foram julgados pelo Tribunal Militar e condenados a 10 anos de prisão (...)".

Coube a Sobral Pinto, de direita, conservador e a favor da censura, ao assumir a presidência do IAB (Instituto dos Advogados do Brasil), fazer um protesto: "A ordem jurídica constitucional está abalada em seus alicerces fundamentais. A magistratura perdeu, pelo Ato Institucional recentemente publicado, as suas garantias e, com elas, a independência, sem a qual não pode acudir aos perseguidores"[379].

Não seria possível instituir o estado de arbitrariedades a partir da Lava Jato sem a OAB ter um papel relevante, seja na resistência, seja de pactuar com a instauração do Estado de exceção. O discurso do presidente Cláudio Lamachia na cerimônia de posse do novo presidente do Tribunal Regional Federal da 4ª Região: "-corte revisora do principal processo judicial em curso do país, e seguramente um dos mais significativos da história brasileira". Em seguida, emenda: "refiro, obviamente, à Operação Lava Jato"[380].

O presidente da Ordem chegou a dizer que a OAB não serviria para defender clientes de advogados quando se tratava de direitos

---

[379] *Voz Humana – A Defesa Perante os Tribunais da República*, pág. 129.

[380] FREIRE, Gustavo. **A covardia da OAB diante dos abusos da Lava Jato.** Disponível em: http://www.justificando.com/author/gustavo-freire-barbosa/.
Toron diz que OAB está acovardada e Lamachia rebate: "covardia é usar a Ordem para defender clientes". Após polêmica, advogados se manifestaram surpresos com o fato de o presidente da OAB misturar o advogado com seu cliente. Disponível em: https://www.migalhas.com.br/quentes/278496/toron-diz-que-oab-esta-acovardada-e-lamachia-rebate-covardia-e-usar-a-ordem-para-defender-clientes.

GEOPOLÍTICA DA
INTERVENÇÃO

humanos, e mesmo em insistentes discursos manteve apoio à Lava Jato[381].

Lamachia apoiou a condução coercitiva de Lula[382]. *O discurso de que a OAB não defenderia clientes de advogados*[383] *foi uma posição política, pois como se verá os advogados de Lula tinham prerrogativas violadas*[384]. *O presidente assumiu a onda conservadora falando em moralização política*[385] *quando afirmou que "Corrupção é um crime bárbaro*[386]*" ou quando passou a defender que meros investigados não poderiam ser nomeados ministros*[387].

---

[381] COELHO, Gabriela. ALICERCE DA REPÚBLICA. Ao resistir a terremoto institucional, CF mostrou sua eficácia, diz Lamachia. 1 de fevereiro de 2019. Disponível em: https://www.conjur.com.br/2019-fev-01/resistir-crise-institucional-cf-mostrou-eficacia-lamachia; https://agenciabrasil.ebc.com.br/politica/noticia/2016-05/oab-critica-nomeacao-e-defende-saida-de-ministros-investigados-na-lava-jato.

[382] **Presidente da OAB, Claudio Lamachia, defende operação da PF contra Lula.** Disponível em: https://www.bemparana.com.br/blog/tupan/post/presidente-da-oab-claudio-lamachia-defende-operacao-da-pf-contra-lula#.XrX2mmhKjIU. **Lenio diz que perseguição a Lula desvirtuou debate sobre prisão em segunda instância.** Disponível em: https://www.brasil247.com/brasil/lenio-diz-que-perseguicao-a-lula-desvituou-debate-sobre-prisao-em-segunda.

[383] **Presidente da OAB revela pressão e resiste a advogados defensores de Lula.** Disponível em: https://br.blastingnews.com/politica/2018/04/presidente-da-oab-revela-pressao-e-resiste-a-advogados-defensores-de-lula-002499603.html.

[384] CANÁRIO, Pedro. **"Lava Jato" grampeou 462 ligações de defesa de Lula por 23 dias.** Disponível em: https://www.conjur.com.br/2019-dez-19/lava-jato-grampeou-462-ligacoes-defesa-lula-23-dias.

[385] **OAB Nacional em luta pela moralização da política.** 18 de novembro de 2016. Disponível em: https://www.editorajc.com.br/oab-nacional-em-luta-pela-moralizacao-da-politica/.

[386] **"Corrupção é um crime bárbaro", afirma Lamachia em entrevista.** Disponível em: https://www.oab.org.br/noticia/29322/corrupcao-e-um-crime-barbaro-afirma-lamachia-em-entrevista.

[387] **"Investigado na Lava Jato não pode ser ministro", afirma Lamachia.** Disponível em: https://oab-rs.jusbrasil.com.br/noticias/341114561/investigado-na-lava-jato-nao-pode-ser-ministro-afirma-lamachia.

O auge foi quando assumiu o pedido de *impeachment* de Dilma, pedindo documentos da Lava Jato para isso[388]. Quando da morte de Zavascki, o presidente da OAB, esquecendo-se do princípio do juiz natural, chegou a defender que a presidente do STF assumisse a Lava Jato[389].

Em raros momentos no discurso defendeu formalmente as prerrogativas, como quando emitiu uma nota a favor de Técio Lins e Silva[390]. Merece registro que na gestão de Lamachia foi proposta a ADC sobre a prisão em segunda instância[391], e também a oposição aos absurdos das dez medidas contra a corrupção[392].

No entanto, faltava à Lava Jato a percepção com que se travestia o discurso contra a corrupção, como foi com Collor, o caçador de marajás; e com Jânio, que varria a corrupção, mas na realidade sobrevivia com violações gravíssimas à luz da Constituição. Pesou também o princípio do juiz natural, com um único juiz rompendo a territorialidade e violações à presunção de inocência com prisões temporárias e cautelares

---

[388] **Presidente da OAB pede autos da Lava Jato para se posicionar sobre impeachment.** Leandro Prazeres. Do UOL, em Brasília. 25 de fevereiro de 2016. **OAB/Divulgação Cláudio Lamachia afirma que a OAB vai pedir acesso a […].** Disponível em: https://sinpfetro.com.br/noticias/presidente-da-oab-pede-autos-da-lava-jato-para-se-posicionar-sobre-impeachment/.

[389] ISAIA, Daniel e PONTES, Felipe. **OAB defende que Cármem Lúcua assuma pessoalmente a Lava Jato- Porto Alegre e Brasilia Agencia Brasil.** Disponível em: http://cl.clmais.com.br/informacao/103148/oab-defende-que-c%C3%A1rmen-l%C3%BAcia-assuma-pessoalmente-a-lava-jato; https://www.smetal.org.br/noticias/oab-pressiona-carmen--lucia-por-delacoes-da-odebrecht/20170123-161217-k785.

[390] **Criminalizar a advocacia é atacar a própria democracia, diz Lamachia.** Disponível em: http://www.oabdf.org.br/noticias/criminalizar-a-advocacia-e-atacar-a-propria-democracia-diz-lamachia/.

[391] **Claudio Lamachia mantém "posição histórica" da OAB contra prisão em 2ª instância.** Disponível em: https://jovempan.com.br/noticias/brasil/claudio-lamachia-mantem--posicao-historica-da-oab-contra-prisao-em-2a-instancia.html; **Presidente da OAB critica prisão após 2ª instância: "Quem mais sofre é o pobre".** Entidade entrou com recurso no Supremo Tribunal Federal para tentar reverter a prisão de réus condenados em segunda instância. 1 de setembro de 2017. Fábio Schaffner. Disponível em: https://gauchazh.clicrbs.com.br/politica/noticia/2017/09/presidente-da-oab-critica-prisao-apos-2-instancia-quem--mais-sofre-e-o-pobre-9886415.html.

[392] LAMACHIA, Claudio. **Atuação sólida contra abusos,** Disponível em: http://www.sedep.com.br/noticias/artigo-atuacao-solida-contra-abusos-por-claudio-lamachia/.

GEOPOLÍTICA DA
INTERVENÇÃO

sem fundamento constitucional, com a deturpação dessas prisões para romper o direito de não fazer prova contra si mesmo e as delações. A Lava Jato criou um mecanismo de deturpação e destruição do direito brasileiro. Os fins não justificam os meios. Não se podem permiti ações ilegais do Estado para os fins de combater a corrupção. A OAB agiu em casos isolados se posicionou contra absurdos gritantes nas dez medidas e propôs a ação que acabou por garantir a presunção de inocência. Mas apoiou a Lava Jato, que, para se estruturar, precisava romper com os direitos fundamentais e com as prerrogativas profissionais.

Em 1º de fevereiro de 2019, Felipe Santa Cruz vence em eleição indireta da OAB Federal[393]. O mesmo grupo político que elegeu Lamachia elege Felipe com apoio do ex-presidente Marcus Vinicius Furtado Coêlho. Claudio Lamachia tinha sido vice de Marcus[394]. O discurso quanto à Lava Jato muda. Do ponto de vista do discurso há uma enorme diferença, mas estruturalmente a OAB persiste com os mesmos problemas.

Na gestão da presidência da OAB do Rio de Janeiro, Felipe tinha sucedido Wadih Damous. Felipe havia postado no Facebook ataques diretos e pessoais ao seu antecessor, Wadih Damous, pelo enfrentamento como deputado ao *impeachment*[395], e enfrentado crises em sua gestão no Rio de Janeiro com grupos de esquerda[396], afirmando que

[393] Luiz Viana Queiroz – vice-presidente, José Alberto Simonetti, secretário-geral, Ary Raghiant Neto secretário-geral-adjunto e José Augusto Araujo Noronha – secretário-geral-adjunto.

[394] Disponível em: http://www.prerrogativas.org.br/content/pdf/cartilha-prerrogativas. pdf. 2013/2016 Presidente Marcus Vinicius Furtado Coêlho, vice Claudio Pacheco Prates Lamachia, secretário-geral Claudio Pereira de Souza Neto, secretário-geral-adjunto Claudio Stabile Ribeiro e diretor-tesoureiro Antonio Oneildo Ferreira.

[395] "O presidente da OAB do Rio, Felipe Santa Cruz, afirmou 'ter nojo' do posicionamento político de seu antecessor, o hoje deputado Wadih Damous (PT), que integra a tropa de choque de Lula no Congresso". Disponível em: https://extra.globo.com/noticias/extra-extra/presidente-da-oab-rio-felipe-santa-cruz-diz-ter-nojo-do-posicionamento-de-wadih-damous-19008815.html.

[396] Membros da OAB-RJ renunciam para criticar gestão; Felipe Santa Cruz rebate. 29 de março de 2017, 16h21. Por Sérgio Rodas. Disponível em: https://www.conjur.com.br/2017-mar-29/membros-oab-rj-renunciam-criticar-gestao-santa-cruz-rebate.

tinha nojo de sua atuação. Wadih, que fez Felipe seu sucessor no Rio de Janeiro, passou a conselheiro federal da Ordem e, eleito deputado pelo PT, passou a ser um dos mais atuantes opositores ao *impeachment*, atuando posteriormente com procuração do próprio Lula, como já se relatou. Em 2016, Felipe havia se filiado ao PMDB, pensando em concorrer a um cargo eletivo com apoio de Sergio Cabral[397]. Em sua gestão, a filha do ministro Fux fez parte da lista da OAB para ser nomeada desembargadora do Tribunal de Justiça[398].

Wadih, que após duas gestões da OAB se elegeu deputado federal pelo PT, também enfrentou uma gestão conturbada. A comissão de Prerrogativas que era sua maior promessa de campanha foi exonerada nos três primeiros meses quando eu a presidia, sem conseguir montar a procuradoria para atender todo o estado. Duarente a chacina do Alemão a Comissão de Direitos Humanos presidita por João Tancredo também foi exonerada e após o presidente da CAARJ (Caixa de Assistência da Advocacia do Estado do Rio de Janeiro), Duval Viana, renunciou. Eleito, Wadih se tornou um dos deputados mais atuantes e independentes do país.

Em meio à quarentena da Covid-19, sabemos que os médicos e agentes de saúde são os heróis ao se arriscarem para salvar vidas humanas. Durante a pandemia autoritária que antecedeu a Covid-19, os profissionais a enfrentar o abuso, durante a ditadura e no pós-moderno, são os advogados. Aqueles que se mantêm fiéis ao combate sem trégua pelos direitos humanos e não se conspurcam com delações premiadas. Os advogados que têm se mantido no combate têm enfrentado perseguições constantes e abusos.

---

[397] **Presidente da OAB-RJ se filia ao PMDB para disputar eleições em 2018.** Felipe Santa Cruz não se elegeu vereador quando era filiado ao PT. Disponível em: https://diariodopoder.com.br/justica/presidente-da-oab-rj-se-filia-ao-pmdb-para-disputar-eleicoes-em-2018; ver https://veja.abril.com.br/blog/radar/ex-socio-de-adriana-ancelmo-comanda-escola-superior-da-oab-entidade-que-protege-a-senhora-cabral/.

[398] EXCELENTÍSSIMA FUX – Como a filha do ministro do STF se tornou desembargadora no Rio. Malu Gaspar. Disponível em: https://piaui.folha.uol.com.br/materia/excelentissima-fux/

GEOPOLÍTICA DA INTERVENÇÃO

No jantar do grupo prerrogativas, em apoio ao STF, a que Toffoli compareceu, fui convidado pelo novo presidente da OAB Federal, Felipe Santa Cruz, para assumir o cargo de procurador de Prerrogativas do Conselho Federal[399], cargo voluntário e sem remuneração, cuja missão é a defesa dos advogados. As prerrogativas dos advogados são um desdobramento do art. 5º da CF. Um dos primeiros problemas surgidos foi quanto a um ato da Polícia Federal de Curitiba.

No dia 14 de maio, a ministra Cármen Lúcia defere uma liminar a pedido da OAB em favor de Francisco de Assis Silva, que era advogado e direitor jurídico do grupo JBS:

> Defiro a medida liminar requerida para que não se permita a quebra da senha do celular do ora paciente, preservando a garantia fundamental e constitucional ao sigilo profissional do advogado até o julgamento de mérito da presente ação[400].

Na petição inicial de *habeas corpus* constava o nome da advogada e procuradora de prerrogativas Adriane Magalhães e em conjunto dos advogados Owaldo Ribeiro Junior, Pedro Velloso e Célio Rabelo. O presidente da OAB, acompanhado do ex-presidente Marcus Vinicius e outros membros da OAB, estava na Rússia[401] em um evento, e de lá determinou a desistência do HC 171273, e o pedido de desistência foi assinado por Oswaldo Ribeiro Junior.

---

[399] **No dia 7 de maio de 2019 a portaria 633/2019 nomeou procurador de prerrogativas.** Disponível em: https://www.conjur.com.br/2019-mai-07/fernando-fernandes-nomeado-defensor-prerrogativas-oab.

[400] Disponível em: http://portal.stf.jus.br/processos/detalhe.asp?incidente=5695517.

[401] **Na Rússia, presidente da OAB se reúne com líderes da comunidade jurídica dos BRICs** – (...) "Nesta quinta-feira (16), o presidente nacional da OAB, Felipe Santa Cruz, se reuniu com representantes da comunidade jurídica dos BRICs – bloco formado por Brasil, Rússia, Índia, China e África do Sul. Marcus Vinicius Furtado Coêlho, presidente da Comissão de Relações Internacionais do Conselho Federal da OAB, e Bruno Barata, secretário-geral do colegiado, também participaram do encontro". Disponível em: https://oab.jusbrasil.com.br/noticias/709235148/na-russia-presidente-da-oab-se-reune-com-lideres-da-comunidade-juridica-dos-brics.

No mesmo dia da desistência, João Paulo de Oliveira Boaventura (31680/DF, 202448/MG) impetra o *habeas corpus* 171300, que tem liminar deferida por Celso de Mello[402]. No dia 20 de maio de 2019, a OAB Federal volta a impetrar um *habeas corpus* em favor do advogado Francisco, e novamente a ministra Cármen Lúcia defere "parcialmente a medida liminar requerida para se suspender a análise do Requerimento de quebra da senha do celular do paciente, preservando a garantia fundamental e constitucional ao sigilo profissional do advogado até o julgamento de mérito da presente ação"[403]. O segundo *habeas corpus* era assinado exclusivamente por Felipe Santa Cruz.

Por que o Conselho Federal desistiu de um *habeas corpus* em favor das prerrogativas de um advogado com liminar deferida? Por que alguns dias depois voltou a impetrá-lo? Algo não estava claro, mas aos poucos foi se revelando.

O ataque que Bolsonaro fez ao pai do presidente da OAB[404], que foi vítima do regime de 1964, criou a imagem pública que colocou de imediato os progressistas[405] ao lado do presidente da OAB[406]. A sua eleição criou, pelos discursos, a impressão de possibilidade de mudança na Ordem.

Wadih Damous, que diante do momento político deu por superados os ataques pessoais de Felipe e não se opôs à sua eleição, sendo informado da nomeação, pediu providências quanto a um pedido de

---

[402] Disponível em: http://portal.stf.jus.br/processos/detalhe.asp?incidente=5695963.

[403] Disponível em: http://portal.stf.jus.br/processos/detalhe.asp?incidente=5699440.

[404] **Bolsonaro: 'Se o presidente da OAB quiser saber como é que o pai dele desapareceu, eu conto para ele'.** Os dois já trocaram farpas publicamente em ocasiões anteriores. Disponível em: https://oglobo.globo.com/brasil/bolsonaro-se-presidente-da-oab-quiser-saber-como-que-pai-dele-desapareceu-eu-conto-para-ele-23839835.

[405] Disponível em: https://epoca.globo.com/guilherme-amado/ex-presidentes-da-oab-saem-unanimes-em-defesa-de-santa-cruz-24378946.

[406] Ver declarações de Felipe Santa Cruz no Roda Viva.
Felipe Santa Cruz comenta declarações de Jair Bolsonaro sobre seu pai. Disponível em: https://www.youtube.com/watch?v=Mt8YDhg5OSo.

assistência de prerrogativas que tinha direcionado no dia 2 de maio, dirigido ao presidente Santa Cruz, documento que havia sumido. Não havia registro do pedido. No dia 23 de maio pedi providências ao presidente.

O delegado de Polícia Federal Ivan Ziolkowski, da Superintendência Regional da Polícia Federal no Paraná editou o Memorando Circular no 001/2015-NO/DREX/SR/DPF/PR, de 20 de junho de 2015 e nele delimitou o tempo de acesso dos advogados aos representados de segunda a sexta-feira, nos horários das 9h às 11h30 e das 14h às 17h30, podendo as visitas com os clientes durarem até 30 minutos, bem como determinando o agendamento prévio. Delimitou o acesso dos procuradores a apenas uma dupla de advogados previamente agendada, não sendo permitida a mudança do representante que fará a visita no mesmo dia, condicionando todo o acesso ao custodiado a uma marcação prévia em dia distinto. O item 10, § 5º do ato coator estipula a seguinte restrição aos advogados no momento do contato com o custodiado:

> § 5º Durante o atendimento os advogados poderão adentrar no parlatório ou no local designado para o contato direto portando apenas papel e caneta.

Também causa estranheza o item 11 do ato coator, que traz a seguinte determinação:

> Item. 11. Todo o fluxo documental envolvendo os presos e os advogados ou visitantes deverá ser precedido de autorização expressa do chefe do núcleo de Operações, salvo nos casos de procurações, que poderão ser repassadas diretamente pelos servidores da equipe da Custódia.

A norma editada pela Polícia Federal estava limitando a vigência da Lei 8.906/94 que regula a profissão de advogado. Em síntese, com base no Memorando Circular nº 001/2015, de 20 de junho de 2015, editado pela autoridade coatora, a Superintendência supracitada passou a criar óbices para o acesso dos advogados ao seu cliente, consistentes nas seguintes medidas:

• Limitação do tempo de acesso dos advogados aos presos a 30 minutos, de segunda a sexta-feira, das 9h às 11h30 e das 14h às 17h30 (item 10, *caput* c/c § 2º);

• Proibição de objetos no interior do presídio referentes à atividade profissional do advogado, permitindo-se apenas papel e caneta, ainda que não haja decreto judicial de incomunicabilidade do custodiado (item 10, § 5º);

• Restrição do direito de comunicação entre o advogado e o custodiado em sala reservada, limitando o contato direto à determinação judicial ou por autorização expressa do chefe de núcleo de Operações (item 10, § 1º);

• Diminuição do direito de informação do preso, podendo este levar do contato pessoal com o advogado apenas uma folha de papel A4 (item 10, § 6º);

• Autorização ao exame de documentos que estão em posse dos advogados, comprometendo o sigilo profissional (item 11).

Essas restrições eram feitas de forma mais severa aos advogados do ex-presidente Lula. O direito de acesso ao preso, segundo o art. 7º, III[407] da Lei 8.906/94, deve ser independente de ordem judicial, e ao advogado, mesmo sem procuração do cliente. Isto porque o advogado pode prestar outros serviços não relacionados ao caso que causou a prisão. E a juíza Carolina Lebbos limitava o acesso dos advogados ao ex-presidente, que ela autorizasse. Em que pese os atos

---

[407] III – comunicar-se com seus clientes, pessoal e reservadamente, mesmo sem procuração, quando estes se acharem presos, detidos ou recolhidos em estabelecimentos civis ou militares, ainda que considerados incomunicáveis;

GEOPOLÍTICA DA INTERVENÇÃO

em relação aos advogados do presidente, a limitação da lei ofende toda a advocacia e seria o caso de Mandado de Segurança coletivo. Então, foi preparado um com pedido para garantir o ingresso de todos os advogados na Superintendência Regional da Polícia Federal no Paraná para realizar atendimento aos custodiados, independentemente de procuração ou agendamento, durante qualquer horário e sem limitação de tempo, observando-se o horário de expediente e a ordem de chegada, excetuando-se os casos de urgência, **no caso de delegacias e prisões, mesmo fora da hora de expediente e independentemente da presença de seus titulares** (art. 7º, incisos III e IV, do EAOAB, Estatuto da Advocacia e da Ordem dos Advogados do Brasil), bem como permitindo o acesso às salas reservadas e aos parlatórios. Deve ser afastada a proibição quanto ao uso de aparelhos, computadores, arquivos de processos pelo advogado, exceto quando o preso tiver decreto de incomunicabilidade pelo juiz (art. 7º, III, do EAOAB), não sendo permitido, ainda, à autoridade policial o exame de documentos sigilosos em posse dos profissionais alcançados pelas prerrogativas supra (art. 7º, inciso II, do EAOAB).

Nesse caso se revela a complexidade que virou a Ordem dos Advogados. O regulamento geral da OAB é de 16 de novembro de 1994. Foi assinado pelo então presidente José Roberto Batochio e pelo relator Paulo Luiz Netto, e na sua edição a prerrogativa. Nela o art. 15[408] cria uma competência concorrente em relação às prerrogativas tal qual a União, o Estado e o município têm quanto à saúde.

Diante disso o Conselho Federal deve agir em todo o território nacional em conjunto ou separadamente com as seccionais e subseções. A Lava Jato também não teria se desenvolvido com esses abusos

---

[408] Art. 15. Compete ao Presidente **do Conselho Federal, do Conselho Seccional ou da Subseção,** ao tomar conhecimento de fato que possa causar, ou que já causou, violação de direitos ou prerrogativas da profissão, adotar as providências judiciais e extrajudiciais cabíveis para prevenir ou restaurar o império do Estatuto, em sua plenitude, inclusive mediante representação administrativa. Parágrafo único. O Presidente pode designar advogado, investido de poderes bastantes, para as finalidades deste artigo.

sem omissões da Ordem. No Paraná, formou-se um misto no qual advogados apoiam a operação em um antipetismo, uma fração que passou a ter relações com a polícia em razão das delações. A pequena parte de advogados independentes e combativos, como sempre.

Encaminhado o Mandado de Segurança coletivo, os interesses locais se opuseram, e o presidente da OAB Paraná se opôs à sua impetração. O entendimento do Paraná, por intermédio de seu presidente e mesmo do conselheiro federal Adriano Breda, foi de que não se impetrasse o mandado, porque o provimento era uma espécie de "acordo" dos advogados paranaenses com a Polícia Federal. A cultura que se criou na OAB Federal ao longo dos anos foi de um efeito que merece estudo apropriado em outro trabalho, um "coronelismo jurídico" em que se decide com base "em respeito" aos interesses das forças políticas locais. O presidente do Conselho Federal negocia suas posições à medida que agrada ou desagrada as forças locais da Ordem, e as prerrogativas são tratadas como atos políticos. Se a ofensa à prerrogativa não interessa ser combatida pelos interesses do presidente da Seccional, a OAB Federal, pela política atual, não irá atuar. Assim, o advogado local fica desprotegido em razão dos acordos ou interesses do presidente da Seccional. O advogado de outra Seccional que atua no local fica igualmente desprotegido. Há, assim, uma escolha política da proteção às prerrogativas.

Outro exemplo delicado ocorreu com o presidente no Rio Grande do Norte, quando advogados foram gravados no parlatório. Houve uma enorme resistência para impetrar um *habeas corpus* para anular as gravações ocorridas. Em razão da omissão da Ordem local, advogados entraram com *habeas corpus* pelos colegas. Diante da pressão de advogados e de filiados, a ABRACRIM (Associação Brasileira de Advogados Criminais), OAB do Rio Grande do Norte, ingressou com o Mandado de Segurança 0804087-70.2019.8.20.000.

Os absurdos da "cultura Lava Jato" vão se propagando, a exemplo do caso de um advogado no Mato Grosso do Sul cuja prisão foi determinada porque orientou o cliente a não fazer delação premiada. O presidente da Seccional, Mansour Elias Karmouchea, e a presidente da Comissão de Defesa das Prerrogativas, Silmara Salamaia Gonçalves, atuaram prontamente. Como procurador federal de prerrogativas, sustentei oralmente o *habeas corpus* quando o TJ-MS concedeu a ordem revogar a ordem de prisão[409].

Retornando ao centro de prerrogativas e à Lava Jato, em uma audiência Sérgio Moro resolve determinar que nenhum advogado possa portar telefone celular. A **proibição de ingresso na sala de audiência com aparelhos celulares** significou efetiva decretação de incomunicabilidade. Dizia o despacho: "... **informo às partes, MPF, Assistente de Acusação e Defesas, que será vedado o ingresso, em 10/05/2017, na sala de audiência com aparelhos celulares**". (Ação Penal nº 504651294.2016.4.04.7000/PR; despacho proferido em 8.5.17)

Fundamentou a decisão no art. 296 da Normativa da Corregedoria Regional da Justiça Federal da 4ª Região, dispositivo (de constitucionalidade duvidosa) que permite aos juízes "adotar as medidas necessárias para evitar captação sonora ou audiovisual".

> Art. 296. Durante os trabalhos da audiência, os Juízes deverão adotar as medidas necessárias para evitar a captação sonora ou audiovisual, salvo na hipótese de concordância das partes e sempre de modo a não prejudicar o normal desempenho da função jurisdicional. (Consolidação Normativa da Corregedoria Regional da Justiça Federal da 4ª Região)

Veja-se, desde logo, que o dispositivo **não** permite ao juiz proibir a entrada de aparelhos eletrônicos de uso pessoal dos advogados em trabalhos de audiência. E mais: as "medidas necessárias" devem **ter**

---

[409] **Após pedido da OAB/MS, Justiça concede HC em favor de advogado.** Disponível em: http://oabms.org.br/apos-pedido-da-oab-ms-justica-concede-hc-em-favor-de-advogado/. EXERCÍCIO DA ADVOCACIA
TJ-MS cassa prisão temporária de advogado que orientou cliente a não delatar. Disponível em: https://www.conjur.com.br/2019-out-22/tj-ms-cassa-prisao-advogado-orientou-cliente-nao-delatar.

concordância das partes e não podem prejudicar o **normal desempenho da atividade jurisdicional**.

Ante o dispositivo, carece recordar-se que tal determinação não deve possuir caráter coercitivo, já que a própria Constituição da República estabelece, em seu artigo 5º, inciso II, que:

> Art. 5º II – ninguém será obrigado a fazer ou deixar de fazer alguma coisa senão em virtude de **lei**.

O uso de celular tem como objetivo a própria comunicabilidade dos advogados, direito essencial que restará violado se concretizada a decisão.

A ilegalidade vai além da proibição de gravação de audiência.

Aliás, é oportuno mencionar que tal circunstância foi retratada com maestria pela Suprema Corte americana no caso Riley *versus* Califórnia, decisão paradigmática em que foi debatido o direito à privacidade no que concerne ao uso de aparelhos celulares e *smartphones* e ressaltou que: "Celulares não são apenas outra conveniência tecnológica" (tradução livre).

No Superior Tribunal de Justiça a questão também já foi objeto de debate. Em decisão no RHC/RO 51.531, de relatoria do ministro Nefi Cordeiro, o STJ declarou ilícita prova produzida em decorrência de acesso a dados no celular sem autorização judicial e frisou que:

> **Atualmente, o celular deixou de ser apenas um instrumento de conversação pela voz à longa distância**, permitindo, diante do avanço tecnológico, o acesso de múltiplas funções, incluindo, no caso, a verificação da correspondência eletrônica, de mensagens e de outros aplicativos que possibilitam a comunicação por meio de troca de dados de forma similar à telefonia convencional. (STJ, RHC 51.531, Rel. Min. Nefi Cordeiro, j. 19.4.2016)

Ou seja, trata-se, na realidade, de um companheiro tecnológico, um assistente pessoal, um computador de bolso – uma ferramenta de trabalho do advogado, portanto, de tudo merecedora da inviolabilidade descrita no art. 7º, da Lei 8.906/94.

Ao exigir que os aparelhos celulares sejam proibidos, a autoridade coatora não somente impediu a gravação da audiência, mas também **desrespeitou o princípio da ampla defesa**, trazido no art. 5º, inciso LV, da CRFB, cerceando-a de modo a impedir que os impetrantes tivessem acesso a legislações e informações importantes relativas ao processo e armazenadas no celular.

Surpreendidos pela ordem, ingressamos com Mandado de Segurança no mesmo dia no TRF. E pela OAB Paraná os advogados Oswaldo Ribeiro Junior e Roberto Charles de Menezes Charles.

Conselho Nacional de Justiça, o qual, em 2008, por unanimidade de votos, já havia proferido uma decisão sobre o tema:

> Entendo que no caso ora posto em análise, o magistrado extrapolou da autonomia gerencial que lhe foi conferida como Presidente da sessão do júri e, num ato desprovido de razoabilidade e proporcionalidade, criou embaraço, dificuldade para o Requerente amplamente defender o réu, que naquela ocasião seria julgado, com provável imposição de pena a suprimir sua liberdade. O que de fato ocorreu, tendo porém o réu, após tomar conhecimento da sentença – seis anos e dez dias de reclusão em regime semiaberto –, dela se resignado e optado por aceitá-la sem a interposição de recurso.

> Dessa maneira, em resposta à consulta formulada pelo advogado requerente, em respeito aos princípios do contraditório e da ampla defesa, **não se pode permitir que magistrado ou servidor de tribunal impeça que advogado, defensor público, ou mesmo membro do Ministério Público façam uso de computador portátil em sessão**

de julgamento, uma vez que se encontram no exercício constitucional de suas atribuições, sob pena de configurar manifesto cerceamento de defesa. (grifo do original) (PEDIDO DE PROVIDÊNCIAS N$^{\circ}$ 2007.10.0.001356-1 RELATOR: CONSELHEIRO TÉCIO LINS E SILVA REQUERENTE: FLÁVIO RIBEIRO DA COSTA REQUERIDO: 2ª VARA DA COMARCA DE FRUTAL – MG. ASSUNTO: CONSULTA – POSSIBILIDADE – USO DE ENERGIA – ADVOGADO – NOTEBOOK – SESSÃO DE JULGAMENTO. DATA DE JULGAMENTO: 16/12/08)

O ato de Moro **não apenas interferia de maneira direta na privacidade e na ética profissional, como também impedia o exercício profissional, <u>limitando não só o direito de comunicabilidade dos advogados, mas o direito à ampla defesa.</u>**

A **"medida necessária" a fim de evitar a gravação da audiência não pode ser tal que interfira no direito de defesa do acusado.** Por óbvio, **o dispositivo da Normativa da Corregedoria Regional da Justiça Federal invocado pela Autoridade Coatora não pode ser utilizado para prejudicar a posição de defendente do acusado, ou a posição de defensor do advogado. O desembargador Gebran votou parcialmente a favor da concessão do pedido:**

MANDADO DE SEGURANÇA (TURMA) N$^{\circ}$ 5022143-50.2017.4.04.0000/PR 3. Por outro lado, conforme ressaltado pelos impetrantes e pelo Conselho Federal da OAB – admitido como parte interessada neste feito –, é inegável que o telefone celular constitui, atualmente, mais do que um aparelho de transmissão e comunicação por voz. O desenvolvimento tecnológico e a diversificação de funcionalidades do equipamento o transformaram em importante ferramenta de trabalho para diversos profissionais, dentre os quais o advogado.

GEOPOLÍTICA DA
INTERVENÇÃO

Com efeito, a utilidade do telefone móvel pelo defensor em audiência não se restringe à comunicação, podendo o aparelho servir também, por exemplo, para consulta à legislação e, no âmbito de autos eletrônicos, também a peças processuais e demais decisões do processo. Sobre esse particular, de acesso a informações e dados, deve ser destacado que a Justiça Federal da 4ª Região é uma das pioneiras na informatização de todos processos judiciais em ambas as instâncias, franqueando inclusive, de longa data, acesso *wi-fi* para os usuários.

Reconhecida a indispensabilidade do advogado à administração da justiça, nos termos do que dispõe o art. 133 da Constituição Federal, bem como o telefone celular como instrumento de exercício da profissão, é de ser garantido o direito líquido e certo do impetrante de portar o referido aparelho e dele fazer uso em audiências, respeitadas as diretrizes judiciais para o ato, inclusive, e eventualmente, a proibição de gravação de som e imagem, sem prévia autorização judicial.

Ante o exposto, voto por conceder em parte a segurança, nos termos da fundamentação.

É o voto.

Desembargador Federal JOÃO PEDRO GEBRAN NETO

No entanto, o desembargador Gebran limitou-se tão-somente a convalidar a arbitrariedade ao argumento de que *"decisão foi nitidamente pontual, aplicável somente àquele caso concreto"*. Usou como Pedro Serrano pontuou a aplicação da exceção.

Além, considerou que o pedido restou prejudicado, em razão do fato de já ter sido exarada sentença nos autos da ação penal

onde se praticou o ato coator. O STJ manteve a decisão do TRF. Ou seja, usou a estratégia de não julgar.

A técnica do abuso é sempre impedir o exame pelo Judiciário, sair pela tangente. Assim sempre ocorreu com os *habeas corpus* que tratavam da incompetência de Moro. Todos sempre não conhecidos sob a justificativa de que não seria possível análise em *habeas corpus*. Assim fez o STF ao não decidir sobre a competência de Moro e remeter os autos em devolução sempre a ele. Por isso afirmei na sustentação no TRF, no caso do tríplex, que seria um crime omissivo impróprio, porque na realidade a falta de decisão visa claramente a permitir o abuso. Nesse caso o recurso contra a decisão do MS acaba mantendo a não decisão, e com isso os abusos vão se propagando pelo país.

A centenas de quilômetros, o caso específico do ex-governador Anthony William Garotinho Matheus de Oliveira (APN nº 3470.2016.6.19.0100) imita Moro. Determina, de igual forma, a proibição de gravação. Na defesa impetramos o Mandado de Segurança 77-79.2017.6.19.0000 que foi negado pelo TRE. Como o recurso RMS 77-79.2017.6.19.000 chegou ao TSE depois do fim das audiências, foi extinto. Percebe-se que mais uma vez o tema acaba não sendo julgado. O método de decidir, que não pode decidir, ocorreu em todos os *habeas corpus* sobre incompetência de Moro, assim como no MS para permitir as gravações de audiências no Rio Grande do Sul e no recurso do STJ. O Judiciário, ao usar como método julgar prejudiciado ou não conhecer *habeas corpus* e mandados de segurança, ou exceções de incompetência e outros pedidos, o que faz é permitir a continuação cotidiana dos abusos e ilegalidades, não formando uma jurisprudência contrária ao ato ilegal.

Nesse caso em que o juiz proibiu a gravação realizou todos os tipos de arbitrariedades durante as audiências. Ao final requeri a juntada das gravações que tinha a defesa realizado. O juiz oficiou o Ministério Público e esse denunciou os advogados por crime de desobediência.

As perseguições aos advogados não se contiveram em audiência.

A Lava Jato abriu fogo, perseguindo advogados, chegando a fazer uma apreensão absurda dos registros de entrada e saída do advogado José Roberto Batochio, que fez a sustentação do HC de Lula no STF, como já citado em capítulos anteriores. Coube a Gilmar Mendes anular essa afronta ao sigilo do escritório de advocacia[410]. Chegou ao absurdo de tentar investigar o advogado Pedro Serrano, porque impetrou um mandado de segurança para acessar documentos sobre cooperação internacional da Lava Jato. Novamente coube a Gilmar Mendes determinar o trancamento da "investigação". Em ambos os pedidos atuei em conjunto com Lenio Streck, representando a OAB Federal no STF.

Em 24 de setembro de 2019, Técio Lins e Silva foi nomeado[411] procurador-geral de prerrogativas e levou a Felipe Santa Cruz uma lista de advogados a serem nomeados. Nessa oportunidade fui exonerado da defesa de prerrogativas de advogados; e eu e Lenio retirados dos autos em que representávamos a OAB[412] no STF. Felipe Santa Cruz acaba sendo denunciado por calúnia por ter criticado duramente Sérgio Moro afirmando que "[Moro] usa o cargo, aniquila a independência da Polícia Federal e ainda banca o chefe da quadrilha ao dizer que sabe das conversas de autoridades que não são investigadas"[413]. Felipe escolhe para sua defesa o advogado Antônio

---

[410] VOLTARE, Emerson e RODAS, Sérgio - ConJur. **BUSCA EXECRÁVEL Gilmar revoga busca e apreensão na portaria de prédio de Batochio.** 29 de outubro de 2019. Disponível em: https://www.conjur.com.br/2019-out-29/gilmar-revoga-busca-apreensao-portaria-predio-batochio.

[411] CANÁRIO, Pedro. **Técio Lins e Silva é nomeado procurador nacional de defesa da prerrogativas.** 24 de setembro de 2019, 17h52. Disponível em: https://www.conjur.com.br/2019-set-24/tecio-lins-silva-nomeado-procurador-nacional-prerrogativas.

[412] **Técio Lins e Silva deixa Procuradoria da Defesa das Prerrogativas da OAB.** Disponível em: https://www.conjur.com.br/2020-jan-08/tecio-lins-silva-rompe-presidente-oab.

413 SANTOS, Rafa. **MPF-DF denuncia presidente da OAB por calúnia em fala sobre Sergio Moro.** Disponível em: https://www.conjur.com.br/2019-dez-19/mpf-df-denuncia-presidente-oab-calunia-moro2.

Carlos de Almeida Castro, o Kakay. Técio se sente desprestigiado e faz uma carta[414] de renúncia pública em 8 de janeiro de 2020.

A renúncia pública de Técio teve como principal móvel seu desprestígio em face da nomeação de Kakay. A carta trouxe a público o que estava ocorrendo na OAB, mas Técio avisa-o por *e-mail* já no dia da sua nomeação e nada faz para mudar. Diante dos fatos, constata-se a completa falta de atenção dada por Felipe Santa Cruz às prerrogativas, nem sequer recebendo os procuradores e não retornando ligações, com isso impedindo que as prerrogativas chegassem ao STF sem autorizações e sem a aprovação do ex-presidente.

No dia 14 de janeiro de 2020 é rejeitada a denúncia contra Felipe Santa Cruz[415]. Em 17 de maio de 2020 Felipe, sem debate do conselho e mesmo na diretoria, se manifestou a favor do sigilo em relação ao vídeo da reunião do poder executivo que estava em análise pelo ministro Celso de Mello[416]. O ministro Celso afinal abriu o sigilo ententendo que a Constituição Federal privilegia a publicidade.

O fato é que a OAB Federal apoiou o Golpe de 1964, o *impeachment* e a Lava Jato. E em que pese a mudança de discurso do presidente, Felipe Santa Cruz, estruturalmente continua ineficaz para defender as prerrogativas dos advogados. Existem estruturas de prerrogativas e inúmeros advogados voluntários dedicados a defender os colegas. Existem presidentes de seccionais dedicados ao tema, como Luciano Bandeira, no Rio de Janeiro, que foi eleito depois de ser presidente da Comissão de prerrogativas. Mas as sucessões geralmente são realizadas pelo braço assistencial, a Caixa de Assistência, ou entre

---

[414] https://www.conjur.com.br/2020-jan-08/tecio-lins-silva-rompe-presidente-oab

[415] **Rejeitada denúncia do MPF contra Felipe Santa Cruz por crítica a Moro.** JF/DF considerou ausência de dolo em fala do presidente da OAB. Disponível em: https://www.migalhas.com.br/quentes/318409/rejeitada-denuncia-do-mpf-contra-felipe-santa-cruz-por-critica-a-moro.

[416] **Sigilo do vídeo na investigação de Bolsonaro racha cúpula da OAB.** Conselheiros e diretores da Ordem dos Advogados do Brasil criticaram manifestação feita pelo presidente da instituição. Por Thiago Bronzatto. 17 de maio de 2020. Disponível em: https://veja.abril.com.br/brasil/sigilo-do-video-na-investigacao-de-bolsonaro-racha-cupula-da-oab/.

a Diretoria. Com vitórias pontuais e simbólicas, a OAB não exerce o papel esperado, e que deveria exercer, em nenhuma das áreas fundamentais como prerrogativas, direitos humanos e formulação de leis, em que pese o orçamento gigante e sem fiscalização pelo Tribunal de Contas[417]. A Ordem precisa ser independente, e a submissão ao Tribunal de Contas cria possibilidade de interferências externas. Mas precisa prestar contas à advocacia sobre os destinos dos valores geridos.

---

[417] **Liminar afasta obrigação de prestação de contas da OAB perante TCU**. Disponível em: http://www.stf.jus.br/portal/cms/verNoticiaDetalhe.asp?idConteudo=413871&caixaBusca=N.

CONCLUSÃO

É complexa a análise da história. Na realidade, é necessário tempo, distância para se compreender todos os contornos de uma época. Certamente novos elementos irão surgir para possibilitar uma melhor compreensão da Lava Jato. Mas já é possível compreender que, sob o discurso de combate à corrupção, que já foi bandeira de Jânio Quadros, de Fernando Collor e mesmo do Golpe de 1964, encontrou-se terreno fértil para as ideias antidemocráticas em uma nação jovem de democracia e de vigência da Constituição.

O império americano, competente em sua dominação e manipulação, formulou a "Doutrina de Segurança Nacional" que influenciou os militares brasileiros em uma guerra imaginária contra um inimigo interno inexistente, comunista, subversivo. Com a mesma lógica, passou a se utilizar de sua influência para, gradativamente, mudar o inimigo comunista para o traficante e ampliar a influência sobre os militares, as nossas polícias, e em seguida os nossos juízes e promotores para o risco de um novo inimigo interno, o corrupto. Mais grave é que a influência "intelectual" é tamanha, que nossos conterrâneos passam a se enxergar como país de corruptos.

A falta de conhecimento histórico leva a sujeitos de direito, como Dallagnol, a imputar à corrupção todos os males nacionais. As desigualdades sociais decorrentes de um sistema capitalista que não trata de elevar as condições da população e a deixa na miséria, e todo o amálgama de permanências históricas da dominação e manutenção dessas desigualdades são simplificadas.

Sérgio Moro serviu como um grande canal para, por meio de Curitiba, com o apoio de procuradores dos Estados Unidos e com participação de servidores do Ministério Público e da Polícia Federal atacar a empresa de petróleo brasileira, derrubando suas ações na bolsa de valores, prendendo e desestabilizando as empresas construtoras que realizavam a infraestrutura do país. Mais do que isso, a atacar o próprio governo federal interceptando e divulgando telefonemas da Presidência da República com o ex-presidente Lula. Criou a instabilidade que permitiu a desestruturação do governo, derrubando a Presidência da República, afundando e agravando a crise econômica em que já vivíamos.

No entanto, Moro não é o autor dessas ações. É uma mera peça que foi instrumento para as ações. No Judiciário nada disso seria possível se o Supremo Tribunal Federal não tivesse permitido, incentivado e possibilitado o descumprimento de normas constitucionais, entre elas a do juiz natural. Um juiz do Paraná atuou em uma extensão de poderes em casos que de fato não ocorreram naquela jurisdição, manipulando o direito para que, por anos, mantivesse sob seu poder sob justificativas de que os casos já tinham sentença e estavam terminados.

O Supremo Tribunal permitiu que isso ocorresse mesmo que de forma inconstitucional, mesmo que contra a jurisprudência, assim como permitiu que as pessoas fossem presas, sequestradas para Curitiba, lá mantidas sob pressão das autoridades para os fins de confessarem. Típica estrutura de tortura. E mais: que confessassem, que envolvessem terceiros, em uma clara e inequívoca linha que visava a atingir o mundo político.

O Supremo Tribunal Federal não agiu na ausência dos outros poderes ao dar estabilidade nacional. Na verdade, a Corte permitiu a instabilidade de ataques ilegais de um juiz incompetente às maiores indústrias brasileiras, e foi partícipe no ataque ao Congresso Nacional. Ultrapassando seus limites, prendeu um senador da República em uma ação inconstitucional e de autoproteção, afastou o presidente do Congresso Nacional, afastou o senador da República do exercício do cargo, autorizou buscas dentro do Congresso, expôs e criou centenas de investigações que colocam quase todos os políticos, mesmo que por fatores muitas vezes atípicos, e fiquem em investigações eternas.

As relações pessoais e visão de mundo foram fundamentais para que chegássemos a essas consequências. As relações dos desembargadores do Tribunal Regional Federal do Rio Grande do Sul, com o mundo de Curitiba e como ministro Felix Fischer e Zavascki e posteriormente Fachin. Relações que se sustentam em uma rede que transpassa seus casamentos entre pessoas que dividem poderes, formando casais entre ministros, juízes, promotores. E que se sustentam também na religiosidade católica e modernamente protestante. Um mundo oculto aos olhos que cria laços fortes e que criou uma estrutura que se finge democrática, mas no fundo é uma composição inquisitorial.

Filhos de ministros que se destacam como espelhamento de Moro, como ocorre com o relator do STJ. Uma teia que ao fim usa o direito e a Constituição não para preservar a construção de uma jurisprudência cidadã, mas para edificar uma visão de Estado que se distancia cada vez mais das garantias da Constituição de 1988. Vulgarizam-se prisões para averiguação, a nova prisão temporária, as conduções coercitivas, antes claras, agora travestidas das prisões temporárias. Multiplicam-se prisões preventivas pelo país que de nada têm dos fundamentos da prisão para garantir o processo, mas na realidade são verdadeiras antecipações da pena ou mesmo a criação de penas processuais independentemente do resultado do processo.

Os argumentos jurídicos são meras retóricas para criar e deturpar a Constituição e interpretá-la não como ela é, como essa visão de mundo que não tem nas garantias individuais do cidadão o limite do Estado, mas para desfazer essas garantias e permitir que um grupo de autoridades que é, infelizmente, a maioria do Judiciário, possa exercer o poder prendendo, acreditando que realizam uma missão de limpeza, quando na verdade destroem o que é fundante na nossa frágil democracia, a Constituição de 1988.

A rede judicial das relações familiares, das visões de mundo e das permanências religiosas que ligam juízes, desembargadores, ministros do STJ e ao fim o próprio STF, criaram uma distorção nos afastando da aplicação da Constituição e foram potencializados pela mídia jornalística, também coordenada por grupos familiares ligados à igreja evangélica, ao latifúndio que hoje apoiam o governo Bosonaro e a Rede Globo.

Não percebeu o STF que ao se afastar da estabilidade da construção da Constituição e ao criar novas interpretações como mudando por duas vezes a presunção de inocência, invadindo o Poder Legislativo, criando norma penal como no caso da homofobia, criando julgamentos virtuais que impedem a participação de advogados e criando julgamentos sem debate público, ia desestabilizando o sistema democrático e fomentando os ataques ao próprio STF por *fake news*. Para se defender da ineficiência do sistema que o próprio STF criou majorando os poderes dos estamentos e o clima de ódio que expõe os próprios ministros, acaba o STF mais uma vez assumindo uma investigação penal cujas ordens de busca saem do próprio Supremo.

Lenio Streck em sua sustentação oral no julgamento da presunção de inocência se referiu à ideia de alimentar um monstro pensando que ao fim aquele que alimenta será preservado, quando termina sendo vítima do próprio monstro que ajudou a crescer. Esta é a situação atual.

Este livro pretende contribuir para que possamos entender que só o caminho da legalidade, da constitucionalidade e da democracia pode nos levar a ser um país melhor. Que não podemos nos enganar com os discursos importados que não são aplicados nos países que formularam. Claramente os que traduzem o direito americano "*in the foot of the letter*" podem ver que nos Estados Unidos nenhum ex-presidente foi preso, nenhuma empresa americana foi exposta e atacada e que seu Congresso protege suas empresas. Acreditar que os Estados Unidos estão livres de corrupção e que são um povo puro e que a corrupção mora "do lado de baixo do equador" é uma falsa visão de mundo.

O livro contém, sim, duras críticas e expõe entranhas das relações do poder, das relações familiares, das falsidades, da hipocrisia não só nos tribunais, mas também na própria advocacia, mas também mostra a coragem de advogados, a coragem de ministros em mudar de posição, e de apoiadores da Lava Jato ao despertarem as críticas.

O livro não pretende agradar, mas expor a nu essas idiossincrasias para que possamos, pela exposição, tentar entender como podemos preservar nosso sistema democrático e buscarmos forças para nos desfazermos dessas permanências históricas, construindo um país que respeite as religiões, mas seja laico. Nesse ponto, que possa o Judiciário se formar por servidores que estejam a serviço dos cidadãos, garantir o direito desses perante o Estado, e que cumpram a lei, para si respeitando o teto constitucional em seus recebimentos, e especialmente entendam que não exercem poder emanados de si ou de seus concursos; e assim como a lua, que não tem luz própria, exercem um poder delegado pelo cidadão. E a esse devem servir[418].

---

[418] Em 04.08.2020, a 2ª Turma do STF decidiu que a delação do ex-ministro Antonio Palocci deve ser excluída da ação em que o ex-presidente Luiz Inácio Lula da Silva é acusado de receber propina da Odebrecht. Em seu voto, o Ministro Ricardo Lewandowski entendeu que a juntada, de ofício, após o encerramento da fase de instrução, indicaria que Moro teria agido politicamente, em descompasso com o ordenamento constitucional. O Ministro Gilmar Mendes foi na mesma linha, afirmando que a demora para juntar a delação à ação foi "cuidadosamente planejada" por Moro. Além disso, afirmou que a juntada sem provocação do MP indicativa "da quebra de imparcialidade por parte do magistrado, matéria essa que encontra pendente de apreciação". Posteriormente, em 25.08.2020, desta vez no caso do Banestado, a mesma 2ª Turma concedeu a ordem no RHC 144.615, reconhecendo a parcialidade do então Juiz Sérgio Moro e declarando a nulidade de condenação. Segundo o Ministro Gilmar Mendes "o Juiz ultrapassou em muito a função de mero homologador dos acordos e atuou verdadeiramente como um parceiro do órgão de acusação na produção de provas que seriam posteriormente utilizadas nos autos da Ação". O Ministro ainda complementou confirmando que haveria indícios "que a atuação do juiz foi de fato além da mera verificação das condições de legalidade, regularidade e voluntariedade para a celebração dos acordos, passando a confundir-se com a do próprio órgão acusador".

GLOSSÁRIO

AASP	Associação dos Advogados de São Paulo	CNJ	Conselho Nacional de Justiça
ABRACRIM	Associação Brasileira de Advogados Criminais	CNPJ	Cadastro Nacional de Pessoa Jurídica
AC	Ação Cautelar	COAF	Conselho de Controle de Atividades Financeiras
ADC	Ação Direta de Constitucionalidade	COT	Comando de Operações Táticas
ADI	Ação Direta de Inconstitucionalidade	CPC	Código de Processo Civil
ADPFs	Arguições de Descumprimento de Preceito Fundamental	CPF	Cadastro de Pessoa Física
		CPI	Comissão Parlamentar de Inquérito
AGU	Advocacia-Geral da União	CPP	Código de Processo Penal
AIB	Ação Integralista Brasileira	CRFB	Constituição da República Federativa do Brasil
AP	Ação Penal	CSN	Companhia Siderúrgica Nacional
APAE	Associação de Pais e Amigos dos Excepcionais	DC	Democracia Cristã
BKA	Bundeskriminalamt	DEA	Drug Enforcement Administration
BNDD	Bureau of Narcotics and Dangerous Drugs	DJU	Diário de Justiça da União
BOPE	Batalhão de Operações Policiais Especiais	DOJ	Departamento de Justiça (sigla em inglês do FBI)
CAARJ	Caixa de Assistência da Advocacia do Estado do Rio de Janeiro	DRCI	Departamento de Recuperação de Ativos e Cooperação Jurídica Internacional da SNJ
CEICRIM	Centro de Estudos de Investigação Criminal	EAOAB	Estatuto da Advocacia e da Ordem dos Advogados do Brasil
CF	Constituição Federal		
CGU	Controladoria-Geral da União		
CIA	Central Intelligence Agency	ENI	Ente Nazionale Idrocarburi

GEOPOLÍTICA DA INTERVENÇÃO

FARC — Forças Armadas Revolucionárias da Colômbia

FBI — Federal Bureau of Investigation

FJC — Federal Judicial Center

GAO — Government Accountability Office

HC — *Habeas Corpus*

IAB — Instituto dos Advogados do Brasil

IAPA — Inter-American Police Academy

IBCCRIM — Instituto Brasileiro de Ciências Criminais

IFHC — Instituto Fernando Henrique Cardoso

ILEA — International Enforcement Law Academy

IPA — International Police Academy

JBS — José Batista Sobrinho (fundador do Grupo)

LSD — Lysergsäurediethylamid

MLAT — Mutual Legal Assistance Treaties (Tratado de Assistência Jurídica Mútua)

MP — Ministério Público

MPF — Ministério Público Federal

MS — Mandado de Segurança

NARA — National Archives

NSA — National Security Agency

OAB — Ordem dos Advogados do Brasil

OAS — Durval Olivieri (O), César Araújo Mata Pires (A) e Carlos Suarez (S) (iniciais dos nomes do fundadores da empresa)

ONG — Organização Não Governamental

ONU — Organização das Nações Unidas

OPS — Office of Public Safety

PCdoB — Partido Comunista do Brasil

PDT — Partido Democrático Trabalhista

PF — Polícia Federal

PGR — Procuradoria-Geral da República

PMDB — Partido do Movimento Democrático Brasileiro

PSB — Partido Socialista Brasileiro

PSD — Partido Social Democrático

PSDB — Partido da Social Democracia Brasileira

PSI — Partido Socialista Italiano

PSOL — Partido Socialismo e Liberdade

PT — Partido dos Trabalhadores

PTB — Partido Trabalhista Brasileiro

PUC-RIO — Pontifícia Universidade Católica do Rio de Janeiro

RE — Recurso Extraordinário

RHC — Recurso de *Habeas Corpus*

RMS — Recurso em Mandado de Segurança

S/CT — State's Coordinator for Counterterrorism

SCI — Secretaria de Cooperação Internacional

SNJ — Secretaria Nacional de Justiça

SPEA — Secretaria de Pesquisa e Análise da PGR

STF — Supremo Tribunal Federal

STF — Supremo Tribunal Federal

STJ — Superior Tribunal de Justiça

TCU — Tribunal de Contas da União

TRF — Tribunal Regional Federal

TSE — Tribunal Superior Eleitoral

UERJ — Universidade do Estado do Rio de Janeiro

UFGD — Universidade Federal da Grande Dourados

UFPR — Universidade Federal do Paraná

UFRJ — Universidade Federal do Rio de Janeiro

UFRN — Universidade Federal do Rio Grande do Norte

URSS — União das Repúblicas Socialistas Soviéticas

USP — Universidade de São Paulo

VANTs — Veículos Aéreos Não Tripulados

ÍNDICE ONOMÁSTICO

A

Abraham, Wilson Mirza 151

Abreu, Kátia 252

Adolfo 95, 96, 97, 98

Aécio 250

Aguiar, Ubiratan 53

Alckmin, Geraldo 341

Alemán, Arnoldo 81

Alencar, Otto 253

Alessi 153

Almeida 397

Aloisi, Ugo 180

Alves, Francisco 233

Amaral, Delcídio do 165, 237, 248, 256, 279

Amaral, Sérgio 292

Amoedo, João 341

Anastasia, Antonio 150

Anselmo, Adriano 54

Anselmo, Marcio Adriano 52, 398

Antunez, Marcelo 137

Appio, Eduardo Fernando 115, 325

Aquino, Santo Tomás de 380

Aras 138, 141

Aras, Vladimir 137, 143

Araújo, Ernesto 364

Ardaillon, Danielle 300, 301

Argaña, Luis 79

Argello, Jorge Afonso 194

Ariana 147

Arns, Flavio 153

Arns, Marlus 153

Arthur 346

Assange 78

Assange, Julian 77

Athayde 144

Augusto, Fernando 10,

Aurélio, Marco 119, 120, 176, 177, 178, 179, 185, 193, 222, 229, 235, 239, 241, 242, 249/250, 250, 254, 255, 285, 286, 311, 312, 313, 320, 322, 323, 324, 334

Ávila, Volnei 241

B

Bachelet, Michelle 81

Badaró, Gustavo Henrique 308

Baiano, Fernando 257

Balthazar, Edmundo Luiz Pinto 158

Bandeira, Luciano 426

Bannon, Steve 341, 348

Barata, Jacob 370

Baratta, Alessandro 315

Barbosa Júnior, Ilques 361

Barbosa, Joaquim 308

Barbosa, Ruy 120

Barros, Rodrigo Janot Monteiro de 398

Barroso 108, 175, 184, 225, 322, 358

Barroso, Luís Roberto 177, 178, 250

Barroso, Roberto 193, 250, 286, 322

Bastos, Antonio Figueiredo 151

GEOPOLÍTICA DA INTERVENÇÃO

Bastos, Marcus Vinícius
Reis 253

Bastos, Reis 253

Batista, Joesley 249, 260,
261

Batochio 228, 283, 284,
322, 324

Batochio, José Roberto 248,
313, 315, 417, 425

Batochio, Roberto 320, 321

Beltrame, José Mariano 31

Benjó, Ilana 67

Bergamo, Mônica 287, 333,
350

Berger, Harry 113

Berger, Ralph 393

Bermudez, Antonio C. M.
362

Bernabei, Lynne 392

Bernardo 237, 256, 257

Berwanger, Pedro Luiz 37

Bessias 211, 212

Betini 42

Beto 95, 97

Beviláqua, Clóvis 365

Bigonha, Antônio 349

Bitencourt, Cezar Roberto
87, 88, 217

Bladuell, Hector 140

Blaykey, George Robert 390,
392, 394

Bôas, Villas 357

Boaventura, João Paulo de
Oliveira 414

Bolsonaro 15, 83, 202, 338,
339, 341, 342, 343, 351,
364, 367, 403, 414

Bolsonaro, Eduardo 341,
357

Bolton, John 76

Bonifácio, José 316

Boquinha, João 95

Bottini, Pierpaolo 263

Bottino, Thiago 225

Boulos, Guilherme 341

Braga, Kati de Almeida 291

Branco, Castello 360

Branco, Castelo 407

Brandão, Alessi 237, 258

Brandão, Beno 153, 237

Brandão, Lázaro 291

Brandão, Nuno 269

Brandeis, Louis 191

Brasiliano 95, 96, 97

Brasiliano, Roberto 90, 94

Breda, Adriano 417

Bretas 54, 366, 367, 368,
369, 370, 371, 372, 373,
374, 375, 376, 380, 394

Bretas, Adriano 153

Bretas, Marcelo 368

Bretas, Marcelo da Costa
53, 84

Bretas, Simone Diniz 368,
372

Brewer, Scott 84

Brotero, José Maria de
Avelar 365, 382

Brunoni, Nivaldo 328

Bueno, Pimenta 188

Bukele, Nayib 81

Bumlai 279

Bumlai, José Carlos Costa
Marques 168

Bush 76

Bush, George 47

Bush, George W. 296

Buzan 44

C

Cabral 368

Caiado, Ronaldo 253

Calheiros, Renan 247, 255

Câmara, Arruda 366

Camarotti, Gerson 290

Campos, Francisco 395

Campos, Milton 265

Canabarro, David 352, 353

Cannon, Tania 140

Canônico, Marco Aurélio
367

Canotilho, J. J. Gomes 269

Capiberibe, João 252

Cardoso, Fernando Henrique
60, 207, 270, 290, 300,
302, 400

Cardoso, Maria do Carmo
363

Cardozo, José Eduardo 226,
259, 261

Carlyle 384

Carvalho, Luiz Fernando
Wolff de 399

Carvalho, Luiz Maklouf 371

Carvalho, Marco Aurélio
de 351

Carvalho, Paulo Roberto
Galvão de 398

Castor 284

Castro, Antônio Carlos de
Almeida (Kakay) 425/426

Castro, Maria Helena de 400

Castro, Teixeira de 57

437

Catenacci 130

Catenacci, Rubens 88

Catta Preta Júnior, Carlos Eduardo 150

Catta Preta, José Mauro 150

Cavalcanti, Amaro 234

Cavalcanti, Povina 407

Cavaleiro 36

Cazuza 15

Célios 207

Celso 177, 184

Celso (Min. Celso de Mello) 177, 184

Celsos 207

Cernicchiaro, Vicente 243

Cerveró 239, 259

Cerveró, Bernardo 258

Cerveró, Nestor 138, 140, 237, 256, 257, 258

Cerveró, Nestor Cuñat 194

Cervini, L. Flávio Gomes Raúl 223

Cervini, Raúl 223

Cestaro, Christopher 140

Charles, Roberto Charles de Menezes 421

Chater, Carlos 134

Chater, Carlos Hadib 124, 133

Chicaroni, Hugo 151

Clark, Tom C. 393

Clausewitz 21

Clève, Clèmerson Merlin 405

Clinton 74

Clinton (Fundação) 294

Clinton, Bill 47, 290, 294, 296

Clinton, Hilary 73

Coêlho, Marcus Vinícius Furtado 411

Coelho, Margareth 359

Collor 210, 225, 241, 351, 410

Collor, Fernando 127, 206, 210, 240, 249, 429

Comblin, Joseph 21

Coolidge, C. 75

Cordeiro, Nefi 420

Corrêa, Camargo 291

Corrêa, Luiz Fernando 53,

Correa, Pedro 273

Correa, Rafael 77, 80

Cosso, Roberto 26

Costa 141

Costa, Athayde Ribeiro 398

Costa, Carlos 26, 29, 30, 33, 34

Costa, Carlos Alberto 27, 28, 34, 35,

Costa, Eduardo Horácio da 205

Costa, Flávio Ribeiro da 422

Costa, José Luís 385

Costa, Luiz Fernando da (Fernandinho Beira-Mar) 334

Costa, Paulo Roberto 111, 121, 122, 123, 124, 126, 132, 133, 134, 137, 140/141, 142, 143, 144, 145, 146, 149, 158, 194, 202, 267, 298

Costa, Regina Helena 117, 121, 149, 164

Coutinho, Azeredo 366

Coutinho, Jacinto 217

Crimmins 25

Crimmins, John 24

Crivella, Marcelo 366

Cruz, Rogério 166

Cruz, Rogerio Schietti 196

Cruz, Santa 415

Cunha 210

Cunha, Eduardo 184, 207, 249, 254, 255

Cunha, Eduardo Consentino da 194

Cunha, Godofredo 233

Curió, Sebastião 241

Cypriano, Márcio 291

D

D'Ávila, Domingos Pacheco 406

Da Luz, Ivani Silva 364

Da Mata, Lídice 252

Daciolo (Cabo) 341

Dallagnol 109, 140, 141, 142, 143, 144, 145, 153, 348, 374, 377, 379, 380, 394, 429

Dallagnol, Agenor 400

Dallagnol, Deltan 84, 124, 137, 144, 348, 369, 378, 400

Dallagnol, Deltan Martinazzo 59, 149, 398

Damous, Wadih 334, 411, 414

Daniéis 207

Dantas, Daniel 130, 151, 370

Dantas, Marcelo Navarro Ribeiro 165

Dantas, Ribeiro 164, 165, 166, 167

Darién 36

De Sanctis 126

De Sanctis, Fausto 68, 130, 370

Delcídio 238, 239, 247, 249, 257, 258, 259

Della Giustina, Vasco 67

Deltan 145

Deuteronômio (Bíblia) 371, 373

Dias, Alvaro 341

Dias, Guido 42

Dias, Michelle Gallera 44

Dilma 74, 165, 184, 202, 204, 205, 207, 208, 210, 211, 212, 213, 221, 224, 225, 226, 276, 339, 410

Dino, Flávio 271

Diogo 238, 257, 258

Dipp, Gilson 50

Dirceu, José 169, 338

Dodge, Raquel 337

Doerr, John 295

Dotti, René 299, 304

Dreyfus 259

Duarte, Nicanor 79

Dulce (Irmã) 366

Duque, Renato 142, 143

E

Edson 238, 239, 248, 256, 257, 258, 259

Eduardo III 321

Eduardo, Carlos 150

Eisenhower 20

El Kobrossy, Sleiman Nassim 133

Estevão, Luiz 334

Esteves, André 248, 256, 279

Ettinger, Derek 138

Evaristinho 146

Eychaner, Fred 296

Eymael 341

F

Fachin 193, 245, 249, 254, 263, 264, 273, 285, 301, 313, 323, 325, 332, 406, 431

Fachin, Edson 164, 167, 168, 169, 170, 174, 178, 225, 250, 266, 268, 269, 272, 274, 277, 298, 322, 328, 402

Fachin, Rosana Amara Girardi 402

Falconi, Giovanni 390, 394

Faoro, Raymundo 395

Farias, Cordeiro de 18

Farias, Lindbergh 252

Farias, Paulo César 240

Favreto 330, 358

Favreto, Rogério 325

Feffer, David 291

Felipe 412

Fernanda 97, 98, 261

Fernandes, Fernando 299, 304

Fernandes, Fernando Augusto 9, 299,

Fernandes, Fernando Augusto Henriques 299

Fernandes, Fernando Tristão 9

Fernandes, Florestan 333

Fernandes, Og 67

Fernando 238

Fernando, Carlos 153

Fernando, Sérgio 387

Ferrão (doutor Ferrão) 272

Ferreira, Diogo 248

Ferreira, Manoel Caetano 346

Ferreira, Vitor Hugo Rodrigues Alves 151

FHC 290, 292, 293

Filho, Aloysio Nunes Ferreira 193

Filho, Amerino Raposo 39

Filho, Fernando Paulino da Silva Wolff 399

Filho, João Goulart 341

Filho, Napoleão Nunes Maia 93

Filho, Roberto Ciciliatti Troncon 59/60

Filho, Telmo Candiota da Rosa 403

Fischer 325

Fischer, Felix 164, 165, 166, 167, 170, 298, 328, 404, 431

Fischer, Fernando 404

Fischer, João 404

Fischer, Sônia Maria Bardelli Silva 404

Fitzgerald, Kieran 69

Flores, Francisco 80

Flores, Luciano 398

Floyd, George 15

Fonseca, Beatriz Lessa da 150

Fonseca, Moniky Mayara Costa 362

Fontainha, Fernando 396

Fernando Augusto Fernandes

Fontan, Pia Maria 401

Foucault, Michel 13

Francisco 414

Francisco, Luiz 29

Freitas, Leonardo 141

Freixo, Marcelo 359

Funes, Mauricio 80

Fux 108, 222, 255, 337, 338, 355, 398, 412

Fux, Luiz 191, 250, 277, 286, 322, 350

G

Gabriel, João 405

Gabriel, Ruan de Souza 376

Gallogly, Mark 296

Galloti, Octávio 243

Galvão, Ilmar 132, 241

García, Alan 80

Garisto 30

Garisto, Francisco Carlos 29

Garotinho, Anthony 335

Gates, Bill 294

Gebran 158, 159, 325, 359, 405, 422

Gebran, Antonio 405

Gebran, Daniela 405

Gebran, João 330

Genu, João Claudio 168

Gerdau, Jorge 291

Giacoia, Gilberto 399

Gibson, Dunn & Crutcher (escritório) 139

Gilberto 145

Gilmar 131, 238, 264, 267, 268, 273, 275, 276, 277, 279, 280, 283, 371, 373

Ginzburg, Carlo 383

Gizlene 388

Glenn 109

Goebbels, Joseph 200, 342

Góis, Adolfo 90, 94

Gomes, Abel 66

Gomes, Ciro 341

Gomes, Maria Tereza Uile 123

Gonçalves, Silmara Salamaia 419

Goulart, João 85, 377, 406, 408

Goulart, Mônica Helena Harrich Silva 396

Gracie, Ellen 243, 405

Granero (Transportadora) 289, 300

Granero, Eduardo 302

Granero, Emerson 301, 302, 303

Grau, Eros 87, 88, 93, 130, 307, 326

Grau, Eros Rooberto 326

Greenwald, Glenn 14, 69, 70, 76, 342, 346

Gretzitz 36, 37

Gringas, Kevin 140

Grossi, José Gerardo 315, 316

Guanaes, Nizan 292

Guevara, Che 26

Guilherme, João 405

Gutierrez, Andrade (Construtora) 194, 402

Gyra, Spyro (Conjunto) 372

H

Haddad, Fernando 341, 342

Hage, Jorge 53

Harding, W. G. 75

Hardt, Gabriela 359

Harris, Michael D. Shear Gardiner 294

Hartmann, Rodolfo Kronemberg 60

Hayashi, Felipe 398

Heleno, Augusto 15

Henrique, Fernando 291, 292, 293, 302,

Heredia, Nadine 80

Hillary (Clinton) 294

Hirose, Tadaaqui 63

Hitler 17, 19, 200, 215

Hobbbes 380

Hobbes, Thomas 383

Hoffman, Reid 294

Hoffmann, Gleisi 172

Hoffmann, Gleisi Helena 171

Holmes, Sherlock 13

Hoover, H. 75

Huggins 39, 40

Humala, Ollanta 80

Humberto 147

J

Jair Bolsonaro 54, 209, 343, 366, 389

Janaina 208

Janainas 207

Janene 96

GEOPOLÍTICA DA INTERVENÇÃO

Janene, José 91, 94, 100, 101, 126

Jânio 410

Janot 263

Janot, Rodrigo 253, 260, 262, 293

Jarret, Valerie 297

Jasper, Lance 140

Joana 98

Jobim, Nelson 242, 287

Joesley 259, 262

Johnson, Lyndon 20

José, Luiz 399

Jovelino 292

Jr., George Bush 47

Juca 227, 228, 229

Junior, Joseph Thomas Barret 40

Júnior, Miguel Reale 207

Junior, Orlando Martello 398

Junior, Oswaldo Ribeiro 413, 421

Júnior, Santos 39

Júnior, Sebastião Reis 67, 148, 199

Júnior, Silva 205

K

Karmouchea, Mansour Elias 419

Kati 292

Kennedy, John 20

Kerry, John 76

Kirchner, Cristina 77, 81

Kissinger, Henry 24, 25, 74

Kodama, Nelma 134

Koeck, Adriana 392

Koh, Harold 79

Kruel, Riograndino 39

Kuczynski, Pedro Pablo 80

L

Lacerda, Leopoldo 68

Lacerda, Thiago 371

Lamachia 409, 410

Lamachia, Claudio 210, 408, 411

Laryea, Lorinda 138

Lasry, Marc 295

Last, Davis 140

Laus, Linésio 406

Laus, Victor 161

Laus, Victor dos Santos 406

Laus, Victor Luiz dos Santos 160, 405

Leal, Victor Nunes 174

Lebbos, Carolina 416

Lebbos, Carolina Moura 335

Legendre, Pierre 208

Leimgruber, Luc 144

Leite, Ricardo 256

Lenin [Moreno] 78

Lenio 217, 351

Lenz, Carlos Eduardo Thompsom Flores 332

Leonhart, Michele 31

Lessa, Pedro 120, 233

Lewandowski 184, 193, 226, 255, 284, 333, 336, 337

Lewandowski, Ricardo 89, 131, 163, 168, 169, 172, 177, 185, 235, 265, 274, 285, 313

Lima, Andrey Borges Santos de 149

Lima, Carlos Fernando dos Santos 398, 399

Lima, Jesus Costa 148

Lima, José Carlos de Oliveira 228

Lima, José de Oliveira 226

Lima, Luiz dos Santos 399

Lima, Osvaldo dos Santos 399

Lima, Paulo Ovídio dos Santos 399

Lins e Silva, Evandro 351

Lo Prete, Renata 209

Lobão, Edison 249

Lobato, Monteiro 304

Locke 380

Loures, Rodrigo Rocha 249

Luchete, Felipe 116

Lúcia, Cármen 160, 172, 193, 196, 255, 256, 269, 277, 313, 315, 320, 322, 324, 355, 403, 406, 413, 414

Ludendorff 17, 18

Lugo, Fernando 79

Luís XVI 317

Luis, Geder 202

Lula 13, 77, 173, 184, 193, 200, 202, 205, 206, 209, 210, 211, 212, 213, 221, 224, 228, 229, 256, 259, 271, 273, 276, 286, 287, 288, 289, 292, 298, 299, 300, 303, 304, 311, 313, 314, 323, 324, 325, 327, 330, 332, 333, 334, 338, 339, 343, 345, 346, 347, 350, 354, 357, 358, 359, 369, 376, 379, 403, 404, 409, 412, 416, 425, 430

Fernando Augusto Fernandes

Lula (Instituto) 13, 287, 289

Lustosa, Áurea 298

Luther King, Martin 378

M

Macedo, Edir 367

Macedo, Fausto 273

Macedo, Rafael Greca 399

Machado, Nélio 148, 149, 155

Machado, Nélio 148, 149, 155

Machado, Nélio Roberto Seidl 149

Machado, Sérgio 142, 271

Mackinder 19

Maduro 76

Magalhães, Adriane 413

Magri 242

Magri, Antônio 241

Mahan 19

Maklouf 372

Malafaia 375

Malafaia, Silas 374

Malesherbes, Chrétien Guillaume de Lamoignon 316

Malta, Magno 253

Manafort, Paul 78

Marcio 147

Marena, Erika Mialik 54, 59, 398

Marisa 346

Mariz, Raimundo Cardoso da Costa 42

Marques, Frederico 196

Marshall, Donnie 26

Martello, Letícia Pohl 101

Martello, Orlando 59

Martelo, Olan 153

Martinelli, Ricardo 81

Martins, Cristiano Zanin 315, 316

Martins, Lasier 252

Mattos, Diogo Castor de 398

McNamara (Doutrina) 20

Medeiros, Agenor Franklin Magalhães 329

Medeiros, José 252

Meheidin 96, 97

Meirelles, Henrique 341

Mello, Celso Antonio Bandeira de 11, 225

Mello, Celso de 89, 90, 130, 131, 168, 169, 172, 174, 179, 187, 188, 192, 193, 233, 242, 250, 254, 255, 268, 276, 309, 313, 333, 414, 426

Mello, Fernando Collor de 205

Mello, Patrícia Campos de 341

Mendes 371

Mendes, Gilmar 88, 89, 120, 130, 160, 169, 172, 177, 178, 179, 180, 181, 183, 184, 185, 187, 188, 189, 193, 221, 225, 247, 255, 271, 278, 285, 287, 309, 323, 334, 347, 348, 370, 372, 425

Mendonça, Andrey Borges de 398

Menem, Carlos 81

Mercadante, Aloizio 184

Merkel, Angela 73

Meurer, Nelson 126, 127

Michel 238

Michelle 295

Miguéis 207

Mikalovski, Algacir 55

Miller, Marcelo 138, 260, 262, 285

Miller, Thomas 392

Mineiro, Jovelino 290, 291

Miranda, André Catão de 133

Molina, Otto Pérez 81

Montaigne, Michel de 384

Monteiro, José Marciano 396

Moraes, Alexandre de 15, 120, 141, 250, 286, 322, 350, 354, 355, 358,

Moraes, Evaristo de 145

Morales, Evo 45

Moro 15, 84, 109, 123, 129, 155, 159, 171, 178, 201, 209, 210, 213, 219, 221, 222, 226, 228, 271, 275, 277, 287, 289, 298, 325, 339, 358, 359, 370, 383, 387, 390, 392, 393, 394, 403, 422, 424, 431

Moro, Dalton Áureo 386

Moro, Hildebrando 399

Moro, Odete Starki 385

Moro, Rosângela 399

Moro, Rosângela Maria Wolff de Quadros 398

Moro, Rosângela Wolff 153

Moro, Sérgio 14, 49, 50, 52, 54, 55, 60, 61, 62, 63, 67, 83, 87, 88, 90, 98, 107, 108, 111, 115, 121, 124, 126, 128, 130, 132, 137, 146, 147, 148, 153, 176, 180, 182, 186, 193, 197, 200, 211, 218, 220, 224,

229, 278, 330, 340, 343, 346, 347, 359, 366, 380, 382, 385, 389, 398, 404, 405, 419, 425, 430

Moro, Sérgio Fernando 56, 66, 89, 103, 104, 105, 106, 108, 122, 130, 135, 328, 398

Morrison, Toni 295

Motta, Telmário 249

Moura, Maria Thereza de Assis 199

Mourão (General) 357, 366

Muller, Marcelo 249, 262

Murray, Shailagh 297

Mussi, Jorge 197, 199

N

Nahas, Nagi 101

Nascimento, André 66

Nascimento, Luiz 291

Navarro 325

Navarro, Marcelo 274

Naves, Nilson 217

Nayob, Elaine 140

Neder, Gizlene 365, 382, 407

Neemias (Bíblia) 375

Nepomuceno, Márcio dos Santos (Marcinho VP) 334

Nestor 238

Neto, João Francisco 149

Neto, João Pedro Gebran 160, 161, 328, 330, 340, 405, 423

Neto, Joaquim Cunha 68

Neto, Vladimir 372

Netto, Paulo Luiz 417

Neuwert, Thiago Tibinka 200

Neves 205

Neves, Aécio 202, 204, 249

Neves, Andrea 249

Nguyen, Becky 140

Nieto, Enrique Peña 72

Nixon 76

Nixon, Richard 23, 24, 35

Nogueira, Italo 367

Norberto, Cassio 149

Noronha, Júlio Carlos Motta 398

Nucci, Guilherme de Souza 196

Nunes, Aloysio 184

Nunes, Walter 268

O

Obama 295

Obama 76, 295, 296, 297, 302

Obama, Barack 80, 294, 295

Odebrecht 139, 143, 144, 145, 263, 268, 269, 271, 275

Odebrecht, Emílio 270, 291

Odebrecht, Marcelo 80, 142, 325, 349

Odete 387

Okamotto 200, 220, 289, 299, 305

Okamotto, Paulo 106, 193, 197, 209, 287, 298, 299/300, 300, 301, 302, 303, 304, 347

Oliva, Aloizio Mercadante 192/193

Oliveira, Anthony William Garotinho Matheus de 424

Oliveira, Erico de 54, 58

Oliveira, Renan Antunes de 385

Oliveira, Ricardo Costa de 396

Oviedo, Lino 79

P

Paim, Paulo 249

Palocci 283, 286, 338

Palocci, Antonio 339, 340

Paludo, Januário 142, 398

Parzianello, Sandra 202

Pascal, Blaise 384

Paschoal, Janaina 207, 358

Paula, Igor Romário de 54, 398

Paulsen, Leandro 115, 297, 299, 301, 304, 405

Pedro 97, 216

Pedro II 352

Peixoto, Cunha 65

Peluso, Cezar 240

Pence, Mike 77, 78

Pereira, Rene Luiz 133

Pereira, Silvio 220

Pertence 244

Pertence, José Paulo Sepúlveda 315

Pertence, Sepúlveda 223, 242, 243, 279, 314, 317

Pertence, Zé Paulo Sepúlveda 316

Pessoa, Ricardo 179, 184

Pessoa, Ricardo Ribeiro 194

Pierre, Áurea Lustosa 301

Pimenta, Paulo 334

Pimentel, José 252

Pinheiro Filho, José Aldemário 329

Pinheiro, Leo 228, 229, 288, 289, 302, 303

Pinheiro, Walter 249, 253

Pinto, Paulo Gustavo de Magalhães 36

Pinto, Ronan Maria 220

Pinto, Sobral 14, 111, 113, 321, 408

Piva, Pedro 291

Pizzolatti, João 126, 127

Pizzolatti, Rômulo 325

Poitras, Laura 69

Pombal, Fernando 368

Portillo, Alfonso 81

Póvoa, Hugo 36

Pozzobon, Roberson Henrique 398

Prado, Geraldo 214, 217, 229, 282

Prado, João Procópio Junqueira de Almeida 200

PRC 144

Preta, Catta 151

Pretta, Beatriz Catta 149/150

Pujol, Edson Leal 362

Q

Quadros, Jânio 205, 429

Queiroz, Admar 18

Quintino (shopping) 97

R

Rabelo, Célio 413,

Rangel, Rodrigo 260

Raquel 283, 284

Ratzel 18, 19

Reagan, Ronald 36, 76

Reale 208

Reguffe, José 253

Renan 238, 239

Rendon, José Arouche de Toledo 365, 382

Requião, Roberto 253

Restrepo, Dan 79

Rezek, Francisco 241

Ribeiro, Darcy 354

Ribeiro, Edson 237

Ribeiro, Oliveira 233

Ribeiro, Welt Durães 40

Ricardo (Grupo Espírito Santo) 291

Ricardo (pai de Janaina) 207

Richa, Beto 404

Riera, Sérgio 237, 257

Roberto, Paulo 113, 127, 128, 135, 147, 148, 325

Robertson, Geofrey Ronald 299

Rocha, Cesar Asfor 53

Rocha, Paulo 252

Rocha, Roberto 249

Rodrigues, Carlos Costa 140

Rodrigues, Randolfe 253

Rodrigues, Renata 398

Romano, Alexandre 183, 189

Romário 253

Roosevelt, Theodore 391

Rosa 97

Rosa, Demétrio Pires Weber Candiota da 404

Rosa, Mariana Pires Weber Candiota da 404

Rosas (General) 352, 353

Rotta, Pedro 150, 151

Rousseff 203

Rousseff, Dilma 72, 201, 211, 276, 289, 325

Ruiz, Gustavo 140

S

Saadi, Jaber Makul Hanna 54

Saca, Elías Antonio 80

Sachs, Michael 296

Sanches, Sydney 334

Santa Cruz, Felipe 411, 413, 414, 425, 426

Santana, João 284

Santos 38, 42

Santos, Célio Jacinto 35,

Santos, Juarez Cirino dos 315

Santrich, Jesús 82

Saraiva, Canuto 234

Sarkozy, Nicolas 316

Sarlet, Marinoni e Mitidiero 335/336, 336

Sarmento, Daniel 326

Sarney 187, 238

Sarney, José 271, 293

Saud, Ricardo 260, 261

Scheidler, Joseph 393

Schietti, Rogério 199